W9-DDG-900

Дети Арбата

АНАТОЛИЙ
РЫБАКОВ

РОМАН

МИНСК "ВЫШЭЙШАЯ ШКОЛА" 1988

ББК 84Р7
Р93

Печатается по изданию:
Рыбаков А. Н. Дети Арбата.— М.: Моск. рабочий, 1988— 592 с.

Рыбаков А. Н.
Р 93 Дети Арбата: Роман.— Мн.: Выш. шк., 1988.— 592 с., [1] л. портр.
ISBN 5-339-00281-0.

«Дети Арбата» — книга о столичной молодежи 30-х годов, чья юность проходила в атмосфере культа личности. Автор рассказывает о том, как по-разному проявлялись люди в тяжелых испытаниях.

Р $\frac{4702010200—050}{М\ 304(03)—88}$ БЗ 156—88 **ББК 84Р7**

ISBN 5-339-00281-0

ЧАСТЬ ПЕРВАЯ

1

Самый большой дом на Арбате — между Никольским и Денежным переулками, теперь они называются Плотников переулок и улица Веснина. Три восьмиэтажных корпуса тесно стоят один за другим, фасад первого выложен белой глазурованной плиткой. Висят таблички: «Ажурная строчка», «Отучение от заикания», «Венерические и мочеполовые болезни»... Низкие арочные проезды, обитые по углам листовым железом, соединяют два глубоких темных двора.

Саша Панкратов вышел из дома и повернул налево — к Смоленской площади. У кино «Арбатский Арс» уже прохаживались парами девочки, арбатские девочки и дорогомиловские, и девочки с Плющихи, воротники пальто небрежно приподняты, накрашены губы, загнуты ресницы, глаза выжидающие, на шее цветная косынка — осенний арбатский шик. Кончился сеанс, зрителей выпускали через двор, толпа выдавливалась на улицу через узкие ворота, где к тому же весело толкалась стайка подростков — извечные владельцы этих мест.

Арбат кончал свой день. По мостовой, заасфальтированной в проезжей части, но еще булыжной между трамвайными путями, катили, обгоняя старые пролетки, первые советские автомобили «ГАЗ» и «АМО». Трамваи выходили из парка с одним, а то и двумя прицепными вагонами — безнадежная попытка удовлетворить транспортные нужды великого города. А под землей уже прокладывали первую очередь метро, и на Смоленской площади над шахтой торчала деревянная вышка.

Катя ждала Сашу на Девичьем поле, у клуба завода «Каучук», скуластая сероглазая степная девчонка в свитере из толстой деревенской шерсти. От нее попахивало вином.

— Выпили с девчатами красного. А тебе праздника нет?

— Какой праздник?

— Какой... Покров.

— А...

— Вот тебе и «а»...

— Куда пойдем?

— Куда... К подруге.

— Что взять?

— Закуска там есть. Купи водки.

По Большому Саввинскому переулку, мимо старых рабочих казарм, откуда слышались пьяные голоса, нестройное пение, звуки гармоники и патефона, потом по узкому проходу между деревянными фабричными заборами они спустились на набережную. Слева — широкие окна фабрик Свердлова и Ливерса, справа — Москва-река, впереди — стены Новодевичьего монастыря и металлические переплеты моста Окружной железной дороги, за ними болота и луга, Кочки и Лужники...

— Ты куда меня ведешь? — спросил Саша.

— Куда, куда... Иди, нищему деревня не крюк.

Он обнял ее за плечи, она попыталась сбросить его руку.

— Потерпишь.

Саша еще крепче сжал ее плечо.

— Не бунтуй.

Четырехэтажный неоштукатуренный дом стоял на отшибе. Они прошли по длинному коридору, слабо освещенному, с бесчисленными дверьми по сторонам. Перед последней дверью Катя сказала:

— У Маруси друг... Ты ничего не спрашивай.

На диване, лицом к стене, спал мужчина, у окна сидели мальчик и девочка лет по десяти-одиннадцати, они оглянулись на дверь, поздоровались с Катей. У кухонного столика в углу комнаты, рядом с рукомойником, возилась маленькая женщина, много старше Кати, с миловидным добрым лицом. Это и была Маруся.

— А мы заждались, думали, не придете,— сказала она, вытирая руки и снимая фартук,— думали, загуляли где... Вставайте, Василий Петрович, гости пришли.

Мужчина поднялся, худой, хмурый, пригладил редкие волосы, провел ладонью по лицу, сгоняя сон.

Воротничок его рубашки примялся, узел галстука был опущен.

— Пироги засохли,— Маруся сняла полотенце с лежавших на столе пирогов из ржаной муки.— Этот с соей, этот с картошкой, а тот с капустой. Тома, подай тарелки.

Девочка поставила на стол тарелки. Катя сняла жакет, достала из буфета ножи и вилки, сразу стала накрывать на стол, знала, где что лежит, видно, бывала тут не раз.

— В комнате убери! — приказала она Марусе.

— Заспались после обеда,— оправдывалась та, снимая со стульев одежду,— и ребята бумагу нарезали, подбери бумагу, Витя.

Ползая по полу, мальчик собрал обрезки бумаги.

Василий Петрович умылся под умывальником, подтянул галстук.

Маруся отрезала ребятам по куску от каждого пирога и поставила на окно.

— Ешьте!

Василий Петрович разлил водку.

— С праздником!

— Под столом встретимся! — Катя посмотрела на всех, кроме Саши. Она в первый раз привела его к своим знакомым, пила здесь водку, а с ним пила только красное вино.

— Какого черноглазого себе отхватила! — весело проговорила Маруся, кивая на Сашу.

— Черноглазого и кудрявого,— усмехнулась Катя.

— В молодости волосы вьются, в старости секутся,— объявил Василий Петрович и снова взялся за бутылку. Теперь он не казался Саше хмурым, в его разговорчивости было желание поддержать знакомство. И Маруся глядела на них ласково, понимающе.

Саше было приятно Марусино покровительство, нравился этот дом на окраине, песня и гармошка за стеной.

— Что же вы не едите? — спросила Маруся.

— Ем, спасибо, вкусные пироги.

— Было бы из чего, не такие бы испекла — дрожжей и тех не достанешь. Спасибо, Василий Петрович принес.

Василий Петрович сказал что-то серьезное по поводу дрожжей.

Ребята попросили еще пирога.

Маруся снова отрезала им по куску.

— Думаете, для вас одних наготовлено?! Кончилась ваша гулянка, умывайтесь!

Она собрала их постели и понесла из комнаты, к соседке.

Дети ушли спать. Потом собрался и Василий Петрович. Маруся пошла его провожать. Уходя, сказала Кате:

— Чистую простыню в шкафу возьми.

— Зачем он ей нужен? — спросил Саша, когда за Марусей закрылась дверь.

— Муж бегает от алиментов, ищи его, жить-то надо.

— При детях?

— Голодными лучше сидеть?

— Старый он.

— И она не молодая.

— Что же не женится?

Она исподлобья посмотрела на него.

— А ты на мне чего не женишься?

— Тебе замуж хочется?

— Хочется... Ладно! Давай спать ложиться.

И это было необычно. Каждый раз ему приходилось добиваться ее так, будто они встречаются впервые, а сегодня сама стелит постель, раздевается. Только сказала:

— Свет потуши.

Потом перебирала пальцами его волосы...

— Сильный ты, любят тебя, наверно, девки, только неосторожный,— она наклонилась над ним, заглянула в глаза,— рожу тебе черноглазенького, не боишься?

Рано или поздно это должно было случиться. Ну что ж, сделает аборт, ребенок не нужен ни ему, ни ей.

— Ты беременна?

Она уткнулась головой в его плечо, прижалась к нему, будто искала защиты от несчастий и невзгод своей жизни.

Что он знает о ней? Где она живет? У тетки? В общежитии? Снимает угол? Аборт! Что скажет она дома, какой бюллетень предъявит на работе? А вдруг пропустила сроки? Куда денется с ребенком?

— Если попалась, рожай, поженимся.

Не поднимая головы, она спросила:

— А как малого назовем?

— Решим, времени много.

Она опять засмеялась, отодвинулась от него.

— Не женишься ты, да и не пойду я за тебя. Тебе сколько? Двадцать два? Я и то старше тебя. Ты образованный, а я? Шесть классов... Выйду, только не за тебя.

— За кого же? Интересно.

— Интересно... Парень один, наш деревенский.

— Где он?

— Где, где... На Урале, приедет и заберет меня.

— Кто он?

— Кто... Механик.

— Ты давно его знаешь?

— Сказала ведь, с одной деревни.

— Что же он до сих пор на тебе не женился?

— Не перебесился, вот и не женился.

— А теперь перебесился?

— Теперь ему уже тридцать. У него знаешь какие барыньки были...

— Ты его любишь?

— Ну, люблю...

— А почему со мной встречаешься?

— Почему да почему... Мне тоже жить хочется. Допрашивает, как в милиции, ну тебя!

— Когда же он приезжает?

— Завтра.

— И мы с тобой больше не увидимся?

— На свадьбу позвать?.. Он здоровый, стукнет, и нет тебя.

— Это еще посмотрим.

— Ох, ох...

— Но ведь ты беременна.

— Кто сказал?

— Ты сказала.

— Ничего я тебе не говорила. Сам придумал.

В дверь тихонько постучали. Катя открыла Марусе, снова легла.

— Проводила,— Маруся зажгла свет,— чай пить будете?

Саша потянулся за брюками.

— Чего вы? — сказала Маруся.— Не беспокойтесь.

— Он стеснительный,— усмехнулась Катя,— стесняется гулять со мной, жениться хочет.

— Жениться недолго,— сказала Маруся,— и развестись недолго.

Саша налил в стакан остатки водки, закусил пирогом. В общем-то, он должен быть благодарен Кате за то, что все так благополучно кончилось. Механик этот, наверно, и вправду есть, но не в нем, в сущности, дело. Дело в том, что она опять дразнит его, а он раскис, дурачок. Саша поднялся.

— Ты куда? — спросила Катя.

— Домой.

— Что вы, честное слово,— забеспокоилась Маруся,— спите, утром поедете, а я у соседей переночую, никому не мешаете.

— Надо идти.

Катя смотрела хмуро.

— Дорогу найдешь?

— Не заблужусь.

Она притянула его к себе.

— Останься.

— Пойду. Счастливо тебе.

Хорошая все-таки девчонка! Жаль, конечно. И, если она не позвонит, они никогда больше не увидятся: адреса он не знает, не дает она адреса — «Тетка заругает», даже не говорит, на какой фабрике работает — «Будешь возле проходной отсвечивать».

Раньше она изредка звонила ему из автомата, они шли в кино или в парк, потом уходили в глубину Нескучного сада. Белели под луной парусиновые шезлонги.

Катя отворачивалась. «Чего придумал... Вот пристал тоже...» А потом приникала к нему, губы сухие, обветренные, перебирала шершавыми руками его волосы.

— Я тебя первый раз за цыгана приняла. Возле нашей деревни цыгане стояли, такие же черные. Только кожа у тебя гладкая.

Летом, когда мама была у сестры на даче, она приходила к нему, глаза сердитые, стеснялась сидевших у подъезда женщин. «Пялят зенки. Больше в жизни не приду».

Позвонив, обычно молчала, потом вешала трубку, звонила опять...

— Катя, ты?

— Ну, я...

— Что же не отвечала?

— И не звонила даже...
— Встретимся?
— Где это мы встретимся?..
— Возле парка?
— Придумал... На Девичку приезжай.
— В шесть, в семь?
— Побегу я в шесть...

Все это Саша вспоминал теперь, ждал ее звонка. На следующий день он хотел побыстрее вернуться из института домой — вдруг позвонит. Но остался делать стенную газету к октябрьским праздникам. А потом его вызвали на заседание партбюро.

Свободных мест у двери не было. Саша протиснулся между сдвинутыми рядами стульев, задевая тесно сидящих людей, вызвав недовольный взгляд Баулина, секретаря партбюро, русоволосого крепыша с округлым, простым, упрямым лицом, с широкой грудью, выпирающей под синей сатиновой косовороткой, застегнутой на короткой шее двумя белыми пуговичками. Проследив, как Саша уселся в углу, Баулин снова повернулся к Криворучко:

— Это вы, Криворучко, сорвали строительство общежитий. Объективные причины никого не интересуют! Фонды переброшены на ударные стройки? Вы отвечаете не за Магнитку, а за институт. Почему не предупредили, что сроки нереальны? Ах, сроки реальны... Почему не выполнены? Вы двадцать лет в партии?.. За прошлые заслуги в ножки поклонимся, а за ошибки будем бить.

Баулинский тон удивил Сашу. Заместителя директора Криворучко студенты побаивались. В институте поговаривали о его знаменитой военной биографии: до сих пор носит гимнастерку, галифе и сапоги. Этот сутулый человек с длинным унылым носом, с мешками под глазами никогда ни с кем не вступал в разговоры, даже на приветствия обычно отвечал только кивком головы.

Криворучко опирался рукой на спинку стула, Саша видел, как дрожат у него пальцы. Слабость в человеке, всегда таком грозном, выглядела жалкой. Но материалов для стройки действительно не давали. А сейчас никто не хочет об этом думать. Только Янсон, декан Сашиного факультета, невозмутимый латыш, обращаясь к директору института Глинской, примирительно сказал:

— Может быть, дать еще срок?

— Какой?! — со зловещим добродушием спросил Баулин.

Глинская молчала. Сидела с обиженным видом человека, которого наградили таким негодным заместителем. Поднялся аспирант Лозгачев, высокий, вальяжный, театрально воздел руки.

— Неужели и лопаты отправили на Магнитку? Студенты пальцами ковыряли мерзлую землю? Вот сидит комсорг группы, пусть скажет, как они без лопат работали.

Баулин с любопытством посмотрел на Сашу. Саша встал.

— Мы без лопат не работали. Как-то раз кладовая оказалась закрытой. Потом вернулся кладовщик и выдал лопаты.

— Вы долго ждали? — не поднимая головы, спросил Криворучко.

— Минут десять.

Лозгачев, неудачно призвавший Сашу в свидетели, укоризненно покачал головой, как будто оплошность совершил не он, а Саша.

— Все обошлось? — усмехнулся Баулин.

— Обошлось,— ответил Саша.

— А сколько времени вы работали, сколько стояли?

— Материалов-то ведь не было.

— Откуда ты знаешь об этом?

— Это все знают.

— Напрасно адвокатствуешь, Панкратов,— сурово проговорил Баулин,— неуместно!

Стараясь не глядеть на Криворучко, члены бюро проголосовали за исключение его из партии. Воздержался один Янсон.

Еще больше ссутулившись, Криворучко вышел из комнаты.

— Поступило заявление доцента Азизяна,— объявил Баулин и посмотрел на Сашу, как бы спрашивая: что ты т е п е р ь скажешь, Панкратов?!

Азизян читал в Сашиной группе основы социалистического учета. Однако говорил не об учете, даже не об основах, а о тех, кто эти основы извращает. Саша сказал впрямую, что не мешало бы дать им представление о бухгалтерии как таковой. Азизян, курчавенький, лукавый пройдоха, посмеялся тогда. А теперь обвинял Сашу в том, что тот выступил против марксистского обоснования науки об учете.

— Было? — Баулин смотрел на Сашу холодными голубыми глазами.

— Я не говорил, что теории не надо. Я сказал, что знаний по бухгалтерии мы не получили.

— Партийность науки тебя не интересует?

— Интересует. Конкретные знания тоже.

— Между партийностью и конкретностью есть разница?

Опять поднялся Лозгачев:

— Ну, товарищи... Когда открыто проповедуют аполитичность науки... И потом: Панкратов пытался навязать партийному бюро свое особое мнение о Криворучко, разыгрывал представителя широких студенческих масс. А кого вы, Панкратов, здесь представляете, собственно говоря?

Янсон сидел мрачный, барабанил толстыми пальцами по туго набитому портфелю.

— Вступать в спор с преподавателем не годится. Но «аполитичность науки»...

Глинская повернулась к Баулину:

— Может, передадим в комсомольскую организацию?..

В ее голосе звучала сановная усталость: мелок вопрос, незначительна фигура студента. Лозгачев взглянул на Баулина, ему казалось, что тот должен быть недоволен предложением Глинской.

— Партийное бюро не должно уклоняться...

Это неосторожное слово все решило.

— Никто не уклоняется,— нахмурился Баулин,— но есть порядок. Пусть комсомол обсудит. Посмотрим, какова его политическая зрелость.

На вешалке висело коричневое кожаное пальто... Дядя Марк!

— Погуливаешь?..

Саша поцеловал Марка в гладко выбритую щеку. Пахло от Марка хорошим трубочным табаком, мягким одеколоном, «уютный холостяцкий дух», как говорила мама. Марк выглядел старше своих тридцати пяти лет — полный, веселый, лысеющий дядька. И только острые глаза за желтоватыми стеклами очков выдавали железную волю этого человека, одного из командармов промышленности, почти легендарного, как легендарна его гигантская стройка на Востоке — новая металлургическая база Советского Союза, недоступная авиации врага, стратегический тыл пролетарской державы.

— Думал, не дождусь тебя, заночевал, думаю...

— Саша всегда ночует дома,— сказала мама.

На столе портвейн, розовая любительская колбаса, шпроты, «турецкие хлебцы» — лакомства, которые всегда привозил Марк. Тут же и традиционный мамин пирог, который она пекла в «чуде». Видно, Марк успел предупредить о своем приходе.

— Надолго приехал? — спросил Саша.

— Сегодня приехал, завтра уезжаю.

— Его Сталин вызвал,— сказала мама.

Она гордилась братом, гордилась сыном, больше ей нечем было гордиться — одинокая женщина, брошенная мужем, маленькая, полная, с еще красивым белым лицом и густыми вьющимися седыми волосами.

Марк протянул руку к лежащему на диване свертку:

— Разверни.

Софья Александровна попыталась распутать узел.

— Дай-ка!

Саша ножом разрезал шпагат. Сестре Марк привез отрез на пальто и пуховый платок. Саше — костюм из темно-синего бостона. Немного примятый пиджак сидел отлично.

— Как влитой,— одобрила Софья Александровна,— спасибо, Марк, ему совсем не в чем ходить.

Саша с удовольствием разглядывал себя в зеркале. Марк всегда дарит именно то, что надо. В детстве он повел его к сапожнику, и тот сшил Саше высокие хромовые сапоги, таких ни у кого не было, ни во дворе, ни в школе, тогда он очень гордился сапогами и до сих пор помнил их запах, помнил и острый запах кожи и дегтя в каморке сапожника.

Несколько раз в этот вечер Марка вызывали к телефону. Низким, властным голосом он отдавал приказания о фондах, лимитах, эшелонах, предупредил, что заночует на Арбате, и велел прислать машину к восьми утра. Вернувшись в комнату, Марк покосился на бутылку.

— Ого!

— Пей, товарищ, покуда пьется, горе жизни заливай,— запел Саша любимую песню Марка. От него и услышал ее давно, мальчишкой еще.

— Тише, о тише, все заботы прочь в эту ночь,— подтянул Марк,— так?

— Именно! — Саша запел снова:

Завтра, может, в эту пору
Здесь появится Чека,
И, быть может, в ту же пору
Расстреляем Колчака...

Голос и слух он унаследовал от матери, когда-то ее приглашали петь на радио, но отец не пустил.

Завтра, может, в эту пору
К нам товарищи придут,
А быть может, в ту же пору
На расстрел нас поведут.

— Хорошая песня,— сказал Марк.

— Только поете вы ее плохо,— заметила Софья Александровна,— как хор слепцов.

— Дуэт слепцов,— рассмеялся Марк.

Ему постелили на диване, Саша лег на парусиновой дачке.

Марк снял пиджак, подтяжки, сорочку и, оставшись в нижней рубашке, обшитой по вороту и на рукавах узорной голубой тесьмой, отправился в ванную.

Ожидая его, Саша лежал, закинув руки за голову...

После заседания, сбегая по лестнице, Янсон похлопал его по плечу. Этот единственный добрый и одобряющий жест только подчеркнул пустоту, которую ощутил Саша. Другие делали вид, что торопятся, кто домой, кто в столовую. По дороге к трамвайной остановке, на грязной мостовой развороченного пригорода, его обогнала черная легковая машина. Глинская сидела впереди, повернув голову, что-то говорила сидевшим сзади. И то, как они разговаривали и промчались мимо, не заметив и не думая о нем, опять вызвало ощущение пустоты, несправедливой отверженности.

Глинскую Саша знал еще по школе, видел на заседаниях родительского комитета, ее сын Ян учился с ним в одном классе — мрачный, неразговорчивый малый, интересовавшийся только альпинизмом. Она была женой работника Коминтерна, польский акцент придавал ее категоричным высказываниям оттенок неестественности. И все же казалось, что Глинская не смолчит на бюро, за общежития она отвечает не меньше Криворучко. А она промолчала.

Вернулся Марк, умытый, свежий, вынул из саквояжа одеколон, протерся, лег на диван, поворочался, устраиваясь поудобнее, снял очки и близоруко поискал, куда их положить.

Некоторое время они лежали молча, потом Саша спросил:

— Зачем тебя Сталин вызывал?

— Меня вызывал не Сталин, а вызвали, чтобы передать его указание.

— Говорят, он небольшого роста.

— Как и мы с тобой.

— А на трибуне кажется высоким.

— Да.

— Когда было его пятидесятилетие,— сказал Саша,— мне не понравился его ответ на приветствия, что-то вроде того, что «партия меня родила по образу своему и подобию»...

— Смысл тот, что поздравления относятся к партии, а не к нему лично.

— Правда, Ленин писал, что Сталин груб и нелоялен?

— Откуда ты знаешь?

— Какая разница... Знаю. Писал ведь?!

— Это качества сугубо личные,— сказал Марк,— они не главное. Главное — политическая линия.

— Разве это можно разделить? — возразил Саша, вспомнив в эту минуту Баулина и Лозгачева.

— Ты в этом сомневаешься?

— Как-то не думал. Я ведь тоже за Сталина. Но хотелось бы поменьше славословий — режут ухо.

— Непонятное еще не есть неправильное,— ответил Марк,— верь в партию, в ее мудрость. Начинается строгое время.

Саша усмехнулся:

— Сегодня на своей шкуре испытал.

Он рассказал про заседание партбюро.

— Бухгалтерия?! Тот ли это принципиальный вопрос, по которому...

— Ну, знаешь! Принципиального вопроса можно ждать всю жизнь...

— Пререкаться в аудитории бестактно.

— Меня обвиняют не в бестактности, а в аполитичности. И требуют, чтобы я это признал, понимаешь?

— Если ошибся, можно и признать.

— Ну уж этого они не дождутся. В чем признаваться? Липа!

— У вас директор по-прежнему Глинская?

— Да.

— Она была на бюро?

— Была.

2

Марк Александрович велел шоферу ехать вперед, а сам пошел пешком.

Прозрачное осеннее утро, ровный бодрящий холодок. Торопились на работу служащие, шумная очередь женщин стояла у булочной, молчаливая очередь мужчин у табачного ларька.

Марк Александрович всегда выделял Соню среди других своих сестер, любил и жалел ее, особенно беспомощную сейчас, когда от нее ушел муж. И Сашу любил. За что придрались к мальчику? Ведь он честно сказал, а ему ломают душу, требуют раскаяния в том, чего не совершал. И он тоже уговаривал Сашу покаяться.

Марк Александрович пересек Арбатскую площадь и пошел по Воздвиженке, неожиданно тихой и пустой после оживленного Арбата. Только большая толпа ожидала открытия магазина Военторга и другая, поменьше, жалась возле приемной Калинина. Марк Александрович сел в поджидавшую его машину и по Моховой, Охотному ряду поехал на площадь Ногина, где в бывшем Деловом дворе в громадном сером пятиэтажном здании с длинными коридорами и бесчисленными комнатами помещался Народный комиссариат тяжелой промышленности.

Тысячи людей прибывали в этот дом со всех концов страны, здесь все решалось, планировалось, утверждалось. Как всегда, обход Наркомата Марк Александрович начал не с начальников главков, а с отделов и секторов. И то, что Рязанов, руководитель величайшего в мире строительства, любимец Орджоникидзе, пришел прежде всего к рядовым работникам, было этим работникам приятно: считается с ними, понимает их силу, силу аппарата. И они с охотой занимались его делами, решали их так, как того требовали интересы завода — красы и гордости пятилетки, то есть так, как того хотел Марк Александрович.

Обойдя отделы, он поднялся на второй этаж, прошел несколькими коридорами, опять поднялся по лестнице, спустился по другой и очутился в тихом, малолюдном крыле здания, где находились кабинеты наркома и его заместителей. В приемной, устланной коврами, за столами с телефонами сидели секретарши. Они знали Рязанова, и он без доклада вошел к Будягину.

Будягина, члена ЦК партии, знакомого Сталину еще по ссылке, несколько месяцев назад отозвали из-за границы. Бывшего посла в крупнейшей европейской державе назначили заместителем наркома. Говорили, что отзыв его с дипломатической работы не случаен, Будягиным недовольны. Но на сухощавом черноусом лице Будягина, в его серых глазах под густыми бровями ничего нельзя было прочитать. Эти рабочие интеллигенты, сменившие шинель военного комиссара на посольский фрак, кожанку председателя Губчека на костюм директора треста, всегда олицетворяли для Марка Александровича грозный дух Революции, всесокрушающую силу Диктатуры.

Разговор шел о четвертой домне. Домна должна быть задута к Семнадцатому съезду партии, через пять месяцев, а не через восемь, как предусматривалось планом. То, что хозяйственная целесообразность приносится в жертву политической необходимости, понимали и Марк Александрович, и Будягин. Но такова воля Сталина.

Когда все обговорили, Марк Александрович спросил:

— Вы знаете Сашу Панкратова, моего племянника, он учился с вашей дочкой в одной школе?

— Знаю,— лицо Будягина опять стало непроницаемым.

— Глупая история...

Марк Александрович изложил Будягину суть дела.

— Саша — честный парень,— сказал Будягин.

— Аполитичность бухгалтерии — представляете! Директор у них Глинская, я с ней не знаком, вы ее знаете. Поговорите, если вам не трудно. Жаль парня, затравят. Я могу обратиться к Черняку, но не хотелось бы доводить до райкома.

— Черняк уже не секретарь,— сказал Будягин.

— Как?

— Так...

— До чего же мы дойдем?

Будягин пожал плечами.

— Съезд в январе...— И безо всякой паузы продолжал: — Славный парень Сашка, он бывает у нас. Странно, ничего мне не говорил.

— Он не из тех, кто просит помощи.

— Глинская способна что-то сделать? — усомнился Будягин.

— Не знаю. Но я его не отдам на растерзание. Нельзя калечить ребят, они только начинают жить.

— Такое происходит сейчас не только с твоим племянником,— сказал Будягин.

Марк Александрович спустился в парикмахерскую, постригся и, чего никогда не делал здесь, побрился. И пожалел: парикмахер обрызгал его одеколоном, острый запах ему не понравился. С этим неприятным ощущением чужого, назойливо парфюмерного запаха он прошел в столовую для членов коллегии.

Буфетчица обернулась к нему.

— Товарищ Рязанов, вас просили зайти к товарищу Семушкину.

Он поднялся наверх. Анатолий Семушкин, секретарь Орджоникидзе, сухо с ним поздоровался, выражая недовольство тем, что в нужную минуту Марка Александровича не оказалось под рукой. Семушкин всем говорил «ты», никого не признавал, кроме Серго, и его побаивались не меньше, чем самого Серго. В гражданскую войну он был его адъютантом, с двадцать первого года — секретарем и в Закавказье, и в ЦКК — РКИ, и здесь, в Наркомтяжпроме.

С неподражаемо значительным и по-прежнему недовольным выражением лица Семушкин набрал номер...

— Товарищ Рязанов у телефона...

И передал трубку Марку Александровичу.

...В четыре часа его ждут в Кремле...

Марк Александрович догадывался, что за этим его и вызвали. Но обратный билет ему уже вручили, и он решил, что встреча отменилась. А сейчас через сорок минут он будет у Сталина.

По другому аппарату Семушкин соединился с Бобринским химкомбинатом, там ответили, что Григорий Константинович уехал на площадку. Но Семушкин продолжал звонить, задерживал Марка Александровича, полагая, что лучше опоздать к Сталину, чем идти к нему, не получив указаний Орджоникидзе. Но Марк Александрович так не считал. Семушкин только *вращался* на высшем уровне, он же на этом уровне *действовал*. И секретарское рвение Семушкина не должно ему мешать.

Он был спокоен и невозмутим. Ему мешал только чужой, парикмахерский запах. Нелепо явиться в Кремль, к Сталину, таким *свеженьким*. Он снова зашел в парикмахерскую, вымыл лицо и голову. Парикмахер, оставив сидевшего в кресле клиента, стоял перед ним с полотенцем в руках. Того благодушного Марка Александровича, который полчаса назад шутил с ним насчет лысеющих мужчин, уже не существовало. Властное лицо, особенно теперь, когда он снял очки, казалось беспощадным.

В Троицких воротах Марк Александрович протянул в окошко партийный билет. Окошко захлопнулось, потом снова открылось, за стеклом мелькнул силуэт военного, он наклонился, и только тогда Марк Александрович его разглядел.

— У вас есть оружие?

— Нет.

— Что в портфеле?

Марк Александрович поднял портфель, открыл.

Дежурный вернул ему партбилет с вложенным в него пропуском.

В дверях спецподъезда стояли два бойца с винтовками.

Рассмотрев фотокарточку на партбилете, караульный скользнул по его лицу внимательно-казенным взглядом. Марк Александрович разделся в небольшом гардеробе и поднялся на третий этаж. У дверей кабинета человек в штатском опять проверил его документы.

В большой рабочей комнате сидел за столом Поскребышев. Марк Александрович увидел его впервые и подумал, какое у него грубое, неприятное лицо. Рязанов назвал себя.

Поскребышев провел его в следующую комнату — приемную, показал на диван, а сам вошел в кабинет, плотно прикрыв за собой дверь. Потом вернулся.

— Товарищ Сталин ожидает вас.

Просторный кабинет Сталина был вытянут в длину. Слева висела на стене огромная карта СССР. Справа, между окнами, размещались шкафы с книгами, в ближнем углу стоял на подставке большой глобус, в дальнем углу письменный стол, за ним кресло. Посредине комнаты — длинный стол под зеленым сукном и стулья.

Сталин прохаживался по кабинету и остановился, когда открылась дверь. На нем был френч из защитного, почти коричневого материала и такие же брюки, заправленные в сапоги. Он казался ниже среднего роста, плотный, рябоватый, со слегка монгольскими глазами. В густых волосах над низким лбом пробивалась седина. Сталин сделал несколько легких, пружинистых шагов навстречу Марку Александровичу и протянул ему руку — просто, корректно, но и сознавая значение этого рукопожатия. Потом отодвинул от стола два стула. Они сели. Марк Александрович совсем близко увидел глаза Сталина — светло-карие, живые, они показались ему даже веселыми.

Марк Александрович начал доклад с общего описания строительства. Сталин сразу перебил его:

— Товарищ Рязанов, не теряйте времени. Центральный Комитет и его секретарь знают, где строительство и для чего строительство.

Он говорил с сильным грузинским акцентом. И, как убедился Марк Александрович, был хорошо осведомлен о ходе дела.

— Комсомольцы бегут?

— Да.

— Значит, мобилизовали, чтобы бежали! Сколько убежало?

— Восемьдесят два человека.

Взгляд Сталина был пронзительным, испытующим...

— Покажите справку!

Марк Александрович вынул из портфеля таблицу движения рабочей силы, показал нужную графу.

— Что же вы на себя клевещете, товарищ Рязанов?! Если бы с какого-нибудь завода убежали всего восемьдесят два человека, то директор завода чувствовал бы себя героем.

Он улыбнулся. Вокруг глаз резко обозначилась сетка морщин.

Марк Александрович пожаловался на завод, поставляющий оборудование. Сталин спросил, кто директор этого завода. Услышав фамилию, сказал:

— Неумный человек, все провалит.

Глаза его вдруг стали желтоватыми, тяжелыми, тигриными, в них мелькнула злоба к человеку, которого Марк Александрович знал как хорошего работника, попавшего в трудные условия.

Рязанов перешел к самому щекотливому вопросу — строительству второго мартеновского цеха.

— За год построите?

— Нет, товарищ Сталин.

— Почему?

— Я не технический авантюрист.

И тут же испугался того, что сказал. Сталин пристально смотрел на него. Опять глаза его сделались желтыми, тяжелыми, одна бровь стояла почти вертикально. Медленно, растягивая слова, он произнес:

— Значит, ЦК — технические авантюристы?

— Я не так выразился, извините. Я имел в виду следующее...

Марк Александрович подробно и убедительно доложил, почему вторую очередь мартеновского цеха нельзя закончить в будущем году. Сталин внимательно слушал, прижимая к груди левую руку с зажатой в кулаке трубкой, казалось, что рука плохо разгибается.

— Вы честно сказали. Нам не нужны коммунисты, которые обещают все что угодно. Нам нужны те, кто говорит правду.

Сталин сказал это без улыбки, очень значительно, эти слова предназначались всей стране. Марк Александрович хотел продолжить доклад, но Сталин тронул его локоть.

— Я вас слушал, теперь вы меня послушайте.

Он заговорил о металлургии, о Востоке, о второй пятилетке, об обороне страны. Говорил медленно, четко, тихо, глуховатым голосом, отчетливо, будто диктовал машинистке, говорил вещи, всем известные, но сейчас, произносимые им, они казались новыми и особенно весомыми. Но о четвертой домне не упомянул, как бы не желая вызывать Марка Александровича на возражения, которые бы не принял и которые только бы повредили Рязанову.

— Вы когда уезжаете? — спросил Сталин, вставая.

— Сегодня,— Марк Александрович тоже встал.

— Отложите, если возможно, дня на два. Я думаю, товарищам будет интересно послушать вас на Политбюро.

Ощущение неудобства и тревоги, которые испытал Марк Александрович в разговоре со Сталиным, отступило, осталось только чувство того великого, к чему он прикоснулся. Беспримерное строительство, которое он вел, требовало железной воли. Не будь над ним железной воли Сталина, он не сумел бы проявить и свою. Эта воля была жесткой. Что делать?! Не милосердием совершаются исторические повороты.

В Наркомате знали о разговоре Марка Александровича со Сталиным, и те, кому положено, уже готовили проект решения Политбюро. На вечер и на ночь остались все, кто мог понадобиться: сотрудники главка, машинистки, дежурная буфетчица. Члены коллегии, чья виза требуется на проекте решения, явятся в Наркомат по первому звонку, и утром документы с нарочным будут доставлены в ЦК.

Никто не спрашивал Марка Александровича, что говорил Сталин. Пересказ может что-нибудь исказить. Сталин сам говорит народу то, что считает нужным. Марк Александрович называл сроки, объекты — это и было волей Сталина.

Главное то, что срок окончания строительства второго мартеновского цеха отложен на год. Это предвещало новый, реалистический подход к составлению второго пятилетнего плана: металл — основа всего.

Будягин тоже занимался проектом решения, потом уехал, вернулся в восемь утра и молча завизировал его.

Дружба с Марком Александровичем давала Будягину право спросить о разговоре. Будягин не спросил. Марк Александрович угадывал в нем оппозицию к Сталину. Но не допускал мысли, что это оппозиция политическая. Скорее что-то личное, как бывает между бывшими друзьями, когда дружба кончилась. Может, обида, что отозвали из-за границы и назначили на должность хотя и высокую, но второстепенную, которая, возможно, станет ступенью к должности еще меньшей.

Приехал Орджоникидзе. Вот с кем Марк Александрович чувствовал себя легко. Орджоникидзе мог вспылить, гнев его казался страшным, но всем была известна его отходчивость и человечность. Ему Марк Александрович был обязан своим возвышением — его, директора небольшого южного завода, Серго выдвинул на нынешний высокий пост, сделал первым металлургом страны. Серго умел находить людей, защищал их, давал возможность работать.

Он сидел за громадным письменным столом, усталый человек с мясистым орлиным носом на отечном лице, с поседевшей шевелюрой, густыми, неровно свисающими усами. Верхняя пуговица кителя расстегнута, виднелась сиреневая рубашка, ее воротничок мягко облегал толстую шею. Окна кабинета выходили в узкий переулок, на маленькую старинную церквушку, каких много в старом московском посаде, ограниченном Яузой, Солянкой и Москвой-рекой, и была она, наверно, чем-то примечательна, если оставили ее тут стоять, не снесли с лица земли.

— Молодец!

Похвала относилась и к проекту решения Политбюро, и к тому, что Марк Александрович не растерялся перед Сталиным, понравился ему. Похвала относилась и к самому себе — подобрал хорошего человека и вообще умеет подбирать людей, на которых может положиться в сложных и ответственных ситуациях.

— Рассказывай!

Марк Александрович передал разговор. Орджоникидзе слушал его напряженно, точно пытаясь проникнуть в истинный смысл каждого сталинского слова.

Чем дальше отдалялась встреча Марка Александровича со Сталиным, тем величественнее она ему казалась. Такие встречи бывают раз в жизни. Главным было радостное чувство понимания великого человека, осенившего время своим гением.

— Я не технический авантюрист... Так и сказал? — смеясь, переспросил Орджоникидзе.

— Так и сказал.

— Значит, ЦК — технические авантюристы? — снова со смехом переспросил Орджоникидзе.

— Так и спросил.

Орджоникидзе многозначительно посмотрел на него своими большими, карими, навыкате, глазами.

— В ЦК приедешь к десяти. Доклад пять минут, больше не дадут, учти. Не агитируй за Советскую власть, говори конкретно, что тебе нужно. На вопросы отвечай, реплики — проходи мимо. Не волнуйся, за твоей спиной я!

В комнате докладчиков стоял накрытый стол с большим кипящим самоваром, нарезанными лимонами, бутербродами, минеральной водой. Буфетчика и официантов не было. Вдоль стен и у окон помещались рабочие столики — за ними можно готовить материал.

Вызова ожидали секретари обкомов, наркомы, их заместители и начальники главков, несколько военных, большая группа кавказцев.

Пожилая женщина-секретарь объявляла: «Товарищ такой-то... Пожалуйста на заседание».

Если вызывались несколько человек, она говорила: «Товарищи из такой-то области» или «Товарищи из такого-то наркомата»...

Марка Александровича вызвали по фамилии.

Через комнату, где работали секретари, он прошел в зал заседаний, увидел ряды кресел и людей в креслах. За столом президиума стоял Молотов. Справа от него возвышалась кафедра, слева и чуть позади сидел референт, еще левее стенографистки.

— Товарищ докладчик, пожалуйста, сюда!

Молотов указал на кафедру. На внутренней стороне ее светилось табло «Докладчику пять минут». Против кафедры, над дверью, висели часы, черные с золотыми стрелками, похожие на кремлевские.

Сталин сидел в третьем ряду. Слева до конца ряда места пустовали, так что Сталин мог свободно выйти. Марк Александрович слышал о его привычке расхаживать по кабинету. Но, как и два дня назад, Сталин не вставал и не расхаживал.

Марк Александрович коротко прокомментировал проект решения. Он говорил лаконичным, почти техническим языком, убедительным для людей, привыкших к языку политическому. Подчеркнул досрочный пуск четвертой домны и только вскользь упомянул о задержке второй очереди мартеновского цеха. Второе было важнее первого. Но здесь, сегодня важно подчеркнуть именно то, что подчеркнул Марк Александрович.

— Вопросы? — спросил Молотов.

Кто-то заметил, что в проекте решения, там, где говорилось о поставке леса, нет визы Наркомата лесной промышленности.

Марк Александрович не успел ответить. Вдруг наступила тишина, и в этой тишине Марк услышал голос Сталина:

— Пусть товарищ Рязанов едет на комбинат и дает металл. Было бы неправильно задерживать товарища Рязанова из-за бумажек...

Он говорил не только очень тихо, но отвернувшись в сторону, заставляя всех напрягаться, чтобы услышать его.

— ...Я думаю, мы сумеем получить визы и без товарища Рязанова. Решение продуманное, лишних запросов нету, и в наших силах помочь товарищу Рязанову выполнить задание партии.

Он замолчал так же неожиданно, как и начал.

Больше никто вопросов не задавал.

3

Респектабельный до революции, дом на Арбате оказался теперь самым заселенным — квартиры уплотнили. Но кое-кто сумел уберечься от этого — маленькая победа обывателя над новым строем. В числе победивших был и портной Шарок.

Мальчик в модной мастерской, закройщик, мастер и, наконец, муж единственной дочери хозяина — такова была карьера Шарока. Ее завершению помешала революция: ожидаемое наследство — мастерскую — национализировали. Шарок поступил на швейную фабрику и подрабатывал дома. Но попасть к нему удавалось только по надежной рекомендации — предосторожность человека, решившего никогда не встречаться с фининспектором.

Этот портной был еще статный, умеренно дородный, красиво стареющий мужчина с почтительно достойными манерами владельца дамского конфекциона. Шесть вечеров в неделю стоял он за столом с накинутым на шею сантиметром, наносил мелком линии кроя на материал, резал, шил, проглаживал швы утюгом. Зарабатывал деньги. Воскресенье проводил на ипподроме, его страстью был тотализатор.

Может быть, старый Шарок примирился бы с жизнью, если бы не вечный страх перед домоуправлением, соседями, всякими неожиданностями. Одной из них было осуждение старшего сына Владимира на восемь лет лагерей за ограбление ювелирного магазина. Он и раньше не слишком доверял этому вертлявому уродцу, похожему на мать и, следовательно, на обезьяну. Но довольствовался тем, что Владимир кончил поварскую школу при ресторане «Прага» и приносил домой зарплату. Конечно, сейчас повар не то, что раньше, какие теперь рестораны! Однако для физически слабого и неспособного к учению Владимира профессию выбрали удачно. Живя одним тотализатором, старик не придавал значения тому, что Владимир поигрывает в картишки. Но грабить?! Это не только по советским, это по любым законам — тюрьма.

Младший сын Шарока, Юрий, сдержанный, аккуратный подросток, лукавый и осторожный, выросший на арбатском дворе, вблизи Смоленского рынка и Проточных переулков, рассадников московского жулья и босячества, догадывался о воровской жизни брата, но дома ничего не рассказывал, законам улицы подчинялся с большей охотой, чем законам общества, в котором жил. Он не знал, в чем именно ущемила его революция, но с детства рос в сознании, что ущемила. Не представлял, как бы жилось ему при другом строе, но не сомневался, что лучше. Язвительное слово т о в а р и щ и, ставшее обиходным в их семье для обозначения новых хозяев жизни, он переносил на школьных комсомольцев. Эти заносчивые активисты воображали, будто им принадлежит мир. Когда Саша Панкратов, тогда секретарь школьной комсомольской ячейки, выходил на трибуну и начинал р у б а т ь, Юра чувствовал себя беззащитным.

Он ненавидел политику, единственно приемлемой считал профессию инженера, она могла дать коекакую независимость. Изменил эти планы случай, связанный опять же с арестом брата. Старик Шарок искал защитника, советовался с заказчиками, наконец нашел адвоката, который согласился вести процесс за пятьсот рублей. Сумма огромная, Шарок боялся ее вручать без свидетелей, взял с собой Юрия. Адвокат деньги пересчитывать не стал, открыл ящик стола, небрежно кинул туда пачку. На этом их визит и окончился, но Юрий успел разглядеть картины в золоченых рамах, золотые корешки книг за стеклами шкафов. Такой обстановки он еще не видел.

На улице старый Шарок завистиво вздохнул.

— Живут люди...

Но еще большее впечатление на Юру адвокат произвел в суде. Этот маленький человечек с помятым лицом и холеной бородкой вертел грозным пролетарским судом, как хотел. Так, во всяком случае, казалось молодому Шароку. Адвокат сыпал статьями законов, прибегал к уловкам и ухищрениям, заставил вызвать новых свидетелей, назначить дополнительную экспертизу, язвительно препирался с судьей и прокурором. В руках у мрачного судьи и неумолимого прокурора был закон, но закон пугал их самих — открытие, определившее жизненные планы молодого Шарока. Путь к адвокатуре лежал через вуз, дорога в вуз — через комсомол и завод.

Так в девятом классе Юрий Шарок стал комсомольцем. Сын рабочего, а это высоко ценилось в школе, где учились дети арбатской интеллигенции, он держался независимо, девочки считали — загадочно. Особенно нравился он умным, серьезным, активным девочкам. Им казалось, что они воспитывают его, формируют личность. Для них, чистых, доверчивых, был очень привлекателен этот паренек: красивый и сдержанный.

Потом на заводе Шарок приобрел то, чего ему недоставало раньше,— уверенность. Рабочий! Синяя, всегда чистая спецовка хорошо сидела на его стройной фигуре. Появилась грубоватость, выдаваемая за принципиальность, презрение к сильно интеллигентным, принимаемое за рабочую простоту. Скромный и молчаливый в школе, здесь он часто выступал на собраниях, резонно считая, что умение говорить публично пригодится будущему адвокату.

В институте Шарок ничем не выделялся, однако зарекомендовал себя исполнительным общественником. Он и не хотел выделяться. Газеты были полны сообщениями о вредителях, саботажниках, уклонистах. «Вывести на чистую воду! Беспощадно карать! Мерзавцы! Уничтожить! Добить! Выкорчевать! Вытравить! Стереть с лица земли!» Читая эти слова, эти фразы, короткие и неумолимые, как выстрел, Шарок испытывал страх. Он все хорошо понимал и все трезво оценивал. После института его зашлют в область, в район, в народный суд или прокуратуру. Он и не посмеет заикнуться о том, что хочет стать адвокатом. «Увиливаешь, Шарок!» — вот что ему ответят. Неужели придется отказаться от цели, к которой он так настойчиво стремился?

Отец сшил Юре костюм. Последнего фасона «чарльстон» — длинные широкие брюки и короткий, обтягивающий бедра пиджак с высокими плечами и ватной грудью. Голубоглазый Юра выглядел в нем очень представительно. Отрез купили в торгсине на Тверской.

— В Арбатском торгсине соседи толкутся, разевают голодные пасти,— сказал отец,— в ложке воды утопят, скажут: у Шароков золото припрятано.

Как ни жалел старик золотого браслета и золотых запонок, понимал: чтобы устроиться в Москве на хорошее место, надо быть прилично одетым, отошли, слава богу, кожаные куртки и косоворотки. При всем своем эгоистическом равнодушии к семье и детям, только к младшему Шарок испытывал чувство, похожее на отцовское: видел в нем себя в молодости. А в том, чтобы Юрий остался в Москве, был заинтересован крайне: домоуправление и без того зарится на вторую комнату, выпишется Юрий — отнимут.

— Знакомства, знакомства надо искать,— поучал он Юру.

Однако ни на заводе, ни в институте Юрий не приобрел друзей. Приводить в дом товарищей запрещалось. Родственники были бедны, ничего, кроме обузы, в них не видели, к ним не ходили, у себя не принимали. Свободное время Шарок-отец проводил на бегах, мать — в церкви. На пасху дети получали кусок кулича, на масленицу блины — этим и ограничивались праздники. Старый Шарок в бога не верил, не мог простить ему своего разорения. Еще меньше прощал он это Советской власти. Первого мая и Седьмого ноября работал, как в будни.

Связи со школьными товарищами оказались самыми устойчивыми. Три одноклассника жили с Юрой в одном доме. Саша Панкратов — секретарь комсомольской ячейки школы, Максим Костин — сын лифтерши, товарищи называли его Макс, Нина Иванова — сердобольная комсомолка, воспитывавшая и образовывавшая Шарока. Вместе с Леной Будягиной, дочерью известного дипломата, они составляли в школе сплоченную группу активистов. Собирались у Лены, в Пятом доме Советов. Будягин жил за границей, квартира была в распоряжении ребят. Юра появлялся там, смутно сознавая, что такие связи ему пригодятся. Сегодня это смутное сознание превратилось в реальную надежду. Будягин, отозванный из-за границы и назначенный заместителем наркома тяжелой промышленности, может ему помочь.

С Воздвиженки Юра свернул на улицу Грановского. Здесь, в Пятом доме Советов, здании, выложенном из серого гранита, обитали о н и. В садике, огороженном стрельчатой решеткой, играли и х д е т и. С непроницаемым лицом Юрий ожидал в подъезде, пока старик швейцар звонил Будягиным по телефону. Потом поднялся на третий этаж и нажал кнопку звонка.

Дверь открыла Лена, как всегда, застенчиво улыбнулась ему. Высокий рост заставлял ее чуть наклонять голову с тяжелым клубком черных волос. На прекрасном, матовом, удлиненном лице несколько великоватым казался ярко-красный рот с чуть вывернутыми губами. У Ленки левантийский профиль, сказала как-то Нина. Что такое «левантийский», Юра не знал, но то, что Лена Будягина была самой красивой девочкой в школе, знал хорошо.

С грубоватой фамильярностью старого товарища Юрий притянул ее к себе. Она не отстранилась.

— Ребята пришли?

— Нет еще.

— Иван Григорьевич дома?

По коридору, пахнущему свеженатертыми полами, она провела его в кабинет отца.

— Папа, вот Юра к тебе.

И, пропуская Шарока, улыбнулась ему счастливой преданной улыбкой.

Узкая комната полутемная оттого, что выступ наружной стены наполовину закрывает окно. Книги, газеты, журналы, проспекты, русские и иностранные, лежат на столе, на этажерке, на стульях, на полу. Карта полушарий, испещренная пунктирными линиями пароходных сообщений, висит над кушеткой.

Юра заметил черные цифры трехзначного номера на бюллетене — Будягин закрыл его и отложил в сторону: секретный документ, рассылаемый только членам ЦК и ЦКК. Юра отметил еще заграничную ручку «Паркер», сигареты «Тройка», ботинки на каучуке и пиджак особого покроя, какие шил дипломатам высшего ранга знаменитый Энтин.

— Слушаю,— сказал Будягин спокойно-деловым тоном: привык, что к нему обращаются с просьбами. На его сухощавом черноусом лице под густыми бровями глаза казались еще более глубокими, чем у Лены.

— Институт кончаю, Иван Григорьевич, совправа. А брат сидит...

Из коридора донесся звонок, шум открываемой двери.

— Суд, прокуратура — не пропустят,— продолжал Шарок,— остается хозяйственно-юридическая работа. Хотелось бы на предприятие. До института я работал на Фрунзенском заводе. Знаю людей, производство.

Будягин скользнул по Юрию отстраненным взглядом. Уверен в своем праве руководить другими. Что для него Юра и такие, как Юра? Они привыкли управлять массами, решать судьбы масс.

— Ты к Эгерту зайди. Я скажу ему.

— Спасибо, Иван Григорьевич.

— Брат за что?

— Уголовное. Мальчишка, связался с компанией...

— Старую юстицию мы разогнали,— сказал Будягин,— а новая малограмотна. Нужны образованные люди.

— Я понимаю, Иван Григорьевич,— охотно согласился Шарок,— но ведь не от меня зависит. Органы суда и прокуратуры, а тут брат...

— К Эгерту, к Эгерту зайди,— повторил Будягин,— я позвоню ему. Значит, в юрисконсулы?

Так и сказал — юрисконсулы. Царапнул по сердцу.

И все же цель достигнута. Результат — только он имеет значение. Вот как это делается! Одним трудно, другим все легко. Раньше легко было тем, кто имел деньги, теперь — тем, у кого власть.

Кончено с институтом, со столовой, пропахшей кислой капустой, с ненавистными субботниками, нудными собраниями, вечными проработками, страхом сказать не то слово. Он даже ни разу не появился в институте в новом костюме, не хотел выделяться среди студентов, выклянчивающих в профкоме ордер на брюки из грубошерстного сукна.

Они, конечно, будут заседать, произносить слова, Юра представлял их враждебные лица, угрюмую непробиваемость вожаков. Увиливаешь, Шарок, дезертируешь... А он будет стоять перед ними спокойный, улыбающийся. Что, собственно, случилось? Из-за чего шум? Он возвращается в коллектив, который его вырастил. Раньше там было семьсот рабочих, теперь пять тысяч. Первенец пятилетки! Работа на нем — честь для молодого специалиста. Он сам добивался этого назначения? Почему же сам? Просто не отрывался от завода. И, когда его спросили, хочет ли он после института вернуться обратно, ответил «хочу». А что должен был ответить? Он гордится вниманием к его судьбе, судьбе простого советского человека.

Так он им вмажет. Тут-то они и завиляют. Даже похлопают по плечу: «Давай, мол, Шарок, действуй, давай!»

Он ощутил свою силу, свое превосходство и над теми, в институте, и над этими — здесь, в Пятом доме Советов. Эти властные интеллигенты всегда лишь снисходили к нему. Обратись к Будягину с такой просьбой Сашка Панкратов, Будягин бы ему отказал — работать надо там, куда посылает партия! А тому, кого не уважаешь, можно бросить кусок. И эти ребята, сидящие в просторной столовой, его школьные друзья, тоже никогда не уважали его. И сейчас презирают за то, что он прибегает к помощи Ивана Григорьевича. Пусть думают, что хотят. Быть может, он ходил к Будягину за советом. Как к старшему товарищу. Вот именно, как к старшему товарищу! Впрочем, они не спросят, зачем ходил, деликатные.

— Привет! — сказал Шарок.

— Привет! — ответил за всех Максим Костин.

В отутюженной гимнастерке, до блеска начищенных сапогах, с тщательно причесанными русыми волосами, широкоплечий, румяный, Максим сиял, как положено сиять молодому курсанту, получившему увольнительную на целый день.

Рядом с ним на диване сидела Нина Иванова, приминала пятками наполовину снятые туфли. «Купила бы, дура, номером побольше»,— подумал Шарок. Никогда Нинка не умела одеваться, и в пир, и в мир — в одной кофте. И причесываться не умела, прикрывать надо лоб лошадиный, а не откидывать патлы назад.

Вадима Марасевича он похлопал по плечу. К этому безвредному пустобреху, сынку известного московского врача, Юра относился миролюбиво. Тучный, рыхлый, с толстыми губами и короткими лохматыми, как у рыси, бровями над маленькими мутными глазками, Вадим, развалясь в кресле, рассуждал об Уэллсе.

Маленький Владлен Будягин делал уроки, сидел, разбросав по столу тетради, поджав под себя ноги в длинных коричневых чулках. Лена рассеянно следила за движением пера, которым брат выводил косые буквы, улыбнулась Юре, кивнула — садись...

Вот и вся их к о м п а н и я. Нет только Саши Панкратова.

— Уэллс предсказывает войны, эпидемии, распад США,— говорил Вадим,— а потом власть возьмут ученые и летчики.

— История человечества не фантастический роман,— возразила Нина,— власть берут классы.

— Бесспорно,— снисходительно согласился Вадим,— но интересен ход мыслей: ученые и летчики — рычаги будущей власти, технократия, покорившая пространство.

— Братцы,— сказал Максим,— вооружаться будет Германия, все вооружаются.

— Гитлер долго не продержится,— возразила Нина,— восемь миллионов голосовали за социал-демократов, пять — за коммунистов.

— А Тельмана спрятать не смогли,— вступил в разговор Юра, имея в виду, что пять миллионов, не сумевших сберечь одного, ничего не стоят.

Но никому и в голову не пришло искать в его словах тайный смысл. Слишком они верили сами, чтобы ставить под сомнение веру товарища.

Они могли спорить, ссориться, но были непоколебимы в том, что составляло смысл их жизни: марксизм — идеология их класса, мировая революция — конечная цель их борьбы, Советское государство — несокрушимый бастион международного пролетариата.

— Отучились от конспирации,— сказал Максим.

— Димитров трясет это государство, как грушу,— подхватил Вадим Марасевич,— феерическое зрелище, процесс века!

Он заговорил о процессе Димитрова, о возможности войны, то есть о симптомах ее, понятных ему и непонятных другим. Но здесь хорошо знали Вадима и не дали ему разглагольствовать. Новая бойня? Человечество не забыло мировую войну, унесшую десять миллионов жизней. Нападение на Советский Союз? Разве допустит это мировой рабочий класс? И Россия уже не та. Выдают чугун Магнитка и Кузнецк, пущены Сталинградский, Челябинский и Харьковский тракторные заводы, Горьковский и Московский автомобильные, «Фрезер», «Калибр», «Шарикоподшипник», построены первые советские блюминги.

Их сердца наполнялись гордостью. Вот она, их страна, ударная бригада мирового пролетариата, оплот грядущей мировой революции. Да, они живут по карточкам, отказывают себе во всем, зато они строят новый мир. Когда люди голодны, тучные витрины торгсинов — отвратительное зрелище. Но на это золото будут построены заводы — залог будущего изобилия.

Так они говорили всегда. И все здесь такое, как всегда. Натертые полы, длинный стол под низким абажуром, на столе мармелад — покой устроенного сановного дома. Разливая чай, Ашхен Степановна спрашивает: «Максим, тебе с лимоном?» — и, как всегда, русское имя Максим в устах этой армянки кажется Шароку нарочитым.

И все же? Чего достигли они, которым все доступно? Нина — учительница, Лена — переводчица с английского в технической библиотеке. Максим кончает пехотное училище, будет тянуть армейскую лямку. Они простодушны — вот в чем их роковая слабость. Таковы были мысли Юрия Шарока. Но спросил он следующее:

— Ребята, а где же Саша?

— Не придет,— ответил Максим.

В его коротком ответе Шарок уловил неприятную ему сдержанность комсомольских активистов, знающих то, чего не должны знать другие.

— Что-нибудь случилось?

Лена сказала, что у Саши неприятности и ее отец звонил Глинской.

Несгибаемый Сашка! Вот это номер! Юра пришел в хорошее настроение. Когда его, Шарока, принимали в комсомол, Саша произнес короткое «не доверяю» и воздержался при голосовании. На заводе Шарока определили в ученики к фрезеровщику, а Саша вызвался идти на срочную разгрузку вагонов и на год застрял в грузчиках — стране, видите ли, нужны и грузчики. Хотел поступить на исторический, пошел в технический: стране нужны инженеры. Из того же материала, что и Будягин, недаром тот так его любит. Но что все же произошло? Будь это ерунда, Будягин бы не вмешивался.

— У нас в институте,— сказал Юра,— один парень подал на собрании реплику: «Что такое жена? Гвоздь в стуле...»

— Вычитал у Менделя Маранца,— заметил Вадим Марасевич.

— ...А собрание было по поводу Восьмого марта. Его исключили из института, из комсомола, из профсоюза...

— Реплика была не к месту,— сказала Нина Иванова.

— Всех исключать, кто же останется? — нахмурился Максим.

— Когда исключения становятся правилом, они перестают быть исключением,— сострил Вадим.

Лена Будягина родилась за границей, в семье политэмигрантов. После революции она жила там с отцом-дипломатом и вернулась в Россию, нетвердо зная родной язык. А она не хотела отличаться от товарищей, тяготилась тем, что подчеркивало исключительность ее положения. Была болезненно чувствительна ко всему, что казалось ей истинно народным, русским.

Юрка Шарок, простой московский рабочий парень, независимый, самолюбивый и загадочный, сразу же привлек ее внимание. Она помогала Нине Ивановой его воспитывать, но сама понимала, что делает это не только из интереса общественного. И Юра это понимал. Однако в школе дела любовные третировались как недостойные настоящих комсомольцев. Дети революции, они искренне считали, что отвлечение на личное — это предательство общественного.

После школы Юра, не делая решительных шагов к сближению, искусно поддерживал их отношения на той грани, на которой они установились: иногда звонил, звал в кино или в ресторан, заходил, когда собиралась вся компания. Обняв Лену в коридоре, Юра перешел эту грань. Неожиданно, грубо, но с той решительностью, которая покоряет такие натуры.

Несколько дней она ждала его звонка и, не дождавшись, позвонила сама, просто так, как они обычно звонили друг другу. У нее был ровный голос, она старалась четко произносить окончания слов, обдумывая ударения, и говорила медленно, даже по телефону чувствовалась ее застенчивая улыбка. Но Юра ждал звонка.

— Я сам собирался звонить тебе. У меня на шестое два билета в Деловой клуб. Будут танцы. Пойдем?

— Конечно.

Шестого ноября вечером он зашел за ней. Она вышла к нему в длинном вечернем платье, голубовато-зеленом, с коротким шлейфом. От нее пахло незнакомыми духами, в черных гладких волосах блестела нитка жемчуга — женщина совсем из другой жизни, пронзительно красивая и эффектная. Только улыбка была по-прежнему застенчивая, этой улыбкой она как бы спрашивала Юру: нравится ли она ему и понимает ли, что оделась она так ради него.

Лена открыла дверь столовой.

— Владик, в десять часов ляжешь спать.

— Лягу,— ответил Владлен, мастеря что-то на подоконнике.

Подавая ей пальто, Юра спросил:

— А где твои?

— Папа в Краматорске, мама в Рязани.

— На праздниках?

— Папа на праздник всегда выезжает на заводы, а мама лектор.

Подбирая под пальто длинное платье, она, улыбаясь, сказала:

— Вот в этом и неудобство.

Им повезло. Со двора выезжала машина. Шофер оказался Лене знаком и подвез их до Мясницкой. Пожилой, важный, из тех, кто возит высокое начальство, он был предупредителен к Лене и не замечал Юру. Но Юра не стал задерживаться на этой мысли, думал о том, что Лена одна и после клуба можно зайти к ней. Она сидела рядом с ним на мягком сиденье, ее близость волновала его, но еще больше волновала и пугала мысль, что именно сегодня все может совершиться.

Он встречался с женщинами, но то было совсем другое. Соседская домработница, распутная девчонка во дворе, девчата в деревне, куда он ездил с отцом. С ними было просто, они сами отвечали за себя, здесь он будет отвечать за все, с Будягиным шутить опасно. Другой на его месте женился бы, но что-то пугало Юру, слишком высокий прыжок. И будет ли Лена той женой, которая ему нужна? Ее семью, чуждую и враждебную, он не представлял рядом со своей семьей. Надо подождать. Он не терял надежды стать адвокатом, добиться независимости. Женившись на Лене, он привяжет себя ко всей этой колеснице.

Они остановились у Делового клуба. Юра не знал, как открыть дверь машины. Тогда Лена, перегнувшись через него, открыла сама и, мягко улыбаясь, сказала:

— В этой машине очень неудобные ручки.

Ее попытка сгладить неловкость уязвила Шарока — Лена подчеркнула, что он никогда не ездил в таких машинах. Но он опять взял себя в руки. Холодно взглянув на шофера, вошел вслед за Леной в Деловой клуб. Он будет делать то, что хочет, жить так, как ему нравится. Сейчас ему нравится Лена. Он сидел рядом с ней, ловил направленные на них взгляды, он привык к женским взглядам, но сегодня они были другими, особенными: любопытство к мужчине, которого отметила своим вниманием самая заметная здесь женщина.

Пела Русланова, Хенкин читал рассказы Зощенко. Потом начались танцы. Лена танцевала послушно. Может быть, не так легко, как девчонки на танцплощадках, но сама смеялась над своей неловкостью, доверчиво прижималась к нему.

Она вышла поправить прическу, Юра стоял у колонны, разглядывал собравшихся здесь людей. Командиры промышленности, научные работники, верхи московской технической интеллигенции, те, что работают в наркоматах, трутся возле начальства, получают высокие оклады, премии, отовариваются в закрытых распределителях, ездят в выгодные командировки. Юра хорошо знал, как быстро выдвигаются счастливчики, которые после института попадают в высшие учреждения, и какую лямку тянут те, кого посылают на производство.

Чего достигнет он на заводе? Будет бегать по народным судам, вести ничтожные дела об увольнениях и прогулах, тяжбы о плохом качестве брезентовых рукавиц.

Другое дело — юридический отдел наркомата, главка, треста. Крупные дела, высокие инстанции — Верховные суды Союза и республик. Может пригодиться и для будущей адвокатуры. Но все это потом. Главное — вырваться из общего распределения, а там все уже будет проще.

Стрелка часов показывала одиннадцать. Юра хотел вернуться к Лене до того, как швейцар закроет дверь подъезда.

— Ты не устала? — спросил он.

— Побудем еще,— улыбаясь, попросила Лена.

Был уже час ночи, когда они вышли из клуба. Накрапывал редкий дождик, приятный и освежающий после душного зала. По стеклам уличных фонарей стекали струйки воды, на улице ни одного прохожего. Только в здании ОГПУ светились окна.

Они подошли к ее дому.

— Зайдем, посидим?

То, как просто произнесла она эти слова, поразило Юру.

Он молча последовал за ней. Дверь им открыл тот же старичок швейцар. Не спросил, почему посторонний человек так поздно поднимается к Будягиным. Вышколенный. Ничему не должен удивляться.

Лена зажгла свет в передней, приоткрыла дверь столовой.

— Спит... Посиди у папы, я переоденусь.

Она зажгла в кабинете верхний свет, еще раз улыбнулась Юре и оставила его одного.

Шарок перебрал стопку книг: томик Ленина с заложенными между страниц полосками бумаги, книги по металлургии. «Петр Первый» Алексея Толстого. Не было официальных бумаг, секретных бюллетеней, запрещенных книг, которые дозволено читать им одним, оружия, которое все они имеют,— Юра был убежден, что это браунинг, его удобно носить в заднем кармане. Им овладело желание увидеть что-то запретное, недоступное, прикоснуться к тайне их власти.

В любую минуту может войти Лена, надо торопиться. Он потянул на себя средний ящик стола — заперт, начал дергать боковые ящики, они тоже не открывались. Едва успел откинуться на спинку кресла, когда вошла Лена, в белой кофточке и синей юбке, такая, какой он привык ее видеть.

— Хочешь, я сварю кофе?

Она двигалась рядом с ним, касалась его, улыбалась ему, и, когда, разливая кофе, наклонилась к столу, он увидел ее грудь. Он никогда не был с Леной один ночью, никогда не пил такого кофе, такого ликера.

— Хочешь еще?

— Хватит.

Он пересел на диван.

— Посидим...

С чашкой в руке она тоже пересела на диван. Он взял из ее рук чашку и поставил на стол. Удивленно улыбаясь, она смотрела на него. И тогда с бесцеремонностью уличного парня, прямо глядя в ее испуганные глаза, он притянул ее к себе.

4

Седьмого ноября Саша ждал институтскую колонну на углу Тверской и Большой Грузинской.

Колонны двигались медленно. Над рядами колыхались знамена, транспаранты, портреты... Сталин... Сталин... Сталин... Пожилые мужчины озабоченно дули в трубы, в рядах пели нестройными голосами, танцевали и плясали на асфальте. Громкоговорители разносили звуки и шумы Красной площади, голоса радиокомментаторов, приветствия с Мавзолея, восторженный гул проходящих через площадь демонстрантов.

Институтская колонна показалась часов около двух и сразу остановилась. Ряды смешались. Проталкиваясь сквозь толпу, Саша подошел к своей группе. И тут же поймал направленные на себя настороженно-любопытные взгляды: так смотрят на человека, попавшего в беду. Это не из-за бюро. Это что-то другое.

Но никто ничего не говорил Саше и он не спрашивал. Только приятель его, Руночкин, видно, хотел что-то сказать, но не мог отойти от транспаранта, который нес.

— Стройся! Стройся! — закричали линейные.

Ряды были рассчитаны, Саша встал в конце колонны, там шли студенты других курсов. Со своего места он видел факультетское знамя и транспарант, который на двух палках несли Руночкин и еще один парень. Преодолевая сопротивление ветра, транспарант вытянулся, запрокинулся назад, полотнище перекосилось, потом выпрямилось. Колонна двинулась.

Не доходя до Триумфальной площади, опять остановились. Саша подошел к своей группе, ему навстречу шел Руночкин.

— Стенгазету сняли.

Маленький, кособокий, Руночкин к тому же еще косил глазом и потому, когда говорил, немного отворачивал и наклонял голову.

Сняли стенгазету! За что? Такого еще не бывало.

— Кто снял?

— Баулин. Из-за эпиграмм. Опошление ударничества.

Редактором был Руночкин. Но написать эпиграммы предложил Саша и одну даже сам сочинил, на старосту группы Ковалева: «Упорный труд, работа в моде, а он большой оригинал, дневник теряет, как в походе, и знает все, хоть не читал». Остальные три эпиграммы написала Роза Полужан. На Борьку Нестерова: «Свиная котлета и порция риса — лучший памятник на могилу Бориса»; на Петьку Пузанова — любит поспать; на Приходько — ловчит во время практической езды и ездит больше всех. Не гениально, даже не смешно, но невинно. «Опошление ударничества»!

— В чем опошление?

Руночкин наклонил набок голову.

— В эпиграммах. Почему т о л ь к о на ударников? Я говорю: мы поместили фотографии т о л ь к о ударников, вот и эпиграммы заодно. А почему нет передовой?

Не писать передовую тоже предложил Саша. Зачем повторять то, что будет в других газетах?! Надо выпустить номер веселый, действительно праздничный, чтобы читался, а не висел уныло в коридоре. Ребята с ним тогда согласились. Только осторожная

Роза Полужан выразительно посмотрела на Сашу.

— Лучше напиши передовую и подпиши ее.

— Азизяна боишься?

Так ответил он Розе. И вот что из этого получилось. Еще тянется история с Азизяном, а тут новая. Ладно, отобьемся!

У Страстной площади колонна снова остановилась. Отсюда пойдут без задержек, и линейные тщательно проверяли, нет ли в рядах посторонних, выравнивали, подтягивали колонну, чтобы потом, не останавливаясь, быстрым шагом пройти последний отрезок пути к Красной площади.

К группе подошли Баулин и Лозгачев. На рукаве у Лозгачева красная повязка начальника институтской колонны.

— Панкратов,— Баулин сурово смотрел на Сашу,— не считаешь нужным являться на демонстрацию?

Баулин был не прав. Живущие в городе всегда присоединялись к колонне по дороге. И Баулин не мог знать, кто из тысячи студентов приехал в институт, а кто подошел позже. А вот о Саше узнал, интересовался, подошел, публично зафиксировал Сашин проступок. Несправедливость, тем более унизительная, что Баулин убежден: здесь, на глазах у всех, Саша не посмеет ему возразить.

А почему не посмеет?

— Я на демонстрации, вы меня видите, кажется. Это не гал-лю-ци-на-ция,— ответил Саша с той обманчивой вежливостью, с какой интеллигентные арбатские мальчики разговаривают перед дракой.

— Смотри не зарвись,— только и сказал Баулин. И, не дожидаясь Сашиного ответа, пошел дальше.

Двумя потоками обтекая Исторический музей, колонны вливались на Красную площадь, подтягивались, прибавляя шаг, и по площади уже почти бежали, разделенные сомкнутыми рядами красноармейцев.

Сашина колонна проходила близко от Мавзолея. На трибунах стояли люди, военные атташе в опереточных формах, но никто не смотрел на них, все взгляды были устремлены на Мавзолей, всех волновало только одно: здесь ли Сталин, увидят ли они его?

И они увидели его. Черноусое лицо, точно сошедшее с бесчисленных портретов и скульптур. Он стоял, не шевелясь, в низко надвинутой фуражке.

Гул нарастал. Сталин! Сталин! Саша, как и все, шел, не отрывая от него глаз, и тоже кричал: Сталин! Сталин! Пройдя мимо трибун, люди продолжали оглядываться, но красноармейцы торопили их — не задерживаться! Шире шаг! Шире шаг!

У храма Василия Блаженного колонны смешались, беспорядочная толпа спускалась к Москве-реке, подымалась на мост, заполняла набережные. На грузовики складывали барабаны, трубы, знамена, плакаты и транспаранты. Все торопились домой, усталые, голодные, спешили к Каменному мосту и Пречистенским воротам, к трамваям.

В эту минуту гул на площади достиг высшей точки и, как раскат грома, докатился до набережной — Сталин поднял руку, приветствуя демонстрантов.

После праздников назначили срочное заседание партийного бюро с активом. Собрались в малом актовом зале. На трибуне стоял Лозгачев, перебирал бумаги.

— На факультете,— сказал он,— произошло два антипартийных выступления. Первое — вылазка Панкратова против марксизма в науке об учете, второе — выпуск тем же Панкратовым стенной газеты. Пособниками Панкратова оказались комсомольцы Руночкин, Полужан, Ковалев и Позднякова. Коммунисты и комсомольцы группы не дали им отпора. Это свидетельствует о притуплении политической бдительности.

В праздничном номере газеты,— говорил Лозгачев,— нет передовой статьи о шестнадцатой годовщине Октября, ни разу не упоминается имя товарища Сталина, портреты ударников снабжены злобными, клеветническими стишками. Вот одно из них, кстати, написанное самим Панкратовым: «Упорный труд, работа в моде, а он большой оригинал, дневник теряет, как в походе, и знает все, хоть не читал». Что значит «труд в моде»?..— Лозгачев обвел зал строгим взглядом.— Разве у нас труд «в моде»? Трудом наших людей создается фундамент социализма, труд у нас дело чести. А для Панкратова это всего лишь очередная «мода». Написать так мог только злопыхатель, стремящийся оболгать наших людей. А ведь на прошлом партбюро некоторые пытались обелить Панкратова, уверяли, что его вылазка на лекции Азизяна, защита им Криворучко — случайность.

— Кто это «некоторые»? — спросил Баулин, хотя он, как и все, знал, о ком идет речь.

— Я имею в виду декана факультета Янсона. Думаю, что он не должен уйти от ответственности.

— Не уйдет,— пообещал Баулин.

— Товарищ Янсон,— продолжал Лозгачев,— создал на факультете обстановку благодушия, беспечности и тем позволил Панкратову осуществить политическую диверсию.

— Позор! — выкрикнул Карев, студент четвертого курса, миловидный парень, известный всему институту демагог и подлипала.

— Партийное бюро института,— закончил Лозгачев,— решительно реагировало на вылазку Панкратова и сняло газету. Это свидетельствует о том, что в целом партийная организация здорова. Наше твердое и беспощадное решение подтвердит это еще раз.

Он собрал листки и сошел с трибуны.

— Редактор здесь? — спросил Баулин.

Все задвигались, разглядывая Руночкина. Маленький, косоглазый Руночкин поднялся на трибуну.

— Расскажите, Руночкин, как вы дошли до жизни такой,— проговорил Баулин с обычным своим зловещим добродушием.

— Мы думали, что не стоит повторять передовую многотиражки.

— При чем тут многотиражка? — нахмурился Баулин.— Когда вы выпускали номер, она еще не вышла.

— Но ведь потом вышла.

— И вы знали, какая в ней будет передовая?

— Конечно, знали.

В зале засмеялись.

— Не стройте из себя дурачка,— рассердился Баулин,— кто не дал писать передовую? Панкратов?

— Не помню.

— Не помните.... Вас это не удивило?

Руночкин только пожал плечами.

— А предложение Панкратова написать эпиграммы удивило?

— Раньше мы их тоже писали.

— Вы понимаете свою ошибку?

— Если рассуждать так, как товарищ Лозгачев, то понимаю.

— А вы как рассуждаете?

Руночкин молчал.

— Дурачка строит! — выкрикнул опять Карев.

Баулин посмотрел в бумажку.

— Позднякова здесь?

Улыбаясь, хорошенькая Позднякова поднялась на трибуну.

— Что я могу сказать? Саша Панкратов решил передовой не писать, а ведь он комсорг, мы должны его слушаться.

— А если бы он вам велел прыгнуть с пятого этажа?

— Я не умею прыгать,— ответила Надя,— и я думала...

— Вы ни о чем не думали,— перебил ее Баулин.— Или вам нравится, когда так издеваются над ударниками учебы?

— Нет.

— Почему не возразили?

— Они бы меня не послушали.

— А почему не пришли в партком?

— Я...— Позднякова поднесла платок к глазам.— Я...

— Хорошо, садитесь! — Баулин опять посмотрел в бумажку.— Полужан!

— Нечего их слушать, пусть Панкратов отвечает! — крикнули из зала.

— Дойдет очередь и до Панкратова. Говорите, Полужан!

— Все случившееся я считаю большой ошибкой,— начала Роза.

— Ошибки бывают разные!

— Я считаю это политической ошибкой.

— Так и надо говорить сразу, а не когда тянут за язык.

— Я это считаю грубой политической ошибкой. Я только прошу принять во внимание, что я предлагала написать передовую.

— Вы думаете, это вас оправдывает? Вы умыли руки, хотели себя обезопасить, а то, что такая пошлятина будет висеть на стене, вас не волновало? Вы сами писали эпиграммы?

— Да.

— На кого?

— На Нестерова, Пузанова и Приходько.

— Один — обжора, другой — сонная тетеря, третий — жулик. И это вы считаете прославлением ударничества?

— Это моя ошибка,— прошептала Роза.

— Садитесь!.. Ковалев!

Бледный Ковалев вышел на трибуну.

— Я должен честно признать: когда шел сюда, мне не была полностью ясна политическая суть дела, казалось, что это шутка, глупая, неуместная, но все же шутка. Теперь я вижу, что мы все оказались орудием в руках Панкратова. Правда, я настаивал на передовой. Но, когда речь зашла об эпиграммах, смолчал: эпиграмма писалась на меня и мне казалось, что, если я буду возражать, ребята подумают, что спасаю себя от критики.

— Постеснялся? — усмехнулся Баулин.

— Да.

— Ковалев сразу пришел в бюро и честно рассказал, как все было,— заметил Лозгачев.

— Лучше бы он пришел до того, как повесили газету,— возразил Баулин.

Поднялся Сиверский, преподаватель топографии. Саша никак не предполагал, что он член партии. Этот молчаливый человек с военной выправкой, в синих кавалерийских галифе и длинной белой кавказской рубашке казался ему бывшим офицером царской армии.

— Ковалев! Вы стеснялись возражать против эпиграмм на себя?

— Да.

— Почему же вы не возражали против эпиграмм на других?

— Демагогический вопрос! — раздался голос Карева.

— Запутывает дело! — крикнул еще кто-то.

Баулин обвел рукой зал.

— Слышите, товарищ Сиверский, как собрание расценивает ваш вопрос?

— Я хотел сказать молодому человеку Ковалеву, что ему не стоило бы так начинать жизнь,— спокойно произнес Сиверский и сел.

— Вы можете выступить в прениях,— ответил Баулин.— А сейчас послушаем главного организатора. Панкратов, пожалуйста!

Саша сидел в заднем ряду, среди студентов с других факультетов, слушал, обдумывал, что ему сказать. От него ждут признания ошибок, хотят услышать, как он будет раскаиваться, чем будет оправдываться.

Жалел ли он о том, что произошло? Да, жалел. Мог не пререкаться с Азизяном, мог выпустить газету так, как ее выпускали всегда. И не получилось бы тогда всей этой истории, которая так неожиданно и нелепо ворвалась в его жизнь и в жизнь его товарищей. И все же надо выстоять, отстоять ребят, заставить выслушать себя. Здесь не только Баулин, Лозгачев и Карев, здесь Янсон, Сиверский, здесь его товарищи, они сочувствуют ему.

Зал притих. Те, кто вышел покурить, вернулись. Многие встали со своих мест, чтобы лучше видеть.

— Мне предъявлены тяжелые обвинения,— начал Саша,— товарищ Лозгачев употребил такие выражения, как политическая диверсия, антипартийное выступление, злопыхательство...

— Правильно употребил! — крикнул из зала, наверно, Карев, но Саша решил не обращать внимания на выкрики.

Баулин постучал карандашом по столу.

— Доцент Азизян в своих лекциях не сумел сочетать теоретическую часть с практической и тем лишил нас знакомства с важными разделами курса,— продолжал Саша.

Азизян вскочил, но Баулин движением руки остановил его.

— О стенгазете. Прежде всего я, как комсорг, полностью несу ответственность за этот номер.

— Какой благородный! — закричали из зала.— Позер!

— Именно я сказал, что передовой не надо, именно я предложил поместить эпиграммы и сам написал одну из них. И ребята это могли рассматривать как установку.

— Установку? От кого вы ее получили? — пристально глядя на Сашу, спросил Баулин.

В первую минуту Саша не понял вопроса. Но, когда его смысл дошел до него, ответил:

— Вы вправе задавать мне любые вопросы, кроме тех, что оскорбляют меня. Я еще не исключен.

— Исключим, не беспокойся! — крикнули из зала. Уж это-то точно Карев.

— Дальше. Передовую не написали потому, что не хотелось повторять того, что будет в нашей многотиражке и факультетском бюллетене. Там более квалифицированные журналисты...

— Судя по эпиграмме, ты даже поэт,— насмешливо сказал Баулин.

— Писака! — крикнули из зала.

— Я допустил ошибку,— продолжал Саша,— передовую надо было написать. Теперь об эпиграммах. В них самих нет ничего предосудительного. Ошибка в том, что их поместили под портретами ударников. Это исказило смысл.

— Зачем поместили?

— Думалось повеселить ребят в праздник.

— Весело получилось, ничего не скажешь,— согласился Баулин.

Все засмеялись.

— Но,— продолжал Саша,— обвинения в политической диверсии я отвергаю категорически.

— Скажите, Панкратов, вы обращались к кому-нибудь за содействием? — спросил Баулин.

— Нет.

Баулин посмотрел на Глинскую, потом на Сашу.

— А к заместителю наркома Будягину?

— Нет.

— Почему же он просил за вас дирекцию института?

Саше не хотелось называть Марка, но выхода не было.

— Я рассказал об этом Рязанову, моему дяде, а он, по-видимому, Будягину.

— По-видимому...— насмешливо повторил Баулин.— Но ведь Рязанов на Востоке.

— Он приезжал в Москву.

— Рязанов случайно в Москве, вы случайно ему рассказали, он случайно рассказал Будягину, Будягин случайно позвонил Глинской... Не слишком ли много случайностей, Панкратов? Не честнее было бы прямо сказать: да, я искал обходные пути.

— Я объяснил, как было в действительности.

— Выкручивается! Неискренне! Нечестно!

К Кареву присоединились еще несколько крикунов.

— Больше вам нечего сказать?

— Я все сказал.

— Садитесь.

Саша сошел с трибуны.

— Кто хочет выступить? — спросил Баулин.

— Янсона! Янсона! Пусть Янсон скажет!

Янсон с сердитым лицом поднялся на трибуну.

— Товарищи, вопрос, который мы обсуждаем, очень важен.

— Это мы и без тебя знаем,— закричали из зала.

— Но следует отделить объективные результаты от субъективных побуждений.

— Это одно и то же!

— Не философствуй!

— Нет, это не одно и то же. Но позвольте мне довести свою мысль до конца...

— Не позволим! Хватит!

Опять поднялся Сиверский.

— Товарищ Баулин, призовите к порядку дезорганизаторов. В такой обстановке невозможно работать.

Баулин сделал вид, что не слышал замечания.

— Панкратов занял позицию аполитичную и, следовательно, обывательскую,— упрямо продолжал Янсон.

— Мало! Мало! — закричал Карев.

— Подождите, товарищи,— поморщился Янсон,— выслушайте...

— Слушать нечего!

— Чтобы назвать эти выступления антипартийными, назвать их политической диверсией, мы должны найти у Панкратова преднамеренность. Только при наличии умысла...

— Не виляй!

— О себе скажи, о своей роли!

— Итак, хотел ли Панкратов нанести вред делу партии? Я думаю, что сознательного намерения не было.

— Примиренец! Замазывает!

— Товарищ Янсон,— сказал Баулин,— вас просят рассказать о собственной роли в случившемся.

— Никакой моей роли нет. Я газету не выпускал и санкции на ее выпуск не давал. Доцент Азизян обратился не ко мне, а к вам.

— А почему вы не сняли газету? — спросил Баулин.

— Наверное, вы ее увидели первым.

— А почему вы не увидели? Вам ближе, кажется?

Янсон пожал плечами.

— Если вы придаете этому значение...

— Достаточно! Хватит!

Янсон постоял, опять пожал плечами и пошел на свое место.

Баулин не вышел на трибуну, говорил из-за стола президиума. Повесил только пиджак на спинку стула, остался в косоворотке. Он уже не улыбался, не усмехался, рубил категорическими фразами:

— Панкратов рассчитывал на безнаказанность. Рассчитывал на высоких покровителей. Был уверен, что партийная организация спасует перед их именами. Но для партийной организации дело партии, чистота партийной линии выше любого имени, любого авторитета...

Он выдержал паузу, рассчитанную на аплодисменты. В двух-трех местах раздались недружные хлопки, и Баулин, делая вид, что не дает себе аплодировать, продолжал:

— Стыдно смотреть на комсомольцев Руночкина, Позднякову, Полужан, Ковалева. И это без пяти минут инженеры, советские специалисты. Вот каких беззубых, политически беспомощных людей воспитал товарищ Янсон. Вот почему они так легко становятся игрушкой в руках классового врага. Вот в чем мы обвиняем Янсона. Вы, Янсон, создали почву, благодатную для Панкратовых... Даже здесь вы пытаетесь его выгородить. И это настораживает.

5

Юра требовал, чтобы Лена сохраняла их отношения в тайне: он любит ее, она любит его — больше ничего им не нужно. Именно поэтому он избегает ее родителей, ее дома, ее знакомых. Лена уступала, боясь задеть его самолюбие.

Отец не разрешал ему приводить в дом девушек, но дочь народного комиссара — шутка сказать! Такой у Юрия не было. Старики относились к Лене сдержанно: ходит к Юрию девушка, и ладно, дело молодое, сойдутся характерами — поженятся, не сойдутся — разойдутся. В этом смысле они держались на уровне века. А если поженятся, то должна будет почитать свекра и свекровь: хоть и наркомовская дочь, а пусть спасибо скажет, на таких, кто до свадьбы ложится в постель, не больно-то женятся.

Но Лена эту сдержанность расценивала как проявление достоинства. Родители Юры тоже казались ей необыкновенными. Отец — красивый, представительный мастер, мать — богомольная старуха, патриархальный уклад жизни — совсем другой мир, народный, простой, настоящий.

Иногда они обсуждали письма Владимира с Беломорканала, письма заключенного уголовника, с «дорогим папашей», «дорогой мамашей», «дорогим родным братом Юрием», со слезливой тюремной поэзией о загубленной мальчишеской доле, о мечте «пташкой легкой полететь». Юра морщился, видно, стесняясь Лены, а ее умиляли хмурое внимание отца, грустная озабоченность матери, стойкость, с какой Юра переносил эту сложность своей биографии.

Ей нравилось все: их непритязательная пища, то, как отец оттирает от мела руки, стряхивает с пиджака нитки, садится за стол со степенностью рабочего человека, для которого обед в кругу семьи — награда за тяжелый труд, нравилось, что именно ему мать кладет первый кусок — он кормилец, второй кусок — Юре, он мужчина, работник, третий — Лене, она гостья, а уж что останется — ей, матери, она при кухне, всегда будет сыта. Семья, спаянная, дружная, не похожая на ее семью, где каждый жил своей жизнью и где неделями не видели друг друга.

Иногда она ходила с Юрой в «Метрополь» послушать Скоморовского, в «Гранд-отель» — Цфасмана. Лена отстояла свое право тратить деньги наравне с ним, она работает, получает зарплату, не принимать ее доли не по-товарищески. Юра снисходительно согласился. Ему льстило, что такая красавица тратится на него, льстила предупредительность официантов. За соседними столиками сидели красивые женщины и хорошо одетые мужчины, играл джаз, в «Метрополе» тушили свет, разноцветные прожекторы освещали в середине зала фонтан, вокруг которого танцевали. Юра улыбался Лене, сжимал ее руку, ему нравилось, что все обращают на них внимание.

Она уходила от него поздно ночью, разреши он, не уходила бы совсем. Ворота запирались на ночь, она звонила, выходил заспанный дворник, каждый раз подозрительно оглядывал ее, она совала ему рубль и выбегала на улицу. Каблучки ее гулко постукивали по тротуару ночного Арбата. Дома опять отметят ее поздний приход, обо всем догадываются, но ни о чем не спрашивают. Отец не любит Юру, говорит о нем насмешливо, даже презрительно. В конце концов, это его личное дело. Она привязана к семье, но, если понадобится, уйдет из дома, не задумываясь.

В начале декабря Юру вызвали в Наркомюст. В отделе кадров, в большой комнате со многими столами, за которыми, однако, никто не сидел, его приняла средних лет женщина, рыжеватая, узкогрудая, с мелкими подвижными чертами лица. Она назвалась Мальковой, показала Юре на стул против своего стола.

— Кончаете институт, товарищ Шарок, предстоит распределение, хотелось бы поближе познакомиться. Расскажите о себе.

Чтобы его не взяли в органы суда и прокуратуры, Юре следовало предстать перед Мальковой в неблагоприятном свете. Но действовали инерция самосохранения, годами выработанное правило выглядеть безупречным, ни в чем не запятнанным, скрывать все, что может скомпрометировать. Юра рассказал о себе так, как рассказывал всегда: сын рабочего швейной фабрики, сам в прошлом токарь, комсомолец, взысканий не имеет. Есть и сложность — брат судим за воровство. Упоминание об этой сложности, как ему казалось, придало только искренность его рассказу.

Малькова внимательно слушала, курила, потом, потушив окурок о дно пепельницы, спросила:

— Как же вы, комсомолец, упустили брата?

— Когда его посадили, мне было шестнадцать лет.

— В революции шестнадцатилетние командовали полками.

Малькова сказала это так, будто сама командовала полком в шестнадцать лет. Может, и командовала?! Держится, как солдат, худющая, в кожаной куртке, с папиросой в зубах... Ну и что же! Все, что ли, должны командовать? Полков не хватит! И от этой рыжей воблы зависит, пошлют ли его на завод или загонят куда-нибудь к черту на кулички. В институте поговаривают, что весь выпуск распределяют в Западную и Восточную Сибирь.

Юра улыбнулся.

— Брат намного старше меня, как я мог на него влиять?

Малькова просмотрела бумаги на столе, достала нужную.

— Главхимпром затребовал вас на хозяйственно-юридическую работу. Чем это вызвано?

— До института я работал на химическом заводе, им нужен юрист. Связи с заводом я не терял, вот они и запросили.

Малькова нахмурилась.

— Все хотят остаться в Москве. А кто будет работать на периферии? В органах суда и прокуратуры?

Медленно, обдумывая каждое слово, Юра сказал:

— Для работы в органах суда и прокуратуры нужно доверие, нужна безупречная репутация. Когда брат — заключенный, этого доверия может не быть.

— Для работы в органах суда и прокуратуры надо быть прежде всего настоящим советским человеком,— наставительно произнесла Малькова,— разве история с братом этому мешает?

— Но вы сами спросили: почему я упустил брата? Кроме того, я думаю, что и в промышленности нужны грамотные юристы.

Вставая, Малькова сказала:

— Я доложу ваше дело начальнику главка, а потом комиссия по распределению все решит.

Юра тоже встал.

— Я готов работать там, куда меня пошлют.

— Еще бы,— усмехнулась Малькова,— вы получали стипендию, ее надо отработать.

— Безусловно, я хочу остаться в Москве,— внушительно сказал Шарок,— здесь мои отец и мать, люди пожилые, больные, а я, по существу, единственный сын. Но это,— он показал на бумагу, лежащую на столе,— инициатива завода. Им нужен юрист, знающий химическое производство.

— У всех, кто хочет остаться в Москве, находятся веские доводы,— сказала Малькова,— и у всех вот такие солидные запросы.

Она помолчала, потом неожиданно добавила:

— А вот партийная организация института рекомендует вас на другую работу. Между прочим, тоже в Москве.

— Мне об этом ничего не известно... А где именно?

Она уклончиво ответила:

— Есть вакансии... В прокуратуре, например. Но вы ведь предпочитаете завод?

— Да, я предпочитаю завод. Там я работал, вырос, оттуда меня послали учиться. Заводу я обязан очень многим.

Достоинство, с которым Юра это произнес, смягчило Малькову.

— Мы учтем и ваше желание, и запрос Главхимпрома. В общем, комиссия вынесет свое решение.

От такой бабы зависит его судьба! Сама небось только явилась из какого-нибудь Орехово-Зуева, а его, коренного москвича, готова заслать, куда Макар телят не гонял. Правильно говорит отец: «Понаехала в Москву деревня, куда, спрашивается, городским деваться?» Еще подначивает: вас рекомендуют для работы в Москве, в прокуратуре. Врет, наверно... А может, и не врет... У него жилплощадь в Москве, а это они учитывают...

Даже если его действительно рекомендовали, то это еще не значит, что его возьмут. Спросят: почему брат — уголовник? В настоящей рабочей, пролетарской семье не должно быть уголовников! Значит, семья не та, с червоточинкой семья-то. Разве нет других, проверенных, с в о и х?!

Созданный его мальчишеским воображением романтический образ независимого адвоката потускнел со временем. Практика в судах показала обратную сторону медали. Он видел знаменитых адвокатов не только в их блистательных выступлениях, но и в суетне, грызне, погоне за гонораром, видел, как заискивают они перед секретаршами в суде, как за пятерку вдалбливают в юридических консультациях советы бестолковым старухам, знал цену их роскошным домашним кабинетам, после ухода клиентов превращаемым в столовые и спальни. И все же только эта жизнь его привлекала.

Но странное дело! Мысль, что в и н с т а н ц и я х откажутся от него, задевала: им опять пренебрегут. С в о и м уготованы высокие должности, а он, послушный исполнитель, будет выполнять черную работу. В лучшем случае, ему бросят подачку, отпустят на завод, в ю р и с к о н с у л ы, как презрительно выразился Будягин.

О вызове в Наркомат Шарок никому не рассказал. Но от Лены не ускользнула его обеспокоенность.

Они сидели в театре, сумели наконец попасть на «Негра».

— Чем ты озабочен?

Она смотрела на него своим глубоким, любящим взглядом.

Он улыбнулся, скосил глаза на соседей: не мешай.

Дома, лежа на его руке, она снова спросила, что его тревожит. Он ответил, что ничего особенного, просто осложняется отзыв его на завод.

— Если хочешь, я поговорю с папой,— предложила Лена.

— Иван Григорьевич сделал все, что мог.

Она не настаивала, понимала, что отец не сделает больше того, что сделал.

— Вчера к нам приходил Саша, жалко его,— сказала Лена.

— А что такое?

— Ты разве не знаешь? Его исключили из комсомола и института.

Он приподнялся на локте.

— Первый раз слышу.

— Ты не видел его?

— Давно не видел.

Юра говорил неправду, видел Сашу совсем недавно, но тот ничего ему не сказал. И Юра не хотел говорить этого Лене.

— Из-за этой истории, из-за преподавателя по учету?

— Да. И потом из-за стенгазеты.

— А что он написал в стенгазете?

— Стихи какие-то.

— Разве он пишет стихи?

— Написал или поместил чьи-то. Он торопился, толком ничего не рассказал и ушел. Жалко его очень.

Саша Панкратов исключен! Так верил человек, а его тряханули! Активист, твердокаменный, несгибаемый — теперь и он загремел. Даже Будягин не помог. Дядя, Рязанов, знаменитый человек! Страшновато. Уж если Сашку...

Кто же поможет ему, Шароку, если с ним что-нибудь случится? Отец — портной? Брат — уголовник? Он не лезет во все дырки, как Сашка, и все же... Зря он отказался от прокуратуры, там бы его никто не тронул, там бы он сам тронул кого угодно, уж у него бы никто не вывернулся...

На другой день Юра в воротах столкнулся с Сашей.
— Привет!
— Здравствуй!
— Я слыхал, у тебя неприятности в институте?
— От кого слыхал?
— Видел Лену.
— Все уладилось,— хмуро ответил Саша.
— Да? Ну, прекрасно,— Шарок не скрывал усмешки.— Быстро тебе удалось восстановиться.
— Удалось. Бывай!

6

«Все уладилось». Так же, как Юре, Саша отвечал всем, не хотел, чтобы хоть какие-то слухи дошли до мамы.

Приказ Глинской вывесили на следующий день после заседания бюро. Саша, как «организатор антипартийных выступлений», исключался из института, Руночкину, Полужан и Поздняковой объявляли выговоры, Ковалеву ставилось на вид.

Закрутилась машина, искали документы, готовили справки. Лозгачев, уже назначенный вместо Янсона деканом, быстро и даже предупредительно оформил Сашину зачетную книжку, его гладкое лицо как бы говорило: лично я против тебя ничего не имею, так сложились обстоятельства, но, если тебя восстановят, буду искренне рад.

В группе Саша попрощался со всеми, только Ковалеву не подал руки.

— С гадами не знаюсь.

Руночкин подтвердил, что Ковалев действительно гад и все вообще гады. Он никого не боялся, маленький кособокий Руночкин.

Прозвенел звонок. Коридор опустел. До Саши уже никому не было дела. Документы получены, остается поставить печать и уйти.

Криворучко еще работал заместителем директора по хозяйственной части. Прикладывая печать, он вполголоса сказал:

— Стандартные справки на декабрь отправлены в карточное бюро.

— Спасибо,— ответил Саша. Справки отправляются позже, просто Криворучко хочет выдать ему продуктовые карточки. А мог бы и не выдать.

Теперь до конца декабря мама ни о чем не догадается. А к тому времени его восстановят.

Из одного учреждения в другое, томительное ожидание приема, тягостные объяснения, недоверчивые лица, неискренние обещания разобраться. Разбираться никто не хотел — отменить исключение значило взять на себя ответственность, кому это надо!

В райкоме его делом занималась некая Зайцева, миловидная молодая женщина. Саша знал, что она хорошо играет в баскетбол, хотя и невысока ростом. Она выслушала Сашу, задала несколько вопросов, показавшихся Саше малозначительными, они касались почему-то Криворучко, посоветовала раздобыть характеристику с завода, на котором он раньше работал, предупредила, что дело будет разбираться на заседании бюро райкома партии и комсомола.

Подъезжая к заводу, Саша вспомнил ранние вставания, свежесть утренней улицы, поток людей, вливающийся через проходную, холодную пустоту утреннего цеха. Техникой он никогда не увлекался, но работать на заводе хотел, его привлекало само слово «пролетарий», принадлежность к великому революционному классу. Начало жизни, поэтичное и незабываемое.

В первый же день его послали на срочную погрузку вагонов. Он мог отказаться, Юрка Шарок, например, отказался, и его отправили в механический, учеником к фрезеровщику. А Саша пошел, о нем забыли, и он не напоминал: кому-то надо грузить вагоны. Жизнь казалась тогда нескончаемой, все впереди, все еще придет. В брезентовой куртке и брезентовых рукавицах, под дождем и снегом, в жару и мороз он разгружал и нагружал вагоны на открытой площадке товарного двора, делал то, что нужно стране. Презирал чистенького Юрку, устроившегося в теплом светлом цехе.

Всей бригадой они вваливались в столовую, их сторонились — их куртки и телогрейки были испачканы краской, мелом, алебастром, углем. Они шумели, матерились. Саша помнил бывшего комдива Морозова, тихого человека, вышедшего из партии по несогласию с нэпом и потом спившегося. Помнил Аверкиева, их бригадира, тоже спившегося — от него ушла жена,— и еще нескольких таких, сошедших с круга людей. Они не гнались за деньгами, заработал на четвертинку — и ладно, от сдельной работы отлынивали, препирались с нарядчиком и десятником, выторговывали работу полегче, предпочитали повременку, а еще лучше у р о к, определенное задание, выполнив которое можно уйти. Тогда они работали быстро, выкладывались, но только для того, чтобы пораньше смыться. Саша не считал их настоящими рабочими, но привлекало в них что-то трогательное и человеческое — люди с неустроенной судьбой. Хитря при получении наряда, они никогда не ловчили между собой, ничего не перекладывали на товарища. И, хотя Саша не участвовал в выпивках, не рассказывал казарменных анекдотов, не состязался в похабных прибаутках, они относились к нему хорошо.

Эту сборную, сбродную, б р о с о в у ю бригаду посылали обычно на случайные работы, но иногда и на главную — погрузку в вагоны готовой продукции, барабанов с краской. Случалось, долго не подавали порожняка, барабаны с краской высокими штабелями скапливались на товарном дворе, потом вдруг приходили вагоны, состав за составом, и тогда на погрузку направлялись все бригады, в том числе и аверкиевская, в которой работал Саша.

Барабан с краской весил восемьдесят килограммов. По сходням их вкатывали в вагоны и ставили: первый ряд, на него второй, на второй третий. Сходни стояли круто, надо было с разбегу вкатить по ним барабан, в вагоне развернуть и поставить впритирку с другими, чтобы разместилось положенное количество. Восемь часов, не разгибая спины, катать цилиндры по восемьдесят килограммов каждый, взбираться с ними по крутым сходням, ставить на попа — тяжелая работа. И надо торопиться, вслед за тобой бежит товарищ, он не может дожидаться на крутых сходнях, тоже берет их с разбегу, и если ты лишнюю секунду ковыряешься со своим барабаном, то задерживаешь всю цепочку, нарушаешь ритм. Саше первое время не удавалось сразу ставить барабан в точно положенное место. Потом ему показали: надо взяться обеими руками за основание цилиндра, рывком поднять его, развернуть на ребре и поставить. И, как только Саше это показали, он уже никого не задерживал.

Обычно на краске работали две главные бригады: первая — татары, приехавшие на заработки из-под Ульяновска, вторая — русские, профессиональные грузчики, стремившиеся заработать, погрузка краски оплачивалась хорошо.

Как-то на наряде десятник Малов сказал:

— Аверкиев, выдели одного в первую бригаду, у них человек заболел.

— Сходи,— обратился Аверкиев к татарину Гайнуллину.

— Не пойду,— ответил Гайнуллин.

— Лившиц!

Лившиц, здоровенный низколобый одесский еврей, отшутился:

— Мне к ним нельзя, они свинину не едят.

И тогда Малов сказал:

— Мне ваши дебаты слушать некогда. Не выделите, сам назначу.

Малов был решительный человек, демобилизованный комвзвода, похожий на борца, сам бывший грузчик, сумевший подчинить себе даже отпетую аверкиевскую бригаду.

— Назначай,— ответил Аверкиев.

Взгляд Малова остановился на Саше.

— Панкратов, пойдешь в первую!

Малов недолюбливал Сашу. Может быть, ему не нравились образованные грузчики. Саша здесь считался самым образованным — кончил десятилетку. И сейчас Малов смотрел на Сашу полувопросительно, полупрезрительно, ожидая, что тот тоже откажется. Но Саша сказал:

— Хорошо, я пойду.

— Лезешь во все дырки,— недовольно заметил Аверкиев.

Татары не катали барабаны, а носили их на спине. Бегом-бегом по мосткам, потом по сходням, в вагон и сразу ставили на место. Так быстрее, но это совсем другая, невыносимая работа: бежать с круглым восьмидесятикилограммовым цилиндром на спине по шатким мосткам, по крутым сходням, сбрасывать его так, чтобы он не отдавил ноги и стал точно на место, бежать весь день именно за тем человеком, за которым ты начал смену. Кажется, что барабан скатится сейчас со спины, увлечет тебя за собой, ты рухнешь, но остановиться нельзя даже на секунду, слышишь за собой бег следующего, его тяжелое дыхание, запах пота, и, если остановишься, он наскочит на тебя.

И ты тянешь изо всех сил, берешь трап с разбегу, вбегаешь в вагон, сваливаешь барабан и бежишь обратно, чтобы не отстать от опытных, сильных грузчиков, не дающих пощады никому, а тебе, чужаку, особенно.

Гудок на обед! Саша упал возле штабеля. Красные круги поплыли перед глазами, монотонный гул разламывал голову.

Саша то задремывал, то пробуждался. И, когда пробуждался, думал только о той минуте, когда надо будет подняться, встать в затылок здоровому рыжему татарину, за которым ходил утром, и снова с барабаном на спине бежать по шаткому трапу. Знал, что не сумеет отработать еще четыре часа, упадет, растянется на мостках.

Он мог пойти в контору, заявить, что его прислали сюда получить квалификацию, а не таскать на спине восьмидесятикилограммовые барабаны, его прислали по броне в цех, на производство. К чертовой матери! Добровольно вызвался на срочную работу, а его маринуют в грузчиках... Может, конечно, это сделать. Но он знал: как только раздастся гудок, он встанет в затылок рыжему татарину, подставит спину и понесет барабан в вагон.

Из столовой возвращались рабочие, значит, скоро конец перерыва. Усилием воли Саша подтянулся, сел, задвигал руками, ногами, головой. Все болело, все казалось чужим.

Его окликнули, он поднял голову, перед ним стояли бригадир Аверкиев и грузчик Морозов, бывший комдив. Видно, выпили за обедом, одутловатое лицо Аверкиева стало совсем красным, голубые глаза Морозова казались еще более голубыми, светлыми и мечтательными.

— Жуй! — Аверкиев бросил ему на колени кусок хлеба и шматок корейки.

— Спасибо.

— Барабан на всю спину клади,— сказал Аверкиев,— на весь хребет, понял?! А ну, киньте!

Он выгнул спину, забросил руки назад, Морозов и Саша положили ему на спину барабан. Барабан ровно лежал на всей спине.

— А ты вот как!

Аверкиев повел корпусом, барабан передвинулся на плечи, он перехватил его спереди руками.

— На плечах носишь, неправильно, на хребте таскай. Пробуй!

Саша встал, выгнул спину. Аверкиев и Морозов положили на него барабан.

— Куда плечи опускаешь?! — закричал Аверкиев.

Саша приподнял плечи, барабан коснулся спины всеми точками, распределился равномерно.

— Так и таскай! Навязался и таскай!

Теперь Саша чувствовал себя устойчивее, барабан не сползал со спины. Но его тяжесть по-прежнему давила, ноги подкашивались. Когда бежал обратно, спина уже не разгибалась. Как он выдержал вторые полсмены, он не знал, как добрался домой, не помнил, свалился на кровать и проспал до утра.

А утром Малов сказал:

— Поработай еще пару дней в первой, потом переведу.

Он проработал на краске две недели, научился таскать барабаны. Татары привыкли к нему, он привык к ним, даже писал им заявления в сельсовет относительно налога.

В старую бригаду он тоже не вернулся, его послали в гараж, грузчиком на грузовую машину.

— Будешь учиться на шофера,— сказал Малов. И было непонятно, хочет он обрадовать Сашу или хочет избавиться от него.

Саша работал в гараже, выучился на шофера, ездил на машине. Но сейчас, подъезжая к заводу, почему-то вспоминал, именно как работал грузчиком. Это были первые и самые запомнившиеся месяцы его заводской жизни.

Кого он там встретит? Наверно, никого нет из старых ребят. А может, и есть, не так много прошло времени, всего четыре года.

Старую деревянную проходную снесли, на новом месте построили каменную, большую. И ворота поставили на новом месте, тоже каменные, широкие. Фасадом на площадь стояло новое здание заводоуправления. За высоким каменным забором высились новые корпуса. Площадь заасфальтировали, на ней появились магазины, ларьки, павильоны. Завод работал, рос, обстраивался. Это и есть то настоящее, чем живет страна, чем должен жить и он, несмотря ни на что!

Секретарем партийной организации оказался Малов. Не совсем приятная неожиданность! По-прежнему похожий на борца, лысоватый, уже не такой краснощекий, каким выглядел на товарном дворе, когда распоряжался грузчиками, похудевший, усталый, желтоватый. За большим письменным столом он сидел так же, как когда-то сидел на подоконнике, подписывая рабочие карточки, боком как-то, с края стола. Он сразу узнал Сашу. И так, будто не было этих четырех лет и Саша по-прежнему работает на заводе, спросил:

— А, Панкратов... Что у тебя?

Саша изложил свое дело.

— Ладно,— сказал Малов,— я буду на бюро, скажу...

И этот уклоняется, не хочет давать характеристику...

— Зайцева просила принести письменную характеристику.

— Бумажка ей нужна,— проворчал Малов,— ладно, напишу. Напомни, где ты работал, какие нагрузки нес.

Он записал перечисленные Сашей нагрузки, потом поднял глаза, насмешливо спросил:

— Влип наконец?

— Почему «наконец»?

— К тому шло. Ладно. Погуляй часок, сочиню характеристику.

— Я бы хотел пройти на завод, повидать ребят...

Центральная часть завода осталась прежней, новые корпуса строились в стороне. Первый, второй, третий цеха, механический, котельная, вот и гараж... На яме черный директорский «форд», у верстака Сергей Васильевич, директорский шофер. Он тоже узнал Сашу.

— На завод вернулся?

— По делу пришел.

Сергей Васильевич носил черный кожаный костюм, пыжиковую шапку и фетровые валенки с галошами, плотный, важный, независимый, еще из дореволюционных шоферов, приближенное к директору лицо.

Удивительно, как многое забылось и вспомнилось только сейчас, когда он пришел сюда и снова увидел цеха, проезды, услышал звуки завода. Все тогда было просто и ясно — работай, получай зарплату, выполняй комсомольские поручения. Он не помнил случая, чтобы кому-нибудь шили политическое дело, здесь давали продукцию, строили завод. А может быть, и здесь теперь по-другому?! Интересно, какую характеристику даст ему Малов?

Характеристику Малов дал такую: «Дана Панкратову А. П. в том, что он работал на заводе с 1928 по 1930 годы в качестве грузчика, затем шофера. К работе относился добросовестно, данные ему поручения выполнял. Участвовал в общественной работе в качестве секретаря ячейки ВЛКСМ транспортного цеха. Взысканий не имел».

— Буду на бюро, добавлю что надо,— пообещал Малов.

7

Возвратившись с завода, Саша увидел в дырочках почтового ящика синий конверт. Письмо от отца, его почерк. Никогда эти письма не приносили радости. Отец просил выслать технологические справочники. «Они лежат на нижней полке шкафа, ты, наверно, знаешь, где нижняя полка. Я бы не посмел обременять тебя такой просьбой, но больше мне просить некого. А ехать за ними в Москву... Мой приезд никому не доставит удовольствия».

Это был голос отца, так он всегда разговаривал. Когда мама спрашивала: «Будешь обедать?» — он отвечал: «Могу не обедать».— «Ты идешь на заседание?» — «Я иду танцевать...» Глуховатый, он не дослышивал, думал, что говорят про него, ругался. Ругался, не получив яблока утром или стакан простокваши на ночь. Мать немела от страха, едва заслышав его шаги в коридоре, он возвращался с работы, уже заранее недовольный домом, женой, сыном, готовый сделать замечание, выговор, учинить скандал.

Мама не боялась его, только когда ревновала. Сашино сердце изнывало от того, что творилось тогда в доме: криков, хлопанья дверьми, от злого, кроличьего выражения маминого лица, ее плача.

Отец уже шесть лет не жил с ними. А она по-прежнему боялась его даже на расстоянии. И сейчас при виде письма у нее снова на лице появилось знакомое и тягостное выражение тревоги и страха.

— От папы?

— Просит прислать справочники.

С тем же испуганным лицом Софья Александровна взяла письмо, и выражение испуга не исчезло, пока она его не прочитала.

Сашу больше всего страшила мысль о том, что будет с мамой, когда она все узнает. И он вел себя так, чтобы она ничего не узнала. Уходил из дома, делая вид, что едет в институт. Декабрьскую стипендию заработал, разгружая вагоны на Киевской-Товарной. Когда некуда было деваться, шел к Нине Ивановой.

Она дала ему ключ от квартиры, и по утрам он там читал или занимался. Потом из школы приходила Варя, младшая сестра Нины, в темном пальто, в крошечных туфельках, платок она снимала по дороге, прямые черные волосы спускались на воротник. Она садилась на кровать, перекидывала ногу на ногу, вытягивала пухлые губы, сдувая челку со лба, и смотрела Саше в глаза тем взглядом, каким красивые девочки смущают мальчиков.

Стол под облупившейся клеенкой делил комнату на две половины: половину Нины с книгами и тетрадями, разбросанными на столе, со стоптанными домашними туфлями под кроватью, и половину Вари с яркой косынкой на подушке, патефоном на подоконнике и бронзовым атлетом с лампочкой в вытянутой мускулистой руке.

— За что тебя из института выгнали?

— Восстановят.

— Я бы их всех самих исключила, у нас в школе тоже есть такие сволочи, только и смотрят, кого бы угробить. Вчера у нас было классное, Лякин говорит: «Иванова пишет шпаргалки на коленках». Я ноги вытянула и спрашиваю: «Где шпаргалка?»

Она вытянула ноги, показывая, как сделала это в классе.

— А Кузя, математик, покраснел, как помидор: прекратите, Иванова! А я при чем? Ведь это Лякин. В прошлом году хулиганил, отнимал у девчонок портфели, а теперь в учкоме. Сам скатывает, а на других ябедничает. Терпеть не могу таких.

— Как же ты делаешь шпаргалки?

— Очень просто,— она похлопала по коленкам, обтянутым нитяными чулками,— напишу чернильным карандашом и скатываю.

— А без шпаргалки не можешь?

— Могу, но не хочу.

Она смотрела на него с вызовом, этакая козявка, сидит с открытыми коленками. Саше было смешно, но он старался быть серьезным, знал, сколько хлопот доставляет Варя сестре.

Девочки выросли без отца, потом умерла и мать. Саша помнил заседание бюро — они обсуждали, как помочь Нине воспитать сестру, выхлопотали пенсию, утвердили Нину платным вожатым. Потом окончили школу, разошлись, и вспомнил он о Варе, увидев ее уже в подворотне с такими же, как она, подростками.

— Ты комсомолка?

— А зачем?

— Лучше в подворотне стоять?

— Мне нравится.

— Дома не ночуешь.

— Ха-ха! Один раз заночевала у подруги на даче, боялась на станцию идти. Нинка бы тоже ночью не пошла... Она тоже трусиха порядочная, еще больше, чем я. Во сто раз. Выходила бы за своего Макса, ничего не умеет, а Максу ничего и не надо, будут ходить в столовую.

— Тебе не рано давать такие советы?

— Пусть не лезет и в мои дела. Шумит, а толку чуть.

— Кем ты хочешь быть?

Вместо ответа она запела высоким детским голоском:

Цветок душистых прерий,
Твой смех нежней свирели,
Твои глаза, как небо голубое
Родных степей отважного ковбоя...

В коридоре раздался звонок.

— Нинка пришла,— не двигаясь с места, объявила Варя,— опять ключи забыла.

— Откуда ты знаешь, что она?

— Я знаю, как каждый жилец звонит.

Вошла Нина, увидела Варю на кровати в позе, которую сочла неприличной, увидела ее открытые колени, и началось:

— На уме мальчики, лак для ногтей, губная помада морковного цвета, разбирается. Часами сидит перед зеркалом и загибает ресницы кухонным ножом.

— Ножом? — удивился Саша.

— Или висит на телефоне, только и слышишь: крепжоржет, вельвет, красное маркизетовое, голубое шелковое... Я пять лет носила одну кофточку, каждый день ее стирала и до сих пор не знаю, из какого она материала. А сестрица моя три дня бегала по магазинам, искала пуговицы к платью. Галош не признает, валенки презирает. Украла у меня туфли, стоптала на танцах, потом подбросила в ванную. Сегодня туфли, завтра стащит деньги, а так как денег у меня нет, пойдет воровать.

— Не пугай! — сказал Саша.— Не пугай себя и не пугай ее.

Но Варя не пугалась. Притворно зевнула, сделала скучающие глаза — слышала все это, слышала сто раз.

— Меня поражает ее жестокость. Смеется над Максимом. Разве это ее дело? Низко, бестактно.

— У Макса невеселый вид,— дипломатично заметил Саша.

У Нины потемнели глаза.

— Я ценю Макса, прекрасный, чистый парень. Но о чем я могу думать? Я вот э т о должна еще поставить на ноги.

— Пожалуйста, не сваливай на меня,— сказала Варя.

— Поручили выпустить стенгазету,— продолжала Нина.— Она пошла в соседний класс и списала там номер от слова до слова, даже фамилии поленилась изменить. К чему она придет, что ее ждет?

Варя нащупала ногой туфли, встала.

Цветок душистых прерий,
Твой смех нежней свирели...

В райком Саша шел спокойно... Вот инстанция, которая не побоится все решить. Вести заседание будет первый секретарь Столпер.

Саша долго сидел в коридоре, дожидаясь, пока его вызовут. За дверью слышались голоса, обрывки выступлений, но всех перебивал, обрывал, останавливал высокий, резкий голос. Испуганные люди выскакивали из кабинета, бежали к шкафам, хватали папки, высокий, раздраженный голос несся им вдогонку. Саше нравилось, что Столпер гоняет этих чиновников. Так он будет гонять и Баулина, и всех, кто приклеил ему, Саше, ярлык врага.

Дверь приоткрылась.

— Панкратов!

Народу собралось много, люди сидели вдоль стен и за длинным столом, покрытым зеленым сукном.

Столпер, худой человек со злыми, усталыми глазами, хмуро посмотрел на Сашу, кивнул Зайцевой.

— Докладывайте! И покороче.

Зайцева голосом аккуратной ученицы огласила материалы дела. Когда она читала эпиграммы, кто-то засмеялся. Эпиграммы звучали глупо. Потом Зайцева сказала, что эти факты должны рассматриваться в связи с главным.

И тут Саша впервые услышал, что Криворучко — бывший участник оппозиции, какой именно, Саша не понял. Зайцева упомянула Одиннадцатый съезд партии, «рабочую оппозицию», затем коллективное письмо в ЦК партии, подписанное и Криворучко, что это за письмо, Зайцева не сказала. Потом она сообщила, что *в свое время* Криворучко исключали из партии за то, что *не порвал связи*. Какие это связи, с кем, когда, тоже не сказала, только добавила, что в партии его восстановили, но объявили выговор. Потом еще один выговор он получил за засоренность железной дороги социально чуждыми и классово враждебными элементами. Что за дорога и кем был на ней Криворучко, Зайцева тоже не сказала. И вот опять исключен, на этот раз за срыв строительства. Хотя список исключений и выговоров был в личном деле Криворучко, Зайцева говорила так, будто это она его вывела на чистую воду, сама потрясенная тем, что ей удалось обнаружить человека, замешанного в преступлениях, о которых она знала из учебников.

Слушая Зайцеву, Саша понимал, что дело Криворучко вовсе не так просто. Над Криворучко тяготеет прошлое. Саша не мог понять только, какое отношение это имеет к нему лично.

Столпер взял Сашино дело, перелистал. Все молчали. Только слышался быстрый шелест раздраженно перекидываемых страниц.

— Что у тебя творится, Баулин?

Баулин встал, резко проговорил:

— Криворучко исключен нами из партии.

— Общежития не построил,— подхватил Столпер,— а это его работа,— он ударил ладонью по папке,— проглядели? Спохватились, когда они выпустили антипартийный листок.

— У нас нет данных о связи Панкратова с Криворучко.

— У него нет данных! — Столпер скривил губы.— Панкратов выступает против марксизма в науке, и после этого ему доверяют выпуск праздничного номера газеты, он и превращает его в антипартийный листок. Панкратов защищает Криворучко, этот декан, как его?..

— Янсон,— быстро подсказала Зайцева, показывая, как хорошо она выучила дело.

— Янсон защищает Панкратова. Ведь это клубок! Где его политическая оценка? Объясните: почему именно Панкратов защищал Криворучко?

— Панкратов за это тоже исключен,— отрезал Баулин.

— Нет, не за это! — закричал Столпер.— Его исключили, когда он уже выступил с открытым забралом. А то, что он защищал Криворучко, вас не насторожило? Члены бюро предлагали принять решение, а вы, товарищ Баулин, не захотели. Товарищ Лозгачев предлагал. А вы, Баулин, отложили дело и дали возможность Панкратову выпустить антипартийный листок. У вас под носом Криворучко разлагал студентов. Или вы думаете, что Панкратов сам по себе выпустил газету, сам по себе выступал против марксизма в науке? Кто за его спиной? Не хотите разобраться! Кого боитесь?

— Мы никого не боимся,— грубо ответил Баулин, имея в виду самого Столпера. И Столпер это понял. Он пристально посмотрел на Баулина и неожиданно спокойно сказал:

— Придется разобраться в обстановке института.

— Пожалуйста,— сказал Баулин.

— Что значит «пожалуйста»? — опять взорвался Столпер.— Мы у вас на это разрешения не спрашиваем, товарищ Баулин. Почему Янсон не явился на разбор дела?

— Болен.

— Болен... А где директор института?

Баулин пожал плечами.

— Не пришла.

— Ничего себе организация,— усмехнулся Столпер,— не случайно вас обводят вокруг пальца. Вот еще товарищ Малов раздобрился, раздает хвалебные характеристики. Ты знал, Малов, зачем Панкратову она понадобилась?

Малов поднялся со своего места, высокий, широкий, сутулый, борец в пиджачной паре. Он сидел у стены, почти рядом с Сашей, но Саша только сейчас его заметил.

— Знал.

— Он тебе рассказал, за что исключен?

— Рассказал.

— Так рассказал, как ты здесь слышал?

— Именно так.

— И после этого ты выдал характеристику?

— После этого и выдал.

— Как это понимать, товарищ Малов?

— Я написал, что было четыре года назад.

— А может быть, он и тогда обманывал партию?

— Он тогда партию не обманывал, он тогда краску на спине таскал.

— Какую краску?

— А вот,— Малов показал на стол,— которой ваше сукно красят.

— Что значит «ваше»? — побагровел Столпер.

— А что на вашем столе лежит.

— И что из этого следует?

— Парнишка, комсомолец, работал, завод строил. Что я должен написать? Что было, то было.

— Было одно, стало другое,— сказал Столпер примирительно, по-отечески,— если бы Панкратов обратился только к тебе — это одно, а когда человек бегает по наркомам, использует родственные связи — это другое. Вот чего вы не учли, товарищ Малов.

— Может, и не учел,— упрямо возразил Малов,— только я его на работе видел. И трудно мне поверить, что он враг партии.

— Не такие люди становились врагами партии,— сказал Столпер.— Послушаем Панкратова...

Саша встал. Его исключат, это ясно. Все, что здесь говорилось, нелепо, но чем дальше катится дело, тем больше обрастает обвинениями, и он никак не может выбраться из этого рокового круга. Он не сумеет их переубедить. Нелепые эпиграммы, инцидент с Азизяном, Криворучко — вот факты. Действует неумолимая сила. И все-таки надо защищаться.

— Что касается Криворучко,— сказал Саша,— то на бюро я рассказал про случай с лопатами.

— Какие лопаты? — перебил его Столпер.

— Лопаты на стройке, кладовщика не было...

— Не крутите вола! — рассвирепел Столпер.— Отвечайте: почему вы защищали Криворучко?

— Я его не защищал. Я сказал только, что действительно стройматериалов не было.

— Значит, не только лопат, а и материалов не было,— усмехнулся Столпер,— так бы и говорили. Хорошо, продолжайте,— добавил он устало, подчеркивая этим, что задавать Саше вопросы бесполезно — выкручивается.

— Я не был знаком с Криворучко, никогда с ним в жизни не разговаривал.

Столпер покачал головой, причмокнул губами, но ничего не сказал.

— Что касается преподавателя по учету, то он вел курс халтурно.

— Марксизм — халтура? — Столпер в упор смотрел на Сашу.

— Нет, но...

— Все, Панкратов, хватит! — Столпер встал, одернул гимнастерку, она сидела на нем неуклюже, как сидит военная форма на узкогрудом и узкоплечем штатском человеке.— Мы вас выслушали. Вы не желаете разоружиться перед партией, вы и здесь пытаетесь нас обмануть. Вы свободны, идите!

8

Новый год встречали у Нины Ивановой. Стол украшал гусь с капустой, зажаренный Варей, бог знает, где она этому научилась. И надо веселиться до утра — ночью добираться не на чем. А утром прямо на работу, первое января — обычный рабочий день.

В единственном кресле, перекинув ногу за ногу и потягивая папиросу, сидела Вика Марасевич, сестра Вадима. Толстая ленивая девочка, из тех, кто вечно спрашивает «что мне делать?», когда остальные работают, выросла в высокую белокурую надменную девицу. Таких в субботу вечером можно встретить в «Метрополе», а в воскресенье днем в «Национале». В последнюю минуту перед Новым годом она поссорилась с поклонником, поэтому очутилась здесь, что и давала понять своим скучающим видом.

Развеселить ее попытался Юра Шарок, начал за ней ухаживать, как бы скрывая этим свои отношения с Леной. Выглядело это странно. Их связь давно перестала быть тайной для всех, кроме Вадима Марасевича. Вадим еще не знал женщин, не допускал мысли об отношениях, которых сам не испытал и которые, по убеждению его, коренным образом меняют человека. В Лене он таких изменений не заметил.

Вадим рассуждал о разных разностях, перескакивал с оправдания Димитрова на постановку «Мертвых душ» во МХАТе, с «нового курса» Рузвельта на смерть Луначарского в Ментоне. Даже о вещах всем известных Вадим умел говорить так, будто их подноготная известна ему одному.

Перед тем как прийти сюда, Юра Шарок выпил с отцом, был оживлен и развязен. Его ухаживания за Викой всех бесит? Прекрасно! Тем более он будет ухаживать за ней.

Варя осталась дома якобы из-за гуся, не могла доверить его Нине. На самом деле взрослая компания привлекала ее больше, чем школьная. И Максим сказал, что приведет товарища, танцующего румбу. Сейчас этот молоденький курсант со странным именем Серафим старательно крутил ручку патефона.

Рядом с Серафимом стоял грустный Макс. Произошло решительное объяснение с Ниной, она отказала ему, даже не обнадежила. И делами Сашки он был расстроен — любил его, уважал, преклонялся перед ним.

Каково бы ни было настроение Саши, он не мог не прийти, он должен жить, как жил раньше. Новый год, он встретит Новый год.

И вот они сидят за столом, покрытым белой скатертью. Во главе стола — Нина, справа от нее — Максим, Саша, Варя, Серафим, слева — Вадим, Лена, Юра и Вика. Все блестит и сверкает, все расставлено, вкусно пахнет, вызывает аппетит, возбуждает веселье. За окнами морозная ночь, а им тепло, девушки в фильдеперсовых чулках, в туфлях на высоких каблуках. Планета несется по своему неумолимому пути, звездный мир совершает свое вечное движение, а они встречают от рождества Христова одна тысяча девятьсот тридцать четвертый год, у них водка, портвейн и рислинг, так они встречали одна тысяча девятьсот тридцать третий год, и селедка у них есть под горчичным соусом, и ветчина из коммерческого магазина, так они встретят и тридцать пятый, и тридцать шестой, и тридцать седьмой, и еще много других годов. Они молоды, не представляют себе ни смерти, ни старости, они рождены не для смерти, не для старости, а для жизни, для молодости, для счастья.

— Проводим старый год,— сказал Вадим Марасевич,— он был годом нашей жизни. Как говорят в Одессе, никто не устлал нашего пути розами. Но путь, устланный розами, это не путь жизни. Путь истинной жизни выстлан терниями...

Раздался бой часов, все задвигали стульями, встали, подняли рюмки.

— С Новым годом, с новым счастьем, ура! — гаркнул Вадим.

Зазвенели рюмки, тарелки с закуской пошли по рукам. Макс ловко резал гуся.

— Мастер! — сказал Саша.

— Был бы гусь...— Юра протянул свою тарелку.

— Максим, мне ножку,— подала наконец голос Вика.

— Вторую мне! — Вадим любил поесть.

— Марасевичи все заграбастают!

— Остановите Марасевичей!

Вадим постучал ножом о тарелку.

— Подымаю бокал за Макса, надежду Красной Армии!

— Макс! Максимушко! Не обдели, родной!

— Товарищи, у меня сперли вилку!

Вадим опять постучал ножом о тарелку.

— Выпьем за Серафима, единственного нашего гостя и тоже надежду Красной Армии.

— Молодой человек, ваше здоровье!

— Молодость не порок, а большое свинство!

— Серафим, где твой брат Георгий?!

Серафим порозовел лицом, встал, раскланялся, робея в этом шумном обществе.

Вадим провозгласил тост за Лену — нашу красавицу, за Вику — тоже ничего, он никому не хотел уступать площадку, этот говорун Вадим.

— Выпьем за школу! — предложил Максим.

— Привет сентиментальному бегемотику! — вставил Юра.

Макс исподлобья посмотрел на него.

— Отречемся и отряхнем?

— Я поддерживаю тост Макса,— вмешался Вадим,— не следует забывать о родных пенатах, об альма матер, о дорогих пепелищах.

— За школу, единую, трудовую! — иронически возгласил Юра.

Сопли! Слюни! Но хрен с ними! Хотят выпить за школу, он выпьет за школу, ему все равно, за что пить.

— Юра, не делай нам одолжения,— заметила Нина. Ей не нравилось его ухаживание за Викой, она терпеть ее не могла, никто не звал ее сюда, возмущало, что Шарок обижает Лену.

Вадим обошел опасный риф.

— За Юрия Шарока, будущего генерального прокурора!

— Когда посадят — выручай,— добродушно добавил Макс.

— А теперь,— Вадим салфеткой вытер губы,— за хозяйку дома, за нашу Нину, сердце, душу и мозг нашей компании!

— Ниночка! Нинок!

— Тогда уж за обеих хозяек,— Саша обернулся к Варе.

Тоненькая, изящная, самая юная среди них, она молчала, опасаясь сказать что-то не так, Серафим делал робкие попытки с ней заговорить. Сашу забавляло его смущение, он сам обратился к ней, пытаясь втянуть в разговор и Серафима. Варя ответила охотно, обернулась к Саше, он близко увидел ее малайские глаза, нежное лицо.

Загремели стулья, отодвинули стол, все пошли танцевать. «Ах, эти черные глаза меня пленили, их позабыть не в силах я»,— неслось из патефона. Юра танцевал с Викой, Вадим с Леной, Варя с Серафимом. Потом к ним присоединились Макс и Нина.

Когда меняли пластинку, Саша сказал:

— Братцы, дайте и мне потанцевать.

Он пошел с Варей, чувствуя ее гибкую фигурку, ее легкий шаг, ее радость. И он понял: все, что раздражало Нину — пудра, духи, подворотня, мальчики,— чепуха, не более как жадное любопытство маленькой женщины, входящей в жизнь, в прекрасный, молодой, светлый мир, от которого его теперь отрывают с кровью.

Ссора произошла неожиданно. Юра и Вика вышли в коридор, это и взорвало Нину.

— Ведь я просила не шуметь. У меня со-се-ди! — с красным от гнева лицом говорила она.— Нет! Обязательно надо толкаться в коридоре, как будто здесь мало места.

— Перестань, ну что такого,— улыбаясь, возразила Лена. Ей было неудобно: Нина подчеркнула и без того оскорбительное поведение Юры.

— Не заводись,— добродушно посоветовал Макс.

— Поражает такая беспардонность,— с тем же возбужденным лицом продолжала Нина.— Они уйдут, а мне с этими людьми жить.

— Прекрати,— сказал Саша. Ему тоже были неприятны и Юра и Вика, но он не хотел скандала.

Вадим попытался все обернуть в шутку:

— Моя сестра редко находит дорогу в туалет.

Все знали эти вспышки бешенства у рассудительной Нины, они проходили так же быстро, как и начинались. И наступил тот переломный час новогодней ночи, когда все уже устали, хотят спать и раздражаются по пустякам.

Юра сел с Леной, положил руку ей на плечо, холодно сказал:

— Очередная истерика старой девы.

Юра сказал это спокойно, обдуманно, положив руку на плечо Лены и тем подчеркивая, что их отношения касаются только их двоих. У него это не вырвалось.

— Прикуси язык, Шарок! — Саша исподлобья смотрел на него. Теперь есть повод за все с ним рассчитаться. Это Юркина мать рассказала Сашиной маме об исключении из института, вылезла с новостью. Саша чувствовал за этим Юркину недоброжелательность.

— Все выпили...— примирительно начал Вадим.

— Я давно знал, что ты такое,— продолжал Саша.— Хочешь обрадовать этим открытием и других?

Юра побледнел:

— Что ты знаешь? Что, скажи!

— Не место, не время и не всем интересно!

— А почему ты выбираешь время и место? Почему ты диктуешь? Высоко себя ставишь. Вот и допрыгался.

— Заткнись! — сказал Макс.

— Удар ниже пояса,— пробормотал Вадим.

— Это касается только меня,— спокойно ответил Саша,— а никак не тебя и твоих родственников. Мое мнение о тебе? Ты мелкий эгоист и себялюбец. На этом моя сторона заканчивает дискуссию.

— А ты голый король,— ответил Юра,— генерал без армии. На этом моя сторона тоже заканчивает дискуссию.— Он встал.— Идем, Лена!

— Лена! — окликнул ее Саша.

— Что? — Лена обернулась, дружелюбной улыбкой пытаясь сгладить конфликт.

— Большего дерьма ты себе не нашла?

Лена залилась краской и выбежала из комнаты. Юра задержался в дверях, посмотрел на Сашу и вышел за ней.

— Зря ты его так,— беззлобно заметил Макс.

— Не люблю прохвостов,— ответил Саша мрачно.

Но стало еще грустней. Не сумел сдержать себя и испортил новогодний вечер.

9

Лучше бы мама плакала. Она застыла, онемела, не спрашивала о подробностях. С Сашей катастрофа — вот главное.

Ее остановившийся взгляд разрывал Сашино сердце. Вечерами она читала, не видя букв, механически переворачивала страницы, днем и ночью думала только об одном: рядом с Сашей нет мужчины, она не сумела сохранить семью, их несчастная жизнь травмировала его с детства.

Павел Николаевич сообщил, что приедет, как только освободится, месяца через полтора. Софья Александровна знала мужа — он рассчитывал, что за эти полтора месяца все уладится без него. Спрашивал: «Неужели Марк не может ничего сделать?» Вечный упрек, адресованный ее родственникам! Она написала Марку. Тот ответил, что скоро приедет на съезд и надеется все уладить. Эти письма ее не успокоили, Саша попрежнему беззащитен.

Софья Александровна стала надолго уходить из дома. Саша смотрел, как она идет по двору, маленькая, полная, седая, одинокая. Он сам разогревал обед, иногда не разогревал — обеда не было. Куда она исчезает? Он звонил ее сестрам — она там не появлялась.

Ходит по учреждениям, хлопочет за него, ищет влиятельных знакомых? Но нет у нее таких знакомых, всех ее знакомых он знал наперечет.

— Где ты была, где ты пропадаешь?

Она отмалчивалась или отговаривалась — нигде не была, ходила по Арбату, сидела во дворе.

Саша тоже бродил по Арбату, по знакомым с детства переулкам, вдоль старых барских особняков: колонны, лепной орнамент, ярко-зеленые крыши, белые оштукатуренные фасады. В Кривоарбатском на месте школьной площадки теперь выстроил дом архитектор Мельников; странное круглое здание. В школе окна подвалов, занавешенные ситцевыми занавесками, светились по-прежнему — как и раньше, здесь жили технические работники.

Саша вспомнил, как он вожатым отряда ездил с пионерами в лагерь в Рублево. «Едем в лагерь мы в Рублево, там давно уж все готово, вещи там давно у них, не хватает нас одних...» Он наводил тогда дисциплину железной рукой, пионеры его побаивались, не мог справиться только с Костей Шабриным, сыном школьного столяра, озорным и непослушным мальчишкой. После очередного проступка Саша решил отправить его домой.

Школьная повариха сказала тогда:

— Не отсылай, Саша, убьет его отец.

Что значит, убьет? Никто не имеет права убивать. Саше было жалко Костю, ребята просили за него, но отменить распоряжение значило подорвать собственный авторитет.

Они вернулись из лагеря, начались занятия. Отец Кости ничего не сказал Саше, однажды только остановился в коридоре и посмотрел на него долгим пристальным взглядом. Этот взгляд запомнился Саше навсегда. Как он жестоко и глупо все-таки поступил тогда. Интересы коллектива требовали дисциплины, ей в жертву он и принес маленького Костю. Он думал, что такое наказание будет полезно самому Косте. Подумал ли он о том, к а к Костя предстанет перед отцом?

Из Плотникова переулка он сворачивал в Могильцевский, затем в Мертвый. Здесь в особняке против датского посольства помещался когда-то Хамовнический райком комсомола, тут восемь лет назад его принимали в комсомол. Он носил тогда кожаную куртку, презирал пижонов, никогда ничем не дорожил, кроме книг, и те, прочитав, дарил библиотеке, даже пытался создать школьную коммуну — воображение заносило его бог весть куда.

Почему именно с ним это случилось? Не должен ли он положиться на мнение большинства? Но Баулин, Лозгачев, Столпер — еще не большинство. Написать Сталину? Сталин понимает, что стране нужны специалисты, а не недоучки, презирает болтунов, а Азизян — болтун, Сталин не любит карьеристов, а Лозгачев — карьерист, ненавидит держиморд, а Баулин — держиморда. Со своим чувством юмора Сталин правильно бы оценил эти невинные эпиграммы. Но обращаться к Сталину по личному делу нескромно.

Как-то, возвращаясь домой, Саша увидел маму. Она стояла в воротах, кого-то высматривая.

Дойдя с ним до подъезда, сказала:

— Иди, я еще немного похожу.

— Замерзнешь.

— Я еще немного похожу,— повторила она, и на лице ее появилось упрямое, кроличье выражение, которое раньше предвещало новый скандал и ссору с отцом.

В другой раз Саша увидел ее на Арбате. Она медленно прошла мимо ворот их дома, остановилась у часовой мастерской, сделала вид, что рассматривает выставленные за стеклом часы, пошла назад, опять вглядываясь в противоположную сторону улицы, дошла до аптеки, остановилась, повернула назад. За кем-то подсматривает, кого-то выслеживает, как выслеживала отца, когда думала, что он встречается с их соседкой Милицей Петровной. Но отца нет, нет предполагаемых любовниц, нет больше ревности, а она опять во власти какой-то навязчивой идеи, смотрит в одну точку с тем же сосредоточенным, напряженным, упрямым выражением. Затем перешла улицу, как всегда, низко опустив голову, не глядя по сторонам, боясь увидеть надвигающиеся на нее машины. Шоферы резко тормозили, высовывались из кабин, ругались, а она, не оглядываясь, не оборачиваясь, не поднимая головы, спешила достичь спасительного тротуара.

Он спросил ее:

— Кого ты высматриваешь?

Она заметалась, боясь сказать то, во что Саша не поверит.

— Что ты скрываешь от меня?

Она посмотрела на него широко раскрытыми от страха глазами.

— За тобой следят.

Он удивился:

— Кто за мной следит?

— Один в шапке с опущенными ушами, другой — маленький, в бобриковом пальто, третий — в подшитых валенках, высокий, злой, их трое, они следят по очереди.

— Правильно! Зачем же всем вместе? — засмеялся Саша.

— Я каждого знаю в лицо,— продолжала она,— могу узнать по спине, по голосу. Я стояла в булочной, а тот, что в валенках, стал сзади, я не оглядывалась, но знала, что он стоит. Я получила хлеб, отошла, и он отошел, но хлеба не взял, он стоял за мной, чтобы показать меня другому, такой у них способ. Они догадались, что я их знаю, и, когда я оглядываюсь, исчезают, уходят в Никольский, а потом выходят из Денежного. А я сразу иду к Денежному и там его встречаю, он отворачивается, а я знаю, что это он.

— За кем же они следят: за мной или за тобой? — улыбаясь, спросил Саша.

— Они следят за нашим домом. Кто к нам приходит, кто выходит, когда ты уходишь, с кем идешь, с кем разговариваешь. Я оторвала в мясном рыбный талон, а он стоит сзади меня и говорит: «Надо четвертый талон». Я оглянулась, а он повернулся ко мне спиной, я его узнала по бобриковому пальто.

— Так и сказал: нужно четвертый? — совсем развеселился Саша.

Она кивала головой в такт своим словам.

— И постовой милиционер у Смоленского тоже с ними. Я однажды шла за высоким, он глазами показал милиционеру на какого-то человека, милиционер подошел к этому человеку и спросил документы, а высокий повернул обратно, увидел меня, злобно так посмотрел и потом два дня не появлялся, а маленький сказал, что ему попало от начальства.

— Кому сказал?

— Мне. Он мне говорит, когда стоит сзади, чтобы я одна слышала. И, если я оглядываюсь, поворачивается спиной. Я больше не оглядываюсь, чтобы не ставить его в неловкое положение, ведь он не имеет права разговаривать со мной. Я хорошо знаю его голос.

Саша с ужасом смотрел на мать. В их жизнь вползает нечто страшное. Он вырос в этой комнате, каждый предмет здесь был частью его жизни; все это стоит и будет стоять на месте, но уже без него. Он попал в водоворот, который тянет его на дно. И в эту минуту он думал только о том, чтобы водоворот не втянул и маму — доброе, самое дорогое ему существо.

— Однажды я чувствую, он стоит за мной,— продолжала она,— я, не оборачиваясь, спрашиваю: «Вы не заберете Сашу?» Он молчит, ничего не отвечает. Я не выдержала, оглянулась, он приложил палец к губам, пятится от меня и пропал в толпе.

— Все это твое больное воображение,— сказал Саша.— Никто не следит ни за мной, ни за тобой, никому мы не нужны, подумаешь, государственные преступники! Смешно! Если надо меня забрать, давно забрали бы, не тратили бы времени на дурацкую слежку. И имей в виду: меня восстановят. Но сейчас все заняты съездом, не до меня, после съезда разберутся. Все остальное выбрось из головы. Не отравляй нам жизнь.

Она молчала, смотрела в одну точку, сутулилась, качала головой, будто у нее тик. Что бы ни говорил Саша, как бы ни переубеждал ее, она твердила одно — все именно так, как она рассказывает. Так было сегодня, и вчера, и завтра опять все повторится: она выйдет на улицу, увидит одного из троих, и если будет дежурить тот, маленький, то он опять ей что-то скажет, может быть, даже ответит, заберут Сашу или не заберут.

Тот, маленький, в бобриковом пальто, снова не ответил на ее вопрос, посмотрел с сочувствием и отвернулся. Теперь Софья Александровна ждала худшего. Ее настораживал каждый звук, тишина казалась зловещей. Часами стояла она у дверей, прислушивалась к шагам на лестнице или взбиралась на подоконник и смотрела, кто идет по двору. Как-то увидела милиционера и, охваченная страхом, ничего не соображая, заметалась по комнате. Милиционер не зашел в их квартиру, значит, пошел к соседям спрашивать о Саше. Никто о нем не может сказать плохого, но люди легко причиняют другим зло, вероятно, полагая, что этим отводят его от себя.

Все знают о Сашином деле, весь дом, все жильцы, всех, наверно, вызывали, ко всем приходили. Она сидела во дворе на скамеечке под маленьким железным козырьком, оценивала, кто как прошел, как посмотрел на нее, как поздоровался.

Позвонили из домоуправления, велели зайти Саше. Она всегда боялась домоуправления, но пошла сама. Требуют уточнить Сашину стандартную справку с места работы. Предлог! Управдома Носова Виктора Ивановича она знала двадцать лет, бегал по двору маленький Витька, и покойную маму его знала, и он ее хорошо знал и Сашу знал. Теперь едва взглянул, не спросил, почему Саша, студент, работает грузчиком, значит, все знает. И попрощался сухо. А паспортистка вовсе не попрощалась, притворилась, что занята.

Кто-то позвонил по телефону, спросил Сергея Сергеевича, она сказала, что никакого Сергея Сергеевича у них нет. Через пять минут опять спросили Сергея Сергеевича, но уже другим голосом. Потом опять позвонили, но не ответили, она слышала в трубке чье-то дыхание. Несколько раз вызывали к телефону Галю, их соседку, раньше ей так часто не звонили. Отвечала Галя обиняками, двусмысленно и, повесив трубку, опускала глаза, быстро проходила в свою комнату.

Милица Петровна, к которой она когда-то ревновала мужа и с которой теперь снова подружилась, обещала посодействовать. В молодости Милица имела влиятельных поклонников, а сейчас никого нет, всем надоела.

Зато Маргарита Артемовна, старая армянка, они часто сидели вместе на скамеечке, спокойная, мудрая, обстоятельная женщина, сказала, что Саше следует на время уехать из Москвы, предложила даже поехать к ее родственникам в Нахичевань.

Софья Александровна ухватилась за эту мысль. Сама она побоялась высказать ее Саше и попросила об этом их соседа по квартире, Михаила Юрьевича. Такой совет должен исходить от мужчины.

Михаил Юрьевич, одинокий холостяк, интеллигентный человек в пенсне, собирал книги и гравюры. Комната его, заваленная альбомами, папками, уставленная старинной мебелью, навсегда пропиталась пылью фолиантов, запахами краски, клея и туши. Свои приобретения он обычно показывал Саше — любил с ним поговорить. Сегодня он показал Саше Дантов «Ад» с иллюстрациями Доре. Вихрь людей носился по преисподней, мужчины, женщины, дети, головы, руки, ноги, вечный огонь желаний, страстей, сжигающих человечество.

Кроме Данте Михаил Юрьевич приобрел изданного «Академией» «Государя» Маккиавели.

— Эту книгу я знаю,— сказал Саша,— рассуждения о власти наивны, далеки от научного понимания ее природы.

— Возможно,— уклончиво ответил Михаил Юрьевич,— но историю добрых и злых начал полезно изучать в любую эпоху, добрые начала не должны попираться ни во имя большого, ни во имя малого. Вы извините, Саша, что я вмешиваюсь, ваша матушка рассказала мне о ваших перипетиях, обещайте только не ругать ее за это. Знаете, береженого бог бережет. Почему бы вам не уехать к отцу или к дяде?

— Уехать? — удивился Саша.— Я не вижу причин. Дело не может разбираться без меня. Мама себя взвинчивает. Обыкновенная история, каких много, к сожалению. Меня хотят арестовать?! Исключено. Но если даже это допустить, то с одинаковым успехом арестуют у отца и у дяди. Или мне перейти на нелегальное положение?

Он засмеялся: он, Саша Панкратов, скрывается от своих.

— Безусловно, страхи Софьи Александровны преувеличены,— согласился Михаил Юрьевич.— Но таково свойство политического дела: с каждой апелляцией вы вовлекаете в круг все большее количество людей, инстанций, дело разрастается, как снежный ком.

Саша с удивлением посмотрел на Михаила Юрьевича. Этот беспартийный, далекий от политики человек говорил точные вещи.

— Я верю в партию,— сказал Саша,— и бегать от нее не собираюсь.

10

Саша приехал на Старую площадь утром. На месте Китайгородской стены зияли мертвые провалы, лежали под снегом груды векового кирпича. Саша вошел в большое удобное серое здание — «Центральная контрольная комиссия»,— в вестибюле на указателе кабинетов нашел номер кабинета Сольца и поднялся на второй этаж.

В длинном коридоре вдоль стен сидела молчаливая очередь людей. Из кабинета Сольца вышел молодой человек в синем бостоновом костюме, в белой рубашке и галстуке. Решив, что это посетитель, и видя, что никто из очереди не подымается, Саша открыл дверь.

В большом кабинете стояло два стола: маленький у двери, секретарский, и громадный, в глубине кабинета, за ним сидел Сольц — грузный, с седыми взлохмаченными волосами, короткой шеей, мясистым носом и «заячьей» губой, похожий на знаменитого шахматиста Эммануила Ласкера. Возле Сольца стоял человек с округлой фигурой и безликим чиновничьим лицом, подкладывал бумаги на подпись.

Видя, что Сольц занят, Саша присел на стул у дверей. Сольц посмотрел на него, он был подслеповат, не видел, кто именно вошел, знал, что никто без разрешения войти не может, а раз вошел и сел, значит, секретарь впустил и так, наверное, нужно. Чиновник подкладывал бумаги. А бумаги эти были судебные приговоры по делам осужденных членов партии. Так понял Саша из коротких комментариев чиновника, произносившего фамилию осужденного, его партийный стаж, статью Уголовного кодекса и срок заключения. Статьи, которые он называл, ни о чем Саше не говорили. Сольц подписывал бумаги молча, насупившись, нижняя губа отвисла, лицо измученное, недовольное, казалось, он думает совсем о другом, еще более неприятном, чем сами приговоры, на основании которых осужденных исключали из партии.

Саша догадался, что попал сюда случайно, не вовремя, не имеет права здесь быть, но не мог встать и выйти. Если он выйдет, то неизвестно когда попадет сюда и попадет ли. Только сейчас он сообразил, что люди в коридоре ждут приема и ждут, наверно, месяцами.

Сольц взорвался неожиданно — седая голова затряслась, пальцы беспокойно забегали по столу.

— Восемь лет за сорок метров провода!

— Статья двадцать шестая, пункт «б».

— Статья, статья... За сорок метров провода восемь лет!

Чиновник наклонился к бумагам, пробежал глазами. Его лицо снова стало равнодушным. Материал оформлен правильно. И, сколько бы Сольц ни кричал, отменить приговор он не вправе.

Сольц тоже знал, что не вправе отменить приговор, осужденного следует исключить из партии и он должен это исключение утвердить, а изливать свое раздражение на чиновника бессмысленно.

Его взгляд опять упал на Сашу. Этот сидящий у двери незнакомый человек тоже раздражал его: кто он такой? Почему здесь?..

В эту минуту в кабинет вернулся секретарь, молодой человек в синем бостоновом костюме, которого Саша принял за посетителя. Он был опытный секретарь, много лет работал с Сольцем и сразу сообразил: Сольц взбешен каким-то приговором, раздражен присутствием в кабинете постороннего, а парень этот попал в кабинет по его, секретаря, оплошности, когда он отправился в буфет за папиросами.

Протянув дрожащий палец в сторону Саши, Сольц спросил:

— Что ему нужно?

В быстром взгляде секретаря Саша прочитал: «Говори, что тебе нужно, не медли!»

Саша встал.

— Меня исключили из института...

— Какого еще института? — закричал Сольц.— При чем тут институт?! Чего вы сюда все ходите?

— Из транспортного,— сказал Саша.

— Товарищ из транспортного института,— сказал секретарь деловито,— студент, его исключили из института.

И вполголоса добавил:

— Подойди к нему.

— Меня исключили за стенгазету и за конфликт по курсу бухгалтерии,— сказал Саша, подходя к столу Сольца.

— Какую стенгазету, какую бухгалтерию?! Что вы мне вкручиваете?!

— Это квалифицировано как политическая диверсия.

Сольц во все глаза смотрел на Сашу, видимо, не понимая, что вообще происходит, почему этот человек вошел в кабинет, слушает судебные приговоры, рассказывает о какой-то стенгазете, о какой-то бухгалтерии...

Чиновник усмехнулся чуть заметно, снисходительно, с высоты своей казенной самоуверенности — вот, мол, что бывает, когда пренебрегают установленным порядком ведения и оформления дел. Именно потому, что Сольц не понимает этого порядка, к нему и являются, минуя инстанции.

Эта снисходительная усмешка не ускользнула от Сольца. Исподлобья глядя на Сашу, он неожиданно спокойно сказал:

— Вызовите всех.

Саша продолжал стоять на месте.

— Что вы стоите! — закричал Сольц.— Идите отсюда!

Саша попятился. Секретарь знаками велел ему подойти.

— Кого вызвать? — вполголоса спросил он и положил перед собой листок со штампом «Партколлегия ЦКК ВКП(б)».

И только тогда Саша сообразил, что Сольц вызывает всех причастных к его, Сашиному, делу. Первый раз за эти месяцы сердце его дрогнуло и к горлу подкатил ком.

Секретарь выжидательно смотрел на него.

— Баулин, секретарь партбюро,— начал Саша.

— Без должностей, без должностей,— торопил его секретарь, записывая фамилии на листке вызова.

— Глинская, Янсон, Руночкин... Ребят можно?

— Говори, не тяни!

— Полужан, Ковалев, Позднякова,— говорил Саша, слыша, как за его спиной чиновник забубнил фамилии и статьи.

— Все?

— Все.

— На когда?

— Можно на завтра?

— Успеешь передать?

— Успею.

— Дуй.

В дверях Саша обернулся. Сольц, сбычившись, смотрел на него.

«Партколлегия просит Вас явиться 10 января с/г к трем часам к товарищу Сольцу». И фамилии вызванных. Только Сашину фамилию не вписали, его фамилии никто не спросил. Это смешно, но не имеет значения. Дело выиграно. Саша не сомневался в этом. Сольцу не требуется никаких инстанций, никаких бумаг, никаких решений. Вызвать всех! И подумать только: не зайди он в кабинет, не окажись секретарь вынужденным исправить свою оплошность, ничего бы не получилось. И эта чиновничья улыбка, взорвавшая Сольца. А теперь получилось! Получилось!

И все же что-то угнетало... Эти молчаливые люди на скамейках вдоль стены, безмолвные, терпеливые, ждущие решения судьбы своих близких. Диктатура пролетариата должна защищаться, это так, безусловно! Но все же в тех коридорах воздух пропитан человеческим горем. И тот неизвестный, осужденный на восемь лет тюрьмы за сорок метров провода. Не сыграл ли Саша в его деле роковую роль, не перехватил ли не ему предназначенное сострадание?

Но он был молод, он так хотел жить, и он старался думать о себе, о том, что несчастья его кончились, а не о людях, безмолвно сидящих на скамейках вдоль казенных и унылых стен.

Глинская разговаривала по телефону, когда Саша, минуя секретаря, вошел в ее кабинет. Она удивленно, потом испуганно посмотрела на него, сразу узнала, прикрыла ладонью трубку.

— Что вы хотите?

Саша положил перед ней вызов.

Она прочитала, растерянно пробормотала:

— Почему меня? К Баулину.

Она выглядела очень жалкой.

— Распишитесь, пожалуйста!

— Почему, почему? Идите в партком,— бормотала Глинская.

— Мне поручено это вам доставить. Распишитесь!

Она положила наконец трубку, взяла в руки листок.

— Ты был у Сольца? — вдруг переходя на «ты», спросила она.

— Был.

Она смотрела на листок. Вмешалась партколлегия ЦКК... Не обошлось, конечно, без Рязанова, без Будягина, что и следовало ожидать. И это накануне съезда. Она представила себе, как на съезде тот же Сольц или Ярославский, а может, и Рудзутак приведут в своей речи случай с Панкратовым как пример бездушного отношения к будущему молодому специалисту. Исключили с последнего курса, она подписала приказ. Да, подписала, подчинилась решению партбюро. Но она предупреждала Баулина: пришло письмо, запрещающее отсев студентов со старших курсов. Не прислушался, пусть теперь расхлебывает.

Она посмотрела на Сашу, улыбнулась.

— Это все седьмая школа. Стишки, эпиграммы...

Саша пододвинул листок.

— Распишитесь, пожалуйста.

— Я приду.

— Будьте добры, распишитесь!

Она нахмурилась и расписалась против своей фамилии.

Баулин прочитал вызов, язвительно улыбнулся.

— По верхам лазаешь, не сорвешься?

И расписался с таким обиженным видом, будто Саша нанес ему личное оскорбление.

Янсон посмотрел на Сашу из-за толстых стекол очков, в глазах его мелькнула надежда, он спросил, на каком этаже.

В группе листок пошел по рукам.

— Почешутся,— обрадовался Руночкин,— Ковалев, будешь теперь каяться?

— Сашка, ты молодец,— сказала Позднякова.

Осторожная Роза Полужан тихо спросила:

— Победа?

Сольц, видно, забыл про Сашу. Недоуменно смотрел, как входят в кабинет восемь человек, и подумал, что назначил какое-то совещание. Но на календаре никакой записи не оказалось.

Глинская протянула ему руку, они были знакомы, Сольц узнал ее, с неуклюжей галантностью поднялся. Он оказался совсем маленького роста.

— По делу транспортного института,— объявил секретарь.

Это ничего не говорило Сольцу, он не знал дела транспортного института, а Сашу по близорукости не узнал. Все же привычным движением руки пригласил всех сесть.

Глинская развернула перед Сольцем стенгазету. Стенгазета все время свертывалась в рулон, и Глинская прихватила ее по краям пресс-папье и массивным стаканом для карандашей... Сольц растерянно следил за ее действиями.

— Вот эти эпиграммы,— сказала Глинская.

Сольц нагнулся к газете, близоруко сощурился.

Свиная котлета и порция риса —
Лучший памятник на могилу Бориса.

Он поднял глаза, не понимая, зачем эти эпиграммы. И тут увидел Сашу, тот напряженно смотрел на него. Тогда только Сольц вспомнил вчерашнего молодого человека, сидевшего в его кабинете. Он снова прочитал эпиграмму, нахмурился.

— В чем же здесь контрреволюция?

— Тут несколько эпиграмм,— ответила Глинская.

Сольц опять наклонился к листу.

Упорный труд, работа в моде,
А он большой оригинал,
Дневник теряет, как в походе,
И знает все, хоть не читал.

— Номер посвящен шестнадцатой годовщине Октябрьской революции,— сказал Баулин.

Сольц обвел всех сощуренным, близоруким взглядом, пытаясь разобрать, кому принадлежит этот голос. Перед ним сидели хорошенькая белокурая Надя, Саша, маленький скособоченный Руночкин, испуганная Роза, растерянный Ковалев.

— Октябрьская революция не отменила эпиграмм,— сурово ответил Сольц.

— Они помещены под портретами ударников,— настаивал Баулин.

Теперь Сольц увидел, кто спорит с ним.

— Раньше только на высочайших особ нельзя было сочинять эпиграммы. И то сочиняли.

— Труд «в моде» — разве это правильно? — упорствовал Баулин.

— Труд, труд! — дернулся Сольц.— Буржуазные конституции тоже начинаются со слов о труде. Вопрос в том, какой труд и во имя чего труд. Что в этой эпиграмме против труда?

— Видите ли...

— Вижу, как вы ломаете молодые жизни! — Сольц обвел рукой сидевших перед ним ребят.— Вижу, как вы их мучаете и терзаете. Это о них Ильич сказал: «Вам жить при коммунизме». Какой же коммунизм вы им преподносите?! Вы его выкинули из института, куда ему идти? В грузчики?

— Он и работает грузчиком,— заметил Янсон.

— Мы его учили, это же наш будущий советский специалист. А вы его на улицу. За что? За эпиграммы? Молодость имеет свои права. И первое ее право — смеяться.

Опять с неуклюжей галантностью он повернулся к Глинской.

— В их годы мы тоже смеялись. Теперь они смеются, и слава богу! Если молодые смеются, значит, хорошо, значит, они с нами. А вы их по зубам! Эпиграммы друг на друга написали... А на кого им писать? На меня? Они меня не знают. Над кем же им смеяться?

— Исключение утверждено райкомом,— предупредил Баулин.

— Утверждено, утверждено! — Сольц побагровел.— Как это у вас быстро получается!

Глинская, которая чувствовала себя здесь гораздо уверенней, чем в институте, примирительно спросила:

— Как поступим?

— Восстановить! — хмуро и решительно ответил Сольц.

11

Ребята вышли на улицу.

Руночкин скосил глаза.

— Надо отметить.

— Я — за,— радостно согласилась Надя.

— Мне нужно в другое место,— отказалась Роза.

— Пожалуй, и я поеду,— сказал грустный Ковалев.

— Привет Лозгачеву,— напутствовал его Руночкин.

У них оказалось несколько рублей, у Нади тоже.

— Заедем ко мне, умножим капитал,— предложил Саша.

Дома он обнял и поцеловал мать.

— Знакомься! Нас восстановили... Ура!

Софья Александровна заплакала.

— Здрасьте! — сказал Саша.

Она вытерла слезы, улыбнулась. И все равно сердце ее было полно тревоги.

— Нина звонила.

— Мы зайдем за ней.

Нины дома не оказалось. В коридоре Варя разговаривала по телефону.

Саша положил руку на рычаг.

— Собирайся!

— Куда? — она с любопытством оглядела хорошенькую Надю.

— Выпивать и закусывать.

Быстро смеркалось, зажглись фонари. Саша любил предвечерний, зимний, деятельный Арбат, его последнее оживление. Все в порядке, все на месте. Он идет по Арбату, как ходил всегда, все т о кончилось.

На углу Афанасьевского им попался Вадим в оленьем полушубке и якутской шапке, с длинными, до пояса, меховыми ушами.

— Покровителю Арктики! Давай с нами!

— Удачу обмывать? — сразу догадался Вадим.

— Именно.

— Поехали в «Канатик», чудное место,— поглядывая на Надю, предложил Вадим.

— Сюда должна прийти Нина.

По крутой лестнице они спустились в «Арбатский подвальчик», низкий, разделенный толстыми квадратными колоннами, и отыскали свободный столик в дальнем углу. Пахло кухней, пролитым пивом, трактирными запахами полуресторана, полупивной. Тускло светили неуклюжие бра, косо подвешенные на низких изгибах арок. На эстраде возвышался контрабас в чехле, лежал на стуле саксофон — музыканты уже пришли.

Саша протянул через стол меню.

— Что будем заказывать?

— Как дорого,— вздохнула Надя.

— По силосу и по землетрясению,— предложил Руночкин.

— Не за винегретом и не за студнем мы сюда пришли,— возразил Саша.

— Единственное, зачем сюда приходят, это кофе с ликером «какао-шуа»,— объявил Вадим с видом ресторанного завсегдатая.

На соседнем столике над синим огоньком спиртовки возвышался кофейник, и два пижона потягивали из крошечных чашечек кофе с ликером.

— Мы голодные,— сказал Саша.— Варя, что будешь есть?

— Бефстроганов.

Заказали бутылку водки мальчикам, бутылку портвейна девочкам и всем по бефстроганову.

— Выгоднее заказывать разные блюда,— заметил Вадим.

— А вот и Нина,— вполголоса, как бы про себя проговорила Варя, сидевшая лицом к выходу.

— Забились в самый угол...— оживленно говорила Нина, подходя к столику.— Сашенька, поздравляю,— она поцеловала его,— как только прочитала твою записку, все поняла. Я и не сомневалась,— она покосилась на Варю,— и ты здесь...

— И я здесь.

— Жалко, Макс не знает,— продолжала Нина, усаживаясь между Вадимом и Руночкиным.

Грянул оркестр... «Ах, лимончики, вы мои лимончики, вы растете у Сони на балкончике...» Официанты быстрее забегали по тесным и низким проходам.

— Сольц — человек,— сказал Руночкин.

— Только ужасно нервный,— добавила Надя.

Жуя бефстроганов, Вадим заметил:

— Саша прошел через горнило страданий. А без страданий...

— Ненавижу страдальцев,— перебил его Саша.

— Перефразировка Прудона,— Вадим продолжал рисоваться перед Надей.— После угнетателей я больше всего ненавижу угнетенных. Но бывают обстоятельства... Например, это...

Он скосил глаза на соседний столик. Рядом с пижонами уже сидела девица с красивым испитым лицом.

— Социальное зло,— сказала Нина.

— А может, патологическое явление,— возразил Вадим.

— Не патология и не социология, обыкновенная проституция,— сказал Саша.— Меня не интересует, почему она этим промышляет, задумываться над ее психологией — не желаю. Вот Нина, Варя, Надя — я готов их любить, уважать, почитать. Человек морален, в этом его отличие от скотины. И не в страдании его жизненная функция.

Подпевая оркестру, Варя тихонько затянула:

— «Мы тебя любили нежную, простую... Всякий был пройтись с тобой не прочь».

— Почему так любят блатные песни? — спросил Вадим. И сам ответил: — Мурка умирает, бедный мальчишка позабыт, позаброшен, и никто не узнает, где могилка его. Человек страдает — вот в чем смысл.

— Не выворачивай кишки,— перебил его Саша.

Вадим надул губы.

— Ну, знаешь, такая нетерпимость.

— Не обижайся,— сказал Саша,— я не хочу тебя обижать. Но для тебя это абстракция, а по мне это проехало. Теперь подсчитаем наши ресурсы, вдруг хватит еще на бутылку.

Денег хватило еще на бутылку мальчикам и на мороженое девочкам.

— Только не торопиться,— предупредил Вадим,— растянем на вечер.

— Варя, тебе завтра в школу,— напомнила Нина.

— Я хочу послушать музыку.

— Не трогай ее,— сказал Саша,— пусть посидит.

Ему хотелось доставить Варе удовольствие. И сам он был счастлив. Дело не в том, что он всем доказал. Он отстоял нечто гораздо более значительное, он защитил веру этих ребят. Больше, чем когда-либо, его мучило теперь сознание незащищенности людей. На его месте Руночкин махнул бы рукой и уехал. Надя Позднякова поплакала бы и тоже уехала. Вадим, попади он в такую историю, тут же бы сломался.

И только Варя не придавала Сашиной истории особого значения. Если бы ее исключили из школы, она бы только радовалась. Она сидит рядом с ним в ресторане, ей кажется прекрасным этот кабак, молодые люди в «чарльстонах», джазисты на эстраде, трубач, надувающий щеки, ударник, самозабвенно жонглирующий палочками. К девице за соседним столом уже приставали двое пьяных, тянули за свой столик, а пижоны трусили, не могли защитить. Девица ругалась, плакала, официант грозился ее вывести.

— Кобелиная охота,— черные Сашины глаза сузились.

— Не ввязывайся,— предупредил Вадим и тут же отодвинулся, зная, что Сашу удержать нельзя.

Саша встал, сутулясь и поводя плечами, подошел к соседнему столику, мрачно улыбнулся.

— Может быть, отстанем? — он умел бить и бил крепко.

Две толстые наглые морды, сиреневые рубашки, один в фетровых бурках, другой в широченном клеше, сукины сыны, хамы.

Тот, что в бурках, пренебрежительно отстранил Сашу рукой, второй вклинился между ними, будто желая их развести.

— Бросьте, ребята!

Но Саша знал этот прием: примиряющий первый и ударит его. И Саша нанес ему тот короткий, быстрый удар, который заставляет человека перегнуться пополам, схватиться за живот и глотать воздух открытым ртом. Саша обернулся ко второму, но тот сделал шаг назад, задел столик, зазвенела посуда, завизжала девица, вскочили со своих мест пижоны... Трубач, косясь глазом, надувал щеки, пианист обернулся, но пальцы его продолжали бегать по клавишам, ударник жонглировал палочками... «Хау ду ю, ду ю, мистер Браун... Хау ду ю, ду ю, ду ю, ду!..» Оркестр играл, все в порядке, граждане, танцуйте фокстрот и танго, пейте кофе с ликером «какао-шуа», не обращайте внимания, мелкое недоразумение — вот оно и кончилось... Идут к своему столику бурки и клеш, сел на место черноглазый и другой сел, косоглазенький, что тоже полез в драку, расплатились и ушли с девицей пижоны, официант уже отряхивает скатерть с их стола... Все в порядке, граждане!

— Они дождутся, когда мы выйдем на улицу, и там пристанут,— сказал Вадим.

— Дрейфишь! — засмеялась Нина.

Саша был спокоен, когда дрался, а сейчас им овладела нервная дрожь, и он пытался взять себя в руки.

— Варя, идем потанцуем...

Оркестр играл медленный вальс. «Рамона, ты мне навеки отдана...» Саша двигался с Варей по тесной площадке перед оркестром, чувствуя направленные на себя взгляды. Плевать, пусть думают, что хотят! Те двое тоже косились на него, и на них плевать! Он танцует вальс-бостон... «Рамона, ты мне навеки отдана...» Танцует с хорошенькой девочкой Варенькой... Она смотрит на него, улыбается, восхищается им, его поступком, он вел себя, как герой улицы, вступился за девку, которую перед тем осуждал. Варя чувствовала за этим нечто свое, он такой же, как и она, только притворяется сознательным, как и она притворяется в школе примерной ученицей. Она смотрит на него, улыбается и прижимается к нему. Плачет оркестр, рыдает трубач, палочки ударника замирают в воздухе, пианист склонился над клавишами... «Где б ни скитался я цветущею весной, мне снился дивный сон, что ты была со мной».

— Молодец, хорошо танцуешь,— сказал Саша.

— Пойдем послезавтра на каток,— предложила Варя.

— Почему именно послезавтра?

— Суббота, будет музыка. Ведь ты катаешься?

— Катался когда-то.

— Пойдем?

— Я даже не знаю, где мои коньки.

12

«Ввиду признания студентом Панкратовым своих ошибок восстановить его в институте с объявлением строгого выговора».

Праздника не получилось. Его исключение взбудоражило всех, восстановление — никого. Только Криворучко, подписывая новый Сашин студенческий билет, сказал:

— Рад за тебя.

Прежде такой грозный, он выглядел раздавленным — одинокий человек, досиживающий последние дни в своем кабинете.

— Как у вас? — спросил Саша.

Криворучко кивнул на кипу папок в углу.

— Сдаю дела.

Он достал печать из ящика громадного письменного стола. Студенты называли этот стол палубой. Они часто ходили к Криворучко, от него зависели стипендия, общежитие, карточки, ордера.

— Между прочим, я знаком с твоим дядей. Мы с ним были в одной партийной организации. Давно, году в двадцать третьем. Как его здоровье?

— Здоров.

— Передай ему привет, когда увидишь.

Саша стыдился своей удачи, он выкарабкался, а Криворучко нет.

— Может быть, вам обратиться к товарищу Сольцу?

— В моем деле Сольц бессилен. Мое дело зависит от другого...

Не глядя на Сашу, как бы про себя, он добавил:

— Сей повар будет готовить острые блюда.

И насупился. Саша понял, какого повара он имеет в виду.

Потом Саша отправился к Лозгачеву. Тот улыбнулся так, будто рад его успеху.

— У Криворучко был?

Знал, что Саша был у Криворучко, и все же спросил.

— Оформил билет и пропуск,— ответил Саша.

Вошел Баулин, услышал Сашин ответ, сухо спросил у Лозгачева:

— Разве печать у Криворучко?

— Новый приступает с понедельника.

— Могла себе печать забрать.

Лозгачев пожал плечами, давая понять, что Глинская считает себя слишком высокопоставленным лицом, чтобы прикладывать печать.

Они по-прежнему занимаются своими делами, своими склоками, как будто ничего не произошло, не чувствуя ни вины, ни угрызений совести: тогда требовалось так, а теперь, когда восстановили, можно и по-другому... И Саше надо по-другому...

Они при нем говорят насмешливо о Глинской, не скрывают своей враждебности к ней — разве такая откровенность не подразумевает доверия?

Все это означало: «И тебе, Панкратов, надо по-другому. Теперь ты битый, второй раз не выкрутишься. Сольц далеко, а мы близко, и держись за нас. Парень ты молодой, неопытный, незакаленный, вот и промахнулся, мы понимаем, с каждым может случиться. Теперь ты знаешь, кто такой Криворучко, бей его вместе с нами. Взаимное доверие возникает только там, где есть общие враги. «Скажи мне, кто твои друзья» — это устарело! «Скажи, кто твои враги, я скажу, кто ты» — вот так сейчас ставится вопрос!»

— Жаловался тебе Криворучко? — спросил Лозгачев.

Не стоит связываться с ними. И все же не он, а они битые, не его, а их мордой об стол. Пусть не забывают.

— Мне-то что жаловаться, я не партколлегия.

Лозгачев поощрительно засмеялся.

— Все же товарищи по несчастью.

— «Товарищи»? — насмешливо переспросил Саша.— Так ведь его еще не восстановили.

В мрачном взгляде Баулина Саша почувствовал предостережение. Но этот взгляд только подхлестнул его. От чего предостерегает? Снова исключат? Руки коротки! Обожглись, а хотят выглядеть победителями. Это, мол, не Сольц тебя простил, это партия тебя простила. А мы и есть партия, значит, мы тебя простили... Нет, дорогие, вы еще не партия!

Лозгачев с насмешливым любопытством смотрел на него.

— Думаешь, Криворучко восстановят?

— Меня восстановили.

— Ты другое, ты совершил ошибку, а Криворучко матерый...

— Его когда-то исключили за политические ошибки и то восстановили, а уж за общежития...

— Что-то новое,— опускаясь в кресло и пристально глядя на Сашу, произнес Баулин,— раньше ты так не говорил.

— Раньше меня не спрашивали, а теперь спрашиваете.

— Раньше ты открещивался от Криворучко,— продолжал Баулин.— «Не знаю, не знаком, двух слов не говорил».

— И сейчас повторяю: не знаю, не знаком, двух слов не говорил.

— Так ли? — зловеще переспросил Баулин.

— Ты не прав, Панкратов,— наставительно проговорил Лозгачев,— партия должна очищать свои ряды...

Саша перебил его:

— От карьеристов прежде всего.

— Кого ты имеешь в виду? — нахмурился Лозгачев.

— Карьеристов вообще, никого конкретно.

— Нет, извини,— Лозгачев покачал головой,— партия очищает свои ряды от идейно неустойчивых, политически враждебных элементов, а ты говоришь: надо в первую очередь от карьеристов. Надо, бесспорно. Но почему такое противопоставление?

Сашу раздражал ровный фальшивый голос Лозгачева, его холодное лицо, тупая ограниченность его вызубренных формулировок.

— Может быть, не будем приклеивать ярлыки, товарищ Лозгачев! Вы в этом уже поупражнялись. Я говорю: один карьерист наносит партии больше вреда, чем все ошибки старого большевика Криворучко. Криворучко их совершал, болея за дело партии, а карьеристу дороги только собственная шкура и собственное кресло.

Наступило молчание.

Затем Баулин медленно проговорил:

— Неважно резюмируешь, Панкратов.

— Как умею,— ответил Саша.

Они, конечно, перетолкуют, извратят его слова. Саша понял это, как только закрыл дверь лозгачевского кабинета.

Нашел с кем откровенничать! Он их не боится. Но глупо.

В аудитории Саша сел на свое место, его фамилию даже не вычеркнули из журнала. И все же не верилось, что все кончилось. Вся история с Сольцем казалась нереальной. Реальное — это институт, Баулин, Лозгачев, поникший Криворучко...

Он возвращался домой в переполненном вагоне трамвая. За окном быстро темнело — ранний, сумрачный зимний вечер. Напротив сидел нескладный мужичишко с редкой рыжей бороденкой, концы треуха свисали на рваный полушубок. Громадными подшитыми валенками он сжимал мешок, другой мешок лежал на скамейке, неуклюжие крестьянские мешки, набитые чем-то твердым и острым, всем мешали в тесном вагоне. Он беспокойно оглядывался по сторонам, спрашивал, где ему сходить, хотя кондукторша обещала предупредить. Но в глубине его искательного взгляда Саша чувствовал что-то суровое, даже жесткое. У себя дома этот мужичонка, наверно, совсем другой. Мысль о том, как меняется человек в разных условиях, Саша записал на обложке тетради с курсом мостов и дорожных сооружений, чтобы дома переписать в дневник, который то начинал, то бросал, а теперь твердо решил вести.

13

Поздно вечером, когда Саша ложился спать, вдруг позвонила Катя.

Как и прежде, молчание в трубке, потом короткие гудки, снова звонок.

— Катя, ты?

— Не узнал? — голос ее раздавался издалека, будто она звонит из пригородного автомата.

— Как узнать, если ты молчишь?

— Молчишь... Тут не раскричишься. Как живешь-то?

— Живу, тебя вспоминаю.

— Вспоминаю... Девочек не хватает?

— Разбежались мои девочки. Ты как?

— Как, как... По тебе Маруся скучает, помнишь Марусю?.. Влюбилась в тебя, приведи, говорит, своего черноглазого.

— Я готов. Когда пойдем?

— Пойдем... Чего захотел, я мужняя жена.

— Вышла за своего механика?

— Механик... Техник-механик, жулик-карманник.

— Выпила, что ли?

— А ты подносил?

— Когда встретимся?

— Где это мы встретимся? На улице тридцать градусов, отморозишь свои причиндалы.

— Так ведь Маруся нас ждет.

— Ждет... К ней муж приехал. Ладно, на Девичку приходи.

— А пойдем куда?

— На кудыкину гору...

— Значит, завтра на Девичке. В шесть, в семь?

— Побегу я в шесть...

Вот и объявилась Катя, вернулась. И желание, которое он всегда к ней испытывал, снова овладело им, да оно и не угасало. Они виделись в сентябре или октябре, сейчас январь — четыре месяца. Замуж она, конечно, не вышла, к Марусе муж не вернулся, они и пойдут завтра к Марусе, для того и затеяла разговор о ней. Все обиняками, странная девчонка!

Он думал о ней, лежа в постели, и чем больше думал, тем больше желал ее. Завтра он будет целовать ее сухие губы, обнимать ее, и эта мысль долго не давала уснуть.

Звонок, отчетливо прозвеневший в коридоре, сразу разбудил его. Был второй час ночи, наверно, он только задремал. Звонок повторился настойчиво и твердо. В трусах и майке Саша вышел в коридор, снял цепочку.

— Кто?

— Из домоуправления.

Саша узнал голос дворника Василия Петровича и повернул ключ.

В дверях стоял Василий Петрович, за ним незнакомый молодой человек в пальто и шапке и два красноармейца в шинелях с малиновыми петлицами. Отстранив сначала Василия Петровича, потом Сашу, молодой человек вошел в квартиру, один красноармеец остался у дверей, другой вслед за Василием Петровичем прошел на кухню и стал у черного хода.

— Панкратов?

— Да.

— Александр Павлович?

— Да.

Не сводя с Саши настороженного взгляда, молодой человек протянул ему ордер на обыск и арест гражданина Панкратова Александра Павловича, проживающего по Арбату...

Они вошли в Сашину комнату.

— Документы!

Из кармана пиджака, висевшего на спинке стула, Саша вынул паспорт и студенческий билет. Молодой человек внимательно их просмотрел и положил на край стола.

— Оружие?

— У меня нет оружия.

Молодой человек кивнул на дверь маминой комнаты.

— Там кто?

— Комната матери.

— Разбудите ее.

Саша натянул брюки, заправил рубашку, надел носки и туфли.

Уполномоченный стоял в пальто и шапке, дожидаясь, когда Саша оденется. Саша встал, открыл дверь в мамину комнату, осторожно, чтобы не сразу разбудить ее, не напугать.

Мама сидела на кровати, сгорбившись, придерживая на груди белую ночную сорочку, седые волосы падали на лоб, на глаза, и она искоса, остановившимся взглядом смотрела на уполномоченного, вошедшего вслед за Сашей.

— Мама, не волнуйся... У меня обыск. Это недоразумение. Это выяснится. Лежи спокойно.

Косым взглядом, исподлобья она смотрела мимо Саши на того, незнакомого, стоящего в дверях.

— Ну, мамочка, я же тебе сказал, это недоразумение, успокойся, пожалуйста, лежи.

Возвращаясь в свою комнату, он хотел закрыть дверь, но уполномоченный движением руки придержал ее: дверь должна оставаться открытой. Уполномоченный — лишь технический исполнитель, спорить и протестовать бесполезно. Надо быть уверенным, веселым, только так он сможет успокоить мать.

— Что вы собираетесь искать, может быть, я сам вам отдам?

Уполномоченный снял пальто, шапку, повесил в углу. На нем был темно-синий костюм и темная рубашка с галстуком, обыкновенный молодой человек, начинающий полнеть, такого встретишь в канцелярии.

На столе лежали институтские тетради, конспекты, учебники. Уполномоченный брал их в руки, перелистывал, пробегал глазами страницы и складывал аккуратной стопкой.

Привлекла его внимание надпись, сделанная сегодня Сашей на тетради по курсу мостов и дорожных сооружений: «Крестьянин в трамвае, растерянный, жалкий, а дома властный, деспотичный!»

Тетрадь легла рядом с паспортом и студенческим билетом.

В ящиках стола лежали документы, фотографии, письма. Уполномоченный интересовался не содержанием письма, а кем оно написано. И, если не мог разобрать подпись, спрашивал. Саша коротко отвечал. Уполномоченный откладывал письма направо, они были ему не нужны. Метрики, свидетельство об окончании школы, справки с работы и другие документы остались на месте, комсомольский и профсоюзный билеты легли налево.

— Почему вы берете мой комсомольский билет?

— Я пока ничего не беру.

Детские и школьные фотографии тоже не привлекали его внимания, интересовали только те, где были взрослые. И опять он спрашивал: кто это, а это?

Мама встала. Саша услышал скрип кровати, шарканье туфель, стук дверцы шкафа, где висел халат. Но вышла она не в халате, а в платье, наспех надетом на ночную сорочку. Жалко улыбаясь, подошла к Саше, провела дрожащей рукой по его волосам.

— Гражданка, посидите в своей комнате,— сказал уполномоченный.

В его голосе прозвучала казенная категоричность, всегда пугающая ее. Она сделала что-то такое, что может повредить сыну? Софья Александровна испуганно, часто и мелко закивала головой.

— Может, всем лечь на пол? — усмехаясь, спросил Саша.

Уполномоченный, перебирая книги на полке, удивленно оглянулся и ничего не ответил.

— Посиди у себя,— сказал Саша маме.

Мать еще чаще закивала головой и, со страхом глядя на широкую спину уполномоченного, вернулась в свою комнату.

Знают ли они о Сольце? Не знают, иначе не посмели бы прийти. Не сработала какая-то аппаратная шестеренка. Обидно! Это недоразумение многое осложнит.

Уполномоченный велел открыть шкаф, вывернуть карманы пиджака, там оказалась записная книжка с адресами и телефонами, и она легла на стол. Проверяя, все ли он осмотрел, уполномоченный обвел глазами комнату, увидел за диваном чемодан, велел открыть — чемодан оказался пустым. Этот человек выполняет свои обязанности, аккуратный, добросовестный чиновник. Будь Саша на его месте, пошли его партия в органы ГПУ, поручи произвести обыск, арестовать кого-то, он проделал бы это точно так же, хотя тоже мог бы прийти к человеку невиновному — в таком деле ошибки неизбежны. Надо быть выше личной обиды, он докажет свою невиновность, как доказал в ЦКК. И пусть этот человек делает свое дело.

— Пройдемте во вторую комнату.

Мама стояла, опираясь локтями о крышку комода, запустив пальцы в седые волосы, искоса смотрела на дверь.

— Товарищ осмотрит твою комнату. Ты сядь, мама.

Но она продолжала стоять в той же позе и чуть отодвинулась, когда подошел уполномоченный.

На комоде стояли фотографии Саши, Марка, маминых сестер.

— Кто это?

— Мой брат, Рязанов Марк Александрович.

Пусть знает, что ее брат знаменитый Рязанов. Саша его племянник, она все время думала, как ей это сказать, тогда они прекратят обыск и не арестуют Сашу. Марка знает вся страна, его знает Сталин. И с жалкой улыбкой добавила:

— А это Сашенька, когда был маленький.

Нахмурившись, уполномоченный взял фотографию Марка, отогнул защелку, вынул карточку и посмотрел ее с обратной стороны — никакой надписи не было. И он положил все обратно на комод: фотографию, подставку, стекло, картон. Софья Александровна опустилась в кресло и застонала, закрыв лицо руками.

Уполномоченный шарил рукой в выдвинутых ящиках комода. Переворачиваемое белье издавало свежий запах стирки, так оно пахло, когда мама застилала постель на Сашином диване.

— Ведь обыск у меня,— сказал Саша.

— Вы живете одной семьей,— ответил уполномоченный.

Они вернулись в Сашину комнату. Вслед за ними вышла Софья Александровна — обыск кончился, и ей уже не предложили вернуться к себе. Мысль, что Сашу уведут, вывела ее из оцепенения, она заметалась, не зная, что ей делать: то подходила к Саше, то беспокойно следила глазами за уполномоченным. Он писал за столом протокол обыска. Такого-то числа, у такого-то, по ордеру такому-то... Изъято: паспорт, номер; профсоюзный билет, номер; комсомольский билет, номер; студенческий билет, номер; записная книжка. Тетрадь «Мосты и дорожные сооружения» он держал в руке и отложил в сторону, решил не брать.

Потом спросил:

— Где можно помыть руки?

Софья Александровна засуетилась.

— Пожалуйста, я вам покажу.

Она хлопотливо задвигала ящиками комода, взяла чистое полотенце и, пока уполномоченный мыл руки, стояла в дверях ванной с полотенцем в руках и протянула его с жалкой, заискивающей улыбкой: может быть, *там* этот человек облегчит участь сына...

Уполномоченный вытер руки, вышел в коридор, позвонил по телефону, сказал что-то непонятное, условное, только одно слово было понятно — Арбат. Потом положил трубку и прислонился к двери с безучастным лицом человека, кончившего свое дело. Красноармеец у двери стоял вольно, и второй красноармеец вернулся из кухни, теперь парадный и черный ход свободны, дворник Василий Петрович ушел. И, хотя никто не сказал соседям, что обыск окончен, в коридоре появились Михаил Юрьевич и Галя.

Мама собирала Сашины вещи, руки ее дрожали.

— Теплые носки положите,— сказал уполномоченный.

— Наверно, нужно взять что-нибудь из еды,— вежливо проговорил Михаил Юрьевич.

— Деньги,— отозвался уполномоченный.

— Черт возьми,— спохватился Саша,— у меня папиросы кончились.

— Сейчас у своего возьму.

Галя вынесла пачку «Бокса».

— Саша, у вас есть деньги? — спросил Михаил Юрьевич.

— Что-то есть.

Саша порылся в карманах.

— Десять рублей.

— Хватит,— сказал уполномоченный.

— Там лавочка недорогая,— пояснил красноармеец.

Все было мирно, будто Саша отправляется в поездку в незнакомый город, на север или на юг, и вот ему советуют, что с собой взять.

Уполномоченный курил, прислонясь к косяку двери, один красноармеец разговаривал с Галей, второй, присев на корточки, тоже курил. Михаил Юрьевич ободряюще улыбался Саше, и Саша тоже улыбался, чувствовал, что улыбается жалко, но иначе не мог.

— Сашенька, смотри, что я тебе положила,— дрожащими руками Софья Александровна раздвинула край узелка,— вот мыло, зубной порошок, щетка, полотенце, бритва...

— Бритву не надо,— предупредил уполномоченный.

— Извините,— она вынула бритву,— вот носки, смена белья, носовые платки...

Голос ее дрожал.

— Вот гребешок, вот... вот шарфик твой... шарфик...

Ее слова перешли в рыдания, она изнемогала, умирала, перебирая эти вещи, вещи ее мальчика, которого отрывают от нее, уводят в тюрьму. Софья Александровна опустилась в кресло, рыдания сотрясали ее маленькое полное тело.

— Да успокойтесь вы, все обойдется,— говорила Галя, поглаживая ее по плечу,— вон у Алмазовых сына забрали, подержали, отпустили. Чего теперь плакать, раз так вышло.

А она тряслась и бормотала:

— Это конец, конец, конец...

Уполномоченный посмотрел на часы.

— Собирайтесь!

Бросил окурок, подтянулся, нахмурился. Часовые тоже подтянулись, они снова вступали в свои обязанности. Уже не давали советов, примкнули винтовки к ноге, готовясь к конвоированию. Уполномоченный сделал рукой движение, предлагающее Михаилу Юрьевичу и Гале уйти с дороги, по которой сейчас будут проводить арестованного.

Саша надел пальто, шапку, взял узелок.

Красноармеец неловко возился с французским замком и наконец открыл входную дверь. Этот звук донесся до Софьи Александровны — она ждала и страшилась его. Выбежала в коридор, увидела Сашу в пальто и шапке, ухватилась за него, дрожа и захлебываясь в рыданиях.

Михаил Юрьевич мягко придержал ее за плечи.

— Софья Александровна, ни к чему, право, ни к чему.

Саша поцеловал мать в голову, в седые взлохмаченные волосы. Михаил Юрьевич и Галя придерживали ее, она рыдала и билась в их руках.

Саша вышел из квартиры.

Автомобиль ждал на улице, неподалеку от дома. Саша сел на заднее сиденье, по обе стороны сели уполномоченный и конвоир, второй конвоир сел рядом с шофером. Молча проехали по ночным московским улицам. Саша только не разобрал, с какой стороны они подъехали к тюрьме. Открылись высокие железные ворота, пропуская машину в длинный узкий крытый двор. Первыми вышли конвоиры, потом Саша и последним — уполномоченный. Машина тут же отъехала. Сашу ввели в громадное низкое пустое помещение со сводами, гигантский подвал без мебели, ни скамеек, ни столов, пахнущий хлоркой, с обшарпанными стенами и вытертым ногами цементным полом. Саша догадался, что это приемник, отсюда арестованных направляют в камеры, формируют партии на отправку — входные и выходные двери тюрьмы, ее первый и последний этап. Сейчас приемник был пуст.

Уполномоченный и конвоиры уже не следили за каждым Сашиным движением — отсюда не убежишь. Они благополучно закончили *свою* операцию, доставили арестованного, больше за него не отвечают.

— Постойте тут,— приказал уполномоченный и ушел.

Конвоиры тоже ушли в караульное помещение; из открывшейся двери донесся запах мокрого шинельного сукна и солдатских щей.

Саша стоял у стены, опустив на пол узелок. Никто его не охранял, не следил за ним — пауза, вызванная тем, что операция ареста закончилась, а заключение еще не началось. Но именно в эти минуты, предоставленный самому себе, он почувствовал, что в нем уже живет сознание своего нового положения. Если он сделает хотя бы шаг, его остановят, прикажут стоять, где стоял, он будет вынужден подчиниться, а это еще больше его унизит. И не надо давать такого повода. Только так он сможет сохранить свое достоинство, достоинство советского человека, ошибочно попавшего сюда.

Прошел военный с двумя кубиками, на ходу, не глядя, сказал:

— Пройдите!

Саша поднял узелок и пошел, не испытывая уже ничего, кроме любопытства.

За первым же сводом оказался канцелярский столик. Военный сел, достал бланк. Фамилия? Имя? Отчество? Год рождения? Особые приметы? Татуировки? Шрамы? Следы ран? Ожогов? Родимые пятна?.. Записал цвет глаз и цвет волос... Протянул нечто вроде подушечки для печатей, Саша оставил на бланке отпечатки пальцев. Переписал вещи: пальто, шапка, ботинки, свитер, брюки, пиджак, рубашка.

— Деньги!

Он пересчитал деньги, записал в бланк, дал расписаться. И положил в стол.

— Квитанцию вам принесут.— Он показал на дверь.— Пройдите туда!

В маленькой каморке Сашу поджидал обрюзгший заспанный толстяк в штатском.

— Раздевайтесь!

Саша снял пальто и шапку.

— Ботинки снимите!

Саша снял ботинки и остался в носках.

— Выньте шнурки.

Толстяк положил шнурки на стол и показал в угол.

— Станьте!

В углу стояла планка с делениями для измерения роста. Толстяк надвинул Саше на голову движок и громко, для того, кто сидел за стеной, произнес:

— Сто шестьдесят семь!

Потом пощупал Сашино пальто и шапку, ножиком вскрыл подкладку, пошарил там, положил на деревянную скамейку, кивнул на костюм.

— Снимите!

Саша снял пиджак.

— Все снимите!

Саша остался в трусах и майке.

Толстяк прощупал брюки и пиджак, вскрыл подкладку, распорол отвороты брюк, вытащил ремень, положил рядом со шнурками, а пиджак и брюки бросил на скамейку.

— Откройте рот!

Приблизив к Саше заспанное лицо, он осмотрел рот, оттянул губы, посмотрел, не спрятано ли что за губами или между зубов. Потом кивнул на майку и трусы.

— Снимите!

Толстяк искал татуировку, шрамы, следы ожогов или ран, но не нашел.

— Повернитесь!

Саша почувствовал на ягодицах холодное прикосновение пальцев...

— Одевайтесь!

Потом, поддерживая рукой брюки без ремня и хлопая спадающими ботинками, Саша в сопровождении конвоира шел короткими коридорами, поднимался и опускался по лестницам, обитым металлической сеткой, конвоир стучал ключом по металлическим перилам, скрежетали замки, кругом были мертвые камеры и мертвые металлические двери.

В одном коридоре они остановились. Ожидавший их надзиратель открыл камеру. Саша вошел. Дверь захлопнулась.

14

Как того требовал Сталин, четвертую домну задули раньше срока, тридцатого ноября, в семь часов вечера, при тридцатипятиградусном морозе. Марк Александрович мог уехать, только будучи уверенным, что с ней не повторится катастрофа, происшедшая с первой домной, тоже задутой в мороз. Поэтому он отстал от областной делегации и выехал в Москву двадцатого января.

Служебный вагон уже прицепили к паровозу, снегоочиститель ушел вперед. Ветер свистел, наметая сугробы, раскачивая редкие тусклые фонари — станция и город на ограниченном лимите электроэнергии, она нужна на заводе, там, где плавят металл.

В маленьком домике вокзала у голландской печи собрались работники заводоуправления, приехавшие с делами, которые готовятся задолго до отъезда начальства в Москву, но заканчиваются в последнюю минуту. Вслед за Марком Александровичем они вошли в вагон в мокрых валенках, в галошах, шапки и воротники в снегу, к неудовольствию проводника, отряхиваются, топчут, курят, а он здесь все надраил до блеска, как всегда, когда ехал с а м, протопил как следует.

Марк Александрович снял шубу, шапку, и все равно было жарко, особенно ногам в фетровых валенках. Лампочки горели неровно, но ярко. Бумаги он просматривал быстро, убеждаясь, что все требуемое ему в Москве в них есть.

В тезисах ЦК впервые названа дата окончания строительства завода — 1937 год. И план производства чугуна по стране на конец пятилетки снижен с двадцати двух миллионов тонн до восемнадцати — победил реалистический подход. Значит, пришла пора во весь голос потребовать то, что вчера еще требовалось вполголоса: жилища, механизацию, социальные и бытовые учреждения.

— Даю отправление, Марк Александрович,— доложил возникший в дверях начальник станции.

Проводник, в черном форменном пальто и черной ушанке, с фонарем в руках, прошел по вагону, хмуро бормоча:

— Отправляемся, граждане, отправляемся.

Провожающие двинулись из салона. Струя холодного воздуха ворвалась в вагон. Проводник, сбивая ногой снег, налипший на пороге, прикрыл двери. Раздался свисток, ему отозвался гудок паровоза, вагон дернулся и, раскачиваясь, застучал на стыках рельсов.

Марк Александрович снял валенки, вынул из чемодана домашние туфли, с удовольствием прошелся в них, разминая ноги. Потом подошел к окну и отодвинул занавеску.

Маленький поезд шел по заснеженной степи, огибая гору, на которой стоял город, освещенный пламенем домен и мартеновских печей. Четыре года назад они пришли сюда на голое место, теперь здесь двести тысяч населения, завод мирового класса, гигант, уже выдавший стране миллион тонн чугуна, сотни тысяч тонн стали, три миллиона тонн руды.

Марк Александрович не предавался воспоминаниям, у него не хватало на это времени, едва успевал думать о том, о чем необходимо думать в данную минуту. Предстоит съезд, и мысль его возвращалась к Ломинадзе, уже выехавшему в Москву с областной делегацией.

За теоретические ошибки Ломинадзе, члена ЦК, сняли со всех высоких постов и направили к ним секретарем горкома, практически секретарем парткома, город — это завод, горком — партком завода. Одних лет с Марком Александровичем, хотя и несколько старше по партийному стажу, Рязанов с девятнадцатого, Ломинадзе с семнадцатого года, он считался крупным политиком, умным, тактичным, с размахом и волей. Но, если на съезде ударят по бывшим оппозиционерам, значит, будут бить и Ломинадзе, тогда могут ударить и по заводу. Важен металл, но еще важнее политика.

Оценивая обстановку, Марк Александрович склонялся к тому, что съезд пройдет спокойно, об этом говорило само его название — съезд победителей. Три предыдущих съезда прошли под знаком борьбы, и настало время продемонстрировать единение и сплоченность партии вокруг нового руководства. И все же надо быть готовым ко всяким неожиданностям.

В те времена, когда ему не подавали отдельного вагона и добирался он до Москвы в теплушке, в тамбуре, на крыше вагона, в шинели, с мешком за плечами, ему и в голову не приходило опасаться чего-то. Сейчас он вершит судьбы сотен тысяч людей, облечен полнотой власти, твердо верит в правильность партийной линии, не примыкает и не примыкал ни к каким оппозициям, его любит Серго, его ценит Сталин, но именно сейчас он должен все взвешивать, должен опасаться, что у него будут осложнения только потому, что год назад к ним секретарем горкома прислали Ломинадзе, допустившего в свое время ошибки, к которым ни Марк Александрович, ни возглавляемый им коллектив никакого отношения не имеют.

И этот неожиданный и непонятный арест Саши... Когда он думал о племяннике, им овладевало мучительное чувство тоски и безысходности.

Но он не знает обстоятельств. Инцидент с преподавателем по учету — не основание для ареста, тем более что Сольц восстановил Сашу. Причины скорее в том, что говорил ему Саша тогда ночью: нескромность Сталина, письмо Ленина... Он читал письмо Ленина? Где, когда, у кого? Нескромность Сталина... Только ли ему он говорил об этом? Кому еще? Высказывал мысли свои или внушенные? Кем? Он имеет право знать все, речь идет о его племяннике, он вправе рассчитывать на тщательное и объективное расследование.

В Свердловске Марка Александровича встречал представитель завода при облисполкоме Киржак. Курьерский поезд Москва — Владивосток, на который должен пересесть Марк Александрович, опаздывал, и начальник станции прямо с платформы, минуя вокзал, провел его в комнату для членов правительства и других высоких лиц.

Буфетчица принесла чай и бутерброды. Киржак, маленький, нервный, суетливый, доложил состояние дел: неаккуратны поставщики, не хватает транспорта, нереальны фонды, бухгалтерия чинит препятствия, плохо помогают областные организации. Марк Александрович привык к его обиженному тону, которым Киржак, хороший снабженец, восполнял недостаток пробивной силы. Закончив с Киржаком, Марк Александрович прошел на вокзал. Проходы были заставлены узлами, мешками, сундучками. На полу, на скамейках сидели и лежали люди, толпились в очереди у касс, у титанов с горячей водой, особенно много женщин и детей. И все это овчинное, лапотное, не привыкшее к передвижению, деревня с ее растерянностью, тоскливой нищетой и захудалостью, крестьянская Россия, переворошенная, сдвинутая с земли.

Для Марка Александровича это было не ново, такое творится на всех дорогах страны. Массы людей, с узлами и мешками, женами и детьми, прибывают и к нему на завод. И бараки завода пропитаны таким же острым, кислым, потным, овчинно-чесночным запахом. Таковы беспощадные законы истории, таков закон индустриализации. Это конец старой деревни, дикой, замызганной, подслеповатой, драной и невежественной, конец собственническому началу. Творится новая история. И все старое рушится с болью и потерями.

Международный вагон, в котором ехал Марк Александрович, шел полупустым, в купе Марк Александрович сел работать и, только когда стало темнеть, часов около трех, вышел в коридор.

Ковровые дорожки смягчали мерный стук колес. Двери купе были закрыты, кроме одного, откуда слышались голоса мужчины и женщины, говоривших по-французски.

Потом женщина вышла в коридор и, увидев Марка Александровича, растерянно улыбнулась. Растерялась она, как подумал Марк Александрович, оттого, что никого не ожидала встретить в пустом коридоре. Женщина вышла в халате, в домашних туфлях, не причесана, направляется в туалет, и на нее смотрит незнакомый русский, которого она раньше здесь не видела: Марк Александрович сел в вагон, когда они спали. Выглядела женщина лет на тридцать пять, высокая, в больших роговых очках. Возвращаясь из туалета, она опять улыбнулась и, войдя в купе, задвинула за собой дверь.

Потом дверь открылась, в коридор вышел мужчина, такой же крупный, дородный, похожий на Луначарского. Марк Александрович сразу узнал в нем известного бельгийского социал-демократа, одного из лидеров Второго Интернационала. С месяц назад в газетах промелькнуло сообщение, что через Советский Союз и Китай он проследовал в Японию для чтения лекций. Еще тогда Марк Александрович подумал, что такое сообщение свидетельствует о новых контактах, естественных и разумных в нынешней международной обстановке.

Разговор завязался быстро, как это бывает между попутчиками, которым предстоит долгая дорога. Английский Марк Александрович знал хорошо, а французский достаточно, чтобы объясниться. В коридор вышла и жена бельгийца, в серой шерстяной юбке и свитере, подчеркивающем ее пышную грудь. Улыбка ее на этот раз выражала приятное удивление по поводу того, что они встретили попутчика, говорящего по-французски.

Говорили о русской зиме, о громадности российских расстояний, о трудностях связи и передвижения. В Токио и Осаке тепло, в Нагасаки жарко, а здесь холодно. Мороз, по-видимому, бодрит русского человека. Бельгиец сетовал, что, проезжая Сибирь и Урал, не увидел знаменитого Кузбасса, знаменитого Магнитостроя. Из окна вагона виден только знаменитый русский снег. Хотелось бы увидеть р у с с к и й э к с п е р и м е н т, добавил он, улыбкой извиняясь за банальность выражения.

Он вынес из купе свежий номер «Правды» с картой крупнейших строек второй пятилетки, опубликованной к съезду. Стройки обозначались домнами, автомашинами, тракторами, комбайнами, паровозами, вагонами, автомобильными шинами, гидростанциями... Марк Александрович объяснил: рулоны ткани — текстильные комбинаты, головки сахара — сахарные заводы, вот эти кружочки — подшипники. Бельгиец одобрительно смеялся, но заметил, что эта грандиозная программа выполнима только за счет других отраслей экономики, прежде всего за счет сельского хозяйства.

Марк Александрович знал эти меньшевистские аргументы. В России совершается вторая революция, и этот холеный, респектабельный господин, этот лощеный парламентский политик не понимает ее так же, как не понял и первой революции.

Марк Александрович промолчал — политической дискуссии не будет. Он много бывал за границей, привык к общению с иностранцами, но политических разговоров с ними избегал; никто никому ничего доказать не может. И сейчас он удержался от соблазна разговора со знаменитым политиком. Но не хотел, чтобы его собеседник подумал, что он боится с ним дискутировать. В этом смысле Марк Александрович был человек самолюбивый и не привык уходить с арены побежденным. Поэтому, делясь своими впечатлениями о Соединенных Штатах Америки, где он два года работал на сталелитейном заводе, Марк Александрович рассказал о смешной сценке, увиденной им в Нью-Йорке.

Из церкви вышла немощная старуха в старомодном черном платье до пят и черной шляпе, увенчанной подобием птичьего гнезда. За локоть ее поддерживала девушка, по-видимому, внучка, а возможно, и правнучка. Она осторожно свела бабушку по ступеням паперти, подвела к стоящему у тротуара «Паккарду», бережно усадила, нежно поцеловала и захлопнула дверцу. А старуха, едва дошедшая до машины, очутившись за рулем, включила мотор. «Паккард» рванув с места, помчался вперед.

Этот случай Марк Александрович никак не комментировал, просто рассказал, добродушно посасывая трубку, но вставил в таком месте разговора, что умный собеседник не мог не понять аллегории — отживающий социальный строй, вооруженный новейшей техникой, и есть Америка. Бельгиец оценил тонкость Марка Александровича, так дипломатично показавшего уровень, на котором он привык беседовать. Марк Александрович любил блеснуть перед иностранцами эрудицией, остроумием, широтой и свободой взглядов, полагал, что именно так и должен вести себя человек, обладающий в своей стране силой и властью.

Жена бельгийца не поняла аллегории. Но сценка, рассказанная Марком Александровичем, показалась ей комичной, и она долго смеялась.

С вокзала Марк Александрович поехал на Садово-Каретную, в Третий дом Советов. Зал, где помещалась организационная комиссия, был пуст, все делегаты прибыли, но дежурные оставались на местах, Марк Александрович зарегистрировался, получил мандат, направление в гостиницу, талоны на питание, блокнот «Делегат 17 съезда ВКП(б)». Он входил в привычную атмосферу партийного съезда с его твердым порядком, регламентом, дисциплиной, которым нужно и приятно подчиняться, переключался на нечто более важное и высокое, чем жил вчера, снимая с себя бремя обычных забот,— чувство, сходное с тем, что переживает старый солдат, снова призванный в часть.

В гостинице его поместили в номер на троих. Кровать, тумбочка, большего ему и не требовалось. Марк Александрович знал, что увидит среди делегатов много старых товарищей, нескольких встретил уже в вестибюле. Они стояли радостные, возбужденные, и, глядя на них, Марк Александрович еще больше укрепился в сознании прочности, правильности того, что происходит. Есть партия, есть партийные кадры, зрелые, проверенные, закаленные, знающие, как и куда вести дело. То, что они поддерживают Сталина, говорит только об их силе. Эти люди, честные, самоотверженные, справедливые, никогда не допустят беззакония. То, что произошло с Сашей, нелепость. Но может быть, его уже выпустили?

Он позвонил сестре. По первому звуку ее голоса понял, что ничего не изменилось.

— Ты приедешь? — спросила Софья Александровна.

Ему не хотелось сейчас ехать на Арбат. Поздно, нет машины, в соседнем номере ждут друзья. Но если он не поедет сейчас, то неизвестно, когда сумеет выбраться.

— Если ты не ляжешь спать, то через час-полтора буду у тебя.

— Разве я теперь сплю?..

Посещение сестры расстроило Марка Александровича. Она разговаривала с ним подобострастно, суетливо искала какие-то бумажки, разглаживала их дрожащими пальцами, смотрела на него с надеждой, смешанной со страхом. В эту минуту он был для нее не братом, а одним из сильных мира сего: может помочь ее сыну, а может и не помочь, может спасти, может и не спасти. Страдание обострило ее наблюдательность, она понимает, что это дело ему неприятно, он хочет взвесить все обстоятельства, тогда как для нее никаких обстоятельств нет, кроме одного — Саша в тюрьме.

Глухое и подавляемое состояние безысходности вернулось к Марку Александровичу, он ощутил ломоту в затылке. Он любит Соню, любит Сашу. Но не может давать пустых обещаний. Он опытный человек. Коммунист.

— Завтра же займусь этим. Если Саша ни в чем не виноват, его отпустят.

Она со страхом и растерянностью смотрела на него.

— Саша виноват... Ты это допускаешь?

Он жесток с ней. Но она должна быть готовой ко всему. Иначе удар потом будет еще тяжелее.

— В чем-то его обвиняют... Я не уеду из Москвы, пока не выясню, в чем именно...

Марк Александрович зашел и к Будягину. Из-за него Будягин попал в двусмысленное положение — хлопотал за человека, который теперь арестован.

Будягин был мрачен, ни разу не упомянул о съезде, решал дела буднично, как обычно. Может быть, обижен, что не выбран на съезд? Но он делегат с совещательным голосом, так же как и многие другие члены ЦК и ЦКК, никакой в этом обиды нет, таков давний порядок. Возможно, для него съезд не праздник, а еще более тяжелая, хлопотливая работа? И все же... Чувствовалась сегодня в нем особенная угрюмость, сосредоточенность, неприветливость.

— Вы знаете о моем племяннике? — спросил Марк Александрович.

— Знаю.

— Обращаясь к вам тогда, я никак не ожидал такого поворота.

— Понятно,— ответил Будягин спокойно, показывая, что претензий у него нет.

— Он мой племянник,— продолжал Марк Александрович,— и я имею право на информацию.

Будягин молчал. Сидел, положив локти на стол, сложенными ладонями касаясь подбородка, и смотрел на Марка Александровича.

— На съезде я постараюсь поговорить с Ягодой или с Березиным,— сказал Марк Александрович, заключая этим разговор, которого Будягин явно не поддерживал.

Но Будягин сказал:

— Они знали, что он твой племянник.

Марк Александрович пристально взглянул на Будягина:

— Что вы имеете в виду?

— Они понимали, что ты вмешаешься. Этот фактор ими учтен.— И, как-то странно глядя, добавил: — Саша — не случайность.

Он сказал это тем же тоном, каким прошлый раз говорил о том, что Черняк уже не секретарь райкома. Но тогда это было сообщением, сейчас приглашением к разговору.

Что-нибудь готовится на съезде? Что же? Группа, фракция, вербовка единомышленников и голосов? Опять раскол в руководстве? Кем же они хотят е г о заменить? Старые лидеры скомпрометированы. Новые? Кто именно?.. Это обречено на провал, партия не поддержит, Сталин — олицетворение ее линии, ее политики.

Слишком о серьезном они говорят с Будягиным, слишком серьезные последствия это может иметь, чтобы оставлять хотя бы малейшую тень недоговоренности, неясности в своей позиции.

— Я не думаю, что в Сашин арест следует вкладывать такой глубокий смысл. Случайности — не основание для столь далеких выводов,— твердо сказал Марк Александрович.

Он смотрел на Будягина открытым, ясным и непримиримым взглядом. Жаль. Хороший коммунист, рабочий-самородок, большой государственный деятель. Но он много лет жил за границей, оторвался от страны, не знает, чем живет народ, чем живет партия, чем живет он, Марк Александрович... Уходят, оступаются, теряются перед необычностью времени, перед жертвами, которых оно требует.

— Партия не слепа, Иван Григорьевич, вы знаете это не хуже меня.

Он смотрел на Будягина. С ним связаны молодость, гражданская война, все, что так дорого и никогда не забудется. Но сейчас главное — это его город на горе, освещенный пламенем домен и мартеновских печей. Это теперь революция. Она продолжается и будет продолжаться, даже если из нее уйдет Будягин, как ушли другие.

Марк Александрович уже не думал, что ответит ему Иван Григорьевич. Все, что он может еще сказать, мелко, незначительно. И потому голос Будягина прозвучал для него глухо, издалека, он почти не расслышал слов, горечь которых дошла до его сознания много-много позже...

— Комсомольцев сажаем,— сказал Будягин.

...Вестибюли Большого Кремлевского дворца, широкая мраморная лестница, ведущая наверх, фойе возле зала заседаний были полны делегатами. Они стояли группами, расхаживали, окликали друг друга, толпились у столиков, где им выдавали материалы съезда.

Марк Александрович тоже получил материалы, его тоже окликнули — ребята из делегации Донбасса, где он раньше работал. Потом прозвенели звонки, все двинулись в зал. Его перестроили, появилась большая галерея для гостей, все новое, свежее, пахнет деревом и краской. Как писали на следующий день в газете: «Зал стал более строгим и вместе с тем величественно простым. Убрана аляповатая пышность позолоты, исчезли колонны, гербы, регалии — мусор нескольких эпох выметен из этих стен. Стало просторно и светло».

Места для их делегации отвели в четвертом и пятом рядах прямо против трибуны. Возле нее стояли Каганович, Орджоникидзе, Ворошилов, Косиор, Постышев, Микоян, Максим Горький. На ступенях сидел Калинин, что-то быстро писал в блокноте, поглядывая на зал сквозь свои крестьянские очки в железной оправе.

Аплодисменты, которыми делегаты приветствовали появление Молотова за столом президиума, вспыхнули с новой, еще большей силой — сбоку вышел Сталин. Аплодисменты нарастали, смешивались со стуком откидываемых сидений, отодвигаемых пюпитров, все встали, сверху крикнули: «Да здравствует товарищ Сталин! Ура!..» Все закричали: «Ура! Да здравствует великий штаб большевизма! Ура! Да здравствует великий вождь мирового пролетариата! Ура! Ура! Ура!»

Овации Сталину повторялись несколько раз... Как только Молотов назвал его имя: «Вокруг вождя и организатора наших побед, товарища Сталина...» В конце речи... «Во главе с товарищем Сталиным — вперед, к новым победам...» Потом, когда Хрущев предлагал состав президиума... И, наконец, самая большая овация, когда председатель объявил: «Слово имеет товарищ Сталин».

Как все, Марк Александрович вставал, хлопал, кричал «ура!». Сталин во френче, только более светлом, чем на других членах президиума, стоял на трибуне, перебирал бумаги, спокойно дожидался, когда стихнут овации. Казалось, что аплодисменты, крики он относит не к себе, а к тому, что олицетворяет — к великим победам страны и партии, и сам хлопает этому условному Сталину. То, что Сталин это понимает и даже иронически заметил в докладе: «Разве не послали приветствие товарищу Сталину — чего же еще хотите от нас»,— создавало ощущение близости и понимания между ним и людьми, восторженно его приветствовавшими.

— Если на Пятнадцатом съезде,— сказал Сталин,— приходилось еще доказывать правильность линии партии и вести борьбу с известными антиленинскими группировками... то на этом съезде и доказывать нечего, да, пожалуй, и бить некого. Все видят, что линия партии победила.

Эти слова подтверждали прогноз Марка Александровича: съезд пройдет спокойно, осложнений из-за Ломинадзе не будет. Сталин сам хочет сплоченности. Борьба кончилась, должны исчезнуть и связанные с ней крайности. И эти однообразные здравицы тоже исчезнут. Мысли Марка Александровича нашли подтверждение и в том, как Сталин отказался от заключительного слова:

— Товарищи! Прения на съезде выявили полное единство взглядов наших партийных руководителей, можно сказать, по всем вопросам партийной политики. Возражений против отчетного доклада, как знаете, не было никаких. Выявлена, стало быть, необычайная идейно-политическая и организационная сплоченность рядов нашей партии. Спрашивается, есть ли после этого надобность в заключительном слове? Я думаю, что нет такой надобности. Разрешите мне поэтому отказаться от заключительного слова...

Ломинадзе выступил почти сразу после доклада Сталина, потом выступили и другие бывшие оппозиционеры: Рыков, Бухарин, Томский, Зиновьев, Каменев, Пятаков, Преображенский, Радек. Это были не покаяния, как на Шестнадцатом съезде, а деловой анализ собственных ошибок, они присоединили свой голос к голосу партии. Никто их не перебивал, не требовал большего, не считал их выступления недостаточными. Только один раз речь Рыкова перебил нетерпеливый возглас: «Регламент!»

Пятаков рекомендован в члены ЦК; Рыков, Бухарин, Томский и Сокольников — в кандидаты. И розданный для голосования список нового ЦК был такой почти, как и прежний, с теми естественными изменениями, которые бывают на каждом съезде: кто-то приходит к руководству, кто-то отходит. В списке Марк Александрович увидел и свою фамилию — его рекомендовали кандидатом в члены ЦК. Марк Александрович расценил это как признание той роли, которую играет строительство его завода во второй пятилетке. В списке нашел он фамилии и других начальников крупнейших строек и директоров крупнейших заводов — знамение времени, знамение индустриализации страны.

Будягина в списке не оказалось.

А ведь Саша часто бывал в доме Будягиных. Не вел ли при нем Иван Григорьевич всякие разговоры? Не он ли дал ему читать ленинское письмо? Может быть, вовлек не только в разговоры?..

Марк Александрович не был знаком ни с Ягодой, ни с Березиным. Но обращение к Ягоде, председателю ОГПУ, не соответствовало значению Сашиного дела. И этот хмурый, замкнутый человек ему неприятен. А обращение к Березину естественно: именно он занимается такими делами. Но в перерывах кто-нибудь задерживал Марка Александровича или он не мог найти Березина, тот исчезал. Удобный случай представился тридцать первого января, во время демонстрации в честь Семнадцатого съезда партии.

Это была самая грандиозная из всех виденных Марком Александровичем демонстраций, а видел он их немало. Более миллиона людей прошли через Красную площадь за два с небольшим часа, в январский мороз, в темноте, при свете прожекторов, это придавало демонстрации особую внушительность.

«Сталин!» Это единственное слово, написанное на всех плакатах и транспарантах, выкрикивали, скандировали, оно висело в морозном воздухе, и все взоры были обращены на трибуну Мавзолея, где стоял он, в шинели и простой шапке-ушанке с опущенными ушами. Все на трибуне в теплых шапках, но уши опущены на ушанке только у Сталина, ему холодно, и это делало его облик еще более простым и человечным для этого миллиона людей, им тоже холодно, но ему еще холодней — они шли, а он несколько часов неподвижно стоит на трибуне Мавзолея для того, чтобы их приветствовать.

Вместе с другими делегатами съезда Марк Александрович стоял на трибуне у Кремлевской стены. У себя на стройке он привык и не к таким морозам, и все же мерзли ноги, пришел в ботинках, а надо бы в валенках. Он нашел Березина, стал неподалеку и, когда митинг кончился и началась демонстрация, подошел к нему.

На бронзовом эскимосском лице Березина появилось напряженно-выжидательное выражение человека, к которому обращаются только по вопросам жизни и смерти. Он вежливо кивнул — к нему подошел делегат съезда, а когда Рязанов назвал себя, поздоровался даже доброжелательно. Марк Александрович коротко изложил дело Саши, упомянул стенгазету и Сольца, сказал, что ручается за племянника, хотя и допускает, что в ответ на несправедливые обвинения он мог по молодости и по горячности сказать что-нибудь такое, чего говорить не следовало. Если же Саша арестован по другому делу, то он просит информировать его, дело племянника не может его не касаться. Березин слушал внимательно, изредка оглядываясь на идущих через площадь людей, лицо его тогда освещалось светом прожекторов, выглядело усталым, одутловатым и дряблым. Он слушал Марка Александровича молча, только переспросил фамилию Саши и в ответ на просьбу информировать его о Сашином деле, улыбаясь, сказал: «В глубокой мгле таится он...» — давая понять, что это дело неизвестно ему, а будь известно, не время и не место о нем говорить. И даже в подходящем месте все равно он ничего не сумел бы сказать, такая у них работа.

— Я ознакомлюсь с делом и сделаю все возможное. Следствие будет проведено тщательно и объективно.

Этот ответ показался Марку Александровичу серьезным, искренним и благожелательным. Успокоенный, он отошел от Березина.

Марк Александрович хотел поговорить еще с Сольцем. Но Сольц на съезде не присутствовал, болел. Ехать же домой к больному человеку Марк Александрович счел неудобным, а после разговора с Березиным и ненужным.

15

В то самое время, когда москвичи шли через освещенную прожекторами Красную площадь, приветствуя стоявшего на Мавзолее Сталина, в Бутырской тюрьме наступил час ужина. В коридоре тихо зашаркали валенками, послышались шорохи, лязг замка, удар ложкой о железную миску, звук наливаемого в кружку кипятка. Отодвинулась круглая задвижка замка, возникла на мгновение точка света и тут же исчезла, заслоненная головой надзирателя — он осмотрел камеру, потом опустил задвижку, открыл окошко.

— Ужин!

Саша протянул миску. Раздатчик, из уголовных, положил в нее ложку каши, зачерпнув ее из кастрюли, которую обеими руками держал его помощник, тоже уголовный, налил в кружку кипяток из чайника. Надзиратель следил, чтобы Саша ничего не передал раздатчику, чтобы раздатчики не смотрели на Сашу.

В этом коридоре сидели политические. Они так же подходили к окошку, протягивали миску и кружку, получали кашу и кипяток.

Кто они, эти люди? За две недели кроме раздатчиков Саше удалось увидеть только двух заключенных. Парикмахер, тщедушный старичок с низким лбом, острым подбородком и безжалостными глазами убийцы. Брил он тупой бритвой. Саша больше к нему не пошел, решил отпускать бороду. Второй — молодой уголовник с мучнистым бабьим лицом. Он убирал коридор и, когда вели Сашу, стал лицом к стене — не имел права ни смотреть на проходящего заключенного, ни показывать ему своего лица. И все же Саша чувствовал на себе его косой, любопытный, даже веселый взгляд.

Когда Сашу выводили на прогулку или в уборную, все камеры казались мертвыми. Но в первый вечер после ужина Саша услышал осторожный стук в правую стену — быстрые мелкие удары, короткие паузы и шуршание, точно по стене чем-то водили. Потом все стихло — сосед ждал ответа. Саша не ответил, не умел перестукиваться.

На следующий день, опять после ужина, стук повторился.

Давая соседу знать, что он его слышит, Саша несколько раз стукнул в стену согнутым пальцем. Так он делал теперь каждый вечер. Но, что выстукивал сосед, разобрать не мог, хотя и улавливал в этих звуках закономерность: несколько ударов, короткая пауза, опять удары и, наконец, шуршание. И хотя Саша не понимал, что хотел сказать сосед, его волновало это осторожное постукивание, полное упорной тюремной надежды.

Слева Саше не стучали и на его стук не ответили.

Саша доел кашу, облизал ложку, размешал ею в кружке заварку и сахар, выпил холодный чай, встал, прошелся по камере: шесть шагов от стены до двери, столько же от угла до угла. Хотя это и противоречило законам геометрии — гипотенуза длиннее катета, но разница настолько незначительна, что была незаметна. В одном углу — параша, в другом — койка, в третьем — столик, четвертый угол — пустой. В потолке тусклая лампочка под железной сеткой. Под потолком, в глубокой, круто скошенной нише окна, за решеткой из толстых металлических прутьев — крошечное грязное стекло.

Ботинки без шнурков, отставая от пяток, постукивали по бетонному полу. Брюки без пояса он приладил, пристегнув верхнюю петлю ширинки к пуговице для подтяжек. Брюки перекосились и мешали двигаться. Зато не было унизительного чувства, которое испытываешь оттого, что с тебя спадают штаны.

Сашу никуда не вызывали, не допрашивали, не предъявляли обвинения. Он знал, что обвинение должно быть предъявлено через определенный срок. Но, каков этот срок, не знал и узнать не мог.

Иногда ему казалось, что про него забыли, он замурован тут навечно. Он не разрешал себе об этом думать, подавлял тревогу. Надо ждать. Его вызовут, допросят, все выяснится, и его освободят.

Представлял себе, как вернется домой. Позвонит в дверь... Нет, слишком неожиданно. Он предупредит по телефону: «Саша скоро приедет»,— а потом явится. «Здравствуй, мама, это я...»

Мысль о ее страданиях была невыносима. Может быть, она не знает даже, где он, тащится из одной тюрьмы в другую, стоит в бесконечных очередях, маленькая, испуганная. Все забудется, только она ничего не забудет, не придет в себя от удара. И ему хотелось биться об эти стены, трясти железную дверь, кричать, драться...

Лязгнул замок, дверь открылась.

— На оправку!

Саша кинул через плечо полотенце, поднял парашу и пошел по коридору впереди надзирателя.

В уборной еще сильнее, чем в камере, пахло хлоркой. Саша ополоснул парашу, обрызгал хлорным раствором, он почти не пользовался ею, но все равно пахло. Потом вернулся, железная дверь захлопнулась, теперь уже до утра.

Звезды еще не погасли в мутном стекле под потолком, а в коридоре опять послышалось движение. Звякнул затвор и на его двери.

— На оправку!

Начался обычный тюремный день. Повернулась задвижка глазка, открылась форточка.

— Завтрак!

На груди у раздатчика висел большой фанерный лоток с кусками черного хлеба, горками сахара, чая и соли, пачками папирос «Бокс», разорванными посредине, спичками и кусочками фосфора от спичечной коробки. Саше повезло. На день выдавали восемь папирос, а в пачке их двадцать пять. Тот, кто оказывался третьим, получал девять, да еще остаток пачки — кусочек картона, который, что там ни говори, бумага. И вот сегодня Саше достался этот клочок — может, пригодится написать записку на волю. Он только не знал, куда его спрятать, и заложил за батарею.

Хлеб выдавали тяжелый, плохой выпечки, с отлипающей коркой, но по утрам он все же пах настоящим свежим кислым хлебом. Этот запах напомнил Саше давний случай, когда мать отдала на выпечку муку, полученную отцом на работе вместо хлеба, полугодовой паек. Хлеба из пекарни они получили больше, чем сдали муки, этот таинственный *припек* долго занимал его воображение. Они везли с мамой хлеб на саночках, и ощущение той голодной зимы, и хрустевшие по насту окованные железом полозья, и теплый запах свежевыпеченного хлеба, и радость матери — они насушат сухарей и проживут зиму,— все это припомнилось сейчас, когда он пил чай, закусывая его коркой хлеба. И защемило сердце — эти детские воспоминания были слишком человеческими для тюрьмы, для полутемной камеры, в которую он заперт неизвестно за что.

Загремел запор, открылась дверь, возник конвойный в тулупе, с винтовкой в руках.

— На прогулку!

Одеться, выйти из камеры, пройти налево до конца коридора, ждать, пока конвойный откроет дверь, выходящую во дворик. Потом тем же путем, с тем же открыванием и закрыванием дверей вернуться назад. И на все это вместе с прогулкой — двадцать минут.

Квадратный дворик с двух сторон окружали стены тюремных корпусов, с третьей — высокий каменный забор, с четвертой — круглая кирпичная башня, позже Саша узнал, что она называется Пугачевская. Саша ходил по кругу, по протоптанной в снегу дорожке. Были протоптаны дорожки и поперек дворика, некоторые заключенные предпочитали ходить не по кругу, а с угла на угол. Часовой стоял в дверях корпуса, прислонясь к косяку, держал в руках винтовку, иногда курил, иногда смотрел на Сашу из-под полуприкрытых век.

Притоптанный снег похрустывал под ногами... Синий свод неба, голубые морозные звезды, дальний шум улицы, запахи дыма и горящего угля будоражили Сашу. Огоньки в окнах тюремных камер свидетельствовали о том, что он не одинок. После смрадного запаха камеры свежий воздух опьянял. Жизнь в тюрьме — тоже жизнь, человек живет, пока дышит и надеется, а в двадцать два года вся жизнь — надежда.

Конвойный отрывал плечо от косяка, стучал винтовкой, открывал вторую дверь.

— Проходите!

Саша завершал круг и покидал дворик. Они поднимались по лестнице, снова гремели ключи, дверь камеры закрывалась, опять голые стены, койка, столик, параша, глазок в двери. Но ощущение бодрящего морозного воздуха и дальнего шума улицы долго не оставляло его, и Саша стоял у окна, всматриваясь в клочок зимнего неба, синий безмятежный свод, который только что висел над ним.

Была еще одна радость — душ. Водили туда ночью раз в неделю. Открывалась дверь, и конвойный будил Сашу вопросом:

— Давно мылись?

— Давно.

— Собирайтесь!

Саша вскакивал, быстро одевался, брал полотенце и выходил из камеры. В предбаннике конвойный выдавал ему крошечный кубик серого мыла, и Саша входил в кабину. Вода лилась то горячая, то холодная, регулировать нечем. Саша становился под душ, наслаждался им, пел. Заглушаемый шумом воды его голос, как ему казалось, не доходил до конвойного, сидевшего в предбаннике на подоконнике. Этот маленький красноармеец, веселый и покладистый на вид, не торопил Сашу, сидел терпеливо — не все ли равно, кого дожидаться, не этого, так другого. Саша мылся долго, обмылок превращался в мягкий комочек, а он все стоял под душем, поворачивался, подставляя воде спину, живот, ноги... «Ехали на тройке с бубенцами, а вдали мелькали огоньки... Эх, когда бы мне теперь за вами, душу бы развеять от тоски...»

Он возвращался в предбанник, вытирался, конвойный смотрел на него с любопытством, может быть, недоумевая, за что здесь держат такого молоденького и, видать, образованного парнишку, а может, восхищался мускулистой Сашиной фигурой.

Как-то ночью конвойный разбудил его обычным вопросом:

— Давно мылись?

Саша мылся прошлой ночью, конвойный что-то перепутал.

— Давно.

— Собирайтесь!

Уже выйдя из кабины и вытираясь, Саша сказал:

— Хорошо бы почаще...

Маленький конвойный ничего не ответил, но следующей ночью опять пришел за ним. Саша стал ходить в душ почти каждую ночь. Иногда ему не хотелось вставать, хотелось спать, но, если он откажется, конвойный в следующую ночь не придет. Почему такая поблажка? Может быть, другие отказываются, не хотят мыться ночью, и конвойный скучает — хлопотливый крестьянский парень, ему жалко воды, течет зря из крана. А может, благосклонен к Саше за то, что тот ценит душ, которым он заведует.

Скрежет замка разбудил Сашу. В камеру шагнул конвойный. Но не тот, что водил в душ, а другой, незнакомый, с громадной связкой ключей на поясе. В дверях застыл коридорный.

— Фамилия?

— Панкратов.

— Одевайтесь.

Саша поднялся с койки... Куда?.. Освобождают?.. Но почему ночью? И сколько сейчас времени?

Он хотел надеть пальто.

— Не надо!

Кивком головы конвойный приказал ему идти направо и пошел за ним. Ключи побрякивали у него на поясе. Они долго шли по коротким коридорам, вдоль лестничных клеток, обитых металлической сеткой. Перед тем как открыть железные двери очередного коридора, конвойный стучал по ним ключом. Из коридора отвечали таким же металлическим постукиванием. И только тогда он отпирал дверь.

Саша шел впереди конвойного, пытаясь по направлению определить, в какую часть тюрьмы они идут. Они то поднимались по лестницам, то спускались и, по его расчетам, пришли на первый этаж.

Здесь тоже было много дверей, но не железных, а обычных, из дерева, без форточек и глазков. В одну конвойный постучал.

— Войдите!

Луч света ослепил Сашу. Человек, сидящий за столом, повернул лампу и направил ее Саше в лицо. Саша стоял, ослепленный узким лучом, не зная, что ему делать, куда идти.

Лампа опустилась, осветила стол и человека за столом.

— Садитесь!

Саша сел. Перед ним был следователь, щуплый белобрысый молодой человек в больших роговых очках и с тремя шпалами в петлицах гимнастерки, хорошо знакомый и приятный Саше тип сельского комсомольского активиста, избача и учителя, если представить его не в форме. На столе лежал бланк, и он начал его заполнять... Фамилия?.. Имя?.. Отчество?.. Год рождения?.. Место рождения?.. Адрес?..

— Распишитесь!

Саша расписался. В бланке значилась и фамилия следователя — Дьяков. Он положил ручку на край чернильницы, поднял глаза на Сашу.

— За что вы здесь сидите?

Такого вопроса Саша никак не ожидал.

— Я думал, вы мне скажете.

Нетерпеливым движением Дьяков откинулся на спинку стула.

— Вы эти штуки бросьте! Не забывайте, где находитесь. Здесь я задаю вопросы, а вы на них отвечаете. И я вас спрашиваю: за что вы арестованы?

Он сказал это так, будто кто-то другой арестовал Сашу, а ему, Дьякову, приходится в этом разбираться. И Саша не может не знать, за что он арестован, и не надо терять время, чем быстрее займутся они делом, тем лучше. Комната погрузилась во мрак. Только стол освещался настольной лампой, а когда Дьяков откидывался назад, лицо его исчезало, голос слышался из темноты.

— Вероятно, эта история в институте,— сказал Саша.

— Что за история? — спросил Дьяков незаинтересованно, точно эта история ему известна, никакого отношения к Сашиному аресту она не имеет. С таких штучек начинают все подследственные, и приходится их выслушивать, хотя и надоело это однообразное бесполезное запирательство.

Прием? Или в самом деле следователь ничего не знает?

Все складывается совсем не так, как Саша предполагал, к чему готовился. Его охватило тоскливое, тошнотворное чувство, которое бывало у него, когда он мальчишкой влезал на крышу дома по пожарной лестнице — ее верхние прутья оторвались от стены, конец раскачивался, и надо было уловить момент, когда он приблизится к крыше, перескочить. С высоты восьмого этажа он видел мальчишек в глубоком колодце двора, задрав головы, они смотрели на него и ждали. Его охватывал страх, казалось, что он не допрыгнет, не сумеет оторвать вовремя ноги от лестницы и грохнется на асфальт двора.

Такое же ощущение смертельной и роковой игры владело им и сейчас, когда он сидел перед следователем, так же тоскливо и обреченно сжималось сердце. Его дело — ерунда, чепуха, но, облеченное в форму политического преступления, с арестом, тюрьмой, допросом, оно становится страшным. Перед ним сидит его товарищ, коммунист, но Саша для него — враг.

И все же надо говорить то, что он собирался говорить. И словами, которые много раз повторял про себя в камере, Саша рассказал про конфликт с Азизяном, про стенгазету, про Сольца.

— Но ведь вы говорите, что ЦКК вас восстановила?

— Да, восстановила.

— Значит, вас арестовали не поэтому, а еще из-за чего-то...

— Больше нет ничего.

— Посудите, Панкратов, неужели вас арестовали из-за спора с преподавателем бухгалтерии или из-за неудачного номера стенгазеты? Мы здесь из пушки по воробьям стреляем? Странное у вас представление об органах Чека.

— Какое обвинение мне предъявляется?

— Хотите формального обвинения? Думаете выиграть на этом?

— Я хочу знать, за что арестован.

— А мы хотим, чтобы вы сами это сказали. Мы даем вам возможность быть честным и откровенным перед партией.

— Скажите, в чем вы меня подозреваете, и я отвечу.

— С кем вы вели контрреволюционные разговоры?

— Я? Ни с кем! Я не мог их вести.

— А кто с вами вел?

— И со мной никто не вел.

— Вы настаиваете на этом?

— Да, настаиваю.

Дьяков нахмурился, переложил бумаги на столе...

— Ну что ж, очень жаль. Мы ожидали от вас другого. Вы не хотите быть правдивым и искренним. Это не улучшит вашего положения.

— Кроме истории в институте, я ничего за собой не знаю.

— Значит, вас арестовали ни за что ни про что? Мы сажаем невинных людей? Вы даже здесь продолжаете контрреволюционную агитацию, а ведь мы не жандармерия, не Третье отделение, мы не просто карательные органы. Мы вооруженный отряд партии. А вы двурушник, Панкратов, вот вы кто!

— Вы не смеете так меня называть!

Дьяков ударил кулаком по столу.

— Я вам покажу, что я смею и чего я не смею! Думаете, в санаторий приехали? У нас тут есть и другие условия для таких, как вы. Двурушник! В вас кулаки не стреляли из обреза. Вы всю жизнь просидели на шее у рабочего класса и до сих пор сидите на шее государства, оно вас учит, платит вам стипендию, а вы его обманываете!

Некоторое время он хмуро молчал, потом недовольно, как бы выполняя ненужную и бесполезную обязанность, сказал:

— Ну что ж, запишем, что вы здесь наговорили.

Он начал писать, изредка задавая Саше короткие вопросы: когда и с кем выпускал газету, когда произошел конфликт с преподавателем по учету и по какому поводу, когда и где его исключали, какие обвинения при этом предъявляли?

Кончив писать, он протянул листок Саше.

— Прочитайте и подпишите.

И откинулся назад. Саша чувствовал на себе пристальный взгляд, Дьяков следил за выражением его лица, пользовался свободной минутой, чтобы хорошенько его рассмотреть.

Все записано правильно, но как-то односторонне. Выпустили к празднику номер стенгазеты, поместили в нем эпиграммы, опошляющие ударничество, участвовали в этом такие-то, исключен ячейкой и райкомом... Конечно, все это пишется для формы, чтобы зафиксировать допрос, причина ареста, по-видимому, в другом.

Все же он сказал:

— Здесь не указано, что по решению ЦКК меня восстановили в институте.

Нахмурившись, Дьяков взял листок.

— А что написали в институте в приказе о восстановлении?

— Написали не совсем правильно...

Дьяков перебил его:

— Я не спрашиваю, как надо было писать, я спрашиваю, как написали?

— «Ввиду признания студентом Панкратовым своих ошибок...»

Дьяков взял ручку и приписал внизу: «Позже меня восстановили в институте как признавшего свои ошибки».

Он снова протянул листок Саше.

Саша подписал. Дьяков взял листок, отложил его в сторону.

— Советую вам подумать, Панкратов. Мы не хотим потерять вас для общего дела. Только поэтому так возимся с вами. Мы вас щадим, поймите. И оцените. Покопайтесь в памяти, покопайтесь!

Он вышел из-за стола, открыл дверь, кивнул конвойному.

— Уведите!

Саша вернулся в камеру, запор лязгнул за ним. По-прежнему в мутном стекле светились зимние звезды. Ночь это или утро?

Он услышал постукивание в стену. Сосед, по-видимому, спрашивал, куда его водили. Саша ответил обычными тремя ударами и лег на койку, не раздеваясь.

Чего от него хочет Дьяков? В чем он должен сознаться? «С кем вел контрреволюционные разговоры?» Какие разговоры? Он терялся в догадках. Был убежден, что его арестовали из-за истории в институте. То, что это не так, ошеломило его, все смешало, спутало.

Он надеялся добиться понимания, доверия. Получилось наоборот. Если институт — не повод для ареста, значит, повод другой, прокурор счел его убедительным. Обвинить его в контрреволюции — кому это могло прийти в голову? У него нет разногласий с партией. Да, подхалимы и угодники курят Сталину фимиам, но он никогда никому об этом не говорил — не это главное в Сталине. Он сказал только Марку, но ведь не мог Марк передать этот разговор. Может быть, и он арестован? При обыске уполномоченный ухватился за его фотографию, вертел ее и рассматривал со всех сторон. Дьяков хочет добиться от него показаний против Марка? Надеется, что смалодушничает?

Будягин? Возможно. Он дружил с Эйсмонтом или со Смирновым? Смирновы тоже жили в Пятом доме. Дочь Смирнова училась в их школе, коренастая белобрысая девчонка. Ивана Григорьевича отозвали из-за границы весной, как раз после дела Смирнова — Эйсмонта. И вот узнали, что Будягин звонил Глинской, что Саша бывает в их доме, и хотят получить показания против Ивана Григорьевича. Чепуха! Он наворачивает, накручивает. За то, что племянник, не арестовывают, за то, что учился с кем-то в одном классе, тоже. Из-за чего-то его держат здесь... Не будет же следователь ломать комедию.

День за днем перебирал Саша последние месяцы своей жизни. Брякнул что-нибудь сгоряча? Он никому не рассказывал даже про то, что произошло в институте. Знали только ребята: Нина, Лена, Вадим, Макс, Юра... Юра Шарок! Их ссора на встрече Нового года... Но Юра не способен на такую подлость. Ребята в группе? Ковалев? Но ведь не в институте дело. Что же тогда?

Днем в камеру явился тюремный чин с двумя шпалами.

Саша поднялся машинально, как привык это делать дома, движение, которого он потом не мог себе простить.

— Фамилия?

— Панкратов.

— Просьбы.

— Я не получаю передач.

— Обратитесь к своему следователю.

— Потом газеты, книги?

— Все у следователя.

И вышел. Надзиратель закрыл камеру.

Опыт тюрьмы дается самой тюрьмой. Одиночный заключенный, впервые сюда попавший, сам постигает ту сумму неписаных правил, которые и составляют образ тюремной жизни, выработанный предшествующими поколениями заключенных. Приход тюремного чина показал Саше, что он переведен в другую категорию — следствие по его делу началось. Чина не интересовали его просьбы. Он дал понять Саше, что от следователя зависит не только его дальнейшая судьба, но и то, как будут с о д е р ж а т ь его здесь.

С этого дня жизнь Саши, внешне оставаясь такой же, как и в предшествующие недели, в сущности своей круто изменилась.

Раньше он ждал допроса с нетерпением и надеждой, теперь — с тайным страхом. Его пугало то неизвестное, что вдруг предъявит ему следователь, к чему он, Саша, не подготовлен, в чем, быть может, не сумеет оправдаться и что еще больше углубит между ними пропасть недоверия и подозрительности.

16

Старики Шароки не любили Панкратовых. Не любили отца — инженера, мать — «чересчур образованную» и тем более дядю — одного из тех, из начальников. Во дворе Сашина мать сидела с «интеллигентными», а мать Шарока с лифтершами и дворничихами. Арест Саши они обсудили так: грызутся «товарищи», дай им бог перегрызть друг другу глотки.

Но Юра Шарок не мог оставаться безучастным к аресту Саши. Что там ни говори, из одной компании.

А что связывает его с этой компанией? Настоящей дружбы нет, они его только терпят, истеричка Нина, остолоп Максим, болтун Вадим. Будут теперь Сашку оплакивать — он им в этом не помощник.

Лена... Хорошая баба, приятная, чистая, но чужая. И не жена. Что она умеет? Кофе варить? Старается угодить, его только раздражает ее неумелость. И они однолетки. Вон какой его отец в шестьдесят! А она к сорока станет толстой, как ее мамаша, Ашхен Степановна. Сталин недоволен Будягиным, Лена сама сказала. А он хорошо знает, что такое «Сталин недоволен», чем это кончается. Дом Советов, шикарная квартира — все это видимость. Будягин прочитал ему мораль о советской юстиции, а что он в ней понимает? Он отстал со своей наивной партийной совестью. Возникла сила, гнущая в дугу и не такие дубы. Как он будет выглядеть перед отцом, если Будягин погорит? Вот тебе и наркомовская дочь!

Хватит! Хорошеньких девочек полна Москва. Вика Марасевич — только помани. А Варька Иванова! Прелесть девчонка.

Неделю он не звонил Лене. Сама позвонит. Ну что ж, он ответит ей так, что больше она звонить не будет. Но когда в трубке телефона он услышал ее голос: «Юрочка, где ты пропадаешь?» — смешался, промямлил, что занят, готовится к диплому, хлопочет о распределении, приходит домой к двенадцати, а в институте всего один телефон-автомат, и тот испорчен.

Она прислонила ладонь к трубке.

— Я скучаю.

— Освобожусь, позвоню. Может, на той неделе.

Он не позвонил ей ни на той неделе, ни на следующей. Он вообще не будет звонить. Никаких объяснений!

Однако Лена позвонила сама.

— Юра, мне надо тебя видеть.

— Я сказал: как только освобожусь, позвоню.

— Мне необходимо тебя видеть срочно.

— Хорошо,— проворчал он.— В девять у «Художественного».

Они обогнули Арбатскую площадь и пошли по Никитскому бульвару. Стоял лютый мороз. Лена была в шубке, красных рукавичках, в круглой меховой шапочке, надетой на шерстяной платок, закрывающий уши. Высокие ботинки тесно обтягивали полные, стройные икры, это всегда волновало Юру. И эти знакомые духи. Может быть, сегодня в последний раз? Не гулять же по такому холоду.

— Саша! Какой ужас,— сказала Лена.

Он пожал плечами.

— Арестовали...

— Тебе его не жалко?

— Дело не в жалости. Он всех презирает. И я ему не доверяю, да, да, не доверяю.

— Не доверять Саше?!

— Когда меня принимали в комсомол, Саша сказал: я не доверяю Шароку. Никого это не задело. А когда я говорю — не доверяю, это возмущает.

Она смешалась, испуганная его гневом.

— Поверь мне, ребята к тебе очень хорошо относятся.

— Снисходят. И ты снисходишь.

Она растерянно смотрела на него. Он ищет ссоры, не звонил две недели. И она боялась сказать ему то, ради чего пришла.

Молча они дошли до Никитских ворот.

— Повернем назад?

— Дойдем до памятника Пушкину. Расскажи, как твои дела.

Он пожал плечами, ему нечего рассказывать, надоело.

— Как с распределением?

— Никак.

Запорошенный снегом Пушкин высился над площадью.

— Посидим. Я устала.

С недовольным лицом он смахнул для нее снег со

скамейки. Сам постоит, будет вот так стоять и смотреть на Страстной монастырь... Он не услышал, почувствовал, как она тревожно перевела дыхание.

— Юра, я беременна.

— Ты уверена?

— Да.

— Может быть, задержка?

— Уже две недели.

Как раз те две недели, которые он с ней не виделся. Две недели назад придумали бы что-нибудь, а теперь аборт... Как же это получилось? Он был так осторожен. И неужели у нее на такой случай нет каких-нибудь заграничных пилюль, таблеток.

— Ты что-нибудь предпринимала?

— Я хотела посоветоваться с тобой.

— Я не врач.

Мрачно, с таким видом, будто Лена забеременела только для того, чтобы досадить ему, добавил:

— Я не хочу таким образом входить в вашу семью.

Она оживилась.

— Какое это имеет значение?

— Надо подождать.

Он сел рядом с ней, взял руку, нашел кусочек теплой кожи между варежкой и рукавом. Только бы она согласилась, только б не заупрямилась.

— Ты пойми, институт, распределение, все неопределенно, неясно... И Саша. Из нашей компании его не вычеркнешь... Все осложнилось, и не надо осложнять еще больше. Не время. Это неприятная операция, я знаю, но это несколько минут. Потерпим, подождем, будут у нас дети. И мои родители... Люди старого закала: сначала загс, потом ребенок. Конечно, мещанство, но я не хочу сплетен, это оскорбляет, ты должна понять.

— Я понимаю,— печально проговорила Лена.

— Пойдем, а то замерзнешь.

Он встал, протянул ей руку и не мог удержаться, быстрым взглядом окинул ее фигуру, хотя и понимал, что две недели — это ничто. И все же ему показалось, что она пополнела, тяжело поднялась со скамейки. Его охватил страх перед тем, что могло произойти. Через восемь или семь месяцев, сам того не зная, он стал бы отцом. И это на всю жизнь.

Она застенчиво улыбнулась.

— Еще ничего не заметно.

Такой ночи у них еще не было. Она согласилась на аборт ради него, он для нее дороже всего на свете. Ее покорность умиляла его, наполняла гордостью, он был с ней нежен, старался еще больше расположить к себе, привязать, сделать совсем послушной. Все на свете повторяется и будет повторяться миллион раз, не она первая, не она последняя, обычное женское дело. Его мать сделала семь абортов, у них в деревне беременные девки прыгают с ворот на землю и ничего, живут. Не надо осложнять жизнь, летом они поедут в Сочи, говорят, там теперь первоклассный курорт, он хоть море увидит, что он видел, кроме Москвы? Лене хорошо — объездила мир, а он?

Юра задел в ней самую чувствительную струну, его доводы казались ей исполненными простого, трезвого, народного смысла. Действительно, разве можно сейчас обременять его детьми, заботами, этим не привяжешь, только оттолкнешь. Она не будет ему мешать, никогда ни в чем он не сможет ее упрекнуть. И о своей беременности она сказала просто так, кому она еще может сказать? И пусть он не думает об этом, пусть не беспокоится.

То, что случилось, сблизило их. Никогда он не был таким ласковым, искренним и таким слабым. Впервые она увидела его смятенным, напуганным, сердце ее переполнилось жалостью к нему, она любила его еще сильней.

Утром он дремал, положив руку ей на грудь, и она берегла его сон. Раньше он не задерживал ее, отправляя незаметно, ночью, а сегодня не отпускал. И, когда отпустил наконец, проводил до двери, не так, как всегда, на цыпочках, а открыто, громко с ней разговаривал, не думал о скрипе дверей, шуме замка, улыбнулся, прижался щекой к ее щеке.

И дворник не смотрел подозрительно, протянутый рубль принял не как должное, а с благодарностью: «Спасибо вам».

Каблучки ее застучали по Арбату спокойно и уверенно, она шла по е г о улице, по с в о е й улице. И, только подходя к Арбатской площади, подумала, что, спускаясь по лестнице, прошла мимо Сашиной квартиры. Почему только сейчас это дошло до нее? Все забыла со своей любовью? А Софья Александровна лежит ночью одна с открытыми глазами и думает о том, как теперь Саша...

Три дня в больнице не утаишь. Будягины и сейчас могут выпытать у нее правду, от мамаши не скроешься, мамаши в этом разбираются. Ленка не умеет отпираться, и зачем ей отпираться, это недостойно. А от кого, догадаются. И отговорят: рожай, обойдемся и без твоего Шарока.

Что втемяшится ей в голову? Юра звонил Лене на работу, говорил ласково, но в голосе его сквозила усталость — дела, заботы, пусть не вздумает докучать ему своими делами, своими заботами. Простые арбатские девчонки никогда не доставляли ему подобных неприятностей, сами принимали меры... Уксус? Марганцовка? Хина?! Его это не касалось. А эта, неженка, маменькина дочка, ничего не знает, ничего не умеет, заграничная штучка, черт бы ее побрал! Если он не развяжется с ней сейчас, то никогда не развяжется. Хоть бы выкинула! Грохаются же люди на ледяном тротуаре, особенно такие, как она, близорукие, неловкие.

В семье Шароков откровенные разговоры велись редко, и все же Юра решил поговорить с матерью. Она знает тайные средства, которыми пользуется простой народ, или хотя бы знает тех, кто может помочь. Видел он, как во дворе она перешептывается с бабами, по лицу матери догадывался, что разговор идет об этом.

И сейчас она впилась в него глазами, по лицу пошли пятна. Попалась Ленка, забеременела, потаскуха, куда смотрела, лярва! Вот они, образованные, хуже простых. Женишка подлавливает, сука! Должна сама думать, не пятнадцать лет, чертов перестарок!

Еще сегодня она хвастала, что Юра женится на наркомовской дочке, в Кремле будет жить, а сейчас исходила злобой. Эти товарищи — управители наши, Юриных родителей на порог не пускают. И Юрия не пустят. Скажут Ленке — живи с ребенком у мужа, у него комната. У него комната, а у самих три. У мужа, мол, бабка есть — нянькой будет. Нет, не на такую напали, не для их семени. И не русская она! По носу видно — Хайка! Теперь денег на аборт потребует, иродово племя!

— Прекрати! — прикрикнул на нее Юра.— Что нужно делать?

Она поджала губы, деловито спросила:

— Месяц-то какой?

— Несколько дней,— соврал Юра, боялся, что если назовет настоящий срок, то она откажется помочь.

— Горчичную ванну пусть сделает, ноги попарит. И погорячей, до самой невозможности, потерпит. У них небось и ведра-то нету.

— Найдут.

Он не сказал, что у себя Лена этого сделать не сможет. Делать придется здесь, у них.

На Арбате горчицы не оказалось, он поехал на Усачевку, купил, спрятал в портфель, куда мать не смеет заглядывать, боится сломать мудреный замок. Зашел в кухню, проверил — ведро есть, даже два.

Вечером они пошли в Театр Революции на «Человека с портфелем». Юре нравился Гранатов. В роковом стечении обстоятельств гранатовской жизни чувствовал нечто близкое тому, что сам переживал.

В фойе он рассматривал толпу, вдыхал запахи духов и пудры, каждое посещение театра считал праздником. Поэтому никогда не понимал Сашу Панкратова, Нину, забегавших в театр между делом, на ходу, или Вадима, разбиравшего спектакль так, будто он препарирует лягушку. В антракте Юра сказал:

— У меня для тебя хорошая новость. У нас парень один на факультете, Сизов Коля... Его отец — знаменитый врач, слыхала?

— Сизов... Нет, не слыхала.

— Профессор второго медицинского. Гинеколог.

Она сжалась, поняла, о чем он говорит, но ведь это будет не скоро.

Шарок безжалостно продолжал:

— Есть безопасное средство — горчичная ванна для ног, знаешь, какие делают во время простуды.

Она немного успокоилась.

— Это помогает?

— Говорят, очень.

— Но ведь уже много прошло...

— Самое время.

Ее пугала его категоричность.

— Может быть, все-таки обратиться к врачу...

Он настаивал:

— Это не аборт, никакой боли, немного потерпеть горячую воду. Чем мы рискуем? Может, ты вообще передумала?

— Я не передумала,— тихо проговорила она,— но мне будет сложно, дома увидят...

— Это резон,— согласился он.

Потом, будто в голову ему пришла неожиданная мысль, сказал:

— Сделаем у меня. Отец при насморке устраивает такую процедуру. И горчица, наверное, есть.

17

— Горячо?

— Ничего... Даже приятно.

Лена сидела на кровати, опустив ноги в ведро, наполненное коричневым раствором, отворачивала голову, горчица щипала глаза.

Поднятая рубашка открывала круглые, белые, тесно сжатые колени, большие ноги едва помещались в ведре. Она сидела, наклонившись вперед, сложив руки на животе, бретельки упали, обнажив налитые плечи, грудь за голубой кружевной оторочкой, она слегка сучила ногами, морщилась, пыталась улыбнуться.

— Даже приятно.

Прислонив носик чайника к стенке ведра, чтобы не попасть ей на ноги, он подлил еще кипятка.

Она повела плечами, сильнее засучила ногами...

— Горячо...

— Потерпи, сейчас остынет...

Одной рукой он держал ручку чайника, другой пробовал воду в ведре. Она казалась ему недостаточно горячей, и он подлил еще кипятка.

— Ой!

Она скорчилась, застонала, закрыла глаза, тяжело задышала.

— Потерпи, потерпи, сейчас пройдет, Леночка, минутку.

Она откинулась назад, коснулась головой стены, пальцами сжимала и разжимала рубашку.

— Сейчас, сейчас пройдет, потерпи...

Капельки пота выступили у нее на верхней губе и на лбу.

Юра попробовал пальцами воду, подлил еще. Она застонала, скорчилась, потянула ноги из ведра, и он увидел пунцовые икры. Горчичный запах распространился по комнате.

— Юрочка, я не могу,— простонала она,— я выну на минуточку, только на минуточку...

— Сейчас все кончится, еще немножко потерпи...

— У меня ноги затекли, я их не чувствую, они не мои...

Стиснув зубы, закрыв глаза, она корчилась на кровати.

— Мне душно...

Он наклонился над ее распростертым телом, освободил бретельки, расстегнул бюстгальтер, погладил колени.

— Ну, ну, спокойненько.

И осторожно подлил еще воды, она тихо застонала, еле шевельнула ногами — большое, белое, безжизненное тело, чуть прикрытое скомканной голубой рубашкой.

Юра вышел на кухню, снял с плиты второй чайник. Ручка чайника предательски загремела, ручка ведра тоже гремела, старое, паяное-перепаяное. Держатся за барахло, кусочники! Он почувствовал, что кто-то вошел, испуганно оглянулся, в дверях кухни стояла мать. Они молча смотрели друг на друга.

— Ноги не свари.

Он ничего не ответил, вернулся в комнату, плотно прикрыл дверь, услышал за собой щелканье выключателя — мать погасила свет на кухне.

Голова Лены лежала на подушке, ноги свесились — на икрах горела пунцовая кайма.

— Леночка, ты спишь?

Ее ресницы дрогнули, она дышала совсем тихо, почти неслышно, на лбу, на бровях, на верхней губе и подбородке блестели крупные капли пота. Он осторожно вытер их краем полотенца.

— Леночка!

— Тошнит,— прошептала она, не открывая глаз.

Он приподнял ее голову, поднес кружку к губам. Ее зубы мелко стучали по краю кружки, она сделала один трудный глоток, жадно допила воду и, обессиленная, склонилась к подушке. Он прикрыл ее одеялом, подлил еще кипятку и, как ни был осторожен, плеснул ей на ногу.

— Ай...— простонала она, снова скорчилась и сбросила одеяло.

— Ну, ну, все! Это последнее...

Она задрожала, как в ознобе, подергивая плечами, тряся кистями рук. Он снова прикрыл ее одеялом.

— Ну все, все.

Она заплакала тихо и безнадежно.

— Все, все, больше не буду.

Он посмотрел на часы — четверть второго. Прошло сорок минут. Ладно, еще пять минут!

Она перестала плакать, лежала, уткнувшись в подушку, как мертвая. Шарок наклонился к ней, потрогал лоб, лоб был холодный, прислушался — дышит. Он осторожно вынул ее ноги из ведра — точно сваренные. Пройдет... В комнате опять распространился терпкий запах горчицы. Он положил ее ноги на кровать и укрыл одеялом, вынес на кухню ведро, вылил, смыл с раковины горчицу, все ополоснул, поставил на место и вернулся в комнату.

Лена спала. Он подошел к окну, отодвинул штору. В соседнем корпусе тускло светились лестничные площадки, сиротливо мерцали лампочки в проволочных сетках. Только бы не зря. Неженка. Другая бы и не пискнула. От этого не умирают. Намажет чем-нибудь.

Он разделся, потушил свет, лег рядом с Леной, осторожно подвинул ее ноги, потянул на себя край одеяла. Его обдало жаром ее тела, она была распластанная, недвижная, от нее шел острый горчичный, возбуждающий запах... И он взял ее такую, не отвечающую и оттого еще более возбуждающую. Было в этом что-то острое, еще не испытанное, звериное. Он стремился вызвать потрясение, которое бы уничтожило то, что уже жило в ней, оторвало от нее ничтожный зародыш, чуть не сломавший его жизнь. И, когда она застонала, он подумал, что теперь та, другая, зародившаяся в ней жизнь, наконец, убита.

Утром она не могла натянуть чулки.

— Больно.

Потом не смогла надеть ботинки, не налезали. Он принес валенки, большие, подшитые, с разрезанными голенищами.

— Теперь свободно,— сказала она, осторожно и неумело пройдясь в них по комнате. Она сразу стала меньше ростом, коренастее, выглядела в них бабой с бледным опухшим лицом, синевой под страдальческими глазами.

И вдруг присела на кровать.

— Голова закружилась.

Он решил проводить ее, еще упадет на улице... Надо бы дать стакан горячего чая, но мать уже возилась на кухне и Юре не хотелось при ней заходить туда.

Во дворе они никого не встретили. На Арбате он перешел на другую сторону улицы — у булочной стояли в очереди знакомые жильцы. Лена шла медленно, опираясь на его руку,— нашла время ходить под ручку. Но это их последний совместный путь, надо дотянуть. Лишь бы не упала, только бы дошла. Сегодня у нее выходной, отлежится. По своему двору она прошла одна, в подъезде оглянулась, улыбнулась ему.

Днем он хотел позвонить, узнать к а к, но не позвонил, торопливость только выдаст его беспокойство, подчеркнет опасность содеянного. Позвонит завтра на службу. Если вышла на работу, значит, здорова, если получилось — скажет. Она оказалась на работе. И тихо, отчетливо, прикрывая рукой трубку, сказала:

— Все в порядке.

В ее голосе он услышал счастливое сознание того, что это известие его обрадует.

— Ну, поздравляю, молодец, целую тебя, я еще позвоню,— ответил Юра и повесил трубку.

Звонить он больше не будет, хватит, разделался!

Когда вечером он пришел из института, мать сказала:

— Нинка Ивановых звонила.

— Чего ей надо?

— Позвонить просила.

Будет вздыхать насчет Сашки, тянуть резину. А ну их к свиньям собачьим!

Нина позвонила снова.

— Знаешь насчет Лены?..

У него остановилось сердце.

— А что?

— Кровотечение.

— Странно. Мы с ней, правда, давно не виделись, но только сегодня разговаривали по телефону. Она была на работе.

— С работы ее и увезли.

— В какой она больнице?

Нина назвала номер и адрес больницы, где-то в Марьиной роще.

Он минуту колебался, потом решительно спросил:

— Отчего это у нее?

— Не знаю.

— Кто тебе сказал, что она в больнице?

— Ашхен Степановна. Лена в тяжелом состоянии.

— Спасибо, что позвонила. Я съезжу в больницу.

Он вернулся в комнату, закрыл за собой дверь, присел к столу. Влип! Он хорошо знает законы, юрист как-никак. Подпольный абортмахер. Действия... повлекшие за собой смерть потерпевшей... Идиот! Зачем он делал это у себя? Могла сделать дома, никто бы не увидел, у нее отдельная комната. Дурак! Дурак! Дурак!!!

Если она останется жива, то не выдаст его. Если умрет, он будет все отрицать. Доказательств нет. Да, он знал, что она беременна, что не хочет рожать, что принимает какие-то меры, думал, какие-то заграничные таблетки, он и до сих пор не знает, что она сделала. Накануне у нее был больной вид, он проводил ее домой, на следующий день звонил на работу, при их отношениях это естественно, но не доказывает соучастия.

И можно ли горчичную ванну приравнивать к аборту? Почему законодатель выбрал именно это слово? Аборт! Дает ли этот термин право на расширительное толкование? «Искусственное прерывание беременности» — вот такой термин можно толковать как угодно. Однако законодатель выразился ясно — аборт, имея в виду медицинское значение этого слова, то есть хирургическое вмешательство.

Надо уточнить версию, продумать детали. Где, когда, день, час, минута, место, убедительные подробности. Если Ленка умрет, Будягин с него не слезет. А может, не захочет скандала? Видный деятель, а дочка изгоняет плод самым что ни на есть деревенским способом. И если докопаться до основ, то они, Будягины, и виноваты, на них-то и лежит главная ответственность: они воспротивились их браку, именно из-за них Лена не хотела ребенка, объективно они толкнули ее на этот поступок. Может быть, не только объективно? Не хотели огласки. Вот как обстоит, как представляется, как рисуется дело, если смотреть в самую глубину. К чему они ее готовили? Чему научили? Переводить с английского? Этого мало для жизни. Он всегда ненавидел эту семью, опять они хозяева положения, он в их руках, мечется в своей комнатушке, а они там, в Пятом доме Советов, в своей неприступной крепости, мобилизуют врачей, спасают Лену. И спасут, наверно. А потом рассчитаются с ним.

Мать угрюмо молчала, обо всем догадывалась, но не хотела говорить, боялась, что разговор обернется обвинениями. А что она? Хотела как лучше, все так-то делают, подумаешь, какая барыня! Да и он хорош, дорвался, шпарит ей копыта, меры не знает.

Юра поехал в больницу, но не вошел, прошелся в отдалении — боялся встретить Будягиных, боялся новых свидетелей. Чем меньше людей будет его видеть, тем лучше.

Он вернулся на Арбат, не из дома, а из автомата позвонил в больницу, спросил о состоянии больной Будягиной Елены Ивановны. «Состояние тяжелое, температура тридцать девять и восемь». Звонил каждый день и только к концу недели услышал: «Состояние средней тяжести, температура тридцать восемь и два». Еще через три дня: «Состояние удовлетворительное, температура нормальная». В конце второй недели Ашхен Степановна привезла Лену домой.

Как раз в этот вечер мать спросила Юру:

— Как твоя краля-то?

Он усмехнулся.

— Жива-здорова, не кашляет.

Он не звонил ей, не знал, как она отнесется к его звонку: ни разу не пришел в больницу, не написал, никаких оправданий у него нет. Плевать! Правильно сделал, что не пошел! Ему надо знать только одно: сказала ли она кому-нибудь? Но поднять трубку не решался. И она тоже не звонила. Позвонила Нина.

— Юра, ребята собираются сегодня к Лене, пойдем?

— Сегодня я занят.

— Приедешь попозже.

— Я поздно освобожусь.

Звонила она сама или по просьбе Лены? Надо внести ясность.

Он позвонил Лене. Услышал ее тихий, глубокий, ласковый голос:

— Наконец-то. Я так волновалась за тебя.

— Это я волновался за тебя.

— Я все время думала: как ты это переживаешь? Почему не приходил?

— Каждый день звонил, справлялся.

— Да? — радостно переспросила она.— Сегодня ко мне собираются ребята, может быть, приедешь?

— Не хотелось бы в такой куче.

— Я тебя понимаю, а когда?

— Позвоню.

18

Нина вернулась из школы в пять часов. Возле дверей на ступеньках лестницы сидела Варя с Зоей, своей подругой.

— Дверь прихлопнула, а ключи забыла.

Ключи забыла... Все врет. Запрещено приводить Зою в дом, вот и уселась на лестнице — лестница не твоя, как ты можешь запретить?

— Даю полминуты на размышление, две минуты на исполнение,— сказала Варя Зое.

И этот цыплячий язык.

— Была у Софьи Александровны?

— Была.

— Все купила?

— Все.

— Карточки?

— Отоварила.

— Сколько у тебя осталось денег?

Варя протянула сдачу.

— Я взяла пятьдесят копеек на каток.

— А уроки?

— Сделаю.

Каждый должен выполнять свои обязанности. Сама Нина работает как вол, пообедает и в вечернюю школу, не может отказаться от полставки. А у Вари каток, театр, кино, подруги, значит, не так много времени отнимает хозяйство.

— На ужин разогреешь кашу, я оставлю на сковородке, масло в буфете,— сказала Варя.

— Позже одиннадцати не возвращайся,— предупредила Нина, застегивая пальто.

Дверь за ней захлопнулась, Варя позвонила Зое.

— Приходи, Нинка укатилась.

Она убрала со стола, приготовила ужин, помыла посуду — порядок. Нинка никогда ничего не положит на место.

Раздался телефонный звонок. С полотенцем в руках Варя взяла трубку:

— Наташа, ты?

Это мальчик, с которым она познакомилась по телефону, но ни разу его не видела, и он ее не видел. Его звали Володей, а себя она назвать отказалась.

— Может быть, Наташа?

— Пусть будет Наташа.

Так он и стал ее называть. Но каждый раз спрашивал:

— Наташа, как тебя все же зовут?

Ей нравился его голос, она была с ним откровенна — никогда его не увидит и может рассказать все. Он тоже уверял, что ни с кем так не откровенен, как с ней.

— У Наташи должны быть светлые волосы.

— У меня как раз светлые.

— А глаза?

— Оранжевые с голубым небом.

— Бывают ли такие? Как ты провела вчерашний вечер?

— Великолепно. Были в одном техникуме на танцах, играли все такое, под что хорошо танцевать румбу.

— Завидую. А я делал уроки.

— Учись, мой друг, учись, старайся, ученье — сладкий плод, ученье — верная дорога, она из тьмы на свет ведет...

— Когда мы встретимся?

— Никогда.

— А вдруг мы полюбим друг друга?

— Нет, у нас с тобой слишком одинаковые взгляды.

— Что ты сегодня собираешься делать?

— Иду на каток.

— На какой?

— При заводе?

— Каком заводе?

— Мыльно-гвоздильном.

— Возьми меня, я хорошо катаюсь.

— А я плохо, тебе будет неинтересно. И прощай, ко мне пришли.

Зоя явилась в белой шапочке и длинных шароварах под юбкой, угреватая — цветок помойки, как называла ее Нина. Зоина мать, билетерша кинотеатра «Карнавал», пропускала ее и Варю без билетов в кино.

— Зачем ты надела белую? — спросила Варя, разглядывая Зоину шапочку.— Ведь договорились.

— На красной резинка лопнула. Надень ты красную, она тебе идет.

— К белому свитеру надеть красную шапочку?! Ты наденешь мою красную, а я белую.

— Почему всегда должно быть по-твоему?

— Не по-моему, а как договорились.

Зоя обиженно пожала плечами.

— Ну, если ты очень хочешь...

— Не делай мне одолжения! Я вообще не пойду на каток.

Варя сбросила туфли и с ногами взобралась на кровать.

— Глупо,— пробормотала Зоя,— хорошо, я надену красную.

— Не пойду на каток.

Некоторое время они сидели молча, Зоя, растерянная, жалела, что из-за пустяка они повздорили.

— Пойдем,— жалобно уговаривала она.

— Я никуда не могу идти, когда о н т а м.

— Ведь ты собиралась.

— Собиралась, а теперь передумала.

Арест Саши сразу выделил Варю среди подруг. Теперь она одна из тех, дружки которых вдруг пропадают, потом снова возникают, подруги их ждут, а если ждут н е ч е с т н о, с ними жестоко расправляются. Все знали, что она танцевала с Сашей в «Арбатском подвальчике», их там видели и драку видели. Теперь Варя дружит с Сашиной мамой, возит передачи в тюрьму...

Варя уезжала рано утром, занимала очередь, выстаивала на морозе, потом приезжала Софья Александровна, и они вместе двигались к окошку. Софья Александровна не умела спорить, боялась рассердить того, кто сидел за окошком, стеснялась задерживать очередь — усталых людей, с пяти часов утра стоявших на улице, вдоль высокой, длинной и холодной тюремной стены. Варя никого не боялась, не стеснялась. Они искали Сашу по всем тюрьмам. В окошке им давали анкету: фамилия, имя, отчество арестованного, адрес. Софья Александровна заполняла анкету, они снова стояли в очереди, сдавали анкету, ждали ответа два, а то и три часа... «Не здесь...» И тогда Варя дерзко спрашивала: «А где?» — «Неизвестно».— «А кому должно быть известно? Вы его забрали, вам и должно быть известно».

Она прислушивалась к советам, которые давал всезнающий арбатский двор. Одна девчонка с Новинского бульвара, ее парень сидел в Таганке, показала, как вложить в белье записку, сказала, что надо посылать побольше сахара и яблок, они там из сахара и яблок гонят вино. Софья Александровна слушала ее, качала головой.

— Нет, Варенька, не нужно Саше вина...

За одну ночь из красивой пожилой женщины Софья Александровна превратилась в седую старуху. Первое время ей казалось, если она предстанет перед теми, кто арестовал Сашу, их сердца дрогнут, ведь у них тоже есть матери. Потом увидела много таких матерей — их вид не трогал ничьих сердец. Они стояли в длинных очередях, и каждая боялась, что та доля сострадания, которая еще, быть может, теплится за глухими дверьми, достанется не ей, а той, кто пройдет в эту дверь раньше.

Увидела часовых с винтовками, неприступные каменные стены, за ними Саша, ее мальчик лишен того, на что имеет право каждое живое существо: свободно дышать воздухом земли. Какую участь ему готовят? Ночью она не спала — на чем спит он? Не могла есть — что ест он, сгорбившись над тюремной миской, он, живое и дорогое ей существо, ее жизнь, ее кровь? Подушки пахли так, как пахла его головка в детстве, ботинки — сухой землей, по которой мальчишкой он бегал босиком, стол — чернильным запахом его школьных тетрадей.

Она ходила по улице, надеясь увидеть тех, кто перед арестом следил за ним. Они знают, что ему грозит, в чем он нуждается. Если она встретит того маленького, в бобриковом пальто, подойдет и спросит про Сашу. Скажет, что не имеет на них зла, у них такая работа. Но, когда они уже сделали свое дело, они могут быть милосердными, ведь им теперь все равно. Она ходила по Арбату, и по той стороне, и по этой, заходила в магазины, делала вид, что стоит в очереди. Но ей не попадался ни маленький в бобриковом пальто, ни тот, в шапке, ни третий, высокий и злой.

Окоченевшая, угнетенная сознанием своего бессилия, она возвращалась домой, в пустую комнату, и там, одинокая и страдающая, возносила молитвы богу, которого давно покинула, а сейчас молила, чтобы дух добра и милосердия, вездесущий и всепроникающий, смягчил сердца тех, кто будет решать Сашину судьбу.

По утрам стук почтового ящика подымал ее с постели. Она ждала ответа из прокуратуры или письма какого-нибудь тайного, но влиятельного доброжелателя, ждала письма от самого Саши, переданного им с человеком, сидевшим вместе, но уже высланным, из ссылки письма доходят. Такие случаи бывают, ей рассказывали. Читая газеты, она всматривалась в портреты Сталина: скромная одежда, добрые морщинки возле глаз, мудрое, спокойное лицо человека с чистой совестью. Недавно праздновали его пятидесятилетие, ему сейчас пятьдесят четыре, нет, пятьдесят три года, как и Павлу Николаевичу, ее мужу. Его старшему сыну, наверно, столько, сколько и Саше, и есть еще один сын, и дочь, он понимает, что такое дети, знает, что такое семейное горе — совсем недавно потерял жену. Только бы Сашино дело дошло до него. Все надежды она возлагала на Марка. Марк расскажет Сталину о Саше. Сталин потребует его дело, может быть, даже вызовет к себе. И Саша ему понравится, Саша не может не понравиться.

Приехал Павел Николаевич. Он был огорчен, естественно, но катастрофы не видел. Сашу не расстреляют, к пожизненному заключению не приговорят — у нас нет пожизненного заключения. Он молод, все у него впереди. Да, надо действовать. Но помочь могут только высшие инстанции. Он не имеет к ним доступа. Доступ к ним имеет Марк. Как она не может, не хочет понять этого! Павел Николаевич ехал с твердым намерением быть терпеливым, даже добрым. Но, как только он вошел в этот постылый дом, увидел старуху, некогда бывшую его женой, услышал требовательные интонации в ее голосе, как только увидел упрямое, кроличье выражение на лице, а оно появилось у нее от попытки преодолеть страх, когда он увидел все это, он опять преисполнился раздражением, нетерпимостью и злобой. Это она во всем виновата, она и ее братец воспитали Сашу.

И вот они сидят друг перед другом: она — седая, с трясущимися губами и трясущейся головой, он — гладко выбритый, холеный, с серыми раздраженными выпученными глазами. Сидят за столом, за которым сидели много лет, покрытым все той же клеенкой, под тем же круглым матерчатым абажуром. Софья Александровна нервно проводит по клеенке ладонью, разглаживает ее, хотя разглаживать нечего, и этот жест раздражает Павла Николаевича.

— Ты хочешь, чтобы я ходил по учреждениям? Это бесполезно, я тебе объяснил. Апеллировать можно, когда будет решение. Решения еще нет, идет следствие.

Не хочет ли она воспользоваться этим и вернуть его?

— Чего ты добиваешься? Чтобы я ушел с завода? Меня не отпустят. И я не собираюсь возвращаться в Москву, запомни! Что?

Ему послышалось, будто она сказала что-то, нарочно тихо, чтобы он не слышал. Но она ничего не говорила, только беззвучно шевелила губами.

— Ничего... Я слушаю.

— Ну да, ты слушаешь... Ты слушаешь и думаешь: отец, мерзавец, не хочет хлопотать о сыне. Ты всегда обо мне так подло думала и эту подлость внушила сыну.

Она и раньше невыносимо страдала, слушая его брань, его упреки, сейчас это страдание вернулось к ней, она с ужасом чувствовала, что по-прежнему не может преодолеть страха перед ним, особенно унизительного сейчас, когда речь идет о спасении сына, их сына.

В его словах она услышала неприязнь к Саше, он хочет отгородить себя от его страданий. Как смеет он *сейчас* предъявлять свои обиды, свои претензии? И как может она бояться его, когда дело идет о жизни Саши?! Она никого не должна бояться, не имеет права бояться, она *мать*!

— Если бы при тебе его уводили...

Она сказала это с горечью. Но с ним приходилось говорить громко, надо было почти кричать, чтобы он услышал.

— Конечно, конечно, опять виноват я, только я... Ты мученица, страдалица, а я негодяй, развратник, гуляю, пьянствую...

Боже мой! Даже такая беда не меняет его, так же багровеет, надувает губы, передразнивает ее. Она ждала его приезда, надеялась на помощь — отец, мужчина! О чем он может думать, кроме Саши?! Он не имеет права думать ни о чем другом. И она заставит его думать. Софья Александровна подошла к письменному столу, вынула заявление прокурору.

— Посмотри!

На его лице появилось недовольное, брезгливое выражение. Опять эта вздорная женщина вынуждает его заниматься бесполезным делом. Кому нужно ее заявление, кто станет его читать?

Но он не мог не прочитать. Ссору с ней в *такую минуту* осудят все. А для всех Павел Николаевич хотел оставаться порядочным человеком и отцом. Он не даст ей повода сказать: «Даже заявления не хотел прочитать».

Что она здесь *понаписала*! «Вам пишет мать... Верните мне моего сына...» Наивно, сентиментально, неубедительно. «Я обращаюсь к нашему справедливому и милосердному правительству» — слова, слова... «Я знаю, мой сын ни в чем не виноват» — кто этому поверит?.. «Если он и совершил ошибку, то без всякого умысла, ведь он ребенок...» Двадцать два года — не ребенок! И какие ошибки? Зачем косвенно подтверждать его вину?!

Софья Александровна сидела на Сашином диване, опустив голову, слушала эти замечания, не обращая внимания на их язвительность, которая должна была доказать ее глупость: заявления и то написать не может.

Пусть! Пусть исправит, лишь бы помогло Саше. Она положила перед ним бумагу, поставила чернильницу.

— Напиши, как нужно.

Он растерянно поглядел на нее, понял, что вел себя глупо. Заявление бесполезно, не все ли равно, как оно написано. Теперь придется писать самому, а что вообще можно написать, не зная, какое обвинение предъявлено?

— Видишь ли,— сказал Павел Николаевич,— можно послать и так. Разве убрать фразу насчет ошибок и эту: «Верните моего сына». А в остальном... Да, можно послать и так.

— Хорошо,— сказала она, забирая заявление,— я исправлю.

Ничего другого она и не ждала. И все равно без Марка заявления не пошлет.

— Когда ты уезжаешь?

Он опять взорвался:

— Ты, кажется, знаешь, что завтра я должен быть на работе?

— Оставь, пожалуйста, денег,— твердо сказала она,— для передачи я покупаю все в коммерческом магазине.

Он чуть было не разразился бранью. Он рядовой инженер, получает зарплату, но денег не жалеет. Его только возмущает этот тон, эта требовательность, он всегда был ей нужен только для денег. Он вынул сто пятьдесят рублей.

— Больше дать не смогу.

19

И опять ночь. Опять Сашу разбудил металлический скрежет запора. Появился вчерашний конвойный, и они снова долго шли по бесчисленным коротким коридорам. Так же на ремне у конвойного побрякивала связка ключей, так же стучал он ключом о ручку двери или о металлические перила лестницы, предупреждая, что ведет заключенного. Но теперь Саша считал подъемы и спуски и убедился, что они пришли на первый этаж. За открытой в конце коридора дверью слышались голоса, даже смех, пахнуло другой, не тюремной жизнью.

Дьяков не осветил его на этот раз лампой, видимо, употреблял этот прием только при первом знакомстве. Он был сегодня не в военной форме, а в коричневом пиджаке, надетом на синий свитер. Глазами указал Саше на стул, а сам продолжал писать. Писал, перечитывал, снова писал, не обращая внимания на Сашу, наклонив голову к столу. Его и Сашу разделял только массивный чернильный прибор и такое же массивное пресс-папье. Саша подумал, что совсем нетрудно схватить пресс-папье и расшибить им Дьякову голову. На этом стуле сидят разные заключенные, среди них может найтись такой, кто захочет это сделать. Все здесь предусмотрено, каждый шаг, каждое движение, а это не учтено. Или они никого не считают способным на такой поступок? А может, есть какой-нибудь тайный механизм, срабатывающий, когда дотронешься до чернильницы? Конечно, отсюда не убежишь, но человек может это сделать в порыве отчаяния. И все же Дьяков этого не боится. А может быть, настоящих заключенных допрашивают не здесь?

Дьяков собрал исписанные листки и вышел из комнаты, оставив дверь открытой. На нем были валенки с заправленными в них коричневыми брюками. И оттого, что Дьяков был так тепло одет, Саша в своих ботиночках сразу ощутил холод цементного пола.

Все по-другому, совсем не так, как в прошлый раз. Казалось, Дьяков занят более важным и срочным делом и Сашу привели сюда только потому, что вызвали раньше, когда Дьяков еще не знал, что будет занят другим. В штатском и в валенках он выглядит простым и неофициальным, выходит и оставляет Сашу одного перед столом, на котором лежат разные бумаги, не боится, что Саша в них заглянет, как не боится и того, что Саша ударит его тяжелым пресс-папье.

В коридоре послышалось хлопанье двери, голоса, Дьяков с кем-то разговаривал, потом вернулся, неуклюже ступая в своих чесанках, прикрыл дверь, сел за стол, порылся в ящике, вытащил тоненькую папку — в ней лежали листки прошлого допроса,— потом поискал еще что-то и, продолжая рыться в ящике и не глядя на Сашу, спросил:

— Так, Панкратов, что вы сегодня скажете?

Он задал этот вопрос как-то между прочим, спокойно, даже дружелюбно, будто не помнил, о чем они говорили в прошлый раз.

— Видите ли,— начал Саша.

— Ага! — Дьяков наконец нашел нужную бумагу и опять вышел с ней.

Потом вернулся, стоя, сложил бумагу в ящик стола, сел, раскрыл Сашино дело.

— Так, Панкратов... Подумали вы над тем, что я вам советовал?

— Да, подумал. Но я не знаю, о чем идет речь.

— Плохо! — Дьяков качнул головой. В его голосе слышался упрек, сожаление, даже сочувствие, мол, не жалеешь ты себя, браток!

Он задумался, кивнул на папку с Сашиным делом.

— Хотите резину тянуть?

— Я не знаю, о каких контрреволюционных разговорах вы говорили в прошлый раз.

Дьяков нахмурился.

— Вы неискренни, Панкратов. Вы хотите, чтобы мы занимались не главным, а вашими институтскими делами. Но даже в этом вы оказались нечестным. Многое утаили. И это вас тоже характеризует.

— Что я утаил? — удивился Саша.

В эту минуту в комнату вошел пожилой человек с эскимосским лицом, одетый в темно-синий костюм, хорошо и ладно сидевший на его плотной, даже грузной фигуре.

Дьяков поднялся. Кивком головы человек предложил Дьякову сесть и сам опустился на стул рядом с ним.

— Продолжайте!

И пристально посмотрел на Сашу. Саша понял, что это начальник Дьякова, но в его взгляде Саша почувствовал нечто большее, чем обычный казенный интерес к очередному подследственному. Мелькнула надежда, что этот человек изменит его судьбу.

— Итак, Панкратов,— сказал Дьяков,— на чем мы остановились?

— Вы говорите, будто я что-то утаил. Что я утаил?

— Для этого достаточно посмотреть протоколы партийного собрания. Вы даже прибегали к протекции высокопоставленных лиц...

Дьяков выжидательно, испытующе смотрел на Сашу.

Так. Все ясно. Дело в Марке, в Будягине или в обоих вместе. Намек понятен. Он нарочно сказал: не «высокопоставленные товарищи», а «высокопоставленные лица». И фамилий не назвал. Нет, пусть назовет фамилии. От Саши он этих фамилий не услышит.

— Кого вы имеете в виду?

— Панкратов!..

Губы Дьякова скривились в брезгливой и осуждающей усмешке.

— ...Стыдно, Панкратов! Не играйте с нами в кошки-мышки. Мы осведомленнее, чем вы думаете. Вы хотите вынудить говорить нас, а мы хотим, чтобы говорили вы, это в ваших интересах. За вас хлопотали

Рязанов и Будягин, вы сами признали это на партийном собрании, а здесь вола крутите.

И опять не «товарищи Рязанов и Будягин», а просто — Рязанов и Будягин.

— Я не прибегал ни к чьей протекции,— возразил Саша,— я рассказал обо всем моему дяде Рязанову, но не просил его вмешиваться. Он сам, без моего ведома попросил Будягина позвонить директору института Глинской.

— Допустим,— согласился Дьяков.— Но почему вы не рассказали об этом в прошлый раз? Почему не назвали именно эти фамилии? Вы назвали кучу людей,— он вытащил из дела Саши узенький листок, Саша его раньше не видел.— Баулин, Лозгачев, Азизян, Ковалев, а вот Рязанова и Будягина не назвали. Почему?

Саша лихорадочно соображал. Теперь каждое его слово может оказаться роковым и для Марка, и для Ивана Григорьевича. В них все дело — это ясно. В чем их обвиняют?

— Не придавал значения. Это чисто родственные связи. Я даже не понимаю, почему это так привлекает ваше внимание.

Он сказал твердо, как говорят о предмете, который не хотят и не будут обсуждать. Дьяков указывает путь, по которому он должен пойти, но по этому пути он не пойдет.

Дьяков посмотрел на него, как показалось Саше, внимательно, заинтересованно, даже опасливо.

— Разбор дела у Сольца тоже устроил ваш дядя?

— Никто не устраивал. Я сам пришел к Сольцу.

Дьяков усмехнулся.

— Люди месяцами ждут приема, а вы пришли, и готово: тут же принял, тут же разобрал. Кто вам поверит, Панкратов?

— И все же это так,— сказал Саша,— так получилось. Я зашел в кабинет, он меня увидел, спросил, в чем дело...

— Счастливый случай помог?

— Возможно... Неужели я не имел права обратиться в ЦКК? Неужели мой дядя не имел права за меня хлопотать? В чем тут моя вина? И за это вы меня здесь держите? Ни за что ни про что!

На лице Дьякова мелькнула гримаса. Но он ничего не сказал, только скосил глаза на своего начальника, точно приглашая его убедиться, с кем он, Дьяков, имеет дело, а может, ожидая, что тот сам что-либо скажет. Но человек с эскимосским лицом ничего не сказал, грузно поднялся и вышел.

Дьяков нахмурился и уже другим тоном объявил:

— Ваша вина в том, что вы неискренни, нечестны перед партией. Вы утаили и многое другое. Вы называли всех своих обвинителей, но ни разу не упомянули своих защитников. А ведь по вашему делу проходили многие люди... Ну, хотя бы тот же Криворучко...

Саша почувствовал опасность. Все может прорваться в самом неожиданном месте. С Марком и Будягиным ясно, ничего их компрометирующего он сказать не может и не скажет. Но Криворучко... «Сей повар будет готовить острые блюда...» Криворучко сказал это про Сталина. Упомянув его слова, Саша не только запутается сам, но и предаст Криворучко. Умолчав же, станет на путь неискренности и неправды.

— Я был у него два раза. Первый раз он ставил мне печать на документах об исключении, второй раз оформлял мое восстановление.

Дьяков засмеялся.

— То исключаемся, то восстанавливаемся, то в тюрьму попадаем... И он вам ничего не говорил?

— Он мне показался угнетенным, ведь его исключили из партии.

— И вас исключили. Неужели он не нашел, что сказать вам?

Дьяков по-прежнему не сводил с него взгляда. Знает он что-нибудь, догадывается или нащупывает, быть может, почувствовал его растерянность?

— Неужели никак не выразил своего отношения к тому, что вас исключили, а потом восстановили? — настаивал Дьяков.— Неужели даже ничего не спросил? Тем более что на партбюро вы его защищали.

— Я просто рассказал, как было дело...

— Вот видите... И он просто хлопнул печатью.

Нет, нельзя поддаваться! Он его прощупывает, ловит, отвлекает внимание от главного, от Марка и Будягина, запутывает...

— Никакого особенного разговора не могло быть. Он замдиректора, я рядовой студент.

Дьяков пронзительно смотрел на него.

— А мы имеем сведения, что с другими студентами Криворучко вел антипартийные разговоры. А вот вам, человеку обиженному да еще защищавшему его, ничего не сказал. Странно!..

Криворучко знаком с Марком, передавал привет. Нет, нельзя говорить.

— Это так,— сказал Саша.

Дьяков продолжал неотрывно смотреть на Сашу, и вдруг злорадная улыбка разлилась по его лицу. Так злорадно улыбаясь, он притянул к себе чистый бланк допроса.

— Ладно, мы народ терпеливый, подождем, когда вы наконец решите быть честным, когда вспомните, что вам следует вспомнить.

То, что записал на этот раз Дьяков, начиналось словами: «В дополнение к данным мною ранее показаниям...» — и содержало признание того, что Саша бывал в кабинете Криворучко и выступал на партбюро в его защиту, а Янсон и Сиверский выступали в защиту Саши. О Марке и Будягине в протоколе не было ни слова.

Все записано правильно, но, как и в прошлый раз, что-то вызвало в Саше смутное ощущение опасности. В чем эта опасность, он не мог сообразить. Только потребовал добавить, что заходил к Криворучко по делу.

— Вы студент, ясно, что заходили по делу.

«Черт с ним!» Саша подписал протокол.

— Я не получаю передач от матери, и меня это беспокоит. Кроме того, я прошу газеты и книги из библиотеки.

Дьяков покачал головой.

— Пока идет следствие, ничего этого не разрешается. Если бы вы вели себя откровенно, мы бы с вами все закруглили и тогда вы получили бы то, что просите. И учтите, Панкратов, следующая наша встреча будет последней,— он поднял палец к потолку,— с меня тоже спрашивают. И я хочу кончить дело благоприятно для вас. Не упустите этой возможности.

Или Марк, или Иван Григорьевич, или оба вместе. Честные, преданные партии коммунисты! Он мало знает Будягина, но Марка он знает хорошо, ручается за него, не допускает и мысли о чем-либо. Арест Марка — такое же недоразумение, как и его арест, даже больше: за ним хоть есть эта несчастная история в институте. За Марком ничего не может быть: крупный инженер, прекрасный хозяйственник, бескорыстный человек, настоящий коммунист, вся его жизнь — работа, работа и только работа. И его посадили? Может быть, он где-то близко, в этом же коридоре, совсем рядом? Марк, близорукий, с больным сердцем, здесь, в такой же камере?

Ни о какой вине Марка он не знает, убежден в его честности. И, если сочтут, что он покрывает Рязанова, пусть! Он готов разделить с Марком его участь. Так сложилось, навалилось, ничего не поделаешь, надо выстоять, придет время, и он, и Марк докажут свою невиновность.

Все ясно, ему нечего ломать голову. Он честен перед партией, ничего не утаивает, не скрывает, он не может сказать ничего плохого о Марке. Все. Точка.

Только одно мучило... Криворучко... Единственный пункт, где он чувствовал себя уязвимым. Как там ни говори, а утаил. Может быть, неважное, несущественное, а утаил. Он хочет, чтобы совесть его была чиста. Криворучко мешал этому ощущению чистоты и ясности.

Днем явился незнакомый надзиратель с листком бумаги и карандашом в руках.

— Пишите требование в библиотеку.

Библиотека разрешена!

Саша не знал, сколько книг и на какой срок можно взять. Но ничем не выдал своей неосведомленности. С опытным заключенным персонал считается больше, чем с неопытным.

Толстой — «Война и мир», Гоголь — «Мертвые души», Бальзак — «Утраченные иллюзии», «Стендаль — «Пармская обитель», последние номера журналов «Красная новь», «Новый мир», «Октябрь», «Молодая гвардия», «Звезда»... Он писал, не задумываясь, думать было некогда, человек ждал, заключенный должен заранее решить, что ему требуется, он писал то, что приходило в голову, важно получить книги, книги потолще, чтобы хватило до следующего раза, который неизвестно когда будет.

Только одно он потребовал обдуманно — «Уголовно-процессуальный кодекс». Он не получит его. И все же написал: «Уголовно-процессуальный кодекс РСФСР», выразив хоть этим протест против своего положения.

Почему Дьяков разрешил ему получать книги? Хочет задобрить? В его интересах сделать Сашино пребывание здесь невыносимым и вынудить к признаниям. Боится нарушить закон, по которому полагаются книги? Жалость? Когда обвиняют в контрреволюции, нет места жалости. Может, это совершилось помимо Дьякова, так же случайно, как и душ вне очереди? Жаль. Ошибку обнаружат, и книг ему не принесут.

Однако на следующий день явился новый надзиратель, в руках у него был пакет, обернутый белой чистой тряпкой с желтыми следами ожогов. Саша сразу узнал эту тряпку, через нее он дома утюжил брюки. Значит, разрешены не только книги, но и передачи.

— Фамилия?

— Панкратов.

— Распишитесь.

Надзиратель протянул ему опись передачи и огрызок карандаша. Опись была написана маминой рукой, широко, неразборчиво, и только «шоколад» дописали незнакомым, четким, будто каллиграфическим почерком. Половину описи вымарали чернильным карандашом.

Саша перебирал кульки и пакеты, аккуратно сложенные мамой, а потом раскиданные чужими руками... Белый батон, сыр, отварное мясо, колбаса — все это разрезано на куски при осмотре, масло в пергаментной бумаге, сахар, смена белья, носки, носовые платки. Итак, мама жива, выстояла, знает, где он.

— Можно отослать белье?

— Заворачивайте.

Он завернул грязное белье в тряпку. Этот обожженный утюгом кусок белой материи донес до него запах дома, его дома.

— Напишите, что просите.

На обороте листка Саша написал: «Все получил. Ничего не присылай, кроме белого хлеба, мяса и белья. Все хорошо, здоров, целую. Саша».

— Карандашик! — потребовал надзиратель.

20

Этот клочок бумаги Софья Александровна трогала, ощупывала, перечитывала десятки, сотни, тысячи раз — символ страданий ее сына, его горькой судьбы, но и вестник его жизни. Она показывала его всем: Михаилу Юрьевичу, соседке Гале, Милице Петровне, сестрам, Варе Ивановой и Максу Костину... Ничего не надо, все хорошо, здоров, целую... Это мог написать только он, ее добрый и мужественный мальчик.

Все обрело теперь новый смысл. Мятая записка, белье, пахнущее тюрьмой, мясо и хлеб, которые просит он, этих зримых подробностей ей не хватало раньше, чтобы представить себе его живым. Вечера и ночи перестали быть такими одинокими — она рядом с ним, знает каждую его минуту, чувствует каждое его движение. У нее болело сердце, значит, он недомогал; не могла заснуть — он лежал на койке с открытыми глазами; испытывала приступы мертвенного страха — его водили на допрос, и он мучился, метался и страдал. Она вспомнила, как наказала его когда-то, он не отпускал ее в театр, он плакал тогда не от боли, а от обиды, она унизила его, маленького. Теперь его бьет жизнь.

Марк говорил о Саше с высокопоставленными и влиятельными людьми. Она верила Марку, он не обманывал, не успокаивал, он сделал все, что мог. И все же больше, чем Марку, она верила женщинам в тюремных очередях. Там все ясно, просто и справедливо. Эти слабые женщины умудрялись защищать своих близких, согревали их теплом, которое теряли, выстаивая на морозе, утоляли их голод тем малым, что отрывали от своих скудных пайков, через глухие каменные стены доносили до них свою любовь и надежду. Софья Александровна без страха думала теперь о тюремных очередях: там она не чувствовала себя одинокой. Это не уменьшило ее страданий, но сняло остроту исключительности. Она должна делать то, что делают другие. Мир, который раньше казался ей таким страшным, требовал действий, а действие подавляет страх. Женщины научили ее, как разыскать Сашу, как устроить передачу и что передать, куда обращаться, кому и что писать. Обращаться и писать надо было именно туда, куда они советовали. Она добилась приема у прокурора по надзору за органами ОГПУ. «Когда закончится следствие, вы узнаете результат»,— ответ, который они предсказали и который все равно важен: теперь прокурор обратит внимание на Сашино дело, это может многое изменить. В очередях знали, что надо делать, если Сашу осудят, знали всю дорогу, эта дорога — тоже дорога жизни, люди идут по ней, и это успокаивало больше, чем надежды и обещания. Куда Сашу отправят, зависит от того, догадается ли он потребовать врачебного осмотра, у него слабые бронхи, он может добиться Приволжья, а не Сибири. Если ей позвонят и скажут собрать теплые вещи, то это Сибирь или Север, а если не скажут, то Средняя Азия.

И, когда пришел управдом Носов Виктор Иванович, она была к этому готова, ее предупредили, что Сашину комнату опечатают, управдом обязан это сделать, хотя это ему, наверное, неудобно. Она боялась только, что от смущения он будет грубить, и на этот случай приготовила специальную фразу.

«Виктор Иванович,— собиралась сказать она ему,— если вы будете говорить со мной спокойно, я вас лучше пойму».

Но Виктор Иванович не грубил.

— Порядок такой, Софья Александровна. Придет время, распечатаем. Вам же спокойнее. Знаете нашу публику, залезут — не выцарапаешь. Вещички какие перенести — пришлю дворника. А что не требуется — оставьте, комната ваша.

Он давал ей понять, что не следует забирать всех вещей, и Софья Александровна сама это понимала: пока в комнате вещи, никто не может ее самовольно занять. Но от помощи дворника отказалась — надо будет заплатить, а денег у нее нет.

Она освободила не общую комнату, где раньше спал и занимался Саша, а свою спальню. Пришлось вынести оттуда все, что было ей нужно, и туда перенести Сашин письменный стол, диван, вешалку.

За этим занятием и застала ее Варя. Быстро сняла пальто и начала помогать, переносила стопки белья, платья, коврики, подушки, одеяла, ничто у нее не падало, не терялось, она точно знала, что куда положить, и укладывала так, чтобы все уместилось.

Помощь этой девочки была приятна Софье Александровне, и сама она была ей приятна. Софья Александровна думала иногда, что поступает, может быть, нехорошо, приобщая Варю к своей жизни, к своему несчастью, но таким стойким было Варино сочувствие, ее стремление помочь, что она не представляла себе, как можно ее отстранить.

И сейчас помощь этой девочки придавала их работе видимость обычных домашних хлопот, обычной перестановки мебели, и, чтобы сохранить эту видимость, Софья Александровна ничего ей не говорила. Но чувствовала, как мужество покидает ее. Ушел муж, забрали сына, отнимают комнату... Эту комнату давно следовало отдать Саше. Взрослый мужчина, ему было неудобно в общей комнате, а она не отдала, не хотела лишить себя удобства. Как это эгоистично с ее стороны! А он не заговаривал об этом, ее дорогой, скромный мальчик.

Железная кровать не разбиралась, одна ножка у шкафа сломалась, комод они не могли сдвинуть с места, хотя и вынули ящики.

Пришел с работы Михаил Юрьевич, появилась соседка Галя, и помогли передвинуть шкаф и комод, разобрали кровать, перенесли в маленькую комнату диван, на котором спал Саша, его письменный стол и этажерку. Софья Александровна расставила письменный прибор, положила несколько Сашиных книг, повесила занавеску.

Варя ушла от Софьи Александровны, когда они все закончили, хотя знала, что дома ее ждет Серафим, тот самый молоденький курсант, которого Макс приводил на Новый год.

Этот Серафим — явился, не запылился — позвонил Варе на следующий же день и назначил свидание на Арбатской площади. Она пошла так, для смеха, взяла Зою и еще одну девчонку. Подруги остановились на другой стороне улицы, видели, как к Варе подошел молоденький военный, как они пошли по Арбату. Девчонки шли по другой стороне, подавали знаки, которых она не понимала, и она подавала им знаки, которых они тоже не понимали. Серафим пригласил ее в Дом Красной Армии на танцы, Варя не могла в этот вечер — собиралась в кино. Но она знала, как трудно попасть в Дом Красной Армии, и обещала Серафиму поехать с ним в следующую субботу. Серафим танцевал все современные танцы, они ездили туда каждую неделю, и подруги ей завидовали.

С его смешным именем Варя примирилась, одного из братьев Знаменских зовут тоже Серафим. Конечно, он не такой, как ребята с их двора — коренные, московские, арбатские мальчишки,— провинциальный, застенчивый. Но он ухаживал серьезно,— это льстило Варе, она чувствовала себя взрослой, и против их дружбы Нинка ничего не могла возразить, ведь Серафим — приятель ее Макса, а у Макса не может быть плохих товарищей.

Дома Нина встретила Варю сердитым взглядом: уже час Серафим томился на диване с книжкой в руках, шелест перелистываемых страниц раздражал Нину, мешал работать — она правила ученические тетради.

И ее осуждающий взгляд означал: «Ты договорилась с человеком, приходи вовремя, я не обязана развлекать твоих кавалеров».

Варя не стала ей объяснять, почему опоздала. Скажет, но потом. А пока велела Серафиму выйти в коридор: ей надо переодеться.

Зеркало висело на двери шкафа, Варя приоткрыла дверь так, чтобы стоять не спиной, а боком к свету, и начала переодеваться. И это тоже раздражало Нину, ведь на ней хорошее платье, может пойти в нем. И как надевает чулок! Вытягивает ногу, замирает, любуется собой. А эта манера ходить по комнате полуодетой, откуда это взялось?! В шестнадцать лет!

— Не забывай, тебя ждут.

— Да,— кротко ответила Варя. И так же кротко спросила: — Ты дашь мне на сегодня туфли?

Нине не хотелось давать свои единственные выходные туфли, но не терпелось, чтобы Варя наконец убралась.

— Возьми.

Варя достала туфли, долго их рассматривала, ощупывала, а когда обула, стала опять разглядывать, вытянула ногу, снова любуясь ею. Наконец завершила туалет, открыла дверь.

— Заходи, Серафим.

Уже надев пальто, повязав платок и оглядев себя в зеркале, Варя повернулась к сестре:

— Я была у Софьи Александровны. Помогала перенести вещи. Сашину комнату опечатали.

Варя нанесла Нине удар инстинктивно, но точно: даже то, что происходит в Сашином доме, Нина узнает от нее.

Конечно, ни Нина, ни кто-либо другой не может помочь Саше. Что они могут сделать? Не зная, в чем его обвиняют! И все же она виновата перед Сашей уже в том, что она на свободе, а он в тюрьме. Лучший среди них! И все молчат. Нина надеялась, что недоразумение разъяснится, но опечатали комнату, значит, не освободят. Что же тогда? Признать, что Саша — враг Советской власти? Отречься от него? Они оставили Сашу в беде, отступились. Она как-то заходила к Софье Александровне, выражала сочувствие — кому нужно это ее сочувствие?!

Написать письмо... Собрать подписи ребят, ведь Саша был у них секретарем комсомольской ячейки, написать, что ручаются за него. Макс подпишет, и Вадим, и Лена, и другие ребята. И директор школы, и учителя, знавшие Сашу. Нина преподавала в школе, где когда-то училась с Сашей, и надеялась, что ей удастся собрать подписи. Юрка не подпишет, черт с ним. Она позвонила Лене и Вадиму, договорились завтра встретиться у Лены. Потом спустилась к матери Макса и попросила передать ему, чтобы завтра, когда придет в увольнительную, зашел к ней.

Невеселой оказалась эта встреча. Лена молчала, куталась в платок. Надо подписать письмо — пожалуйста. И Макс выглядел грустным. Он знал, что их письмо бесполезно, понимал последствия такого шага, но не хотел отказываться, чтобы Нина не подумала — трусит. Только Вадим сказал:

— Братцы, а что даст такое письмо? Поможет Саше? А если повредит, осложнит дело? Нас вызовут: что вы знаете о Панкратове? В школе он был хорошим комсомольцем. А в школе мы с ним учились шесть лет назад. Каков он сейчас? Вам известно, что произошло в институте? Он вам рассказывал? Что он вам рассказывал? А потом вызывают Сашу: «Что вы говорили своим товарищам?» Я не ставлю под сомнение Сашину честность. Я просто хочу представить, как это будет выглядеть.

— Оставить Сашу на произвол судьбы? — спросила Нина.

— Почему на произвол судьбы? Ведь в его деле разбираются. Какие у нас основания думать, что не разберутся? Да, мы знаем Сашу, но они тоже, наверно, запросили его характеристики. И арестовали не потому, что он Саша Панкратов, а потому, что есть какое-то дело. А этого дела мы не знаем.

— Мы должны поддержать его,— сказала Нина.

— Рассуждай здраво,— возразил Вадим.— Саша даже не узнает о нашем письме. Наоборот, его начнут спрашивать о каждом из нас, и это только затруднит его положение.

— Боишься, что о тебе спросят?

— Я ничего не боюсь,— покраснел Вадим.

Все понимали, что Вадим прав. И Нина понимала. Но есть что-то более высокое и значительное, чем это понимание. И есть еще одно горькое и постыдное — они боялись осложнений для себя. И преодолеть эту боязнь сложнее, чем послать письмо.

— Может быть, посоветоваться с папой? — сказала Лена.

— Правильно! — подхватила Нина, втайне надеясь, что Иван Григорьевич вмешается и поможет Саше.

Вадиму тоже понравилась эта мысль: Иван Григорьевич отсоветует посылать такое безрассудное письмо. Все равно он, Вадим, его не подпишет, это он уже решил твердо. Только Максим с его трезвым, крестьянским умом понимал, что не надо ставить Ивана Григорьевича в неловкое положение.

— Стоит ли,— засомневался Максим,— мы сами должны решить.

— Но посоветоваться можно,— категорически возразила Нина.

К чаю в столовую вышли Иван Григорьевич и Ашхен Степановна.

— Папа,— сказала Лена,— что делать с Сашей?

— А что можно сделать?

— Мы хотим написать письмо в ОГПУ.

Будягин нахмурился.

— Кому нужно ваше письмо?

— Надо же что-то предпринять,— сказала Нина.

— Без вас разберутся,— сердито ответил Будягин.

21

После возвращения Будягина из-за границы Сталин ни разу его не принял, хотя Иван Григорьевич мог сказать многое, о чем не пишется в донесениях и что нельзя откладывать в сложившейся международной обстановке. Он просил о встрече. «Ждите, вас вызовут». Он ждал больше года. Это не случайно, так же как и то, что его не ввели в новый состав ЦК. Посол в крупнейшей западной державе, он проводил политику, диктуемую Центральным Комитетом, но имел право высказывать Центральному Комитету свою точку зрения.

Однако со Сталиным всегда сложно. В ссылке он перестал разговаривать с товарищем, пошутившим над его привычкою спать в носках. В Сибири он казался особенно незащищенным, мерз и потому спал в носках. Был обладателем шелкового стеганого пестрого одеяла. Над этим тоже шутили. Эти шутки Сталин воспринимал как подчеркивание его неприспособленности, слабости. Над ним перестали шутить. С ним нельзя было ссориться — он не умел мириться. Сильный грузинский акцент, тяжеловесные обороты речи не делали его хорошим оратором: в полемике он тоже выглядел незащищенным, и его не хотелось обижать. Не обижать — значило не противоречить.

Споры и расхождения не мешали ссыльным общаться. И только Сталин никогда не делал шага к примирению — идейный противник становился для него личным врагом. Он считал само собой разумеющимся, если товарищ отдавал ему валенки, в которых нуждался сам. Но он никогда бы не взял валенок у того, с кем спорил накануне. Со своими капризами, обидами, тягостными недоразумениями он был несносен. Другие ходили на охоту, на рыбалку, только он никуда не ходил, сидел вечерами у окна и занимался при свете керосиновой лампы. Этот одинокий непримиримый грузин в глухой сибирской тайге, в крестьянской избе на краю деревни, среди местных жителей, с которыми трудно уживался, вызывал сочувствие. И товарищи многое прощали ему.

Будягин единственный как-то с ним сблизился. Рабочий парень из Мотовилихи, он впервые увидел кавказца, пожалел этого южанина, засланного в холодную Сибирь, в условия, суровость которых выдержит и не всякий русский. Будягин оказывал ему услуги, помогал, чем мог, Сталин принимал это как должное. Ивану Григорьевичу здесь было легче, чем другим: он знал кузнечную работу, слесарную, держал в руке топор, мог починить и плуг, и ружье, любил рыбалку, особенно ночную, осеннюю, с горящим смольем на носу лодки. Он молча слушал споры своих образованных товарищей, их разговоры, рассуждения, много читал, даже изучал английский язык. Большинство изучали немецкий, французский, только Сталин не занимался языками. Ссыльные давали Будягину книги, разъясняли, объясняли. Сталин тоже разъяснял и объяснял. В его прямолинейности, семинаристской склонности к толкованиям, непоколебимой уверенности, что его знания — предел мудрости, была убедительность, импонировавшая тогда Будягину больше, чем эрудированное красноречие других. Со временем это перестало ему импонировать, он быстро развивался и встретил на своем пути людей более образованных и блестящих, чем Сталин. Но эти восемь месяцев совместной ссылки отложились не только в памяти, они отложились в сердце — первое приобщение к делу, ставшему делом жизни.

Встречался он со Сталиным и в годы гражданской войны. Именно тогда Сталин начал играть видную роль. Его воля, энергия могли служить революции; нелояльность, грубость, стремление к единовластию были терпимы, революция применяет и крайние средства. Но в эпоху созидания эти недостатки становились опасными. Сталин овладевал властью всеобъемлющей и бесконтрольной. В этом и заключался смысл ленинского письма. Преданность идее Сталин измерял преданностью себе. Там, где Рязанов видел конец, Иван Григорьевич предугадывал начало. Он предполагал, что изменения произойдут на съезде. Они не произошли. Утвердив на съезде свою исключительность, Сталин будет теперь утверждать свою единственность.

Будягин принимал на себя все: любое революционное действие считал своим действием, любые ошибки — своими ошибками, каждую несправедливость — собственной несправедливостью,— он обладал высшим мужеством революционера: брал на себя ответственность за судьбы людей, ввергнутых в горнило социальных потрясений. Падали рядом люди, виноватые, невиновные, но он верил, что прокладывает путь новому поколению, истинная революция велика не тем, ЧТО разрушает, а тем, КОГО создает.

Сталин обласкал Рязанова. Иван Григорьевич не обманывался на этот счет. Когда человека вводят в состав ЦК, не могут не знать, что его племянник арестован. Арестованный племянник будет ахиллесовой пятою Рязанова, заставит его преданно служить человеку, пренебрегшему т а к и м обстоятельством. Если это так, то вмешательство Будягина в Сашино дело еще больше осложнит его отношения со Сталиным.

И все же не вмешаться он не мог. Ребята, сидевшие у Лены и обсуждавшие, как помочь Саше,— зрелище, заставившее его содрогнуться: этих ребят, чистых и бескорыстных, видел он продолжателями дела революции. И вот он, старый большевик, готовивший и совершивший ее, ничего не может им ответить. Не может сказать, что Сашу арестовали правильно, он знает, что это не так. Но не может сказать и то, что арестовали неправильно, тогда он должен им объяснить, почему такое могло произойти.

И, хотя Будягин понимал, что вмешательство бесполезно, он позвонил Березину. Знал его как честного, мужественного чекиста. И он сказал Березину, что ручается за Сашу Панкратова и просит разобраться в его деле.

Березин лучше Будягина и лучше Рязанова знал, что Панкратов ни в чем не виноват,— Березин был знаком с делом. Он присутствовал на Сашином допросе и угадал в нем честного парня. Густая черная борода не помешала ему увидеть юное прекрасное лицо, исполненное чести, мужества и глубокой порядочности. И это короткое, достойное «ни за что ни про что», улыбка юности, которой ничто не страшно и у которой все впереди. Однако Березину было известно многое такое, чего не знали ни Будягин, ни Рязанов, и догадывался он о том, о чем они догадаться не могли.

Ломинадзе, в прошлом один из руководителей Коминтерна, высказал о китайской революции точку зрения, отличную от точки зрения Сталина, обсуждал эту проблему с Шацкиным и Сырцовым. Эта их беседа дала основание Сталину объявить их «праволевацкими уродами». Ломинадзе сняли с поста и направили на Урал секретарем горкома партии.

На него заведено дело. В деле есть показания Чера, бывшего работника Коминтерна, о том, что Ломинадзе будто бы готовил создание нового Интернационала. Чер, человек неясной национальности, подданный многих государств, назвал ряд людей, якобы связанных с Ломинадзе, и среди них Глинского, бывшего деятеля польской социалистической партии — левица, оказавшего Ленину в эмиграции немаловажные услуги.

Жена Глинского — директор транспортного института. В институте якобы обнаружено оппозиционное подполье, возглавляемое заместителем Глинской Криворучко, бывшим участником «рабочей» оппозиции. Ягода сразу за это ухватился. Связь жены Глинского с оппозиционным подпольем придавала устойчивость зыбким показаниям Чера — любые косвенные связи придают делу объемность и убедительность, любой факт весом, любое имя значительно, если оно находится в деле и если умело связать его с главной версией.

Березин прекрасно понимал, что никакого подполья в институте не было, никакого отношения Саша Панкратов к Криворучко не имеет, так же как Криворучко не имеет отношения к делу Глинского, сам Глинский не связан с Ломинадзе и никакого нового Интернационала Ломинадзе не собирался создавать. Но дело Ломинадзе курирует лично Ягода, и дело это, как понимал Березин, тянется дальше и выше, куда — Березин мог только догадываться... Осведомлен об этом Ягода, а ему Березин хорошо знал цену... Страшная и зловещая цепь. Освобождение Панкратова может быть истолковано как изъятие из цепи пусть крошечного, но звена. Ягода этого не допустит. И Вышинский не допустит. Сольц восстановил Панкратова, Вышинский санкционировал его арест. Панкратова надо подержать в тени, не привлекать к нему внимания — только это может спасти парня. Все должно пока остаться как есть, пусть Дьяков продолжает свое дело, его функции ограничены институтом — большего он не знает. Единственное, что сделал Березин, разрешил Саше передачи и пользование книгами из тюремной библиотеки. Это распоряжение Дьяков выслушал почтительно, он всегда слушал Березина почтительно — догадывался, что Березину здесь, в центральном аппарате, недолго работать. Конечно, передачи и книги — это послабление, но делается иногда в интересах следствия, и тут не придерешься.

— Будет выполнено,— ответил Дьяков.

Березин исповедовал дух революции, работу в Чека считал своим революционным долгом. Будучи в годы гражданской войны председателем Губчека, он осуществлял красный террор, но мог и отпустить на все четыре стороны незадачливого либерала или перетрусившего буржуя, если видел, что они для революции не опасны.

От маленькой, но цепкой руки Дьякова никто не уходил, попасться к нему уже само по себе значило оказаться виновным. Дьяков верил не в действительную виновность людей, а в *общую* версию виновности. Эту *общую* версию надо умело применить к *данному* лицу и создать версию *конкретную*. Создав эту конкретную версию, он подчинял ей себя, следствие и подследственного. Если же подследственный отвергал версию, это служило только лишним доказательством его враждебности государству, которое, как казалось Дьякову, он представлял здесь.

Версия, созданная Дьяковым (по его искреннему убеждению, стройная, логичная и неопровержимая), сводилась к следующему: институт возглавляет Криворучко, бывший оппозиционер, уже битый, а следовательно, обиженный и, по логике Дьякова, озлобленный навсегда. Такой человек не может не действовать: враг не дремлет, враг пакостит, где только может, тем более среди политически незрелых молодых людей. И вот группа таких людей выпускает антипартийную стенгазету. Есть ли связь между этими двумя обстоятельствами? Не может не быть! Руководитель этих молодых людей, студент Панкратов, защищает Криворучко. Случайно это? Не может быть случайным! Случайно ли дело Криворучко по времени совпало с делом Панкратова? Кто в это поверит?! За Панкратовым стоит вдохновитель, бывший оппозиционер. Криворучко вовлек Панкратова, а это уже контрреволюционная организация.

В том, что Панкратов *расколется* и версия будет доказана, Дьяков не сомневался. Дьяков делил подследственных на доверяющих следствию и, значит, верящих в Советскую власть, и не доверяющих следствию, а значит, в Советскую власть не верящих. Кроме того, он делил их на мелочных, кто придирается к каждой букве протокола, и не мелочных — эти не придираются. Панкратов верит органам, не мелочен, потрясен арестом, надеется на освобождение, ищет доверия, неопытен, простодушен, товарищей будет выгораживать, все возьмет на себя, даже лишнее. Случай легкий.

Криворучко арестовали в ту же ночь, что и Сашу. Он показал, что слыхал о деле Панкратова, но самого Панкратова не помнит — в институте тысячи студентов. На самом деле Криворучко не забыл, что говорил Панкратов на бюро, помнил, как тот приходил к нему оформлять документы. Отрицал он знакомство с Панкратовым не потому, что это могло повредить ему лично, ничто уже не могло ему ни повредить, ни помочь — это акция, направленная против тех, кто когда-либо участвовал в какой-либо оппозиции. И не потому, что разгадал в е р с и ю — он не знал даже, что Панкратов в тюрьме. Отрицал он это потому, что знал: каждая названная им фамилия может только повредить человеку, который эту фамилию носит.

22

Саше принесли четыре книги, среди них ни одной, что он выписал, хотя библиотекарь и соблюдал некоторую приблизительность. Вместо «Утраченных иллюзий» — «Цезарь Бирото», вместо «Войны и мира» — «Детство», «Отрочество» и «Юность», журнал «Природа и люди» за 1905 год, «Красная новь» № 2 за 1925 год. Все зачитанное, истрепанное, с синим овальным штампом: «Библиотека Бутырской городской тюрьмы». Бальзак издания 1899 года, Толстой — 1913 год. Многих страниц не хватало, опись недостающих страниц в конце книги была неточна. И все же предстояла неделя праздника. Саша просмотрел сначала журналы, потом прочитал книги, потом опять журналы. В «Красной нови» нашел стихотворение Есенина «Синий туман. Снеговое раздолье...». Саше оно раньше не попадалось. «Цезаря Бирото» он читал, тогда история этого незадачливого парфюмера показалась ему мелодраматичной, а сейчас тронула... «Несчастье — ступень к возвышению гения, очистительная купель — для христианина, клад — для ловкого человека, бездна — для слабого». Он не гений, не христианин, не ловкий и не слабый человек. Но все же почувствовал что-то в этих словах важное для себя.

Неделю он наслаждался книгами, свежим бельем, лакомствами, присланными мамой. Он опускал кусочки мяса в суп и, согрев таким образом, добавлял к каше — обед становился съедобным. Утром и вечером делал бутерброд из булки, масла, колбасы и сыра —

запах школьного завтрака отбивал запах тюрьмы. Сытый, разомлевший, укладывался он на койку и читал. Лежать днем запрещалось, но Саша не обращал внимания на замечания коридорных, и они оставили его в покое, становились настойчивыми только когда приближалось начальство. Неделя сытой, ленивой жизни с книгами, колбасой и шоколадом. Казалось, он привык, пообжился, притерся... «Все успокоились, все там будем, как в этой жизни радей не радей...» Это не убеждало, но убаюкивало.

Жизнь в книгах и журналах не имела ничего общего с его нынешней жизнью, да и с прошлой тоже. Все, исполненное страдания в «Детстве» и «Отрочестве», было не таким, как в его детстве и юности.

Он сказал тогда отцу:

— Я не позволю обижать маму.

Отец смотрел на него серыми выпученными глазами, потом опустил голову на руки.

— Хороший сын...— и заплакал.

Отец есть отец. Пусть у него холодная рука, но ее прикосновение он запомнил с детства. Хотелось утешить его, попросить прощения. Отец отнял руки от лица. Глаза были злые, сухие.

— Кто тебе дал право вмешиваться?!

— Это моя мама.

Несколько дней отец молча вставал по утрам, брился, долго умывался, одевался, разглядывал себя в зеркале, молча садился за стол, молча ел, собирал бумаги в портфель, что-то бормотал, не попрощавшись, уходил на работу. Возвращаясь, он окидывал комнату злым взглядом, обедал, не произнося ни слова, со стуком отодвигал тарелки, не отвечал на робкие вопросы матери. Только поздно вечером, когда он и мама уходили в их комнату, Саша слышал оттуда его приглушенный голос, а мама молчала и молчала, и Саша боялся, что от этого молчания у нее разорвется сердце.

Потом он сказал Саше:

— Мне надо поговорить с тобой.

Они вышли из дома и пошли по Арбату. Снежинки роились в свете уличных фонарей. Отец был в высокой меховой шапке, из того же меха воротник на шубе, он шел рядом с Сашей — высокий, красивый, гладко выбритый, категоричный, не терпящий возражений.

...Он не хотел вмешивать сына в их отношения, это о н а с детства внушала ему неприязнь к отцу. О н а виновата в их разладе, о н а не разделяла его стремлений, его интересов, ей были ближе сестры и брат. Ревность — только на это и способна.

Безысходная тоска охватила Сашу. Что может он возразить отцу здесь, на улице, отец плохо слышит, надо кричать.

И Саша сказал только:

— Если люди не могут жить вместе, они должны разойтись.

Через месяц отец уехал на Ефремовский завод синтетического каучука. Так в шестнадцать лет Саше пришлось все взять на себя.

Дьяков Сашу не вызывал, и это его не волновало. Первого допроса он ожидал с надеждой, второго — со страхом, теперь не испытывал ни надежды, ни страха. Только мысль о Криворучко не давала ему покоя. Могут арестовать Криворучко, и тот признается, что сказал Саше эту фразу про повара. Тогда Сашу уличат во лжи, а уличенному во лжи, ему уже не будет доверия в главном, что касается Марка.

Ну зачем Криворучко это сказал? В какое глупое положение его поставил. Болтун! Как бы Саша поступил, если бы вопрос о Криворучко обсуждался на партийном бюро? Там бы он не утаил этой фразы... Пусть товарищ Криворучко разъяснит, что он имел в виду! Почему же здесь он должен поступать иначе? Почему должен п о к р ы в а т ь Криворучко?

Он расскажет все, как было, и снимет с себя тяжесть. Совесть его будет чиста, а там пусть решают... «Сибирь так ужасна, Сибирь далека, но люди живут и в Сибири...» Откуда это?

Живет же он в тюрьме, лежит, читает, лакомится колбасой, шоколадом, поет каждую ночь под горячим душем, думает, вспоминает. У него отросла борода, он уже поглаживает ее, хочется посмотреть, каков он с бородой, но нет зеркала.

Опять явился надзиратель с карандашом и бумагой, забрал книги. Саша написал новую заявку. Он выписал на этот раз десять книг, авось какая-нибудь из них окажется на полке. Повторил «Войну и мир» и «Утраченные иллюзии», выписал толстые журналы за январь, февраль, март, Стендаля, Бабеля, «Историю падения и разрушения Римской империи» Гиббона — незадолго до ареста он начал ее читать, выписал Гоголя, которого любил, и Достоевского, которого не любил,— надо все же одолеть. И опять кодекс, пусть знают, что он его требует. Безусловно, его заявки просматривает Дьяков. Так вот, пусть Дьякову будет известно, что он хочет знать свои права.

Два дня без книг вернули его в прежнее состояние. Снова глухие стены, гнетущая тишина, следящий за ним глазок, оправки в уборной, снова тяжелая пища и изжоги — присланные мамой продукты кончились.

Он думал о Кате, вспоминал ее горячие руки, сухие обветренные губы. Он не мог спать, вставал, ходил. Но надзиратели запрещали ночью разгуливать по камере.

— Заключенный, ложитесь!

Он ложился, не мог заснуть, если засыпал, то видел томительные сны, изнуряющие видения, как когда-то, в семнадцать лет...

Когда ему было семнадцать лет, он ездил с мамой в Липецк. К хозяйке, у которой они жили, приехала невестка из Самары, муж ее служил там на железной дороге. Звали ее Елизавета Петровна — худенькая блондинка в халатике, едва запахнутом на голом теле. Она смотрела на Сашу узким, косоватым взглядом, двусмысленно улыбалась, жеманилась, маленькая мещаночка из Самары. И все же ее двусмысленная улыбка, ее тело, видневшееся сквозь полураспахнутый халатик, дешевые духи волновали Сашу. Днем она обычно лежала в саду, расстегнув халатик и подставив солнцу белые стройные ноги. Саша не смотрел в ее сторону, только чувствовал под яблоней белое пятно подушки, пестроту халатика, голые стройные ноги с круглыми коленями, чувствовал на себе ее косой взгляд, ее улыбку.

— Са-шша...— сказала она однажды, растягивая букву «ш».

Он подошел, сел рядом.

— Саш-ш-ша,— тянула она, поворачиваясь к нему, халатик ее распахнулся, обнажив белое худенькое плечо и маленькую грудь.— Саша... Где вы гуляете весь день? С девушками? Расскажите мне...

Он не мог выговорить ни слова, смотрел на ее плотно сжатые ноги, на маленькую белую грудь... Солнце пекло сухо, жужжала оса, пахло яблоками, Саша не мог встать, не мог пошевельнуться, со стыдом чувствовал, что она все видит, все понимает, улыбается своей двусмысленной улыбкой и в душе посмеивается над ним.

— Все читаете, читаете, совсем зачитаетесь.

Она взяла из его рук томик Франса.

— Не отдам!

И спрятала книгу за спину. Он потянулся за книгой, их руки сплелись, его обдало жаром ее тела, она бросила вороватый взгляд на калитку, откинула голову, тяжело задышала, на лице ее появилось что-то отрешенное, тайное. Она охватила его шею горячими руками, притянула к себе, губы его коснулись ее губ, и она опустилась на спину.

Потом она заглядывала ему в глаза и смеялась.

— Смотри, что наделал... Теперь придется застирывать. А тебе неприятно, скажи?.. Ничего, миленький, это только в первый раз неприятно, ты ведь в первый раз, ну, скажи, правда?

Ему было стыдно, он избегал ее, но на следующий день за обедом она сказала:

— Саша, будьте мужчиной, покатайте меня на лодке.

— Поезжай, Саша,— сказала мама, горевавшая, что в Липецке Саше скучно.

Они переехали на лодке на другой берег Воронежа — так называется река в Липецке,— и здесь, на лугу, она рассчитанно и деловито отдалась ему.

Ночью она пришла к нему, он спал в столовой на диване, и приходила каждую ночь, а днем увозила на другой берег Воронежа.

— Связался черт с младенцем, у, потаскуха,— шипела свекровь.

Мама ничего не замечала.

Приехал муж Елизаветы Петровны, подозрительно смотрел на Сашу, видно, узнал что-то от своей матери. Елизавета Петровна разыгрывала нежную жену, а Сашу представляла безнадежно влюбленным мальчиком. Растягивая слова и посмеиваясь, говорила при муже:

— А вот и мой кавалер...

Саше было противно ее жеманство и то, как шептались и смеялись они с мужем в их комнате. Впрочем, вскоре ему надо было поступать на завод, и, оставив мать в Липецке, он уехал в Москву. И долго после этого избегал женщин.

Как-то на заводе устроили субботник, убирали территорию, разгружали дрова, вывозили снег. Аппаратчица из третьего цеха, Поля, высокая красивая девка, работала рядом с ним, шутила, заигрывала, а когда кончили субботник, тихо сказала:

— Пойдем ко мне, погреемся.

И еще тише добавила:

— Одна я сегодня.

Он не пошел тогда, слишком *намеренно* она предложила это. Сейчас он жалел, что тогда не пошел.

Кровь бурлила в нем, не давала покоя, он знал, к чему иногда приводит одиночество, и боялся этого. Он делал зарядку утром, вечером, днем не ложился, ходил из угла в угол, установил дневную норму — десять тысяч шагов, душ принимал совсем холодный, ложился спать возможно позже, вставал возможно раньше.

Через два дня принесли книги, и он снова погрузился в чтение. Только читал не лежа, а сидя, даже стоя, прислонясь к стене. Ему прислали два первых тома Гиббона, «Братьев Карамазовых» и вместо «Мертвых душ» — «Тараса Бульбу».

Появился у него сосед — худой, изможденный парень в потертом демисезонном пальто, рваных ботинках и кепке. Его ввели в камеру, потом принесли кровать, матрац и одеяло.

Звали его Савелий Кусков, студент третьего курса Московского педагогического института, сидит в Бутырках уже пятый месяц. Пробыл он с Сашей два дня, потом его увели, а кровать оставили.

На Сашу он произвел впечатление человека если не окончательно свихнувшегося, то уже тронутого. Часами лежал на койке молча, неподвижно, потом вдруг вскакивал, ходил, натыкаясь на кровати, тихонько напевал: «Все васильки, васильки, много мелькает их в поле». И это монотонное бормотание апухтинского стихотворения усиливало ощущение ненормальности.

Он не вышел на прогулку, не пошел с Сашей в душ, не делал зарядку. В Москве у него ни родных, ни близких, передач не получал, но то, что приносили раздатчики, съедал не сразу, а когда и без того едва теплая еда совсем остывала, ополаскивал миску кое-как и равнодушно смотрел, как тщательно моет Саша свою. Мама передала тогда вторую передачу, Саша все выложил на стол, но Савелий почти ни к чему не притронулся. Гиббона он подержал в руках и отложил. Про Гоголя и Достоевского сказал, что уже читал. Сашиным делом не интересовался, о своем рассказал равнодушно. Он из Себежского района, деревня их в пограничной полосе, он собирался на каникулы домой, мать написала, что у них плохо с разменной монетой — не купишь, не продашь, не получишь сдачи. Он стал копить серебро, при обыске нашли у него двадцать восемь рублей сорок копеек и обвинили в намерении бежать за границу, тем более что учился он на факультете иностранных языков. В предъявленном обвинении признался, следствие по делу закончилось, и теперь ждал приговора.

— Зачем же признался?

— А как докажешь,— флегматично ответил Савелий.

— Не ты должен доказывать, они должны доказать.

— Вот и доказывают: серебро копил.

Дико, нелепо. Впрочем, если кому-нибудь рассказать, что его самого арестовали из-за стенгазеты или из-за дяди, этому тоже не поверит никто.

Оживлялся Савелий, только рассказывая тюремные легенды о побегах. Перепиливают оконную решетку, выбираются на крышу, с нее на другую, потом прыгают на ограду, а с ограды на улицу. Совсем недавно убежали два валютчика, прыгнули с четвертого этажа на мостовую. И ничего, не разбились.

Как ни мало сидел Саша в тюрьме, он понимал, что убежать невозможно. Но не спорил. Только удивлялся примитивности Савелия. Пробовал говорить с ним по-немецки, помнил несколько слов еще со школы. Савелий по-немецки говорил хорошо, без запинки, устранив тем самым мелькнувшее у Саши подозрение, что, быть может, он вовсе и не студент пединститута.

С не меньшим оживлением рассказывал Савелий о тюремной больнице. Все там есть, всякие кабинеты, и электролечение, и зубной врач. Фурункул, чирей, прострел — сейчас же назначают синий свет, будут водить каждый день, а то и положат в палату, а там белые булки, молоко. Говорил он о булках и молоке с восторгом, тем более непонятным, что сам ничего не ел.

Кое-что рассказывал он и важное для Саши. Если в камеру явится врач и спросит: «На что жалуетесь?» — это значит, что приговорили к ссылке, если хочешь на юг, в Среднюю Азию или Казахстан, говори, что у тебя туберкулез, ревматизм, ишиас или радикулит; хочешь на север — жалуйся на больное сердце. А если врач не придет, значит, лагеря, тут уже куда попадешь.

Узнал от него Саша, как называется их корпус и другие корпуса и как все это расположено. Башня внутри дворика называется Пугачевской. Дворик этот — самый маленький, есть побольше, самый хороший тот, что рядом с мастерскими, где работают уголовники, через них можно передать записку на волю.

На третий день Савелия увели. Уходил он так же равнодушно, как пришел. Пришел к незнакомому и ушел от незнакомого.

Но когда Саша увидел в дверях узкую, сутулую, покорную спину Савелия и как он вышел из камеры, не оглядываясь и не прощаясь, то почувствовал бесконечную, тюремную д о р о г у. На этой дороге он встретит еще людей. Савелий был первым.

23

— Товарищ Будягин, с вами будут говорить.

Потом хорошо знакомый голос произнес:

— Здравствуй, Иван!

Называть Сталина по фамилии Иван Григорьевич не привык, по имени не решался. И он ответил:

— Здравствуйте...

— Приехал — не заходишь, гордый стал, дорогу забыл.

— Я готов. Когда?

— Готов — приходи. Рядом живем.

Последний раз Будягин был у Сталина два года назад, за месяц до смерти Нади. Потом, приезжая в Союз, все дела решал с наркоминделом Литвиновым, который пользовался доверием Сталина.

Концепция Сталина заключалась в том, что противники Советского Союза — это Англия, Франция и Япония. Англия видит в СССР угрозу своей колониальной империи. Япония — владычеству в Китае, Франция — своему влиянию в Европе. В то же время Англия и Япония — главные соперники Соединенных

Штатов на мировом рынке. Побежденная Германия противостоит победительнице — Франции.

Таким образом, все сложные проблемы просты: Англия, Франция, Япония — с одной стороны, СССР, США, Германия — с другой. Сводить сложное к простому Сталин почитал своим великим талантом.

Концепцию Сталина, сложившуюся еще во время Веймарской республики, Иван Григорьевич считал устаревшей, способность Сталина все упрощать — катастрофой. Приход Гитлера к власти меняет расстановку сил, делает германскую проблему основной.

Литвинов, по-видимому, разделял точку зрения Будягина, но не показывал этого. Надеялся, что время изменит позицию Сталина. «Laisser passer» [1],— сказал он Будягину.

Сталин не знал Европы, презирал партийных интеллигентов — эмигрантов, кичливых всезнаек, сделанных из того же теста, что и западные рабочие лидеры в смокингах и фраках. Он вел в России жизнь подпольщика, его ссылали, он бежал, скрывался, а они жили за границей, в безопасности, почитывали, пописывали, становились известными. В Лондоне на Пятом съезде партии он хорошо их рассмотрел, с близкого расстояния.

До этого Сталин был за границей только в Таммерфорсе и Стокгольме. Но те съезды не шли ни в какое сравнение с лондонским, где собралось более трехсот делегатов: большевиков, меньшевиков, бундовцев, польских и латышских социал-демократов. В первый и единственный раз Сталин увидел столицу мировой державы, город, каких он не знал, капиталистический Вавилон, цитадель буржуазной демократии. Среди невозмутимых людей, выросших в непонятных, чуждых традициях, он, не знающий языка, чувствовал свою удручающую незаметность, к тому же Сталин потерял шарф, апрель в Лондоне стоял холодный, пошел с Литвиновым покупать новый, но не мог подобрать нужный, жесткая шерсть к у с а л а шею. Купили самый мягкий, дорогой, все равно Сталин капризничал, вертел головой и ругал англичан. В районе доков Литвинов отлучился, а когда вернулся, к Сталину уже приставали докеры: возможно, что-то спросили, а он не ответил, не знал языка. Литвинов, человек смелый, разговаривающий

---

[1] «Пусть идет, как идет» (*франц.*).

на английском, как коренной лондонец, прогнал докеров.

Впоследствии Литвинов рассказал Будягину про шарф, но про докеров не рассказывал никогда. Сталин такого рассказа бы не простил: с детства тщедушный и слабый, он был болезненно чувствителен ко всему, что ставило под сомнение его физическую силу и смелость,— душевное состояние, из которого потом выросла подозрительность.

Еще в ссылке он говорил Будягину: грубости надо противопоставлять еще большую грубость — люди принимают ее за силу.

Как-то в один из длинных зимних вечеров Сталин сам рассказал Будягину про случай с докерами: мол, приняли его за индуса, хотели побить, но получили по морде и убежали. Он очень любил выражение «надавать по морде».

— И это хваленый английский рабочий класс,— сказал Сталин,— такие же колонизаторы, как и их хозяева.

Больше года Будягин добивался свидания со Сталиным, считал себя обязанным сообщить ему свою точку зрения. Он знал, что переубедить Сталина трудно, этот человек легко отрешался от своих симпатий, от антипатий — никогда. Но он знал также, что войны Сталин опасается.

Теперь Будягин понимал, что его попытка обречена на неудачу. Время не изменило позиции Сталина, время изменило его самого. Сейчас больше, чем когда-либо, он убежден в своей непогрешимости. Иван Григорьевич отчетливо сознавал, чем все кончится, если он будет ему противоречить.

В Кремль Будягин пошел не по Воздвиженке, как ходил обычно, а по улице Герцена, пересек площадь у Манежа и вдоль ограды Александровского сада дошел до Троицких ворот, удлинил путь на несколько минут, хотел тщательней обдумать предстоящий разговор, а может, оттянуть встречу, которая, как он предчувствовал, сыграет роковую роль в его судьбе.

Иван Григорьевич всегда был далек от внутрипартийных распрей. Но он и не включился в общий хор, не славословил. Этого для Сталина было достаточно.

Будягин пошел в революцию не потому, что хотел добиться лучшей жизни, их семья жила в сравнительном достатке: и отец, и братья, и он сам — все квалифицированные кузнецы на Мотовилихинском заводе. Мотовилихинский завод, казенный, государственный, считался одним из мощнейших в стране, говорили, что его пятидесятитонный молот — крупнейший в мире. Сама Мотовилиха, расположенная на левом берегу Камы, на магистральной железной дороге, была промышленным, торговым пригородом Перми, деятельным, зажиточным и сравнительно трезвым.

Способного молодого рабочего заметил Николай Гаврилович Славянов, создатель дуговой электросварки, и привлек к первым электросварочным работам. Соприкосновение с передовой для того времени техникой, с ее блестящими представителями будоражило мысль. Будягин сошелся с социал-демократами, их было много среди заводской интеллигенции и в городе среди политических ссыльных. Иван Григорьевич тоже, вероятно, остался бы рядовым социал-демократом. Он записался на общеобразовательные курсы при Томском технологическом институте, дававшие аттестат зрелости и право на поступление в институт. Профессиональным революционером его сделала первая русская революция. В декабре 1905 года он участвовал во всеобщей политической стачке, затем в вооруженных столкновениях с войсками. Его арестовали и выслали в Нарым.

Все было понятно, пока Будягин боролся против самодержавия. Революция — тоже ясно — конечная цель их борьбы, победа их идеи. Крайности неизбежны — ярость народа обрушилась на вековых угнетателей, революция защищалась.

Кончилась гражданская война, все стало на свое место. Нэп означал не только новую экономическую политику. Возникал новый уклад жизни.

Однако то, что намечалось Лениным «всерьез и надолго», продолжалось совсем недолго. Сталин ликвидировал нэп, утверждая при этом, что выполняет заветы Ленина. Он любил клясться именем Ленина, ссылаться на него. Хотя еще в Сибири говорил Ивану Григорьевичу, что Ленин недостаточно знает Россию, потому и выдвинул лозунг национализации земли, за которым, как утверждал тогда Сталин, крестьянство не пойдет. А в Царицыне он же внушал лично ему, Будягину, что Ленин мало разбирается в военных делах. Но значение Ленина, его роль в партии Сталин понимал всегда и никогда открыто ему не оппонировал. Когда в итоге оказывалось, что Ленин прав, а он всегда оказывался прав, Сталин объявлял себя его единомышленником, без колебаний проводившим политику Ленина. Он и теперь на каждом шагу клянется Лениным, представляет себя чуть ли не инициатором и вдохновителем ленинских решений. Однако вместо социалистической демократии, которой добивался Ленин, Сталин создал совсем другой режим.

Ничто не изменилось в маленькой квартире Сталина с того дня, когда Иван Григорьевич приходил сюда последний раз.

Сталин был один, сидел за обеденным столом. На столе стояла бутылка атенского вина, бокалы, фрукты в вазе, две бутылки нарзана, лежала раскрытая книга. Сталин и дома носил полувоенный костюм, брюки заправлены в светлые сафьяновые сапоги с малиновыми разводами.

Он повернул голову. Щеки и подбородок закрывали белую каемку подворотничка, френч топорщился на животе. Низкий лоб, знакомые оспинки, мягкая красивая рука. Будягин понимал, что эта встреча последняя.

Сталин медленно поднялся, не протянул руки, продолжал в упор смотреть на Будягина. Он был ниже ростом, но смотрел не снизу, даже не прямо, а как будто сквозь тяжелые опущенные веки.

Иван Григорьевич ждал, что Сталин пригласит его сесть и прекратит неловкость.

Сталин кивнул в сторону окна.

— Ругают меня там?

Он спрашивал не про ту страну, откуда приехал Будягин, и не про ту страну, где они сейчас находились, а про весь мир, про все человечество, про все, что там, за окном: в неумолимом азиатском боге проснулся одинокий ссыльный грузин в сибирской избе. Только за окном не глухая тайга, а громадная, покорная его воле страна.

Спрашивает это после своего триумфа на съезде, он по-прежнему никому не верит. И хочет лишний раз убедиться в правильности своего недоверия, своих подозрений, еще раз проверить, к а к о в Будягин и такие, как Будягин. Он уже настроил себя против Будягина, не улыбнулся, не спросил про семью, не проявил и тени прежних отношений.

— Кто как...— ответил Будягин.— Есть и ругают.

Сталин чуть повел рукой, Иван Григорьевич сел.

Сжимая трубку в кулаке, Сталин прошелся по комнате, походка у него осталась по-прежнему легкой, пружинистой.

— Как Рязанов?

Неожиданный вопрос. Сталин принимал Рязанова, слушал на Политбюро, выдвинул в ЦК. Может быть, усомнился в нем в связи с арестом племянника?

— Деловой, знающий человек,— ответил Будягин.

— Говорят, постороннее строительство затеял?

В Наркомат поступил сигнал, что Рязанов самовольно строит в городе кинотеатр, спортивный комплекс, даже закладывает курорт «Уральская Мацеста».

— Пятаков направил туда комиссию,— ответил Будягин.

Сталин посмотрел ему прямо в глаза. Будягин знал, что означает этот взгляд: он означает недоверие. Сталин не удовлетворен его ответом. Почему? Будягин сказал правду. Впрочем, ему хорошо знаком этот сталинский способ смущать собеседника: выказать недоверие там, где для недоверия нет оснований, делать вид, что верит, когда есть основания сомневаться.

Сталин медленно отвел взгляд, усмехнулся.

— Серго предложил Рязанова в ЦК. Хочет, чтобы ЦК состоял из одних хозяйственников.

Он замолчал, ожидая реакции Будягина. Таков характер этого человека: Орджоникидзе, мол, предложил Рязанова в состав ЦК, а Будягина не предложил.

Повысив голос, Сталин продолжал:

— При всем нашем уважении к Серго мы не можем превратить ЦК нашей партии в Президиум ВСНХ. Центральный Комитет нашей партии — это ареопаг, в котором представлены и хозяйственники, и политики, и военные работники, и деятели культуры. В Центральном Комитете должны быть представлены все силы нашей партии. Особенно молодые силы.

Он остановился против Будягина.

— Надо посторониться и дать дорогу людям из народа. Во главе государства народ хочет видеть своих сыновей, а не новых пришельцев, новых дворян. Русский народ не любит дворян. История русского народа — это история борьбы с дворянством. Русский народ любил Ивана Грозного, Петра Первого, то есть именно тех царей, которые уничтожали бояр и дворян. Все крестьянские движения, от Болотникова до Пугачева, были движениями за хорошего царя и против дворян.

То, что он говорит, можно расценивать как обычный для него исторический экскурс. Историю он знал, особенно хорошо знал историю церкви и церковных ересей. Но можно понять и так: старые кадры, такие, как Будягин, это и есть новые дворяне. Это их народ больше не хочет.

Сталин продолжал:

— Почему крестьянство поддержало революцию в центральных губерниях и не поддержало на окраинах, скажем, в Сибири? В центральных губерниях мужик видел помещика, дворянина, а в Сибири их не было. А когда появился дворянин Колчак, тогда сибирский мужик поддержал революцию.

Сталин смотрел на Будягина. Глаза его потемнели, стали коричневыми. Потом он отошел к окну и, стоя спиной к Ивану Григорьевичу, сказал:

— Но не все молодые люди — это НОВЫЕ силы. Я как-то летом ехал по Арбату, смотрю: на углу стоят молодые бездельники в заграничных плащах, смеются. Спрашивается: что им дороже — советская родина или заграничный плащ?

Заговорил о молодых людях. Значит, ему известно о ходатайстве за Сашу.

— Можно носить заграничный плащ и любить советскую родину,— сказал Будягин.

— Ты так думаешь? — Сталин повернулся к нему.— Я ТАК не думаю. МОИ дети не ходят в заграничных плащах, МОИМ детям нравится наше, советское. МОИМ детям негде доставать заграничные плащи. Спрашивается: откуда ТЕ их достают?

Может быть, он имеет в виду Лену? Кто-нибудь съехидничал: «Дочка Будягина ходит в заграничных платьях». Сталин всегда придавал значение мелочам, прислушивался, пускал их в ход, когда хотел показать свою осведомленность, гордился умением обобщать мелочи, делать из них выводы.

— На мне тоже заграничный костюм,— сказал Будягин, давая понять, что, прожив почти десять лет за границей, он и его семья, естественно, покупали там себе одежду.

Сталин понял намек, с насмешливой уважительностью развел руками.

— Ну... Ты ведь у нас деятель международного масштаба, где нам до тебя?..

Он медленно приблизился к Будягину, протянул вдруг руку, коснулся его головы.

— Молодой совсем, черноволосый, красивый...

Будягин подумал, как легко может быть снесена голова, до которой Сталин сейчас дотронулся. Сталин опустил руку, точно понял мысль Будягина, усмешка снова тронула его усы.

— Ты, Иван, всегда был спорщик, отчаянный, неисправимый полемист.

Он опять подошел к окну, снова стал спиной к Ивану Григорьевичу, снова заговорил:

— Мы любим нашу молодежь, молодежь — наше будущее. Но ее надо воспитывать. Молодежь следует растить, как садовник растит дерево. Ей не надо льстить, не надо подлаживаться, нельзя прощать ей ошибок...

Да, он о Саше. Показывает свою осведомленность. Малую ее часть. А когда понадобится, выложит всю.

— ...Не надо искать у молодежи дешевой популярности,— продолжал между тем Сталин.— Народ не любит вождей, ищущих дешевой популярности. Ленин не искал, не расхаживал по улицам. Народ не любит вождей-краснобаев, Троцкий какой был говорун, а что от него осталось?

Этот шар пущен в Кирова. Киров ходит пешком по ленинградским улицам, Киров — лучший оратор партии. Что стоит за этим? Нет, от Кирова и Орджоникидзе он пока не откажется. Время еще не пришло. А сейчас он начинает с него, прощупывает как человека, близкого Кирову и Орджоникидзе еще со времен обороны Астрахани и военных операций на Северном Кавказе. Для этого и вызвал. Международные проблемы его не интересуют. Если бы интересовали, он вызвал бы год назад.

Как всегда, в Сталине поражала откровенность высказываний о близких людях, убеждение, что его слова не будут переданы. Намекни Будягин Кирову или Серго о том, что он здесь слышал, он будет ошельмован как интриган. Ведь ничего плохого Сталин не сказал, только подметил стремление Орджоникидзе видеть в ЦК побольше хозяйственников и высказал законное опасение за свободу и открытость, с какой Киров расхаживает по ленинградским улицам.

— Кстати,— спросил Сталин, не оборачиваясь,— что за человек Кодацкий? Он, кажется, при тебе был в Астрахани?

— Да, был, ведал Облрыбой. Ты, наверно, тоже его знаешь, он председатель Ленинградского горсовета.

Сталин сделал вид, что не заметил скрытой язвительности ответа, спокойно сказал:

— А ведь Кодацкий — зиновьевец.

Будягин искренне удивился:

— Кодацкий? Он выступал против Зиновьева.

— Да, выступал как будто...— согласился Сталин.— А когда ленинградские рабочие потребовали исключить Троцкого и Зиновьева из партии, товарищ Кодацкий не проявил большого восторга. Колебался. В таком вопросе! И тогда сам товарищ Киров предложил освободить его от должности секретаря Московско-Нарвского райкома партии. Освободили. Придержали в совнархозе. А теперь выдвинули в председатели Ленсовета. Вместо председателя Ленсовета Григория Зиновьева новый председатель — тоже зиновьевец. Как это должны рассматривать ленинградские рабочие?

— Кодацкий, насколько я знаю, в оппозиции не участвовал,— сказал Будягин.— Если он проявил колебание в организационном вопросе, то от такого рода колебаний никто не избавлен ни сейчас, ни тем более восемь лет назад.

— Никто не требует крови товарища Кодацкого,— равнодушно сказал Сталин и повернулся к Будягину.— Все же в такой организации, как ленинградская, следует быть осмотрительнее в подборе кадров. Впрочем, партия доверила товарищу Кирову выбирать помощников по собственному усмотрению. Не будем вмешиваться.

Последняя фраза звучала предупреждением, что разговор о Кодацком носил не официальный, а личный характер. Уже для формы, для завершения визита Сталин задал вопрос, которого Будягин и ожидал:

— Что Гитлер?

— Гитлер — это война,— ответил Будягин.

Сталин помолчал, потом спросил:

— У него есть чем воевать?

— Промышленный потенциал Германии высок. Ей вооружиться не трудно.

— Ему позволят вооружиться?

— Он не будет спрашивать разрешения.

— Он удержится у власти?

— По-видимому, да.

Сталин опять помолчал, провел пальцем под белым воротничком.

— Немцы будут воевать?

— Заставят — будут.

Медленно, внушительно Сталин произнес:

— Англия и Франция навязали Германии Версаль, репарации, раздели до нитки, отобрали колонии, Судеты, Данциг, Польский коридор, отрезали Восточную Пруссию. С кем же собираются воевать немцы?

— Англия и Франция попытаются сторговаться с Германией за наш счет.

Сталин взглянул на Будягина. Все ясно: не считает нужным скрыть свою точку зрения, наоборот, считает нужным заявить ее тут, перед ним, в его доме.

Все же, сохраняя видимое спокойствие, он сказал:

— Англия и Франция никогда не допустят в сердце Европы сильной Германии. Наоборот, мы заинтересованы в сильной Германии — противовесе Англии и Франции.

— Для нас Германия — угроза самая реальная,— ответил Будягин убежденно.

Сталин нахмурился.

— Преувеличивать германскую опасность — значит преуменьшать главную опасность. Безусловно, английские империалисты в этом заинтересованы. Но мы, советские люди, в этом не заинтересованы.

— Я остаюсь при своем мнении,— сказал Будягин.

— Поэтому ты больше не там, где был,— не сводя глаз с Будягина, ответил Сталин. Будягин выдержал его взгляд.

Сталин помолчал, потом, не глядя на Будягина, как бы обращаясь к кому-то еще, произнес:

— Партии не нужно щеголянье оттенками мнений. Партии нужна деловая работа. Тот, кто этого не понимает, не нужен партии.

— Нужен ли я партии, решит партия,— сказал Будягин.

Сталин сел за стол, отвернулся, взял в руки книгу.

— Я занят. Извините.

24

Дверь за Будягиным закрылась. Сталин отложил книгу, встал, с трубкой в руке прошел по комнате, остановился у окна, посмотрел на привычное желто-белое здание Арсенала, на расставленные по фасаду медные пушки.

Дипломат из Мотовилихи! Не разоруженная Германия, а японские войска в Маньчжурии, в тылу нашего Дальнего Востока — вот опасность. Как ни ограничен Будягин, он это тоже понимает. И не из-за Гитлера он пришел. Пришел объявить, что в партии существуют силы, имеющие свою точку зрения, сохраняющие право ее иметь и в нужную минуту противопоставить его точке зрения. Он пришел не по собственному разумению, слишком мал для этого. Он пришел по поручению. От тех, кто якобы помог ему, Сталину, разгромить противника, на кого он будто бы опирался, опирается и должен опираться, иначе они отстранят его так же, как отстранили тех. Они убеждены, что он всем обязан им.

Они глубоко заблуждаются. Истинный вождь приходит САМ, своей властью он обязан только САМОМУ СЕБЕ. Иначе он не вождь, а ставленник. Не они выбрали его, а он их выбрал. Не они его вытолкнули вперед, а он их вытянул за собой. Не они помогли ему утвердиться, а он их поднял до высот государственной власти. Тем, что они есть, они стали только потому, что были рядом с ним.

Кому обязан Ленин? Лондонским и женевским эмигрантам? Кому обязан Петр? Меншикову? Лефорту? Наследственность власти существа дела не меняет. Для того чтобы возвыситься до вождя, монарх должен уничтожить окружение, привыкшее видеть в нем марионетку. Так было с Петром, так было с Грозным.

Он стал вождем не потому, что ему удалось разгромить своих противников. Он разгромил своих противников потому, что он вождь, именно он предназначен вести страну. Его противники не понимали этого и потому были разгромлены, они не понимают этого даже сейчас и потому будут уничтожены. Неудачливый претендент — всегда потенциальный враг.

История остановила на нем свой выбор потому, что он единственный владеет секретом верховной власти в этой стране, единственный знает, как руководить этим народом, до конца знает его достоинства и недостатки. Прежде всего — недостатки.

Русский народ — это народ коллектива. Община — извечная форма его существования, равенство лежит в основе его национального характера. Это создает благоприятные условия для общества, которое он создает в России. Тактически ленинский нэп был правильным маневром, но «всерьез и надолго» — уже ошибка. Маневр — это временная сделка с крестьянством для получения хлеба. «Всерьез и надолго» — политика, рассчитанная на фермера, а фермер — это путь неравенства, противопоказанный психологическому складу народа. Сталин подошел к шкафу, вынул том Ленина с заложенными страницами, снова перечитал: «Чтобы достигнуть через НЭП участия в кооперации поголовно всего населения... Для этого требуется целая историческая эпоха... Без поголовной грамотности, без достаточной степени толковости, без достаточной степени приучения населения к тому, чтобы пользоваться книжками, и без материальной основы, без известной обеспеченности, скажем, от неурожая, от голода и т. д., без этого нам своей цели не достигнуть». Он закрыл книгу, поставил на место. Это путь привития мужику чуждой ему психологии фермера. А фермеру диктатура пролетариата не нужна. Фермера, собственника, индивидуалиста надо задушить в русском мужике в самом зародыше. Кооператив? Да. Но такой, где крестьянин будет простым работником. Он проделал это, и это была вторая революция в России, не менее значительная, чем Октябрьская: в Октябрьской революции мы имели мужика на своей стороне, при коллективизации мы имели его против себя. Да, нужны и книжки, и науки, и борьба с неурожаем... Все это нужно. Но не как предшественники коллективизации, а на основе коллективизации. Он так и поступил: сначала коллективизация, потом культура.

То, что Ленин называл бюрократическим извращением, единственно возможная форма управления. В ней есть и опасность: бюрократия стремится стать между народом и верховной властью, пытается подменить верховную власть. Это надо беспощадно пресекать. Аппарат — безотказный исполнитель верховной воли, его надо держать в страхе, внушенный ему страх будет передаваться народу.

Имеет ли о н такой аппарат? Нет! Не имеет! Аппарат, созданный в борьбе за власть, еще не инструмент вождя, он считает себя соучастником победы. Визит Будягина — напоминание об этом.

Аппарат истинного вождя — это аппарат, созданный им самим п о с л е прихода к власти. Этот аппарат не должен быть вечным, постоянным, иначе он сцементирует взаимные связи, приобретет монолитность и силу. Аппарат надо тасовать, обновлять, заменять.

Создание такого аппарата — задача более сложная, чем устранение соперников, аппарат — это сотни тысяч людей, сплотившихся в организм, связанных и спаянных сверху донизу. Нынешние члены Политбюро — это уже не те, кто вернулся с Лениным из-за границы. Это люди, имеющие связи внутри аппарата, цепочки, протянутые сверху донизу. Достаточно тронуть одно звено, чтобы загремела вся цепь.

Доверяет ли о н своему окружению?

В политике никому не доверяют.

Более других надежны Молотов, Каганович и Ворошилов: не претендуют на самостоятельность, хорошие исполнители. Доказали свою способность на нужные акции, связали себя этими акциями, без н е г о они никто. Ворошилов может переметнуться, но он будет держаться за н е г о, боится военных интеллигентов, и прежде всего Тухачевского. В армии Ворошилов опирается на конников — Буденного, Тимошенко, Щаденко, Городовикова, но это слабая поддержка, время клинков прошло.

Калинин и Андреев. Самый старый и самый молодой члены Политбюро. Одному пятьдесят девять, второму — тридцать девять. В ы д в и ж е н ц ы. Калинин — из крестьян, Андреев — из рабочих, будут с большинством.

И, наконец, ненадежные. Это Киров, Орджоникидзе, Косиор, Куйбышев и Рудзутак.

Рудзутака Ленин негласно рекомендовал т о г д а, во время т о г о письма, так называемого завещания, заменить е г о на должности Генерального секретаря. Возможно, с самим Рудзутаком Ленин по этому вопросу не советовался, согласия не спрашивал. Держится Рудзутак осторожно. Серьезных связей у него в аппарате нет: почти десять лет, до Февральской революции, он провел на каторге. И все же это человек, которым Ленин хотел заменить е г о. Об этом забывать не следует. Об этом не забудет и сам Рудзутак.

Куйбышев из дворян, учился в кадетском корпусе. Сибарит. Ушел в личную жизнь, болеет, хочет, чтобы его не трогали. Работник хороший, но в партии найдутся и другие хорошие работники.

Косиор приезжал, ходил с н и м по коридору, забегал то справа, то слева. Почему забегал? Неискренний человек. Нет доверия.

Орджоникидзе. Сложное дело. Единственный близкий ему человек, познакомились тридцать лет назад в Тифлисе. Но вот именно — с л и ш к о м д а в н о знает, в слишком р а з н ы х положениях видел, считает себя единомышленником. А у вождя нет единомышленников, у вождя есть с о р а т н и к и. Апостолов выбирают не из друзей, а из учеников. Романтик, простодушен, доверчив, чересчур искренне верит в то, что говорит и делает,— опасные качества для политика. После капитуляции оппозиционеров предлагал огулом восстановить их в партии. Разве он не понимал, что те, кто выступал против н е г о, должны быть уничтожены? Народ должен знать, что выступать против н е г о — значит выступать против Советской власти. Почему он не захотел уничтожить врагов Советской власти, когда эти враги не вне партии, а внутри нее? Это была не ошибка, а линия, желание сохранить в партии противовес е м у, стремление и в дальнейшем быть арбитром, иметь резерв, который в случае чего можно пустить п р о т и в н е г о.

Подтверждение этому — Ломинадзе. Серго знает о письме Ломинадзе Шацкину, перехваченном в тридцатом году. Как реагировал? Пожал плечами... «Мальчишка...» А что этот «мальчишка» писал о н е м в своем письме? В политике не бывает мальчишества, политика не детская игра. Ломинадзе и Шацкин готовили себя в н а с л е д н и к и, торопились. А кто такой Ломинадзе? Родись он на три года раньше, был бы в одной компании с меньшевиками, с Жордания, Чхеидзе и Церетели, те ведь тоже считали е г о невеждой. Эти грузинские интеллигенты вобрали в себя все худшее, что есть в грузинском национальном характере: почитание себя европейским островком на азиатском материке. Теперь Ломинадзе на Урале, но Серго по-прежнему ему покровительствует. Случайно ли? Не случайно. Ломинадзе — одно из звеньев его политики.

Одинок ли Орджоникидзе в этой политике? Не одинок. Это их общая политика, его и Кирова. Неразлучные друзья и приятели! Приезжая в Москву, Киров останавливается только у Серго. Что стоит за их нежной дружбой? Что их объединяет? Какая может быть личная дружба между политическими деятелями? Зачем двум членам Политбюро отделяться от остальных своей дружбой? Обоим по сорок восемь лет, оба были на Северном Кавказе и в Грузии, оба с тридцатого года члены Политбюро — это еще не основание для такого единения. В дружбе равных не бывает. В дружбе, как в политике: кто-то ведет, кого-то ведут, кто-то влияет, на кого-то влияют. Главный в этой дружбе — Киров. Честолюбив, как всякий недоучка, демагог, как всякий посредственный провинциальный газетчик, и, как всякий бойкий говорун, имеет поклонников, почитающих его первым оратором партии, чуть ли не «трибуном революции».

Направив в свое время Кирова в Ленинград, Сталин хотел показать ленинградцам, что Ленинград не вторая столица, а областной город на северо-западе страны. Двух столиц быть не может, вторая столица — всегда соперница первой. Ленинградцы привыкли к высоким именам, а к ним из далекого Азербайджана приехал малоизвестный Киров, даже не член Политбюро. Питерские рабочие кичатся своим революционным прошлым, а к ним прислали человека, который до революции был рядовым сотрудником мелкой газетенки «Терек». Прислали как чужака, назначенца, искоренителя оппозиционной крамолы. Предполагалось, что ленинградцы не стерпят, обстановка там обострится и возникнут условия для окончательной ликвидации этого вечно фрондирующего центра.

За восемь лет Киров стал в Ленинграде своим человеком, «любимцем», сплотил вокруг себя партийную организацию, укрепил значение Ленинграда именно как второго города в государстве, поощряет извечный ленинградский сепаратизм, смехотворную убежденность, что их город особенный, единственный европейский город в России. Алчет популярности, бьет на простоту. Живет на Каменноостровском проспекте, в большом доме, населенном случайными людьми, ходит на работу пешком, разгуливает по ленинградским улицам, катает детей в автомобиле, играет с ними во дворе в «кошки-мышки»...

Соратник должен равняться на вождя. Образ жизни вождя — это стиль эпохи, которую он олицетворяет, стиль государства, которым руководит. Бравируя своей простотой и доступностью, Киров бросает *ему* вызов, хочет подчеркнуть, что Сталин живет в Кремле, под охраной, не ходит по улицам, не играет с детьми в «кошки-мышки», хочет подчеркнуть, что Сталин боится народа, а Киров не боится.

На Семнадцатом съезде Киров сказал: «В Ленинграде остались старыми только славные революционные традиции петербургских рабочих, все остальное стало новым...»

Неправду сказал! В Ленинграде осталось дореволюционное чиновничество, дворянство, буржуазная интеллигенция, остались латыши, эстонцы, финны и немцы — агенты буржуазных разведок, живут рабочие мещане, воображающие себя свершителями Октябрьской революции, живут десятки тысяч людей, поддержавших Зиновьева в его атаке на партию. Ленинградская организация поддерживала Зиновьева, коммунисты и комсомольцы голосовали за оппозицию. *Куда* они девались? Они живут и здравствуют, они и сейчас составляют большинство ленинградской организации. *Корешки* остались, много корешков. Почему Киров отказывается их выкорчевать? Ссылается на Чудова, Комарова и некоторых других, выступивших против Зиновьева. А почему выступили? Зиновьев их обидел, вот они и выступили. Бездарности! Зиновьев это понимал и не давал им ходу. И *он* не даст им ходу, они будут мутить воду и против *него*. А вот товарищ Киров окружает себя этими людьми.

Как же можно после этого говорить, что старыми остались только старые революционные традиции?! Это откровенная защита ленинградских оппозиционеров — открытых и скрытых, разоблаченных и притаившихся, это лесть ленинградским рабочим мещанам, желание еще больше завоевать их симпатии, показать, что он защищает их от Сталина, это попытка сохранить для себя ленинградский оплот. Как и Серго, готовит *ему* противовес. Общая тактика — общая политика. Они думают обмануть Сталина! Не удастся обмануть Сталина! Сколько бы они ни славословили его, сколько бы ни клялись его именем — не обманут.

В прошлом году он неделю провел с Кировым. Был с ними и Ворошилов. Ездили на Беломорканал, осматривали порты в Сороке, Мурманске и Ленинграде. Он почувствовал в Кирове сдержанное отношение к Беломору. А ведь Северный морской путь — это выход в Тихий океан, в тыл Японии. В этом стратегическом вопросе у Кирова другая позиция, он ориентируется не на Восток, а на Запад — он и это перенял у петербургских, ведь они считают себя европейцами. У него общая позиция с Будягиным. И, следовательно, Будягин пришел его предупредить не только вообще, но и конкретно.

Киров умеет изображать восторг, а по поводу Беломорканала не изображал, даже не счел нужным. Отмалчивался. И все же не удержался. Когда начальник Мурманского порта показывал новый портальный кран, Киров попытался растолковать его объяснения, вздумал показать свое превосходство. Еще бы! Учился в промышленном училище, а не в семинарии, имеет звание механика. Только почему-то ни одного дня за эти двадцать лет товарищ Киров не работал механиком. В газете «Терек» работа, видно, почище. Ничего не осталось от его среднего технического образования, и не стоит выставлять напоказ свои устаревшие и давно забытые знания. Руководитель, не обучавшийся технике, пытается разобраться, руководитель, знакомый с ней поверхностно, болтает, пытается поучать других. Кого он собирается поучать?!

Тогда, в тот вечер Надя ему кричала: «Они думают, что на тебя можно влиять в лучшую сторону... Наивные люди! Они не знают тебя! На тебя невозможно влиять, ты неисправим...»

ОНИ — это ее ближайшие друзья, Киров и Орджоникидзе. Они ее довели! Они! Они!.. Хотели через нее влиять на него, вселили в нее недоверие к нему. Использовали политически ограниченную женщину, лишили его даже этого тыла, лишили дома, жены, семьи, зашли сзади, ударили в спину. Этого он им никогда не забудет. И она хороша! Ее смерть — это тоже вызов ему. Надя тоже из этого проклятого города, выросла там, вся насквозь петербургская, все в ней было против него, а эти добавили. Никому нельзя верить — даже жене. Они хотят оставить его одного. Ничего! Его и одного достаточно на них на всех.

В л и я т ь!.. Серго тоже хочет влиять... Влиять на него! Самонадеянные дураки!

Киров — полуинтеллигент-разночинец и демагог. На Семнадцатом съезде — овация. Митинг на Красной площади в честь съезда — опять овация. А перед москвичами должен выступать член Политбюро, представляющий ВСЮ партию, а не ленинградскую областную организацию. Не отказался. Выступил. Нет доверия!

Кирова надо перевести в Москву. Здесь он будет на виду, здесь он окончательно прояснится. И хватит второй столицы.

Кого надумали подослать — Ваню Будягина! Умнее не нашли. На первом же вопросе о Рязанове о н поймал его: «Пятаков направил туда комиссию...» Уклонился от ответа. Ведь Рязанов подверг комиссию домашнему аресту, а потом отослал обратно в Москву. Почему они это скрывают от н е г о? Хотят скрыть свои раздоры, показать свой аппарат единым, монолитным. У Рязанова секретарь горкома — Ломинадзе, хотят скрыть и его роль. Скрыть от н е г о, от н е г о, который знает каждый их шаг, каждый их помысел.

Арест и удаление комиссии — случай исключительный. Рязанов должен за него ответить. Но этот случай свидетельствует о серьезных процессах в окружении Орджоникидзе. Это оплеуха Орджоникидзе, хотя и формировал комиссию Пятаков.

Они попытались все это скрыть от него для того, чтобы самим локализовать конфликт. Ошибаются. О н сам разберется.

Сталин отошел от окна, поднял трубку телефона и приказал Поскребышеву срочно вызвать в Москву Рязанова.

25

Рязанов ждал вызова и, получив его, в тот же день выехал.

Он понимал, чем все может кончиться: снимут с работы, исключат из партии. Он шел на это и готов к ответу.

Помимо жилого комплекса Марк Александрович действительно начал строить кинотеатр, клуб Осоавиахима, пионерский лагерь, детский сад и лечебный корпус возле горячего сероводородного источника, названного «Уральской Мацестой». Без нормальных условий жизни невозможно обеспечить завод постоянной квалифицированной рабочей силой. Как никто другой, Марк Александрович знал, что стране нужен металл, и он этот металл давал. Но он знал также, что дело не в одном металле. Стране нужна промышленность. Не Россия азиатская с несколькими заводами, отдельные заводы можно построить и в Конго, а Россия европейская, индустриальная, социалистическая. Для этого требуются не мужики, кое-как обученные работе на станках, а высококультурные рабочие кадры, способные использовать все достижения современной цивилизации. Культура быта — составная часть культуры производства. Можно в буран, в пургу построить завод. Нельзя таким способом создать современную промышленность.

Всего один кинотеатр, один клуб, детский сад, один лечебный корпус — совсем немного. Но все понимали — это только начало. Люди работали вечерами и в выходные с энтузиазмом, с каким возводили в свое время домны и мартены. А в Москву сообщили, будто Рязанов затеял внеплановое строительство в ущерб заводу, заставляет людей работать без оплаты.

Пятаков прислал комиссию. Ее возглавлял в прошлом крупный, но ограниченный хозяйственник, знавший только о д н о: первоочередная задача — чугун. Подумаешь — бараки! В гражданскую на снегу спали. Главным экспертом комиссии назначили известного экономиста бухаринской школы. В конце двадцатых годов он утверждал, что Урал малоперспективен, промышленность следует ориентировать на Сибирь, где значительно больше угля, нефти, а главное, водных ресурсов — основы электрификации, по его убеждению.

Было ясно с самого начала, что комиссия не поддержит жилищно-бытовую программу Рязанова и поставит под сомнение перспективы развития завода. Допустить такую комиссию на завод, позволить ей сделать свои выводы значило деморализовать коллектив.

По приказу Марка Александровича уважаемую комиссию поместили в Загородном доме, так называлась резиденция для членов правительства, со спецкухней и спецобслуживанием, расположенная в живописной местности в двадцати километрах от завода.

Члены комиссии были довольны, если бы не одно обстоятельство: за ними не прислали машины, а добраться до завода не на чем. Три раза в день их неплохо кормили, но не соединяли по телефону ни с Рязановым, ни с Москвой. В первый день, сытно поев, они потешались над Рязановым, не сумевшим обеспечить им машину; на второй день возмутились, на третий поняли, что их водят за нос. На четвертый день по их требованию всех доставили на вокзал, отметили командировки, вручили билеты в мягкий вагон и отправили в Москву.

Эту операцию Марк Александрович провел без ведома Ломинадзе. Сталин его не любит, его участие только повредило бы делу.

После Семнадцатого съезда отношения Рязанова и Ломинадзе осложнились. Ломинадзе вывели из состава ЦК, а Рязанова ввели, он занял более высокое в сравнении с Ломинадзе политическое положение. Марк Александрович — инженер. Ломинадзе при всем своем уме и таланте не разбирается в технике. К тому же директор завода не первый день в партии, начальники большинства цехов, отделов, смен, пролетов — коммунисты. Они не военспецы гражданской войны, комиссары им не нужны.

Блестящие речи, исторические параллели — прекрасно! Но в другое время, в другом месте, в другой раз, с вашего позволения! Марк Александрович три года жил в Америке, объездил всю Европу, знает, сколько упущено, работать надо, догонять, все остальное — болтовня. Коммунизм надо строить, а не рассуждать о нем.

Все имело бы смысл, пользуйся Ломинадзе прежним влиянием. Но в центре, в области, здесь на месте слово Рязанова весит больше. Правда, Ломинадзе — любимец Орджоникидзе, имеет к нему прямой провод, но все необходимое заводу Марк Александрович сам получит у Орджоникидзе. И за каждой мелочью к Серго не пойдешь, все решает аппарат, а аппарат знает только Рязанова. Завод — это он, Рязанов, его жизнь, его смерть.

Свой поступок с комиссией Марк Александрович тщательно обдумал, понимал весь риск. Но в случае удачи выигрыш будет огромен, надолго укрепит его положение. Он рассчитывал на поддержку Орджоникидзе — Пятаков направил комиссию без его ведома.

Серго оценит также, что Рязанов не впутал в историю Ломинадзе. Рассчитывал Марк и на поддержку Ворошилова. Месяц назад, возвращаясь с Дальнего Востока, тот заезжал, остался всем доволен, дружески похлопал Марка Александровича по плечу.

— У меня большевистская ноздря, чую запах металла.

Рязанов надеялся, что Сталин его поймет, потому что на его месте Сталин бы поступил так же,— вот главное, что им руководило. Рязанов был человеком Сталина, его заводом, его Уралом. Сталин не может этого не ценить.

Вопрос разбирался в Кремле Сталиным, Ворошиловым, Орджоникидзе и Ежовым — тихим, вежливым человеком с фиалковыми глазами, новым заведующим orgраспредом ЦК.

Марк Александрович дал объяснения. Он никого не арестовывал. Члены комиссии могли ходить куда им угодно. Он просто задержал их появление на заводе до своего разговора с товарищем Орджоникидзе, хотел просить товарища Орджоникидзе вернуть комиссию в Москву, так как пребывание ее на заводе считал вредным. Он позвонил в Москву, ему сказали, что Серго на юге, вернется через несколько дней. Комиссия могла подождать эти несколько дней, не горит. Что касается бытового строительства, то оно производится в пределах утвержденных ассигнований и при добровольном участии рабочих. Для проверки достаточно было прислать бухгалтера-ревизора, а не такую респектабельную комиссию.

Его слушали молча, не перебивая.

Сталин прохаживался по кабинету с трубкой в руке, Орджоникидзе хмурился. Ежов скромно сидел с краю стола, держал открытым большой блокнот. Ворошилов ободряюще улыбнулся, а когда Рязанов назвал комиссию респектабельной, рассмеялся. Он первый взял слово:

— Я недавно заезжал на завод. Завод на подъеме, дает металл, коллектив сплочен, руководство авторитетно. Зачем туда послали профессора, который возражал против создания комбината? Рязанов правильно поступил, не вижу в его действиях ничего предосудительного. Он ждал товарища Серго, и комиссия должна была подождать. Не захотели. Что ж, дело хозяйское. И еще прав Рязанов: мы любим посылать комиссии туда, где можно обойтись одним инспектором. Надо поддержать товарища Рязанова.

Все ждали, что скажет Орджоникидзе. Он сухо проговорил:

— Все это так. Допустим, что так. Но вы, товарищ Рязанов, лишили членов комиссии не только транспорта, но средств связи. Вы хотели со мной поговорить — ваше право. Но и они хотели связаться с Москвой — их право.

— Вас неточно информировали, Григорий Константинович,— возразил Рязанов.— Связь с Москвой у нас неважная, это известно. И получить Москву обычным путем практически невозможно. А прямых проводов к вам, Григорий Константинович, у нас два — мой и товарища Ломинадзе. К товарищу Ломинадзе они не обращались, он вообще вне этого дела, а свой аппарат я не считал возможным им предоставить: они связались бы с Пятаковым, и он подтвердил бы мандат комиссии. А я ждал вас, я рассчитывал, что вы их мандат не подтвердите, честно говорю.

Когда Марк Александрович упомянул про прямой провод, который имели Ломинадзе и Серго, он увидел, как вздрогнула спина Сталина.

Сталин сразу начал говорить, медленно выговаривая слова, с сильным грузинским акцентом, видимо, волнуясь:

— Нам не нужно на Урале людей, которые не признают Урала. Те, кто не признает Урала, пусть сидят в Москве, в своих креслах. Посылка такой комиссии — грубая ошибка. На это следует указать товарищу Пятакову.

Он сделал паузу. Ежов быстро записывал в свой блокнот.

— Жилищное и бытовое строительство в разумных масштабах также необходимо,— продолжал Сталин,— особенно там, где успешно выполняются производственные задания. Рабочий класс должен видеть реальные достижения социализма. Не только зарплату, зарплату платят и капиталисты. Он должен видеть результаты социализма в учреждениях культуры и быта, таких, как санатории, детские сады именно для его детей, детей рабочих. Рабочие комбината выполняют план и имеют на это право. Это и есть забота о людях. Реально? Реально. Наглядно? Наглядно. Убедительно? Убедительно.

Он набил трубку, потом спросил:

— Какова же роль городского комитета партии в этом конфликте? Я не вижу его роли. Где он вообще? Почему директор завода не поставил его в известность о комиссии? Почему не посчитался?

Рязанов сделал попытку ответить, но Сталин движением руки остановил его и продолжал:

— Нет авторитета? Почему нет авторитета? Если товарищ Ломинадзе не занимается заводом, тогда, спрашивается, чем он занимается? Он активный человек, он не может сидеть без дела. Занимается мировыми проблемами? А почему не выполняет своих прямых функций? Там, где партийные органы не выполняют своих прямых функций, хозяйственники и вынуждены предпринимать шаги, которые в иной обстановке могли бы их скомпрометировать. Почему у секретаря горкома прямой провод к наркому? У него должен быть прямой провод к секретарю обкома.

— Какое дело — прямой провод,— поморщился Орджоникидзе.

— Мелочь,— согласился Сталин и вдруг добродушно улыбнулся,— но, понимаешь, отвлекает от работы. Другие секретари горкомов не имеют к тебе прямого провода, и ничего, обходятся. Зачем же нашему дорогому товарищу Ломинадзе создавать особое положение? Это непедагогично по отношению к молодому партийному руководителю товарищу Ломинадзе. Это создает в нем ложное представление о собственной личности. Плохую услугу мы оказываем этим товарищу Ломинадзе.

Марк Александрович не ошибся в Сталине. И Сталин не ошибся в нем. Они стали внутренне близки, и это высоко вознесло Марка Александровича. Разделявшие их люди, инстанции, бумаги — все словно ушло, уплыло, потеряло значение. Теперь Марком Александровичем руководил один Сталин. К нему он мысленно обращался, с ним советовался, по нему мерил и оценивал свои поступки.

Это наполняло Марка Александровича гордым сознанием своей силы и своего значения. Властный по натуре, он уже не скрывал своей властности. Он не изменил ни образа жизни, ни привычек, прежде чем подняться к наркому, обходил отделы и сектора, говорил с рядовыми работниками. Они по-прежнему с охотой занимались его делами и решали их так, как того требовали интересы завода, то есть как хотел Марк Александрович. И никто не замечал то новое, что появилось в Рязанове,— подчеркнутую властность. Раньше он присаживался к столу, теперь разговаривал стоя, и сотрудник вставал. Разговор любезный и благожелательный, но на ходу. Это казалось естественным: разговаривал не только знаменитый директор знаменитого завода, не только любимец Сталина и Орджоникидзе, но и, возможно, их будущий нарком. Но он по-прежнему приходит к ним, рядовым работникам аппарата, не гордится, не чванится.

Некая сложность возникла у Марка Александровича с Орджоникидзе. На совещании у Сталина Орджоникидзе не возразил Сталину и Ворошилову. Однако его истинная точка зрения сводилась к тому, что Рязанов мог вести себя дипломатичнее, избежать скандала, в котором Наркомат выглядел не лучшим образом.

Марк Александрович видел недовольство Серго, огорчался этим, но знал, что Орджоникидзе не мстителен, не будет таить зла, тем более что по существу Марк Александрович прав и не виноват, что у Серго разногласия со Сталиным по поводу Ломинадзе.

Марк Александрович не шел к Орджоникидзе, ждал, когда тот сам его вызовет, а пока делал свои дела в аппарате, в Госплане, в Госбанке. Любая поездка в Москву, даже по срочному правительственному вызову, сопровождалась всегда массой дел, которые можно решить только там. И к Будягину он должен зайти, хотя тот доживает в Наркомате последние дни. Марк Александрович жалел его больше, чем Ломинадзе: не теоретик, не оратор, а работник и, хотя не инженер, дело понимает, сразу схватывает. Но он отошел в сторону, время обогнало его, время — это Сталин, а он не любит Сталина, противостоит ему, а значит, противостоит стране и партии.

Марк Александрович разговаривал с Будягиным, как с начальником, как с заместителем наркома, спокойно и деловито, только вдруг подумал: почему заместителями к Серго назначены Пятаков и Будягин? В окружении Серго много людей, преданность которых Сталину сомнительна. Сам ли Серго подобрал себе таких помощников или ему их назначили? С какой целью? Будягин тоже разговаривал с Рязановым сдержанно, даже не спросил про комиссию. Зато, подписав бумаги и закончив дела, спросил другое:

— Как с племянником?

Этого вопроса Марк Александрович не ожидал. Собирался вечером к сестре, но, к сожалению, получилось так, что вечером он должен уехать.

— Сидит пока...

Больше ничего Будягин не спросил, и Марк Александрович вышел из кабинета. Но остался неприятный осадок. О том, что Саша арестован, Будягин сам знает. Он спрашивал о другом: не воспользовался ли Марк Александрович свиданием со Сталиным, чтобы попросить за Сашу? Оскорбительный вопрос.

Имеет ли он право отнимать ЕГО время для мальчишки, которого, видимо, держат там не без оснований. Наделал глупостей — бесспорно. Обращение Марка Александровича к Березину не могло остаться без внимания, и все же Саша там. Значит, за ним что-то есть.

Как может Марк Александрович в такой ситуации обращаться к Сталину? Сталин ввел его в состав ЦК, несмотря на то, что его племянник арестован. Сталин отделил его от Саши, отвел этот вопрос. Теперь он сам поставит его перед Сталиным?! Бестактно! Только так Сталин это и расценит. И тогда их внутренняя близость, их взаимное понимание будут разрушены. Так обстоит дело. Будягин же считает, что он просто боялся говорить об этом со Сталиным. «Примитивный, политически конченый человек»,— с раздражением подумал Марк Александрович о Будягине.

26

Савелий показал Саше, как надо перестукиваться: алфавит делится на шесть рядов, по пять букв в каждом. Первые удары означают ряд, вторые — место буквы в ряду. Между ударами короткие паузы — это ряд; между буквами паузы чуть длиннее, между словами еще длиннее, царапание по стене — «кончил!», или «стоп!», или «повторите!». Паузы и интервалы совсем крошечные, у опытных заключенных они измеряются долями секунды. В паузах и главная трудность — если их не уловить, звуки сливаются, получается не та буква и теряется смысл.

Обгоревшей спичкой Саша написал алфавит на картоне от папиросной коробки и начал перестукиваться. Стучал он медленно, с большими паузами, лежа на койке, прикрывшись одеялом, чтобы не услышал надзиратель. Сосед понимал его, но Саша понимал плохо, путал буквы, просил повторить, хотя сосед стучал четко, ясно, с длинными паузами. Спросил Сашину фамилию и назвал свою — Чернявский, член партии. Спросил, получает ли Саша газеты, и сообщил, что тоже не получает.

Но информацию он имел, возможно, от другого соседа. Был съезд партии, ничего особенного на нем не произошло. Каждый вечер он передавал Саше новости. Если к его или к Сашиной камере подходил надзиратель, приходилось останавливаться и потом все начинать сначала. Два вечера ушло на рассказ о том, что в водах Ледовитого океана затонул пароход «Челюскин», раздавленный льдами, следующие два вечера на сообщение, что во Франции объявлена всеобщая антифашистская забастовка.

Саша не мог не испытывать благодарности к человеку, который, рискуя попасть в карцер, перестукивается с ним, хочет скрасить его одиночество. Страна кипит, строится, а он сидит в одиночной камере и опасливо оглядывается на дверь: не дай бог, надзиратель заметит, что он, Саша Панкратов, интересуется событиями, о которых пишут советские газеты.

Чувство примирения с неизбежным, готовность принять свою судьбу покидали его. Нет! Он не хочет принимать такую судьбу. Не хочет примириться, не хочет, не хочет, не хочет... Не хочет этой дороги — его дорога с партией, с народом, с государством. Что делать? Кому писать? Прокурору? Прокурор санкционировал арест. Сталину? Его письмо дойдет только до Дьякова. И на что он будет жаловаться? Он не причастен к делу Марка? Но ведь он даже не знает, что это за дело и в связи ли с ним его арестовали.

И тогда у Саши созрел план. Нереально, но можно попробовать.

Вечером, перестукиваясь с соседом, Саша спросил, что пишут про строительство, которое возглавлял Марк, и получил ответ: «Узнаю — сообщу». На другой день сообщил: «Задули домну, получили ордена». Саша спросил: «Рязанов?» Сосед ответил: «Орден Ленина».

Марк на свободе, по-прежнему начальник строительства!.. Дело не в нем! Как такое взбрело ему в голову? Дело в институте, только с другого конца, не в стенгазете, а в Криворучко. На это упирали и в райкоме. Его последний разговор с Баулиным и Лозгачевым — вот что сыграло решающую роль. Он и тогда это понимал, и тогда почувствовал, что совершил ошибку, теперь пожинает ее плоды.

И Дьяков настойчиво спрашивал о Криворучко. «Кто с вами вел контрреволюционные разговоры?» Вот откуда все пошло! Может быть, Криворучко тоже арестован и признался, что разговаривал с Сашей о Сталине, хотя бы из боязни, что Саша его опередит. Значит, Криворучко честный, сам признался, а он, Саша, нечестный, покрывал его... «Кто вел с вами контрреволюционные разговоры?»

Дьяков прав, он был неискренним, сам все упустил, сам подготовил себе заслуженное возмездие. Его не вызывают уже три недели, может быть, совсем не вызовут, зачем, раз он отпирается, отрицает факты. Может быть, дело закончено, уже решено. Он ходил по камере, прислушиваясь к шагам в коридоре, ожидая, что за ним придут и объявят приговор, сознавая, что все потеряно по его же вине. Даже если решения еще нет, даже если Дьяков вызовет его еще раз, все равно признаваться уже поздно. Расскажи он всю правду на первом допросе, такое признание выглядело бы добровольным, честным. Теперь это будет признанием вынужденным, то есть неискренним и нечестным.

По утрам не хотелось вставать, днем не хотелось дожидаться вечерней оправки, и он, как Савелий, стал пользоваться парашей. И в душ не хотелось вставать по ночам, он отказался раз, отказался другой, конвойный перестал приходить за ним. Хотелось только есть, он с нетерпением ждал раздатчиков, ожидал передачу, мечтал о еде, жалел о записке, где просил присылать ему только белый хлеб и мясо. Колбаску бы он сейчас тоже ломанул, хороший кусище! Он имеет право хотя бы на это. Жизнь кончена, как там ни верти! Клеймо контрика не смоешь.

Постучал Чернявский. Но Саша не ответил. Он не знает, кто такой Чернявский, почему он должен с ним перестукиваться? Что общего между ним и сидящими здесь людьми? Он думал, что здесь Марк и Будягин, честные, ни в чем не виновные коммунисты. Здесь нет ни Марка, ни Будягина, здесь нет честных коммунистов, здесь сидят за дело. И Савелий за дело, и Чернявский, и он, Саша, за дело — пожалел Криворучко, проявил слабость и платится за это. Он не занял четкой, непримиримой позиции, и потому его ошибки с Азизяном, со стенгазетой не случайны, как не случайны сомнения в Сталине, великом Сталине! Он легкомыслен, самоуверен, хотел до всего дойти собственным умом, а есть вещи, до которых дошли уже умы посильнее.

В мутный кусочек стекла за железной решеткой пробивалось апрельское солнце. Первый настоящий весенний день, Саша угадывал его солнечное ликование. Он встал на стол, открыл форточку, хотя открывать ее полагалось, только уходя на прогулку. И тут же раздался железный лязг затвора, в дверях возник надзиратель.

— Закройте! Отойдите от окна! В карцер захотелось?

Саша закрыл форточку, спрыгнул со стола.

— Воздуха захотелось!

И все же он успел услышать дальние звуки улицы, звонки трамваев, гудки автомобилей, детские голоса. Саша представил себе просыхающий асфальт на тротуарах. Девушки уже ходят в легких платьях: открытые шеи, руки, стройные ноги. Неужели его лишат этого? Сейчас, когда он здоров, молод... Нет! Он хочет быть там, на весенней улице, хочет жить, как живут все.

Такой же весной в прошлом году он проходил практику на автобазе. В гараже пахло бензином, выхлопными газами, стоял полумрак — на стеклянной крыше стекла почти не осталось, ее латали железом. Старый гараж, один из старейших в Москве, построенный еще Моссельпромом, в нем сохранились даже однотонные машины «Форд-Т», фургоны для развозки хлеба. Саше нравился директор автобазы Антонов, молодой еще, русоволосый, в очках, нравились его сообразительность, здравый смысл, то, что он круглые сутки в гараже. Этот рабочий, выдвинутый на ответственный пост, олицетворяет то новое, что принесла революция, люди с самых низов, призванные к творческой жизни, истинная рабочая власть, народ! С народом должен быть и он, там его место, с Антоновым — бывшим шофером, Маловым — бывшим грузчиком, они не мудрят, не рассуждают, они работают и создают. Как прекрасна эта жизнь и как мало он ее ценил. Но он вернется к ней, чего бы это ему ни стоило!

Принесли книги. Саша равнодушно их просмотрел. Без восторга, который испытал в первый раз. Третий и четвертый тома Гиббона, обтрепанная книжонка в картонном переплете — «Впечатления о поездке по СССР» французского сенатора Де-Монзи, мелкобуржуазного политика, левого радикала. В середине двадцатых годов он приезжал в СССР, написал об этом книжечку, бойкую, но поверхностную. Саша не выписывал ее. Зачем же библиотекарь прислал?

Де-Монзи писал о Советском Союзе, в общем, сочувственно, но кое о чем критически, особенно об уголовном и судебном законодательстве. И в доказательство приводил пятьдесят восьмую статью. Именно из-за этой статьи библиотекарь и прислал книгу вместо кодекса, который просил Саша и который библиотекарь прислать не мог.

Ничего особенно важного и существенного из этой статьи Саша не узнал. И не в пятьдесят восьмой статье дело.

Дело в том, что неизвестный тюремный библиотекарь отозвался на его голос, откликнулся на его мольбу, показал Саше пример человечности, бесстрашия и доверия.

Что им руководило? Нарушил ли он служебный долг? Да, возможно. Зато выполнил другой, более высокий долг — человеческий. Законы, установленные людьми, не могут противоречить законам совести. Долг нарушают те, кто осуждает невинных, оставляет беззащитных без защиты, лишает последних прав бесправных.

Саша не вскочил с койки, не забегал по камере. То, что произошло, было таким чистым, ясным, так соответствовало всему тому, что было в нем настоящего, человеческого, что он не испытал ни потрясения, ни волнения, ни шока. Он нашел то, что должен был найти. И испытал только стыд за то, что потерял мужество.

На свой последний допрос Саша шел без надежды, знал, что ждет его, и ничего не боялся. Человек, сказавший, что Сталин будет готовить острые блюда, еще не враг. Дьяков пренебрегает прямым смыслом слов, Дьяков их истолковывает, в этом он участвовать не желает. Он хочет выйти отсюда — да, но хочет выйти чистым и перед партией, и перед своей совестью.

Дьяков встретил его официально.

— Завершим институтское дело,— деловито сказал он,— ваши признания зафиксированы. Теперь вам следует самому дать им политическую оценку.

— Выпуск стенной газеты я признаю ошибкой,— ответил Саша.

— Субъективной...— подхватил Дьяков.— Но ошибки имеют объективные причины и объективные последствия. Так ведь!

Начинается толкование. Для Дьякова человек — всего лишь единица, нужная для заполнения протокола, протокол нужен для вынесения этому человеку приговора.

— Итак, Панкратов, каковы объективные причины и объективные последствия ваших ошибок?

Саша всматривался в мальчишеское лицо Дьякова. Встреть он его на Арбате...

— Разберемся,— лекторским тоном объявил Дьяков.— Будь в вашем институте здоровая политическая обстановка, выпуск такой стенгазеты оказался бы невозможен. Но здоровой политической обстановки не было. Криворучко руководил подпольной антипартийной организацией, она раскрыта, ее участники разоблачены и арестованы. Они здесь, у нас, и во всем признались...

На заводе такие окапывались в конторе — учетчики, нормировщики, чего-то там маракали в отделе кадров. Что Дьяков ему сделает? Он умеет таскать на спине барабаны по восемьдесят килограммов, не пропадет и на лесоповале, вернется к бригадиру Аверкиеву, к бывшему комдиву Морозову, они всюду, они народ... А эти Дьяковы и есть истинные враги партии.

Дьяков некоторое время смотрел на Сашу, надеялся насладиться эффектом, который произвели его слова, потом продолжал:

— Вы неопытны, Панкратов, вы их не знаете. Криворучко затягивал строительство общежитий, чтобы вызвать недовольство студентов, тактика, рассчитанная на то, чтобы политически дезориентировать студенческие массы. В этой атмосфере и стал возможен выпуск такой стенгазеты, какую вы, Панкратов, выпустили. Хотели вы этого или нет, но объективно вы оказались оружием в руках Криворучко и его банды, они использовали вас в своих контрреволюционных целях. Поэтому-то вы и оказались здесь. Тем более что вы не хотели политически оценить свои ошибки. Но оценить их, Панкратов, еще не поздно. Верьте нам.

«Верьте нам...» Хватит, верил! Верил таким вот словам, сколько раз их слышал, сколько раз сам произносил. Это не человеческие слова, это шаманские заклинания. Шаманили Лозгачев и Азизян, шаманил Баулин, шаманил Столпер, теперь шаманит Дьяков. И на этом шаманском алтаре жизнь невинных людей.

Дьяков посмотрел на Сашу.

— Вы меня поняли, Панкратов?

— Я вас понял.

— Вот и хорошо,— сказал Дьяков,— так и запишем.

— Только чтобы было убедительно,— попросил Саша с той особенной интонацией, которая не обманула бы любого арбатского мальчишку. А этот мозгляк ничего не понял, уверен в своей способности запугивать людей, в своем праве решать их судьбы, надутый, как индюк, и не знает, что здесь, в этих же стенах, другие в такой же форме видят эту ложь, шаманство, знают, что рано или поздно этому придет конец, и помогают людям, рискуя жизнью.

— Естественно,— важно ответил Дьяков.

Заглядывая в бумажку — черновик Сашиного признания Дьяков заготовил заранее,— он заполнил форменный бланк, перечитал про себя, затем прочитал Саше:

— «Обдумав свое поведение и свои поступки и желая дать им чистосердечную и искреннюю оценку, я в дополнение к данным мною ранее показаниям заявляю следующее: я признаю своей политической ошибкой выпуск к шестнадцатой годовщине Октябрьской революции антипартийного номера стенной газеты и то, что вовлек в выпуск этой стенгазеты студентов Руночкина, Ковалева, Полужан и Позднякову. Так же признаю своей политической ошибкой защиту Криворучко. Эти ошибки явились следствием политической обстановки, созданной в институте заместителем директора института Криворучко. Я признаю, что выпуск к шестнадцатой годовщине Октябрьской революции антипартийного номера стенной газеты явился частью антипартийного курса, который проводил в институте Криворучко».

Он положил листок перед Сашей.

— Проверьте, Панкратов, так ли я записал, и подпишите.

— Я этого никогда не подпишу,— сказал Саша, глядя прямо в глаза Дьякову.

27

Арбат жил своей прежней жизнью. Апрельское солнце заглядывало в окна, нагревало мостовые и тротуары. На бульварах оседали и чернели снежные сугробы, расщелины асфальта выдыхали теплый запах пробуждающейся земли. Школьники без пальто и без шапок гоняли в переулках футбольные мячи. На домах появились леса, на лесах каменщики и маляры, дома ремонтировались, красились, надстраивались. На Арбатской площади снесли сквер и дома, мешавшие движению. Москва обрастала новыми заводами, поселками, облеплялась бараками.

По вечерам так же сверкали на Арбате огни кинотеатров «Арбатский Арс», «Карнавал», «Прага», «Художественный».

Прохаживались по тротуару арбатские девочки и дорогомиловские, и девочки с Плющихи, воротники пальто опущены, цветные косынки развязаны, на ногах туфельки и тонкие чулки телесного цвета. И так же в воротах Сашиного дома вертелась стайка подростков. Варя прошла мимо, помахала приветственно рукой, спешила в Дом Красной Армии на выпускной вечер военных училищ.

На таком грандиозном вечере она еще никогда не бывала. На сцене, в президиуме известные всей стране военачальники. Буденного Варя узнала, а из тех, кого шепотом называл ей Серафим, запомнила Тухачевского, такого красивого, каких она в жизни еще не видела. И, хотя Варя не любила собраний и докладов, ее увлекла праздничность этого вечера, великолепие зала, романтика ратного подвига, на который напутствовали выпускников легендарные командармы, атмосфера мужского, военного, солдатского единения, когда стираются грани субординации, выпускник видит свое будущее в знаменитом командарме, а командарм свою молодость в юном выпускнике. И жены командиров казались ей женщинами особенными, они делят с мужьями невзгоды и опасности их профессии. Приглашенные сюда девушки тоже держались торжественно, как уже приобщенные к этой жизни. Варя их внимательно разглядывала, некоторые были очень красиво одеты. Ансамбль красноармейской песни и пляски Варю никогда особенно не интересовал, а сегодня понравился, понравилось, как поют и пляшут солдаты свое, русское, лихое и зажигательное.

Духовой оркестр в фойе не хуже джаза играл фокстроты, румбы и танго. И рядом с подтянутыми курсантами, ловкими, простыми и веселыми, казались нелепыми молодые люди в чарльстонах, широких болтающихся брюках, крикливых галстуках и плохо вычищенных ботинках.

Нина тоже сегодня другая, не допекает, добрая и благожелательная, грустна, жалеет, наверно, что Максим уезжает, а она отказалась выйти за него замуж.

Серафим тоже уезжает завтра на Дальний Восток, а вот Варя об этом не жалеет, потому что на этом вечере согласилась стать его женой. Кончит школу и приедет к нему. А этот год он будет ей писать, она будет отвечать, и все ее подруги в школе и во дворе узнают, что она уезжает на Дальний Восток к м у ж у. Это опять выделит ее среди подруг — никого из знакомых девчонок не ждут на Дальнем Востоке. В театр, на каток, в кино она будет ходить одна, на танцы вообще не будет ходить. А если пойдет, то станет танцевать с Зоей. Впрочем, она может танцевать и с мужчинами, только не знакомиться с ними... Спасибо... Нет, простите... Я не могу... Одна, одинокая, обращающая на себя внимание, неприступная, уезжающая на Дальний Восток. Что касается Саши, то Софью Александровну она не оставит, а значит, и Сашу не оставит. И то, что на Дальнем Востоке ее дожидается Серафим, а в Москве она нужна и Софье Александровне, и Саше, делало ее в собственных глазах еще интереснее и оригинальнее.

Варе было весело. Они с Серафимом прекрасно танцевали, на них смотрели даже высшие военачальники со своими женами. Варя старалась подольше кружиться в том углу, где стоял Тухачевский.

Максим танцевал с Ниной. Его толстое курносое лицо излучало добродушие. К Нине подходили его товарищи, приглашали на следующий танец, и Максим так же добродушно улыбался, ждал ее в углу. Высокий, плечистый, он обладал незаурядной физической силой и, как большинство сильных людей, боялся ею пользоваться, опасался кого-нибудь задеть, что-нибудь повредить.

Отец его, истопник, сильно пил и умер от белой горячки; мать-лифтерша осталась с четырьмя детьми. Максим был старший. От нищего детства в нем сохранилась бережливость, в школе товарищи принимали ее за скупость, подтрунивали над его аккуратностью. Расческу он держал в дерматиновом футляре, бумажные деньги в бумажнике, монеты в кошельке, карандаш в металлическом наконечнике, чтобы не ломался грифель, записную книжку с телефонами и адресами сохранял годами, вещи любил прочные, еду простую, сытную, только не привык тратить на нее много денег, если придется, мог и поголодать.

Как самому хозяйственному, ему поручали в школе все практические дела. Он вел протоколы, принимал членские взносы, подшивал инструкции райкома, составлял отчеты. Сходить, оповестить, написать объявление, расклеить плакаты, достать красную материю к празднику, купить билеты на коллективную вылазку в театр, произвести запись в кружки и на семинары, подсчитать голоса при голосовании — вся эта работа ложилась на Максима. Не то чтобы его считали не способным на нечто большее. Просто так повелось, все к этому привыкли.

Он был годом, а то и двумя старше своих товарищей, понимал незначительность их споров, шутил, обескураживал добродушием. Своим расторопным, мужицким умом умел обойти рифы и мели, мог, когда надо, слукавить, но никогда не поступался своими убеждениями, преданностью товарищам. С годами в нем развилось и отстоялось нечто простое, солдатское, твердое и несгибаемое. В военное училище Максим пошел после срочной службы — это давало материальное обеспечение, он мог помогать семье, больной, уставшей от жизни матери. Кроме того, Максим любил порядок. Военное дело ему нравилось: командир Красной Армии, молодой, сильный, образованный. Его место там, в войсках, на границе, где зреет конфликт. И все же он покидал Москву с грустью. Грустно расставаться с компанией, с Ниной, с Сашей Панкратовым, Леной Будягиной, Вадимом Марасевичем. Эти ребята олицетворяли жизнь, в которой он и тысячи таких, как он, поднялись из темных и сырых подвалов.

Мальчишкой Максим иногда вместо матери убирал лестницу. Нина ему помогала. Не потому, что Максиму тяжело, а для того, чтобы показать жильцам, что эта работа, как всякая работа, не унижает. То был комсомольский поступок, акт товарищеской солидарности, из него Максим больше, чем из любой книги, понял суть новой морали. Потом, уже в девятом классе, произошла страшная история... Отец выкрал у него и пропил деньги, собранные в фонд строительства самолета «Московский комсомолец», около тридцати рублей, деньги по тому времени значительные. Максим хотел покончить с собой — где он возьмет тридцать рублей, как оправдается перед ребятами? Нина заметила его состояние, вынудила признаться во всем и немедленно все рассказала Саше.

— Эх, ты,— сказал ему Саша,— дешево ценишь свою жизнь.

И дал ему деньги, пятнадцать рублей взял у матери, пятнадцать у Марка Александровича. Таких друзей он теперь лишается. Саша его сберег, а вот он Сашу не уберег...

Нина нравилась ему еще тогда, когда они играли в прятки на заднем дворе, нравилась и в школе: рослая, крупная, решительная. Нравились ее неумелость, неуступчивость и беспомощность. Тому, что она якобы его не любит, он не верил; она сама этого не знает. Серафима он привел в дом нарочно — пусть Варя выходит за него замуж, хороший парень, неглупый, красивый. И тогда отпадает главная причина, на которую ссылается Нина: она не может ничего решить, пока не поставит на ноги Варю. Нина же думала так... Безусловно, командармы выглядят импозантно, но ведь это политики, стратеги, государственные деятели, Максим не будет ни стратегом, ни политиком, будет обучать красноармейцев на плацу... Раз-два!.. Раз-два!.. Вот он стоит, дожидается ее, широкоплечий, краснощекий, с тщательно приглаженными русыми волосами, сапоги блестят, и пуговицы блестят, новенький ремень хрустит, а когда танцует, стальные подковы его сапог постукивают по паркету. Будет служака... Жаль! Мог бы добиться большего. Придет война, все будут воевать, а пока надо жить и работать. Все это она изложила Максиму, еще когда он поступал в училище. Он не послушал ее. Пожалуйста! Он имеет право на собственное мнение. Но она тоже имеет право решать свою судьбу. Нина твердо решила не выходить замуж за Максима и не уезжать из Москвы.

28

В Театре Вахтангова поставили «Гамлета» с маленьким и толстым Горюновым в заглавной роли. Юра Шарок любил вахтанговцев, позвонил Вадиму Марасевичу, попросил достать билет на спектакль и сказал, что зайдет к ним вечером на Староконюшенный.

Профессор Марасевич, известный московский терапевт, раз в месяц консультировал в поликлинике ЦЕКУБУ в Гагаринском переулке, записывались к нему за полгода. Клиника на Пироговской называлась клиникой профессора Марасевича; кафедра в медицинском институте — кафедрой профессора Марасевича. Дома он принимал только близких друзей. Дальний потомок какого-то украинского гетмана, Марасевич так же, как и его отец, тоже врач и профессор, был коренной москвич с давними и устойчивыми связями среди московской интеллигенции. В его доме на Староконюшенном бывали Игумнов, Станиславский, Прокофьев, Нежданова, Гельцер, Качалов, Сумбатов-Южин, Мейерхольд, бывал и Луначарский. Ни один знаменитый западный гастролер или модный исполнитель не миновал этой барской, хотя и безалаберной квартиры. Гостей принимала красавица дочь, доставали хрусталь баккара, стелили крахмальные скатерти. Молодые актеры, часто приходившие после спектакля, с удовольствием накидывались на телятину и бледно-розовую лососину. Молодежь всех будоражила, иногда прямо за столом начиналась импровизация, разыгрывались сценки. Вадим тут же выступал с устной рецензией, и, как казалось профессору Марасевичу, не без остроумия, Вадим окончил университет, получил диплом искусствоведа, читал лекции, иногда водил экскурсии, а сейчас пробовал себя как театральный критик.

Профессор Марасевич попивал боржом, мог рассказать к случаю одну-две смешные истории из своей практики или из практики отца, но после двенадцати не засиживался, желал всем доброй ночи, говорил, что люди его профессии обязаны соблюдать режим.

Вика тоже пробовала себя в театре и в кино, пока ничего толкового не получалось, не считая романов с известными актерами, подающими надежды режиссерами и пробивными журналистами. Романы начинались возвышенно, цветами и письмами, ресторанами и поездками в такси, а кончались ссорами, упреками и объяснениями по телефону.

Только с Юрой Шароком роман начался просто и просто кончился. Они случайно повстречались на Арбате, прошлись по его освещенной весенним солнцем стороне. Потом Юра сказал:

— Зайдем, посмотришь, к а к я живу.

Вика хорошо понимала, что значит зайти и посмотреть, к а к он живет. Но эта форма приглашения действовала на нее почти автоматически. И подталкивало тайное соперничество с Леной Будягиной. О том, что Юра с Леной больше не встречаются, она не знала.

Знакомство с тем, к а к живет Юра, произошло без лишних слов и объяснений, будто связь их тянулась уже много лет. В сравнении с другими, рефлексирующими и уже пожившими поклонниками Юра был на у р о в н е. Но эта комната, эта жалкая квартира, запах выутюженного материала, напоминавший ей, кто его отец...

Она думала, что Юра будет назойлив и придется его о т ш и т ь — она делала это с той же легкостью, с какой случайно заходила к одиноким мужчинам. Но Шарок оказался п о р я д о ч н ы м человеком. Вот тебе и сын портного!

Однако его такт объяснялся просто: она оставила его равнодушным — холодная, глупая. Он тоже сравнивал ее с Леной — сравнение шло не в ее пользу. И как спокойно ложится в чужую постель! В нем закипала ярость мещанина, на месте каждой блудливой бабенки видящего собственную жену.

Сегодня он зашел к Вадиму насчет «Гамлета».

— Перекусим,— предложил Вадим.

Они прошли в столовую, бóльшую, чем вся квартира Шароков.

Вадим ел жадно, толстогубый, с маленькими глазками, короткими лохматыми, как у рыси, бровями. И при такой внешности у него потрясающий голос — мужественный, рокочущий, с мягкими, интеллигентными интонациями.

Густо намазывая масло на хлеб, хотя ел суп, Вадим говорил:

— Он путает юрисдикцию с юриспруденцией, раритет с паритетом, прецедент с претендентом. Но ведь это *новый* человек, называй его как хочешь: ударник, призывник. Он идет со своей темой, заметь, *главной*, и со своим героем — заметь, героем *будущего*. Так неужели мы наше будущее променяем на сто граммов масла?! — Вадим оттолкнул от себя масленку.— А ведь *скорбящие* скорбят именно по этим ста граммам...

Рассуждения Вадима о героях *будущего* Юра слушал без раздражения — они все-таки что-то прибавляли к познанию этого незнакомого ему мира. Недавно Вадим говорил обратное, ругал дурной вкус и превозносил мастерство. Он удивительно умел держать нос по ветру, всегда тянулся к более сильным, в школе был при Саше Панкратове, в университете еще при ком-то, а сейчас состоял при известном критике, выступающем со статьями об *юродствующей* поэзии. Но Юра не ловил Вадима на непоследовательности. Ему нравился дом Марасевичей, актеры, поток веселых, беззаботных и знаменитых людей. В разговорах этих баловней славы он улавливал что-то легкое, циничное, оттого и слава их казалась легкой, доступной, делом случая, ловкости. Несмотря на свою беспечность, эти люди держались, как неприкосновенные особы.

И профессор Марасевич ему нравился: барин, с холеным лицом, красивой бородкой и мягкими руками, и тоже неприкосновенный.

С Вадимом они виделись теперь почти каждый день. Вадим проводил его в театр. Юра ходил в театр и без него, по его звонку или по звонкам знакомых, которых приобрел в доме Вадима.

Замечательное время! Весна тридцать четвертого года надолго запомнилась Юре Шароку. Кандидатуру его в прокуратуре пока не утвердили. Но Малькова обещала, что все скоро решится. Юра доживал последние месяцы свободной беззаботной жизни и старался жить как можно интереснее. Только воспоминание о Лене не давало ему покоя. Приходя в театр, он оглядывал зал, боясь и в то же время надеясь ее увидеть.

Со времени своей болезни Лена ни разу не была в театре. Она почти не выходила из дома, никому не звонила, даже ребят не видела с того дня, когда они собирались писать письмо насчет Саши.

Сегодня к ней неожиданно пришла Гера Третьяк, тоже дочь посла, в детстве они дружили, иногда попадали вместе в Лондон, Париж, Берлин, а в Москве почти потеряли друг друга из виду.

Хорошенькая брюнетка, колкая, остроумная, Гера даже о пустяках умела говорить занятно, Лена слушала ее, улыбалась. Они вспомнили, как ездили в Южный Уэльс, остановились в Кардиффе, в дешевой гостинице, в ней же остановились футболисты из Шотландии, и два футболиста предложили им бежать в какую-то страну, где браки женщинам разрешаются с четырнадцати лет. Лене и Гере только исполнилось тогда по пятнадцать. Вспомнили, как ездили во дворец Фонтенбло и женщина-гид, показывая на кровать Наполеона, сказала о его росте — сто пятьдесят два сантиметра. Гера удивилась, наверное — сто шестьдесят два. Гидша обиделась и сказала, что у ее мужа рост сто пятьдесят два сантиметра, а всем известно, что он одного роста с Наполеоном. Сейчас это почему-то показалось особенно смешным, они хохотали. Лена радовалась, что Гера провела у нее вечер. Обняла ее, поцеловала на прощание, сказала грустно: «Ты меня не забывай».

29

В тот же вечер, когда Варя, Нина и Макс танцевали в Доме Красной Армии, Юра ужинал у Вадима Марасевича, а в гости к Лене Будягиной пришла Гера Третьяк, в этот же вечер, приблизительно около восьми часов, Софье Александровне позвонили и сказали, что завтра в десять утра она должна явиться в комендатуру Бутырской тюрьмы для свидания с сыном, Панкратовым Александром Павловичем. С собой привезти теплые вещи, деньги и продукты. Голос был ровный, спокойный, говорил человек, привыкший говорить изо дня в день одно и то же, лаконично, ясно. И, когда все изложил, тут же, не дожидаясь вопросов, положил трубку.

Софья Александровна испугалась, что он не договорил, забыл сказать что-то важное, существенное, из-за чего она не сможет сделать все как следует. Боялась что-либо забыть, боялась перепутать и потому лихорадочно пыталась удержать в памяти все, что о н сказал: «Завтра, в десять, в Бутырке, свидание, теплые вещи, продукты, что-то еще... Боже, я забыла, что еще... Ах, да, деньги, деньги на дорогу...» И, чтобы ничего не забыть, Софья Александровна записала все на бумажке. Деньги и продукты означают ссылку, теплые вещи — Север или Сибирь.

Надо все собрать и приготовить за ночь, и у Софьи Александровны не осталось времени на отчаяние. Только не могла простить себе, что ничего не собрала — считала плохой приметой заранее готовить мальчика в такую дорогу. На Саше зимнее пальто, шапка-ушанка, свитер, теплый шарф, валенок у него, правда, нет, но, куда бы его ни выслали, они ему не нужны сейчас, в апреле. Понадобятся зимой, а к зиме она ему вышлет. Сейчас ему нужны сапоги, т а м грязь, слякоть, он пропадет в своих ботиночках, сапоги — именно то, что ему нужно, что может спасти жизнь. Но сапог у Саши нет. И магазины уже закрыты, да и все равно сапоги отпускаются по ордерам, а ордера у нее нет. Можно купить на барахолке за баснословные деньги и с риском, что всучат картон вместо кожи. Но и барахолка уже закрыта.

Тогда она вспомнила, что у Веры, ее сестры, есть на даче крепкие, грубые сапоги Сашиного размера, сороковой номер. Она им купит другие, сколько бы они ни стоили, а эти надо отдать Саше.

Она позвонила Вере. Вера и ее муж Володя уехали на дачу и вернутся только послезавтра. Такая неудача!

У младшей сестры Полины телефона не было. Телефон был в соседней квартире, Софья Александровна знала его номер с тех пор еще, когда Полина дружила с этими соседями, но вот уже несколько лет к телефону ее не зовут, и Полина просила не звонить. Все же Софья Александровна позвонила, хотя и угнетала мысль, что откажут, да еще грубо.

Ей ответил мужской бодрый, полнокровный голос.

— Простите,— сказала Софья Александровна,— очень неудобно вас беспокоить, но срочное дело... Вы не могли бы вызвать к телефону Полину Александровну?

— Какую Полину Александровну?

— Вашу соседку, из двадцать шестой квартиры, только, ради бога, извините, это говорит ее сестра.

— Ну, знаете...

Но трубку мужчина не положил, трубку взяла женщина:

— Кто вам нужен?

— Ради бога, простите,— сказала Софья Александровна.— С вами говорит сестра вашей соседки, Полины Александровны. Знаете, такая неприятность, срочное очень дело, тут связанное... Вы не могли бы позвать мою сестру, будьте так добры.

— Сейчас,— недовольным голосом ответила женщина.

Софья Александровна долго ждала, наконец к телефону подошла Полина, взволнованная, догадалась, что с Сашей плохо.

— Сашу завтра высылают,— сказала Софья Александровна.— Надо съездить к Вере на дачу, привезти сапоги.

— Беда, беда,— заохала Полина,— Игорек с температурой, а Коля приедет после одиннадцати. Что же делать? Как только Коля вернется, я тут же к тебе приеду, но на дачу уже не успею.

— Хорошо, приезжай, поможешь собрать вещи,— сказала Софья Александровна,— с сапогами я что-нибудь придумаю.

— Что привезти?

— Ничего, все есть.

Придется ехать самой, хотя она и не знала, найдет ли ночью дорогу в новом дачном поселке с просеками вместо улиц. Никто не знал их названий, номера домов перепутаны, и нет еще дачников, не у кого спросить. Но все равно надо ехать. А если она уедет на дачу, кто пойдет в магазин? Она позвонила Варе. Вари не было и Нины не было. Попросить Милицу Петровну? Не поедет, бережет сердце, не поднимает даже бидончика с молоком, а продуктов надо купить много: и хлеба, и сухарей, и сахара, и сгущенного молока, и лимоны, он совсем без витаминов, и копченой колбасы, сыра, ветчины... Она записала все это на бумажке и постучала к Михаилу Юрьевичу. В халате, склонившись над столом, он что-то клеил.

— Так неудобно, но другого выхода нет. Вот список, вот деньги, если не будет копченой колбасы, можно полукопченую, при такой погоде не испортится, и хорошо бы что-то рыбное, только не слишком соленое.

Михаил Юрьевич хмуро смотрел на нее сквозь пенсне.

— Как же вы ночью поедете за город? И когда вернетесь?

— Я вернусь ночным, он идет в час с чем-то...

— Не будет трамвая.

— Доберусь как-нибудь.

— Поезжайте в магазин,— сказал Михаил Юрьевич,— а я съезжу к вашей сестре.

— Что вы, Михаил Юрьевич, это далеко, сорок восьмой километр, от станции минут двадцать, поселок не освещен, ни мостовых, ни тротуаров, грязь, что вы, что вы, еще убьют вас.

— Приготовьте адрес,— сказал Михаил Юрьевич,— начертите, если сумеете, маршрут, я сейчас оденусь.

Она начертила, как могла, и объяснила, как могла. Возле станции ларек, зимой он заколочен, главное, взять от ларька направо, тогда сразу попадешь на нужную просеку. В этом вся задача — попасть на нужную просеку. А уж по просеке третья улица налево, она так и называется Третья Зеленая, только нет таблички, мальчишки летом сорвали. Дача номер двадцать шесть, номер написан на калитке. Дачу легко узнать по штакетнику. Рядом сплошной забор, и дальше сплошной забор, а между ними штакетник, это и есть Верина дача. Но главное — взять от ларька сразу направо. Михаил Юрьевич стоял перед ней в ботах, в высокой меховой шапке, насупленный и важный в своем старомодном пенсне и в то же время, если представить его шлепающего по грязному, пустынному поселку, беспомощный. Проищет всю ночь, а ведь завтра утром ему на работу.

Она посмотрела на часы и ужаснулась — четверть десятого! Дежурный магазин закрывается в десять.

Трамвай был полон, Софья Александровна вошла с передней площадки второго вагона, пусть штрафуют, не высадят, но никто ее не оштрафовал, она передала деньги на билет и осталась на площадке. Думала о том, что еще много дел после магазина и как быть с чемоданом, она не знает, где ключи, исправен ли замок, давно этим чемоданом не пользовалась. А без замка нельзя, Саша может попасть в одну партию с уголовниками, и у него все вытащат.

При мысли, что Саша пойдет в одной партии с уголовниками и его могут обокрасть, обидеть, избить, она снова почувствовала всю степень несчастья, обрушившегося на ее сына: меченый, гонимый, отверженный, бесправный.

Москва, по которой она сейчас ехала, вся эта громада улиц, огней, площадей, автомобилей, витрин, трамваев казалась ей неправдоподобной. Все двигалось, устремлялось куда-то, нереальное, неестественное, туманное, как тяжелый сон, восковые фигуры, манекены, освещенные молочным трамвайным светом.

Она сошла с трамвая в Охотном ряду. Без четверти десять. С остановки она видела движение в дверях дежурного магазина. Открыт! Она спешила, задыхаясь от быстрой ходьбы. И, когда подошла, увидела у магазина толпу, уже не пускали, люди скандалили, обозленные тем, что опоздали на какие-то полминуты. Некоторые пытались протиснуться в магазин и не могли. Толстая продавщица держала дверь.

Софья Александровна тоже попыталась пробиться, но не сумела. Ее затолкали в этой маленькой, но буйной толпе. Потом толпа уменьшилась, из магазина стали выходить реже, внутри притушили свет. Понемногу все разошлись. И только Софья Александровна не уходила. Когда дверь открывалась, она просила продавщицу пустить ее.

Продавщица — у нее было толстое, красное, обмороженное лицо — грубым голосом твердила:

— Мамаша, отойдите, мамаша, не мешайте!

— Будьте добры, я очень прошу вас.

Из магазина вывалилась группа веселых молодых людей, один из них закричал молодым, свежим голосом:

— Пустите бабку за поллитром!

И веселая компания помчалась к Охотному ряду.

— Я прошу вас, ведь еще можно,— умоляла Софья Александровна, когда открывалась дверь.

Продавщица не обращала на нее внимания, привыкла к таким упорным, каждый вечер попадаются, канючат, пока на дверь не повесят замок.

— Не лезь! Отойди от двери!

Уборщицы подметали пол, рассыпали желтые опилки, продавщицы убирали продукты с прилавков, торопились. Софья Александровна продолжала стоять. Продавщица выпустила последнего покупателя и оставила свой пост. Софья Александровна толкнула дверь и вошла в магазин.

— Куда?! — подбежала к ней толстая продавщица.

— Я не уйду,— тихо сказала Софья Александровна.

— Сейчас участковому сдам! — пригрозила продавщица.

— Мне сыну, в тюрьму,— Софья Александровна смотрела на это грубое обмороженное лицо, лицо торговки, продающей на морозе пирожки и эскимо.— Завтра отправляют, надо передачу собрать.

Продавщица вздохнула.

— Все врут, все чего-нибудь говорят. А нам тоже надо отдых иметь.

Софья Александровна молчала.

Женщины надевали пальто, собирали свои сумки.

— Михеева, получи! — крикнула продавщица через весь зал.

Приехала Полина, и уже совсем ночью с Михаилом Юрьевичем приехала Вера, привезла сапоги. Они оказались не сорокового, а сорок первого номера, но все равно годились.

— Не хромовые, выходные сапожки, а походные, рабочие,— говорила Вера,— с шерстяным носком будет прекрасно: тепло, удобно.

Кроме сапог Вера привезла заплечный мешок с широкими лямками, их можно делать и короче и длиннее.

— В мешок продукты, в чемодан — вещи.

Вера была самая энергичная, умелая среди сестер и деловая вот именно так, по-пригородному, по-подмосковному. Муж ее — охотник и рыболов, дети — лыжники и туристы, жили они на даче, занимались садом и огородом. «Уж больно ты смиренная»,— выговаривала она Софье, настаивая в свое время, чтобы та разошлась с мужем. Вступалась за сестру, ссорилась с Павлом Николаевичем, не выносила его замечаний и в конце концов перестала ездить к Панкратовым.

Вера сама все уложила ловко, умело, велела дать вилку, ложку и нож, кружку. Софья Александровна совсем забыла про это и про бритву забыла, посылала то, что привыкла посылать в передачах, а это вещи в дорогу, все теперь можно, все разрешено.

— Много денег с собой не давай,— наставляла Вера,— могут украсть в дороге, лучше потом вышлешь, на место. На свидании скажи: как приедет, пусть сразу телеграфирует, ты и вышлешь до востребования. Ничего, вытерпит, молодой!

Но успокаивали даже не сами слова, а то, как действовала Вера, ее энергия, деловитость, в этом была жизнь, и это готовило Сашу тоже к жизни.

30

Нина не обратила внимания на то, что у Софьи Александровны горит свет, а Варя увидела — все замечала. Но не придала значения — Софья Александровна иногда целую ночь лежит со светом, сама ей рассказывала. Да и мысли Вари были заняты другим: завтра вечером она и Нина поедут на вокзал провожать Макса и Серафима.

Танцы в Доме Красной Армии продолжались до двух ночи. Многие уходили раньше, чтобы поспеть к трамваю, и Нина хотела уйти, но Варя и Серафим упросили ее остаться. Макс добродушно улыбался. Нинка осталась в меньшинстве и подчинилась.

Они шли пешком через ночную холодную Москву, Варя без галош, в легком газовом платочке. Серафим накинул на нее свой плащ, надел фуражку, у уличного фонаря она рассмотрела себя в зеркальце, фуражка, хотя и сползала на лоб, очень ей шла, делала похожей на молоденького хорошенького солдатика. Они с Серафимом шли сзади, рука Серафима лежала на ее плече, а когда Макс и Нина заворачивали за угол, они целовались. Серафим целовался так, что было больно губам. Варя еще никогда по-настоящему не целовалась и сейчас никакого удовольствия от этого не получала, просто было больно. Но она понимала, что это значит. Это значит, что Серафим страстный. Нина, наверно, догадывалась, почему Серафим и Варя отстают, но делала вид, что не замечает. И дома Нина тоже ничего не выговаривала, только велела скорее ложиться и тушить свет — завтра на работу.

Утром она оставила на столе записку для Вариной классной руководительницы: «Прошу отпустить

Варю Иванову после третьего урока по домашним обстоятельствам». Домашние обстоятельства — это были проводы Макса и Серафима. Но Варя и не думала идти в школу. Ей хотелось приехать на вокзал хорошо одетой. Уезжают выпускники, будет много провожающих, будут те красивые и хорошо одетые девчонки, которых она видела в ЦДКА, и Варе хотелось одеться не хуже, выглядеть взрослой и строгой, ведь она провожает своего будущего мужа. Одеться не в черное, а именно строго, но заметно. Надо сделать прическу, навести косметику, и если она уйдет после третьего урока, а учится она во второй смене, то ничего не успеет.

Наскоро она приготовила Нине обед, взяла учебники и отправилась к Зое. Зоя тоже не пошла в школу, помогала Варе собираться, причесываться, загибать ресницы. Дала ей модные ботики со стальными пряжками, а главное, мамину котиковую шубу, в которой мама разрешала ей иногда пройтись по улице. И вот сейчас Варя ее надела, как сказала Зоя, выглядела в ней потрясающе, взрослая, видная дама, в котиковом манто, модных ботиках, с белым платком на голове, который тоже принадлежал Зоиной маме.

К пяти часам Варя была наконец готова и позвонила Нине.

— Я приду прямо на трамвайную остановку.

— Откуда ты говоришь?

— Из школы.

Они подошли к трамвайной остановке одновременно.

Нина не узнала ее...

— Что за маскарад?

— Вешалка была закрыта, я надела пальто и платок Зои.

— А Зоя?

— Наденет мое.

— Где книги?

— В парте оставила, на вокзал их потащу?!

Вешалка во время уроков могла быть закрыта, и все же Варя лжет: в гардеробе заперли бы и пальто Зои, если это в действительности ее пальто. Но допытываться, уличать не хотелось. Уже не маленькая, скоро выскочит замуж, и хорошо, что за Серафима, порядочный парень, пусть жизнь ее будет, какой она хочет, и пусть проводит своего Серафима тоже, как хочет.

Вокзал был полон, перрон забит людьми до отказа. Нина и Варя остановились в растерянности у выхода на платформу. Но Макс и Серафим уже бежали им навстречу, махали руками, и они все вместе пошли вдоль состава к их вагону, проталкиваясь через толпу, боясь потеряться среди людей, тоже спешащих, тоже разыскивающих своих, среди мужчин, женщин с узелками, с гостинцами на дорогу, среди девушек с цветами, обнимающих и целующих этих чудесных ребят, новоиспеченных командиров Красной Армии, в гимнастерках, перехваченных ремнями, без фуражек: фуражки и шинели они оставили в вагоне... Молодое, радостное, оживленное и вместе с тем серьезное — грозная военная сила Советского государства. И Нина поняла, что эти задорные, краснощекие ребята первыми пойдут в бой, первыми примут на себя все. Подумала, что, вероятно, ее место рядом с Максимом, таким сильным, спокойным. И, когда он уедет, его спокойствия и добродушия ей будет не хватать.

А Варя наслаждалась тем, как влюбленно смотрел на нее Серафим и как смотрят на нее другие командиры. Она здесь самая красивая, неожиданно высокая, почти как Нина. И ни на ком нет такого шикарного котикового манто, такой шали. Она раскраснелась, возбужденная вокзальной суетой, гудками и свистками паровозов, предвещающими длинную, неизвестную и манящую дорогу. Макс сказал, что она похожа на киноактрису, Серафим шепнул, что любит ее больше жизни, и даже Нина улыбалась, довольная тем, что у нее такая сестра.

Как и положено взрослой женщине, невесте, Варя смотрела только на своих, на Нину, Макса и Серафима, больше ни на кого, чтобы не подумали, что она зыркает глазами. Если и оглядывалась кругом, то так просто, рассеянным взглядом рассматривала поезда и людей, спешащих к поездам.

И когда она посмотрела на соседнюю платформу, то увидела Сашу.

Он шел между двумя красноармейцами, впереди спешил маленький командир в длинной шинели, озабоченно расталкивал толпу, а за ним между двумя красноармейцами шел Саша с заплечным мешком на спине и с чемоданом в руке.

Он почувствовал, что на него смотрят, оглянулся, и она увидела белое, как бумага, лицо и черную, в кольцах, как у цыгана, бороду. Саша скользнул взглядом по уезжающим курсантам, по Максу, Нине, по Варе, но не узнал никого, отвернулся и пошел дальше к поезду, стоявшему где-то на дальней платформе. За ними и впереди них шли люди с мешками, чемоданами и сундучками, торопились, обгоняли их, и они пропали в толпе.

А Варя все смотрела туда, куда скрылся Саша. Она не слышала, как прозвенел звонок, не видела, как все стали прощаться, как Нина поцеловала Макса в лоб, не видела, как тянется к ней и заглядывает в глаза Серафим.

— Варя, очнись! — сказала Нина.

— Я видела сейчас Сашу.

— Что ты болтаешь?! — закричала Нина, понимая вдруг, что Варя говорит правду.

— Его вели конвоиры, у него борода,— бормотала Варя, не отрывая взгляда от соседней платформы, как будто в толпе людей, бегущих с мешками и чемоданами, он все еще идет, все еще идет и она сможет его увидеть...— У него борода, борода, как у старика.

Она захлебывалась в слезах.

— Совсем, совсем старик...

— Перестань, ты перепутала,— сказала Нина, и голос ее дрожал.

И Максим, тоже взволнованный, но стараясь сохранить спокойствие, добавил:

— Ты ошибаешься, Варя, т а к его не могли отправить.

— Нет! Это был он...— Голос ее бился.— Я его узнала... Он оглянулся и посмотрел — совсем белый, совсем старик...

Растерянный Серафим протянул ей руку.

— До свидания, Варя.

— Белый, белый, как мертвец! — рыдала Варя.— И тащит чемодан, они идут, а он тащит...

Стесняясь и краснея, Серафим поцеловал ее в щеку, мокрую от слез, с черными струйками краски, капавшей с ресниц.

Поезд медленно отходил, курсанты висели на подножках, толпились на площадках, махали руками, и провожающие тоже махали руками, тоже кричали что-то напутственное и шли рядом с поездом. И Макс махал, и Серафим тоже махал.

А Варя стояла посередине перрона, плакала, вытирала лицо платком, размазывала по лицу краску, захлебывалась и глотала слезы. Нина, испуганная, потрясенная, успокаивала ее:

— Перестань, что же теперь делать, сейчас заедем к Софье Александровне, все узнаем.

Проходила мимо старушка, остановилась, посмотрела на Варю, покачала сочувственно головой.

— Плачут девки по солдатикам.

ЧАСТЬ ВТОРАЯ

1

Старая дорога на Ангару, протоптанная в тайге первыми поселенцами, начинается в Тайшете. Новая в Канске: здесь кончается железнодорожный этап и начинается пеший.

Тихий городок с деревянными тротуарами, без садов, похожий на степной. Снова синее небо над головой и одуряющий запах жизни. Нет больше камеры, Дьякова, тюремного дворика, часового с винтовкой, следящего за тобой сонным взглядом. Не верится, что все это могло быть. Свободно идешь по улице, тащишь свой чемодан, рядом идет Борис Соловейчик, сетует, что не удалось зацепиться в Канске.

— Отправлять в деревню специалиста моей квалификации?! Есть в этом польза государству?

Почта — домик с крылечком, тут же сберкасса. Девушки в домашних платьях, с пальцами, измазанными клеем и чернилами, знают Соловейчика: симпатичный, общительный москвич получает письма до востребования.

«Здоров пиши Канский округ село Богучаны востребования целую Саша»,— первая телеграмма маме.

Девушка пересчитала слова, назвала сумму, выписала квитанцию, получила деньги. Веселые здесь девушки, красивые...

Хозяйка Соловейчика, худенькая молодая женщина с тихим лицом, накрыла на стол. Что побудило ее сойтись с Борисом? Уедет и забудет ее. Понравился? Пожалела ссыльного? Рядом с ней Борис с его замашками столичного волокиты выглядел жалко.

Саша вынул из чемодана банку шпрот — все, что осталось от маминой передачи. Борис откупорил бутылку водки. У него были свои рюмки, даже салфетки, он и здесь хотел жить по-человечески. Все было, как в обыкновенной жизни, только, если вспомнить, кто они, дико, странно, страшно, впрочем, уже не так страшно.

От первой же рюмки у Саши закружилась голова.

— Обычная вещь после тюрьмы,— заметил Борис,— втянетесь. На Ангаре будем пить спирт, его туда дешевле возить, чем водку,— шестьсот километров на лошадях. В общем, проживем. Богучаны — большое село, работу по специальности я найду, вы тоже без пяти минут инженер, там трактора, сеялки, веялки.

— Тракторов я не знаю, сеялок-веялок тоже.

— Захотите гам-гам — узнаете. Раньше интеллигентные молодые люди ездили за границу, мы с вами — к белым медведям. Лучше быть Соловейчиком в Москве, чем Воробейчиком на Соловецких островах. Что же теперь делать? Рыдать и плакать? Я метил в председатели Госплана, вернее, в заместители председателя, как беспартийный. Я тот, кто тянет воз, рабочая лошадка, никому не мешал и всем был нужен. Но на моем пути встал знак препинания, меня остановило двоеточие. Имейте в виду, в ссылке ни один человек не скажет вам правды: кто сидит за дело — делает вид, что сидит ни за что; кто сидит ни за что — делает вид, что сидит за что-то. Но мне вы можете верить. Так вот. У нас в учреждении висел лозунг: «Техника в период реконструкции решает все. Сталин». Вам известен этот лозунг? Известен. Прекрасно. Я прочитал его при одной прелестной девушке. И она уличила меня в незнании пунктуации. Слушайте внимательно. Ей показалось, что я прочитал этот лозунг так: «Техника: в период реконструкции решает все Сталин». Она была девочка образованная, не могла перенести моего невежества и поделилась своим огорчением с кем следует. У меня всегда было плохое произношение, и я думал — ну, получу за это хороший выговор. Получил статью пятьдесят восемь пункт десять, контрреволюционная агитация и пропаганда. Еще хорошо, посчитали, что трех лет мне хватит на изучение орфографии. Здесь я неплохо устроился: экономист «Заготпушнины». Можете не сомневаться, с моим приходом количество заготовленной пушнины не уменьшилось. Но, видимо, для усвоения знаков препинания город Канск — слишком жирно. С первой же партией, то есть вместе с вами, я отправляюсь на Ангару. Мечтаю о должности счетовода в богучанской конторе «Заготпушнины». То, чего мы с вами будем добиваться, Саша, покажется ничтожным какому-нибудь московскому пижону. Но для нас с вами это означает выжить.

Может быть, Борис прав. Но для себя Саша выбрал другой путь. Он поедет туда, куда пошлют, будет жить там, где назначат. Добиваться чего-либо — значит признать право дьяковых держать его здесь. Этого права он за ними не признавал.

— Где вы жили в Москве? — спросил Борис.

— На Арбате.

— Тоже неплохо. А я на Петровке, в доме, где каток, знаете?

— Знаю.

— Как вы уже догадались, моя юность прошла в саду «Эрмитаж». Я провел там несколько совсем неплохих вечеров. Но, как говорил мой дедушка-цадик... Знаете, что такое «цадик»? Не знаете. «Цадик» — это нечто среднее между мудрецом и святым. Так вот, мой дедушка-цадик в таких случаях говорил: гинуг! Что такое «гинуг», вы тоже не знаете? «Гинуг» — это значит «все», «хватит»... И вот я говорю: гинуг вспоминать, гинуг слезы лить!

Утром хозяйка ушла на работу, когда они еще спали. Завтрак стоял в печке за железной заслонкой.

— Вот великое преимущество простой женщины,— сказал Борис,— из-за чего я разошелся со своей женой? Она, видите ли, не хотела рано вставать, не хотела готовить мне горячий завтрак. И что же? Потеряла мужа. Впрочем, она бы все равно меня потеряла. Итак, отправимся в могучий трест «Заготпушнину» оформлять увольнение. На выходное пособие я не рассчитываю, но письмо в Богучаны я у них вырву. Вы будете бриться?

— Нет.

— Послушайте меня, Саша, сбрейте бороду, зачем она вам? Сейчас выйдем на улицу и вы увидите, какие тут девушки.

Саша уже видел этих девушек. Они были прекрасны — статные русоволосые сибирячки, сильное тело, сильные ноги. Жизнь в Сибири представлялась ему жизнью отшельника, он будет заниматься французским, английским, политэкономией, три года не должны пропасть даром. Теперь он засомневался. Наверное, придется жить не только этим.

— Никакой косметики, все натурель,— говорил между тем Борис,— этап через три дня, мы с вами еще погуляем. Но, дорогой мой, с такой бородой можете сидеть дома.

— Неохота здесь бриться.

— Слушайте совет опытного человека. Вы первый день в ссылке, я третий месяц. Если будете откладывать жизнь до того дня, когда выйдете на свободу, вы конченый человек. Сохранить себя можно только одним способом — жить так, будто ничего не произошло. Тогда у нас есть шанс выкарабкаться.

Низкая комната, оклеенная выцветшими обоями, на потолке белая бумага вздулась пузырями, покрылась желтыми разводами, за стеной плачет ребенок. Но пахнет одеколоном и пудрой. Два обычных парикмахерских кресла, мастера в белых халатах, хотя в сапогах, и лица у них, как у московских мастеров, сурово-предупредительные парикмахерские лица.

Мутное, в трещинах зеркало отразило бледное Сашино лицо и черную вьющуюся бороду, ровную, будто только что подстриженную.

— Совсем сбрить?

Парикмахер в задумчивости щелкнул в воздухе ножницами, потом решительным движением срезал Сашину бороду. Клочья ее упали на несвежий пеньюар. Стрекотала машинка, щеки грела теплая мыльная пена, Саша вспомнил парикмахерскую на Арбате, ее запахи, яркий свет, предпраздничную суету.

— Вы это или не вы? — развел руками Соловейчик.— Вы же теперь у нас красовяк-здоровяк.

Они снова шли по улице, Саша смело смотрел на девушек, они смотрели на него.

— Если бы нас здесь оставили, мы бы улучшили местную породу,— сказал Борис.— В Канске полно ссыльных, было бы еще два.

— Кого они оставляют?

— «Ли»... Оставля-ли! Больных, многодетных, очень ветхих... Вот идет, только не пяльте на него глаза, меньшевик, один из лидеров.

К ним приближался, опираясь на палку, старик в пальто и шляпе, длинные седые волосы спускались на воротник. Соловейчик поклонился. Старик в ответ тоже поклонился, неуверенно, как кланяются человеку, которого не узнают. Потом узнал, приподнял шляпу, приветливо улыбнулся.

— Идем на отметку,— сообщил Борис, гордясь уважением, оказанным ему стариком,— отметка пятого и двадцатого. Сколько, вы думаете, ему лет?

— Шестьдесят.

— А семьдесят два не хотите?! Тут вы увидите всяких: меньшевиков, эсеров, анархистов, троцкистов, национал-уклонистов. Есть люди, в прошлом знаменитости.

Саша никогда не думал, что в Советском Союзе есть еще меньшевики и эсеры. Троцкисты — это уже на его памяти. Но эти? Неужели не понимают?! На что-то еще надеются... Продолжают свое?.. А может быть, ничего не продолжают?

Обедали в столовой «Заготпушнины», в низком полуподвале с квадратными столиками без скатертей. За широким прямоугольником раздаточного окна — кухня: три большие алюминиевые кастрюли на плите, над ними клубится пар, рядом краснолицая повариха с половником в руке.

— Это закрытая столовая,— объяснил Борис,— для сотрудников. Но на посторонних смотрят сквозь пальцы — нужна кассовая наличность. Есть свой откормочный пункт: свиньи, кролики, птица. Здесь пасется половина ссылки. Если кто-нибудь вам скажет, что именно я его сюда устроил, можете верить.

Увидев Бориса, повариха положила половник, вытерла руки о передник, вышла из кухни.

— Борщ сегодня, Борис Савельевич, бефстроганов с пюре, если подождете, картофель поджарю,— она наклонилась к нему,— есть бутылочка коровьего.

— Поджарьте,— величественно разрешил Борис.

— Уезжаете, Борис Савельевич?

— Уезжаю,— нахмурился Борис.— Отруби привезли?

— Привезли, четыре мешка, обещали завтра еще привезти. А калькуляцию опять напутали: гуляш идет на восемь копеек дешевле. И с печником не договорились, дымит печь, глаза болят.

Она говорила с ним, как с человеком, при котором все шло хорошо, а вот уедет, начнутся всякие неполадки. И Борис всем своим видом показывал, что так это и должно случиться, но ему приятно сознавать, что, хотя он уже здесь никто, ему по-прежнему оказывают уважение.

— Заболталась, а вы есть хотите,— спохватилась повариха.

— До меня,— сказал Борис,— в столовой работали пятеро, теперь двое: кухонный рабочий и вот она. Повариха, она же кассир, официантка и директор. Впрочем, столовая — мелочь. Я мог бы вам рассказать о том, что я сделал здесь за два месяца. Но теперь это уже никому не интересно. Незаменимых у нас нет: сегодня я, а завтра ты. Хотя если вдуматься, то эти слова бессмысленны. Если в библиотеке нет Пушкина, я могу заменить его Толстым, но это будет Толстой, а не Пушкин. На мою должность назначили другого, но это уже другой Пушкин.

В столовую робко вошел маленький человечек. Молодой, но сутулый, неряшливый, небритый, кепка со сломанным козырьком, длинная обтрепанная куртка надета на грязную рубашку, пуговиц не хватает, стоптаны туфли. Неуклюжие стеганые штаны мешком висят на коленях, штрипки болтаются.

— А, Игорь! — приветствовал его Борис.— Ну, подойди, подойди!

Игорь подошел, застенчиво улыбаясь. Саша увидел голубые глаза, белую тонкую шею.

— Кепочку сними — столовая,— сказал Борис.

Игорь смял в руках кепчонку, русые, давно нестриженные, немытые волосы торчали во все стороны.

— Как дела? — спросил Борис.

— Ничего, хорошо,— Игорь обнажил в улыбке редкие зубы.

— Хорошо — это хорошо. А ничего — это ничего. Опять прогнали?

— Нет, почему же? Не пускают в экспедицию.

Что-то особенное было в его приятном интеллигентном голосе, но, что именно, Саша уловить не мог. Голос запоминался.

— Игорь работал в инвентаризационной конторе,— объяснил Борис,— работа не пыльная: обмеривать здания, чертить планы, и сдельная — можно хорошо заработать. Но сей муж ленится, приносит чертежи в масляных пятнах. Разве у тебя есть масло, Игорь? Так ты его мажь на хлеб, а не на чертежи. А то, что тебя не пускают в экспедицию, заливаешь! Половина партии остается в Канске, и ты мог бы остаться, если бы был человеком.

Игорь виновато улыбался, мял в руках кепку.

— Ладно! — закончил Борис свои наставления.— Есть хочешь? Конечно — да! Деньги есть? Конечно — нет!

— Я должен на днях получить за восемь чертежей.

— Про эти восемь чертежей я слышу два месяца...

Борис крикнул:

— Марья Дмитриевна, накормите Игоря, я заплачу.

Повариха хмуро сунула в окно тарелку борща и кусок хлеба. Игорь запихнул кепку в карман, зажал под мышкой хлеб и пошел к дальнему столику, неловко держа тарелку обеими руками.

— Кто он такой? — спросил Саша.

— Заметная здесь личность, колоритный тип. Поэт. Сын белого эмигранта. В Париже стал заядлым комсомольцем, приехал в СССР, и вот, пожалуйста, он уже в Канске.

— За что?

— Вы задаете наивные вопросы. Уничтожаем крамолу в зародыше. Если я рассказал не тот анекдот, значит, у меня определенное направление мыслей и при благоприятных обстоятельствах я способен на антисоветские действия. Вы выпустили неправильную стенгазету, завтра издадите подпольный журнал, послезавтра листовки. Это даже гуманно: за стенгазету вам дали три года, а за листовки пришлось бы расстрелять — вам сберегли жизнь. Игорь вырос в Париже, сын эмигранта, то есть человека, пострадавшего от революции, от него можно ждать чего угодно. Значит, его надо изолировать для его же пользы.

Игорь сидел в углу, торопливо ел.

Глядя на него, Борис сказал:

— Простой человек сам за собой убирает и потому всюду остается человеком. Аристократ привык, чтобы за ним подтирали, и, если подтиральщика нет, превращается в скотину. Монсиньор не желает работать, доедает объедки в столовых, с квартиры его гонят — неряха! Набрал у всех денег, никому не отдает. Ну, а, как вы понимаете, среди ссыльных нет Крезов. Но сами ссыльные его и испортили: носились с ним, как с писаной торбой. Шутка сказать — поэт! Из Парижа! Париж! Франция! Три мушкетера! Дюма-отец! Дюма-сын!.. Только меня он боится: те, кто с ним носились, жевать не дают, а я даю. Приходится терпеть мои нотации, хотя в душе он презирает меня, как плебея и хама. А вот уеду на Ангару, и он без меня подохнет с голоду! Но самое интересное другое. Он ждет свою Дульсинею. Если она придет, вас ожидает зрелище, которого вы никогда не видели и не увидите. А вот и она.

В столовую вошла женщина лет тридцати, поразительной красоты, величавая богиня с резким рисунком большого упрямого рта. Спокойным взглядом обвела столовую, равнодушно кивнула Борису, тот со сдержанным достоинством наклонил голову. Потом увидела Игоря, склонившегося в углу над тарелкой.

— У такого ублюдка такая женщина,— сокрушенно пробормотал Борис.

— Кто она?

— Приехала из Ленинграда, разыскивает высланного мужа и вот влюбилась в это чучело. Сидят тут каждый день, он ей читает стихи, а она смотрит на него, как на портрет Дориана Грея.

Женщина что-то рассказывала Игорю, он хихикал, собирал крошки со стола и бросал в рот. Встрепанный суетливый человечек без всякого обаяния. Потом женщина встала, подошла к раздаточному окну, повариха так же недовольно сунула ей тарелку борща. Игорь дернулся, хотел помочь и остался сидеть. Когда женщина снова пошла за хлебом и прибором, он опять двинулся было за ней, но вернулся.

Она ела, теперь он что-то рассказывал, его лицо было юным и потрепанным одновременно. Она слушала, иногда кивала головой. Потом принесла второе, половину переложила себе в тарелку из-под борща, остальное придвинула Игорю.

— Прорва! — негодовал Борис.— Он может есть с утра до вечера, отбирать у любимой женщины. Люди и в худших условиях остаются людьми. А этот парижский бульвардье вот во что превратился. И не думайте, что он прост. Нет! Он нахал, циник, в душе смеется над теми, кого обирает. Паразит! Щадит себя, а щадить себя — значит не щадить других, это говорил еще мой дедушка-цадик. Приехал в СССР! Думал, оказал большую честь Советскому Союзу, а здесь, как выяснилось, надо работать. Не захотел работать, и общество вытолкнуло, выжало его из себя.

Улыбаясь, Саша сказал:

— Правильнее было бы выжать его обратно в Париж.

Женщина между тем кончила есть, отодвинула тарелку, поставила локти на стол, прижалась подбородком к рукам и смотрела на Игоря.

А он нахохлился, откинулся на спинку стула, опустил голову и забормотал...

Читал он стихи, не повышая голоса, до Саши долетали только отдельные слова: крестоносцы, стены Иерусалима, желтые пески, палящее солнце, женщины, ожидающие рыцарей, которые никогда не вернутся.

— Как вам это нравится? — вполголоса спросил Борис.— Отважные рыцари и очаровательные дамы. А? В Канске, в столовой «Заготпушнины»?!

Действительно смешно. И все же что-то завораживающее было в этой ситуации, в отрешенном лице Игоря, в глубоком взгляде прекрасной женщины.

Саша подавил в себе минутное раздражение. Оно шло от нетерпимости, в которой он был воспитан.

И он сказал Борису:

— Будем снисходительны.

2

На совещание по Генеральному плану реконструкции Москвы Сталин пришел, когда совещание уже близилось к концу. Он знал, что скажет во вступительном слове Каганович, читал доклад Булганина. Все мнения и предложения по реконструкции ему уже докладывались, дважды обсуждались на Политбюро, и свою точку зрения он выработал. Эта точка зрения и зафиксирована в Генеральном плане реконструкции Москвы. Генеральный план — это и есть его точка зрения.

Все встали, когда он появился в президиуме, вспыхнула, нарастая, привычная буря аплодисментов. Сталин поднял руку в знак приветствия и тут же сел, пригласив этим сесть и остальных.

Кто-то, стоя на трибуне, заканчивал выступление. Делая вид, что внимательно его слушает, Сталин на листе бумаги рисовал развалины старинных церквей в Атени, маленьком селе, километрах в десяти от Гори, где у его отца, сапожника Джугашвили, жили заказчики. Отец относил им работу, а иногда и сапожничал там день-другой.

Он часто брал с собой и маленького Иосифа. Они выходили из Гори рано утром, шли берегом Таны вдоль виноградников, пока не достигали развалин старинных церквей, в Атени, этом маленьком селе, их было девять или десять, среди них церковь Сионского монастыря, увенчанная куполом и, по преданию, построенная еще в седьмом веке. На ее фасаде сохранились скульптурные изображения исторических лиц той эпохи, а внутри храма фресковая живопись, тоже с изображением исторических лиц.

Самые значительные памятники — это памятники архитектурные: они долговечны по материалу, стоят на открытом месте, доступны широкому обозрению и в натуре, и в репродукции, и на фотоснимках. Значение скульптуры понимал и Ленин, требовавший монументальной пропаганды. Однако Ленин понимал ее как средство внедрения в сознание масс новых исторических авторитетов. Истинная же задача монументальной пропаганды — увековечить эпоху. Сколько осталось из пятидесяти памятников, созданных тогда? Один? Два?

Памятником ЕГО эпохе будет Москва, город, который ОН воссоздаст заново, только города долговечны. Скромная архитектура двадцатых годов была ошибочна. Противопоставление революционного аскетизма показной роскоши нэпа служило прикрытием для архитекторов-формалистов, отказавшихся от классического наследия. А классическое наследие надо использовать прежде всего.

Петр это понимал и создавал Петербург именно по классическим образцам, поэтому с архитектурной точки зрения Ленинград — город. Но это город прошлых веков — он приземлен. Москва предстанет перед потомками как город, устремленный ввысь. Высотные здания в сочетании с классическими решениями — вот ее будущий стиль. Первым высотным зданием станет Дворец Советов. Строительство его предложил Киров в двадцать втором году на Первом съезде Советов. Кто об этом помнит? Дворец Советов построит ОН, построит как архитектурный центр новой Москвы, пробубит новые магистрали, проложит метрополитен, возведет современные жилые дома и административные здания, соорудит новые мосты и набережные, воздвигнет гостиницы, школы, библиотеки, театры, клубы, сады и парки. Все это будет величественным памятником ЕГО эпохе.

Такие мысли вызвали в Сталине воспоминания о развалинах старых церквей в Атени.

А тогда, в детстве, эти полуразвалившиеся храмы поражали его своей гулкой пустотой, своею далекой тайной.

И сейчас, сидя сбоку длинного стола президиума, он рисовал на листе бумаги их прямолинейные очертания. Он не умел рисовать, но прямолинейные фигуры ему давались даже без линейки, у него была твердая рука.

— Слово предоставляется товарищу Сталину,— объявил Каганович.

Снова все встали, снова привычная овация, привычный гром аплодисментов.

Сталин вышел на трибуну, движением руки прекратил аплодисменты, тихо заговорил:

— Здесь достаточно говорилось о необходимости реконструкции Москвы. Мне незачем это повторять. Старая деревянная Москва с ее узкими улицами и переулками, закоулками и тупичками, с ее хаотической застройкой убогими домами и мрачными рабочими казармами, с ее допотопными средствами передвижения никак не может удовлетворить трудящихся Москвы.

Он сделал паузу, прислушался к напряженной тишине — ни шевеления, ни вздоха.

— За годы Советской власти,— продолжал Сталин еще тише,— мы многое сделали для улучшения быта трудящихся Москвы. Рабочих, ютившихся в подвалах, мы переселили в нормальные квартиры, уплотнив представителей бывших эксплуататорских классов. Сооружены многочисленные школы для детей рабочих, рабочие клубы и Дворцы культуры. Достижения наши в этой области значительны, они вызывают законную гордость в сердцах советских людей. Но мы обязаны думать о будущем. Руководить — значит предвидеть. Мы должны создать план на десятилетия. Это и будет Генеральный план реконструкции Москвы.

Он вышел из-за трибуны, прошелся по авансцене, в зале стояла все та же тишина.

Сталин вернулся на трибуну и продолжал:

— Осуществляя этот план, мы должны бороться на два фронта: против того, чтобы Москва осталась «большой деревней», и против излишеств урбанизации. Мы не должны слепо копировать западные образцы. Москва — социалистический город, столица социалистического государства, это и должно определять ее облик. Это не город, где богачи живут во дворцах, а рабочие в трущобах, а, наоборот, город, где именно для рабочих созданы наилучшие и наивысшие удобства жизни.

Следовательно, первая задача плана — сделать город удобным для жизни. Мы должны создать новые удобные жилые массивы, желательно в парковых зонах. Мы должны застроить удобными и красивыми домами набережные Москвы-реки и Яузы, это даст нам еще пятьдесят километров благоустроенных улиц. Мы должны построить новые дома на главных улицах города, снеся все старое, расширить главные магистрали до пятидесяти — семидесяти метров и тем решить транспортные проблемы города опять же в интересах трудящихся.

Сталин снова сделал паузу. Он знал, что говорит известные вещи, но знал вместе с тем, что все, кто его слушает, воспринимают его слова как откровение, потому что их произносит ОН.

— Перехожу ко второй задаче,— снова начал Сталин,— вторая задача: столица первого в мире социалистического государства должна быть красивым городом. Еще на заре нашей государственности под руководством великого Ленина был выработан план монументальной пропаганды, великий Ленин хотел, чтобы наша эпоха оставила памятники на века — этот завет Ленина мы должны свято хранить и развивать. Однако в те годы мы были бедны и были вынуждены довольствоваться скромными архитектурными решениями. К сожалению, это открыло широкий путь формалистскому искусству, а формалистское искусство непонятно массам, это чуждое нам искусство. Теперь мы достаточно богаты и мощны, и мы должны использовать прежде всего классическое наследие. Конечно, классическое наследие мы не должны слепо копировать, как это сделали петербургские градостроители. В классические формы мы должны влить новое, социалистическое содержание.

Он снова сделал длинную паузу, потом продолжал:

— И, наконец, товарищи, последнее: в каком направлении должна развиваться Москва?

Первое предложение — оставить Москву такой, какая она есть, в виде, так сказать, музея, мемориала, а новую Москву строить на новом месте. При всем нашем уважении к авторам этого предложения мы не можем его принять. Москва — исторический центр России, Москва объединила и создала Россию, отказаться от нее мы не можем, не смеем и не посмеем.

Второе предложение — оставить нетронутым нынешний центр Москвы, приблизительно в границах Садового кольца, и окружить его восемью районами-сателлитами, создать восемь жилых конгломератов, которые и будут новой Москвой. Нетрудно увидеть, что это всего лишь облегченный вариант первого предложения.

Из чего исходят оба эти предложения? Они исходят прежде всего из неверия в нашу способность реконструировать Москву. Конечно, легче построить новый город. Но нам, большевикам, под силу и самая сложная задача: перестроить нашу Москву, оставить нашу Москву на ее месте, оставить Москву центром нашей страны, центром мировой революции. И потому мы решили развивать Москву по ее исторически сложившейся радиально-кольцевой схеме. Ее архитектурным центром станет Дворец Советов, увенчанный грандиозной фигурой Владимира Ильича Ленина. От Дворца Советов лучами будут расходиться основные магистрали Москвы, широкие, благоустроенные, с высотными зданиями на каждой. Москва устремится вверх, ввысь. Устремленная ввысь Москва в сочетании с классическими, но по-социалистически осмысленными решениями — вот ее будущий облик. Облик будущей Москвы.

Без четверти десять, возвращаясь с совещания, Сталин прошел к себе в кабинет.

Поскребышев ему доложил:

— Шумяцкий привез картину, Иосиф Виссарионович!

— Хорошо,— сказал Сталин.— Шумяцкий может ехать домой. Передайте Клименту Ефремовичу, чтобы пришел смотреть.

Сталин обычно смотрел картину с кем-нибудь из членов Политбюро. В этом случае он надевал очки и садился в последнем, седьмом ряду с краю, чтобы не мешал луч киноаппарата и сам киноаппарат чтобы не стрекотал над ухом. Иногда, хотя и очень редко, только если были гости, Сталин садился в середине второго ряда и очки не надевал. Он никому не показывался в очках, в очках его никогда не изображали.

Сегодня по распоряжению Сталина привезли «Огни большого города» Чарли Чаплина. Сталин смотрел картину в третий раз. Он любил Чаплина, Чаплин напоминал ему отца, единственного родного человека. А иногда он улавливал у чаплинского героя сходство с собой — такой же одинокий в этом мире. Но он отгонял от себя эту мысль, она не соответствовала действительности. Чаплин напоминал ему отца и только отца. Бедный Чарли уходил по дороге, оглядывался, беззащитно улыбался. Сталин прослезился, вытер платком глаза...

Ворошилов наклонился к нему.

— Коба, что с тобой?

— Это про меня картина,— сухо ответил Сталин.

Но это была картина не про него, а про его отца, незадачливого сапожника Виссариона Джугашвили... Когда он уходил на заработки, обычно в Телави или еще куда-нибудь, он так же, как Чаплин, оборачивался на дороге, махал Иосифу рукой, грустно, беззащитно улыбался.

Они жили тогда в доме Кулумбегашвили, тоже сапожника. В доме было две комнаты, одну занимали Кулумбегашвили, в другой ютились они, Джугашвили. Крошечный, пропахший сапожными запахами домик, где работал Кулумбегашвили, а отец бывал редко, ездил в Кахетию, скитался, не ладил с матерью. Мать была властная женщина, чистокровная грузинка *картвели*, а отец вроде бы из южных осетин, населявших Горийский уезд. Предки его огрузинились, и дед осетинское «ев» в своей фамилии «Джугаев» сменил на грузинское «швили».

Мать ходила стирать и убираться к богатому вдовцу Эгнаташвили. В училище поговаривали, будто он-то и есть отец Иосифа, он-то и поместил его в духовное училище, будь он сыном сапожника Джугашвили, тот обучал бы его сапожному ремеслу, а не бродяжничал бы по Грузии.

Все врут — никому верить нельзя! Маленький Иосиф хорошо знал, что его отец — сапожник Виссарион Джугашвили, тихий добрый человек, хотя мать и ругала его всегда, говорила, что из-за него они такие бедные, что он загубил их жизнь. За эти попреки Иосиф не любил мать.

Безусловно, мать хотела ему добра, хотела, чтобы он стал священником, хотела отдать его богу. И к Эгнаташвили водила, чтобы посытнее и повкуснее поел. А он не хотел к ним ходить. Они богатые, он бедный, выносят ему во двор тарелку харчо, баранину с кукурузой, а сами сидят в комнатах, пьют вино, разговаривают. Когда они ходили к Эгнаташвили, мать старалась приодеть его. А зачем? Одеждой одни подчеркивают богатство, другие пытаются скрыть бедность. А он не стыдился своей бедности. Брюки обтрепались? Плевать! Других брюк у него нет. Ботинки стоптаны? Других ботинок у него нет. В Тифлисе, в семинарии, он даже гордился своим обтрепанным видом — так должен выглядеть настоящий мужчина! Он и сейчас одевается, как простой солдат...

Он не хотел подчиняться воле матери. Отца любил, но и его воле тоже не подчинялся по той простой причине, что воли у отца не было. У матери была воля, и все говорят, что он унаследовал ее характер, но воля и характер ушли у нее на добывание куска хлеба. А отец не захотел гнуть спину за копейки, любил петь, шутить, сидеть за столом с друзьями. И в эти минуты был настоящим мужчиной, симпатичным, обаятельным, веселым. А рядом с матерью выглядел маленьким, забитым, молчаливым. Слабый человек!

Потом пришло письмо, что отца убили в Телави в пьяной драке. Опять врут. Отец никогда не дрался, тихий, миролюбивый человек. Кто и за что мог его убить? Просто умер отец. Мальчики в училище дразнили Иосифа: отец не мог постоять за себя. А Иосиф хорошо знал, что это не так, все ложь, он даже не отвечал, усмехался и отходил в сторону, презирал их всех, своих соучеников, презирал богатых, которые кичатся своим богатством, презирал бедных за то, что стыдятся своей бедности.

Там в Телави и похоронили отца, а где, никто не знает. И он, его сын, тоже не знает. А он любил отца, и отец его любил, не наказывал, никогда не выговаривал, трепал ласково по голове, песни пел. От него

ОН и унаследовал музыкальность. В училищном хоре стоял всегда в верхнем ряду, где стояли все малые ростом. ЕГО голос считался самым лучшим, регент говорил, что у него и слух есть. Все это от отца, и похож он на отца, тот тоже был небольшой, рыжеватый, а мать высокая, черная. Отец любил и понимал шутку, мать шуток не понимала, угрюмая женщина.

Земляки хотят назвать Гори его, Сталина, именем. Не надо! Пусть назовут его именем город Цхинвали — столицу Южной Осетии, это будет памятником отцу и всей отцовской осетинской родне. Матери полезно знать, что он чтит память своего отца, сапожника Виссариона Джугашвили. Женщина неглупая, поймет. Безусловно, в глазах советского народа он должен выглядеть примерным сыном, это делает его образ человечнее, ближе, роднее. Но детство для него — это прежде всего отец.

Он снова вспоминал, как ходил с ним в Атени, крестьяне там возделывали виноградники, давили ногами виноград, заливали в громадные глиняные кувшины хорошее вино «Атенури».

И отец вечерами пил с приятелями атенское вино и пел с ними песни — щемящее сердце грузинское многоголосье. Хорошо пели, хорошо пили — по-грузински, добрея и веселея от вина, не так, как пьют русские мужики, впадая от водки в пьяный кураж, драки и поножовщину. Но это русский народ, великий по численности, по территории, народ, с которым только и можно делать историю. Присоединение к России сохранило грузин как нацию, и потому грузинский социализм — часть социализма общероссийского.

Однако русские — это не грузины. В училище, в семинарии никто не трогал его из-за поврежденной руки, в этом проявлялось исконное грузинское благородство. Но потом люди не считались с этим его физическим недостатком, ни в Баку, ни в Батуми, ни в Сибири, были грубы и безжалостны. Он устоял тогда, противопоставил им еще большую грубость. За грубость Ленин упрекал его, но только так можно управлять: грубость аппарата держит в узде грубость народа. Деликатничают с ним только интеллигенты, которых потом же и выкидывают, как хлам. Еще тогда, в молодости, он понял, что демократия в России — это лишь свобода для развязывания грубых сил. Грубые инстинкты можно подавить только сильной властью, такая власть называется диктатурой. Этого не понимали меньшевики, не знавшие народа, это понимали большевики, знавшие народ. Потому-то русские социал-демократы в большинстве своем пошли за большевиками, не русские социал-демократы — за меньшевиками. Большевизм — русское явление, меньшевизм — не русское. Из всех крупных грузин только ОН один понимал русский народ и пошел с большевиками.

Другие грузины — Ной Жордания, Церетели, Чхеидзе и тому подобные — не знали русского народа и пошли с меньшевиками. Правда, тогда ОН был против национализации земли. Кто был прав для того времени, он или Ленин, неизвестно. Кто был прав или не прав в прошлом, история не дает на это однозначного ответа — прав победитель. Но ОН не стал оппонировать Ленину: его путь с большевиками, с Россией, в которой он только и мог состояться как политический деятель. Он много занимался национальным вопросом и твердо знает: среди наций, как среди людей, побеждают сильнейшие, среди народов, как среди политиков, есть ведущие и есть ведомые. В Советском Союзе, насчитывающем сотню народов, ведущим может быть только один народ — русский, он составляет более половины населения страны. С русским великодержавным шовинизмом нужно ПРОВОЗГЛАШАТЬ беспощадную борьбу, ибо он вызывает в ответ местный национализм. Но ни на минуту нельзя забывать, что главная, объединяющая сила — русский народ. Для русского народа он должен быть русским, как для французов был французом корсиканец Наполеон Бонапарт.

Совещанием Сталин остался доволен. ОН выступил на нем не только как инициатор и организатор реконструкции Москвы, ОН сохранил для России этот город, название которого дорого каждому русскому человеку. ОН сохранил Москву такой, какой ее знает и представляет каждый русский человек. Не эти, сидевшие в зале высоколобые интеллигенты, радеющие о культуре России, а ОН, именно ОН и только ОН удовлетворил глубоко русское чувство любви к Москве и почитания Москвы. И потому Москва теперь — ЕГО город, будущая Москва — ЕМУ памятник. Русский человек Киров барахтается в Ленинграде, трубит о реконструкции Ленинграда, а что там реконструировать? Ленинград — сложившийся город, каменная глыба, с которой ничего нельзя сделать и с которой Киров ничего не сделает.

Но, как всегда, когда ОН демонстрировал свою исключительность, им овладевало острое чувство одиночества. Они встают и рукоплещут, но они не любят его, они его боятся, потому встают и рукоплещут. С бо́льшим удовольствием, торжеством и радостью они бы топтали его поверженного. Они не могут, не хотят согласиться с его превосходством, с его исключительностью и единственностью. Для них он недоучившийся семинарист, узколобый плебей. Даже «соратники» боятся укрепления его власти, толкуют о коллективном руководстве, о роли ЦК, держат в запасе школку Покровского, отрицающего роль личности в истории, желая этим умалить прежде всего ЕГО роль в истории партии, в истории России.

Им этого не удастся. ОН создаст не только новую историю России, но и выработает новые критерии в оценке исторических событий — только так можно обеспечить правильное суждение нынешних и будущих поколений об эпохе. ЕГО эпохе.

Цезарь и Наполеон стали императорами не из тщеславия, а в силу исторической необходимости. Только Цезарь с его единоличной властью мог отразить варваров, только Наполеон-император мог покорить Европу. Верховная власть должна быть царственно величественна, только перед такой властью народ будет преклоняться, только ей будет подчиняться, только она способна внушить ему трепет и уважение. Русская историческая наука представляет Ивана Грозного злодеем. На самом же деле Иван Грозный был великий государственный деятель, присоединил к России Казань, Астрахань и Сибирь, первый в истории России, а может быть, и не только России, ввел монополию внешней торговли, первым из русских царей сделал главным принципом принцип государственности: все подчиняется интересам государства. Бояре противодействовали созданию могучего централизованного государства, и потому ошибка Грозного была не в том, что он казнил бояр, а в том, что мало казнил, не истребил четыре главных боярских рода до самого основания. Древние были в этом смысле дальновиднее, истребляли своих врагов до третьего и четвертого колена, начисто и навсегда.

Неправильно оценивала историческая наука и роль опричнины. Надо различать понятия «опричнина» и «опричник». Опричнина была гвардией Грозного, прогрессивным войском, предназначенным для борьбы с боярством и боярами. Опричник — это исполнитель, среди них должны быть и палачи. Законы о смертной казни принимают гуманные парламентарии, высокообразованные законодатели, а осуществляют смертную казнь палачи.

Петр Первый был великий правитель, создал новую Россию. А что писал о Петре Покровский? Вот эти строчки: «Петр, прозванный льстивыми историками Великим, запер жену в монастырь, чтобы жениться на Екатерине, которая раньше была горничной одного пастора в Эстонии. Своего сына он собственноручно пытал, а потом велел тайно казнить в каземате Петропавловской крепости... Он умер от последствий сифилиса, заразив предварительно и свою вторую жену...» Вот и все, что увидел Покровский в Петре!

Эту чушь нес «глава исторической школы»! А то, что Петр преобразил Россию, этого не заметил! Вот до какой чепухи можно договориться, вот к чему приводят доктринерское понимание марксизма и отрицание роли личности в истории! И этого примитивного социолога Ленин выдвинул в первые историки, хвалил его «Русскую историю в самом сжатом очерке» — беспомощную работу, представляющую всех исторических деятелей России бездарностями и ничтожествами. Как мог хвалить это Ленин? Ленин, который хорошо понимал роль личности в истории!

Покровский хотел представить себя хранителем ленинизма, единственным толкователем взглядов Ленина. Нет, извините! Единственным толкователем взглядов Владимира Ильича Ленина может быть только его преемник, только продолжатель его дела, только тот, кто после него повел страну. Его преемник, его продолжатель — Сталин, страну ведет Сталин. Значит, только Сталин и является единственным толкователем ленинского наследства, в том числе и в области истории, ибо ОН эту историю ДЕЛАЕТ. Однако за десять лет товарищ Покровский не сказал ни слова о том, что внес товарищ Сталин в разработку общественных наук. Разве не понимал товарищ Покровский, что руководить государством — значит разрабатывать теорию государства? Понимал. Но не хотел признать товарища Сталина ни ученым, ни теоретиком.

Антимарксистскую «историческую» школу Покровского надо разбить вдребезги. Авторитет Ленина должен служить тому, что нужно партии сегодня и может понадобиться завтра. И авторитет Ленина должен унаследовать его преемник. Сталин — это Ленин сегодня. Когда Сталин умрет, его преемник будет называться Сталиным сегодня. Только так можно создать несокрушимую преемственность власти, ее вековую незыблемость и устойчивость. Историческая наука должна подтвердить, что Сталин — истинный преемник Ленина, другого преемника быть не могло, те, кто претендовал на ленинское наследство, жалкие самозванцы, политические авантюристы и интриганы. Историческая наука должна подтвердить, что Сталин всегда стоял рядом с Лениным. Не Зиновьев, бывший в эмиграции всего лишь секретарем Ленина, не Каменев, бывший там же лишь его референтом, а именно ОН, который в России на практической работе создавал партию. Поэтому-то она и называется партией Ленина — Сталина. Все мелкие несогласия Сталина с Лениным должны быть забыты, должны быть выброшены из истории навсегда. В Истории должно остаться только то, что делает Сталина Лениным сегодня. Главная задача — создать могучее социалистическое государство. Для этого нужна могучая власть. Сталин — руководитель этой власти, значит, он вместе с Лениным стоял у ее истоков, вместе с Лениным руководил Октябрьской революцией. Джон Рид освещает историю Октябрьского переворота по-другому. Такой Джон Рид нам не нужен.

Будет ли это извращением Истории? Нет, не будет. Октябрьский переворот совершила партия, а не эмигранты, жившие в Париже, Цюрихе и Лондоне. Поднаторели там в дискуссиях и диспутах, научились болтать и митинговать на верандах парижских кафе, а революционерам России приходилось молчать или говорить вполголоса. Но именно они, рядовые, скромные партийные работники, они-то и подняли массы в решающий час на борьбу, на революцию, а потом и на защиту революции. ОН и есть представитель э т и х партийных кадров, и потому ИХ роль в истории Октября — это и есть ЕГО роль. В этом и заключается истинная роль масс и истинная роль личности в истории. Гражданскую войну выиграли не военспецы, только мешавшие делу, выиграли гражданскую войну десятки тысяч коммунистов, кадровых партийных работников, создавших армии и дивизии, полки и отряды. ОН представитель этих кадров, и потому ИХ роль в гражданской войне — это ЕГО роль, а ЕГО роль — это и есть роль партии.

Вот так, на таких принципах должна создаваться история, и история партии прежде всего. Так называемое коллективное руководство — миф. Никакого «коллективного руководства» в истории человечества не существовало. Римский сенат? Чем кончился? Цезарем. Французский триумвират? Наполеоном. Да, история человечества есть история борьбы классов. Но выразителем класса выступает ВОЖДЬ, и потому история человечества — это история его вождей и правителей. Идеализма тут нет. Дух эпохи определяется тем, кто эту эпоху творит. Эпоха Петра — одна из самых ярких в истории России, она отражает его яркую личность. Правление Александра Третьего — самое тусклое, оно вполне соответствовало его собственному ничтожеству.

3

Утром Борис ушел договариваться с возчиком. Саша сел писать письма.

...«Дорогая мама!»

Приговор ему объявили в той же комнате, где раньше допрашивали. Какой-то чин прочитал постановление Особого совещания. Статья пятьдесят восемь пункт десять, административная ссылка в Восточную Сибирь на три года с зачетом предварительного заключения.

— Распишитесь!

Саша перечитал бумагу. Может быть, в ней написано, за что ему дали три года? Ничего не написано. Это даже не приговор, а пункт из какого-то общего списка, где он значится пятым, двадцать пятым, а может быть, и триста двадцать пятым.

Саша расписался. Приговор объявили утром, днем было свидание с мамой, вечером его отправили.

Накануне явился надзиратель, протянул бумагу и карандаш.

— Кого вызываете на свидание?

Он записал маму и отца... Варя? Он может написать: Варя Иванова — невеста. Невесту они обязаны вызвать. Почему именно Варя? Разве он любит ее или она любит его? И все же именно ее он хотел видеть. «Цветок душистых прерий, твой смех нежней свирели». Этого нежного голоса ему не хватало. Но Саша не записал Варю: хочет ли она этого свидания, ждет ли его, нужен ли он ей?

Надзиратель привел Сашу в крохотную камеру и ушел, заперев дверь. Саша сидел за столом и думал, как ужаснется мама, увидев его с бородой, как страшно будет ей идти по тюремным коридорам.

Заскрежетал ключ, мелькнуло лицо надзирателя, за ним лицо мамы, ее седая голова. Надзиратель встал боком, загораживая спиной Сашу, чтобы мама не могла подойти к нему, указал ей на стул по другую сторону стола. И она, маленькая, седая, заспешила к указанному месту, опустив голову, не глядя на Сашу. И, только усевшись, подняла глаза и уже больше не сводила с него взгляда. Губы ее дрожали, и голова мелко подергивалась.

Саша смотрел на нее, улыбался, сердце его обливалось кровью. Так постарела мать, такой несчастной выглядела, столько страдания было в ее глазах. Она пришла в стареньком вытертом демисезонном пальто, называла его «мой габардин», оно напомнило Саше, что уже весна, а видел он маму в январе.

Нижняя половина окна была замазана белилами, а из верхней било весеннее солнце, лучи его падали в дальний угол, где с безучастным лицом сидел надзиратель.

— Хотел побриться и не успел, парикмахера сегодня не было,— весело говорил Саша.

Она молча смотрела на него, губы ее дрожали, и голова дрожала — не могла справиться с этим, старалась не заплакать.

— Парикмахер доморощенный, дерет, никто не хочет у него бриться, может быть, мне идет борода, может, оставить?

Она молчала, мелко кивала головой и смотрела на него.

— Как все? Живы, здоровы?

Он имел в виду своих друзей — в порядке ли они? Она поняла его вопрос.

— Все хорошо, все здоровы.

Но мысль о том, что у всех хорошо, а плохо только с Сашей, только с ним одним, почему-то именно с ним, эта мысль была невыносима. И она заплакала, опустив голову на руки.

— Перестань, мне надо тебе что-то сказать.

Она вынула платок, вытерла слезы.

— Я буду апеллировать, мое дело ерунда, связано с институтом.

Надзиратель перебил его:

— О деле не говорить!

Но мама не испугалась, как пугалась раньше, когда сталкивалась с грубой казенной силой. На ее лице появилось знакомое Саше упрямое выражение, она напряглась, слушая Сашу, и выслушала до конца. И это было то новое, что увидел Саша в своей матери.

— Я уезжаю в Новосибирск, все будет в порядке.

Он не хотел говорить «Сибирь» и сказал «Новосибирск».

— Как только приеду на место, дам телеграмму, а потом напишу. На работу я устроюсь, денег мне не высылай.

— Я передала тебе сто пятьдесят рублей.

— Зачем так много?

— И продукты, и сапоги.

— Сапоги — хорошо, а продукты зря.

— И теплые носки, и шарф,— она подняла глаза,— сколько тебе дали?

— Маломерок — три года свободной ссылки. Через полгода вернусь. Папа приезжал?

— Приезжал в январе, а сейчас я не могла его вызвать, мне позвонили только вчера. Как твое здоровье?

— Прекрасно! Ничем не болел, кормят прилично, курорт!

Он веселился, хотел приободрить ее, но она видела его страдания, страдала сама, вымученно улыбалась его шуткам, тоже хотела его ободрить, пусть знает, что он не одинок, о нем будут заботиться.

— Вера так жалела, что ты ее не вызвал, она приехала со мной, не пустили, и Полину не пустили.

Он как-то не подумал о тетках.

Путая приготовленные слова с теми, что пришли к ней сейчас, она сказала:

— Береги себя, все это пройдет. Обо мне не беспокойся, я поступаю на работу.

— На какую работу?

— В прачечную, приемщицей белья, на Зубовском бульваре, совсем близко, я уже договорилась.

— Перебирать грязное белье?!

— Я уже договорилась. Не сейчас, а когда съезжу к тебе.

— Зачем ехать ко мне?

— Я приеду к тебе.

— Хорошо, мы спишемся,— примирительно сказал Саша.— Из института приходил кто-нибудь?

— Тот маленький, косой...

Руночкин! Значит, с ребятами все в порядке.

— Что он говорил?

— Про заместителя директора...

Криворучко! Значит, он здесь. Дьяков не обманул.

— В нем-то все и дело,— проговорил Саша.

Надзиратель встал.

— Свидание окончено.

— Все дело в нем,— повторил Саша.— Передай Марку.

Она закивала головой в знак того, что понимает: Сашу арестовали из-за заместителя директора, об этом надо передать Марку. Она передаст, хотя знает, что это бесполезно. Все бесполезно. Пусть будет так, лишь бы не хуже. Три года, они пройдут, они ведь когда-то кончатся.

— И еще передай: никаких показаний я не дал.

Надзиратель открыл дверь.

— Проходите, гражданка!

Саша встал, обнял мать, она приникла к его плечу.

— Ну вот,— Саша погладил ее по мягким седым волосам,— все в порядке, а ты плачешь.

— Проходите, гражданка!

Нельзя обниматься, нельзя подходить друг к другу, но все вот так вот подходят, обнимаются, целуются.

— Давайте, давайте,— привычным движением плеч надзиратель подтолкнул мать к двери.— Сказано ведь, проходите!

Саша написал маме, что все хорошо, он здоров, весел, присылать ничего не надо. А писать ему в село Богучаны Канского округа, до востребования.

Борис вернулся злой — никто не хочет ехать, боятся плохой дороги, запрашивают громадные деньги.

А комендатура не ждет — добирайся, как хочешь. Прогонных дают гроши — на полпути и то не хватит.

Обедали опять в «Заготпушнине». В углу за пустым столиком, съежившись, сидел Игорь.

— Граф на посту,— заметил Борис,— ждет меня и Дульсинею. Дульсинее — почитать стихи, от меня — получить даровой обед. Но не дождется, я сам теперь безработный.

Повариха на этот раз не вышла к Соловейчику, громко двигала кастрюли, колотила алюминиевыми тарелками.

— Привадили, Борис Савельевич, сидит с утра, от сотрудников неудобно, не паперть — куски собирать.

— Я с ним поговорю.

Борис уже не был начальником, но повариха, как и вчера, положила ему в тарелку лишнюю ложку сметаны.

— Надо понять ее положение,— сказал Борис,— нищие в столовую не допускаются, она за это отвечает.

— Он голоден,— ответил Саша.

— Знаете, Саша,— с сердцем возразил Борис,— ссыльных устроил сюда я. Теперь мне, конечно, наплевать, я уезжаю. Но для тех, кто остается, это вопрос жизни и смерти. А кончится тем, что их отсюда погонят. Я предупреждал: приходите часам к двум, когда сотрудники уже пообедали, не шумите, не мозольте глаза, тихо, мирно, аккуратно. Так нет! Он является с утра, торчит целый день, кусошничает, читает стихи, а стихи, знаете, бывают разные, и любители стихов тоже бывают разные... Вы меня понимаете?..

— В Париже люди собираются в кафе, треплются, Игорь привык к этому.

— Я привык к теплому клозету,— отрезал Борис,— к ванной, телефону, ресторану. Как видите, отвык.

— Накормим его в последний раз,— предложил Саша,— я заплачу, позовите его.

Борис пожал плечами, нахмурился, поманил Игоря пальцем.

Игорь ждал этого знака, засуетился, неловко выбрался из-за стола, искательно улыбаясь, подошел.

— Ну как, получил деньги за чертежи? — спросил Борис.

— Обещают на днях.

— А где дама?

— Валерия Андреевна уехала в Ленинград.

— Совсем?

— Совсем.

— «Мы странно встретились и странно разойдемся»,— пробормотал Борис.— Ну, садись.

Игорь поспешно сел, положил смятую кепку на стол, спохватился, переложил на колени.

Борис кивнул на Сашу.

— Завтра нас...

Игорь приподнялся и поклонился Саше, Саша улыбнулся ему.

— Так вот,— продолжал Борис,— завтра нас отправляют на Ангару. Я договорился: тебя и других товарищей будут по-прежнему сюда пускать. Но тебе пора понять: это не кафе на Монмартре.

— Понимаю,— наклоняясь к столу, прошептал Игорь.

— Здесь закрытая учрежденческая столовая. Пообедал и ушел. Нет денег — не являйся. Такой здесь порядок. А ты его нарушаешь. Тебе могут отказать, это полбеды. Но из-за тебя откажут и другим, твоим товарищам по ссылке. Понял?

— Понял, но я не ссыльный,— поспешно ответил Игорь.

— Кто же ты такой, позволь узнать? — насмешливо спросил Борис.

— Меня не судили, вызвали и сказали: поезжайте в Канск, будете там жить.

— На отметку ходишь?

— Хожу.

— Паспорт есть?

— У меня никогда не было советского паспорта.

— Ты имеешь право уехать?

— Нет.

— Значит, ты такой же, как и мы. А теперь идем!

Борис и Игорь подошли к окошку и вернулись: Игорь с тарелкой борща, Борис с хлебом и прибором.

— Ешь! — приказал Борис.— И не торопись, никто у тебя не отнимает.

Игорь молча ел, наклонившись к тарелке.

— Ведь ты художник, можешь рисовать портреты.

Игорь положил ложку, вытер пальцем губы.

— Не хотят, говорят, фотографии больше похожи и дешевле.

— Можешь малевать какие-нибудь пейзажики,— настаивал Борис,— здесь это любят, в клубе можно подработать к празднику. Надо только шевелить мозгами и не считать себя аристократом.

— Я не считаю,— прошептал Игорь.

— Врешь, считаешь. А меня ты считаешь плебеем.

Игорь мотнул головой.

— Нет, не плебеем.

— Кем же?

Игорь опустил голову, ложка его застыла в воздухе.

— Я вас считаю жлобом.

И еще ниже наклонился к тарелке.

Саша не мог сдержать улыбки.

Борис побледнел.

— Для меня это не новость. Хам, плебей, жлоб — одно и то же. В России. Не знаю, как в Париже. Но так как плебеи, то есть, простите, жлобы, обязаны кормить господ дворян, то я оставляю тебе семь рублей,— Борис вынул из кармана и отсчитал семь рублей,— на десять обедов. Деньги я оставлю на кухне, иначе ты их прожрешь за один день. А вот потом, когда умнешь эти десять обедов, то или найдешь другого жлоба, что исключено, или будешь работать, что сомнительно, или подохнешь с голоду, что вероятнее всего.

Он подошел к окошку, переговорил с поварихой, передал ей деньги. Она с недовольным видом кинула их в тарелку, служившую ей кассой.

Саша встал. Игорь тоже встал. Кепка его упала, он наклонился и поднял ее.

Саша протянул ему руку.

— До свидания, я надеюсь, вы устроитесь в конце концов.

— Постараюсь,— ответил Игорь печально.

— Бывай! — сухо кивнул Борис.

Утром к дому подъехал возчик в рваной лопотине, засаленном треухе и стоптанных ичигах. На сморщенном лице вместо бороды кустилась рыжеватая щетина, смотрел он тревожно и озабоченно: не продешевил ли?

Саша и Борис положили на телегу вещи, хозяйка — кулек со снедью. И долго стояла на крыльце, глядя им вслед.

Шагая за телегой, Борис с грустью сказал:

— Как там ни говори, а она много для меня сделала.

В комендатуре их ожидали товарищи по этапу: Володя Квачадзе — высокий красивый грузин в новой черной телогрейке, полученной за месяц до окончания лагерного срока, а срок был пять лет; Ивашкин, пожилой типографский рабочий из Минска; Карцев, бывший московский комсомольский работник, доставленный в Канск из Верхнеуральского политизолятора после десятидневной голодовки.

Борис постучал в окошко и сообщил, что телега прибыла, он, Соловейчик, и Панкратов Александр Павлович тоже прибыли.

— Подождите!

Окошко захлопнулось.

Володя Квачадзе держался надменно, хмурился и молчал. Карцев тоже в разговор не вступал, сидел на скамейке, закрыв глаза, слабый, измученный, безучастный ко всему.

— Дороги еще нет, и возчик содрал сто рублей,— сказал Борис,— прогонных у нас пятьдесят. Остальные придется доплачивать.

— И не подумаю,— отрезал Володя,— пусть они доплачивают.

— Дают, сколько положено,— объяснил Борис,— летом, конечно, можно проехать.

— Могу поехать и летом, не тороплюсь,— ответил Володя,— и вообще пустой разговор: у меня нет денег.

— У меня тоже нет,— не поднимая век, тихо ответил Карцев.

— И у меня нет,— виноватым голосом добавил Ивашкин.

Окошко открылось.

— Ивашкин!.. Распишитесь!

Ивашкин растерянно оглянулся.

Квачадзе отодвинул его, сунул голову в окошко.

— Вы даете по десять рублей, а телега стоит сто.

— Выдаем, сколько положено.

Борис наклонился к окну.

— Не у всех есть деньги, как же быть?

— Думайте, как быть,— последовал ответ.

— Вам придется подумать! — крикнул Володя.— Вам! — Квачадзе застучал кулаком по окошку.

— Чего безобразничаете?

— Позовите начальника!

Ивашкин тронул его за рукав.

— Не надо бы скандалить, ребята!

Володя бросил на него презрительный взгляд.

Появился упитанный человек с двумя шпалами в петлицах.

— У кого претензии?

— Мы не можем и не обязаны оплачивать транспорт,— через плечо бросил Володя Квачадзе.

— Идите пешком.

— А вещи? Вы понесете?

— Ты с кем разговариваешь?!

— Мне все равно с кем... Я спрашиваю: кто понесет вещи?

— Норма прогонных утверждена народным комиссаром внутренних дел,— сдерживая себя, объявил начальник.

— Пусть ваш народный комиссар и ездит по таким прогонным.

— Ты что, обратно в лагерь захотел?

Володя уселся на корточки возле стены.

— Отправляйте!

— Сумеем отправить!

— Пы-жалста!

— Конвой! — крикнул начальник.

Вышли два конвоира, подняли Квачадзе, скрутили назад руки.

— Оттого, что вы его связали, у него деньги не появятся,— сказал Саша.

— Тоже захотел?! — багровея, закричал начальник.

— И у меня от этого деньги не появятся,— спокойно продолжал Саша.

Начальник отвернулся и приказал:

— Телегу загнать во двор.

Квачадзе повели внутрь комендатуры.

Ивашкин кашлянул.

— Нарвемся, ребята!

Карцев не поднял век.

Открылось окошко.

— Соловейчик!

Борис подошел.

— Оплатите сейчас возчику свои прогонные, остальные доплатит уполномоченный в Богучанах. Ему передадите этот пакет, тут документы на всех. Выходите!

Они вышли на улицу. Из ворот управления выехала телега, за ней два верховых конвоира с винтовками.

На телеге лежал связанный Володя Квачадзе, непримиримо косил черным злым глазом.

Партия двинулась.

4

У кирпичной стены встали мальчики, на скамейки сели преподаватели, на землю — девочки, приодетые, радостные, торжественные. Кончили десятый класс, кончили школу, расстаются с ней навсегда. Только Варя не пришла.

Не явиться в такой день! Нина задыхалась от возмущения. Не проститься с классом, с товарищами, с которыми провела десять лет жизни, не оставить на память даже фотографии. Не подумать, в какое положение ставит ее, свою сестру, перед педагогическим коллективом.

Несколько дней назад в учительской к ней подошел математик, хвалил Варю — «даровитая барышня». Слово «барышня» неприятно кольнуло. В сестре действительно появилось что-то подчеркнуто несовременное, волосы она носила на прямой пробор, но не просто стягивала их узлом на затылке, а напускала на уши, как женщины на старинных портретах. И взяла манеру поворачивать голову, будто смотрит на все сбоку, со стороны.

Слово «барышня» Нина считала социально чуждым, а потому оскорбительным, приготовилась к тому, что разговор с математиком получится не из приятных, но он смотрел доброжелательно, физик и химичка тоже говорили о Варе хорошо, и он согласно им кивал, Варя может не бояться конкурса, никто из них не сомневался, что она поступит в институт.

Нина отделалась общими фразами: Варя и рисует хорошо, и чертит прекрасно, а когда у человека много способностей, ему трудно найти себя... Не признаваться же в том, что сестра с ней не считается, живет, как хочет, и ведет себя, как хочет.

Курит. На вопрос, откуда такие дорогие папиросы, «Герцеговина флор», узкая пачка, десяток, спокойно ответила: «Купила». И на вопрос, почему так поздно приходит домой, где задерживается, так же коротко отвечала: «У знакомых». Где доставала деньги на папиросы, у каких знакомых сидит до утра — не говорила. Когда Нина спросила, кто дает ей заграничные патефонные пластинки, нагло прищурилась. «Ведь я работаю на японскую разведку. Разве ты не знаешь?»

С вызовом сказала, нарывалась на скандал. Нина раздражение сдержала, улыбнулась, как шутке.

— Думаю, и в разведке больше ценят людей с высшим образованием. Оглянись вокруг, Варюша, в какое время живем. Каждый имеет возможность развить свои способности, разве это не главное? Зачем тебе упускать годы, ведь все учатся...

— Мне неинтересно, понятно тебе?

— А что тебе интересно? — закричала Нина.— В подворотне торчать?!

Как подвернулась на язык эта подворотня, она и сама не знала, понимала, что не в дворовой компании теперь дело, ругала себя, что сорвалась.

Что хочет Варя? Стать чертежницей? Машинисткой? Уехать в Сибирь к Саше? Все может выкинуть, все что угодно.

Тогда на вокзале, когда Варя увидела Сашу под конвоем, с ней была истерика, она рыдала, ничего не хотела слушать. В трамвае на них оглядывались: девочка в дамской, с чужого плеча котиковой шубе плачет, закрывает платком лицо.

Дома Нина уговорила ее не ходить к Софье Александровне, и Варя неожиданно послушалась, легла, ее знобило, Нина укрыла ее теплым одеялом: выспится, успокоится, все пройдет. Варя проспала вечер и ночь, не слышала, как приходила Зоя за своим несчастным котиком, не слышала, как Нина утром собиралась в школу. Нина беспокоилась, вернулась пораньше, но Варю дома не застала.

Варя пришла поздно, сказала, что была у Софьи Александровны. И так же, как накануне, легла в постель под теплое одеяло, а следующий день снова провела у Софьи Александровны.

Спустя какое-то время Нина тоже зашла к Софье Александровне. Та встретила ее сухо, без обычной сердечности, будто Нина виновата в том, что Сашу выслали, а остальные ходят на свободе. Так это надо было понимать. Варя сидела на диване, читала и, когда Нина вошла, едва на нее взглянула. Разговор не клеился. Софья Александровна отвечала односложно, в паузах было слышно, как Варя переворачивает страницы. Тоже, наверное, считает, что Нина предала Сашу, ничего для него не сделала.

Пусть думает. К Софье Александровне Нина не ходила и не пойдет больше. С Варей объясняться тем более не будет. Оправдываться ей не в чем, она ни в чем не виновата.

Но остался неприятный осадок, ощущение того, что ее выставили из дома. Она там чужая, а Варя — свой человек. Вот откуда ее непримиримость, вот откуда веревочка вьется.

Что внушает ей Софья Александровна? Ведь она по другую сторону, потому что Саша тоже по другую сторону. Дико, но это так. Нина помнит, каким был Саша в школе, но трогательная школьная дружба недостаточна для политического доверия. Детство — детством, жизнь — жизнью. Что осталось от их компании? Саша выслан. Макс на Дальнем Востоке. Женится, наверное, обзаведется семьей. Шарок в прокуратуре. И это тоже дико. Юрка Шарок — вершитель судеб, прокурор, слово, олицетворяющее для Нины рыцарскую преданность революции, а Саша Панкратов — ссыльный контрреволюционер!

И все же есть жесткая, но неумолимая логика истории. Если оценивать коммуниста только по личным качествам, то партия превратится в аморфную массу прекраснодушных интеллигентов.

Итак, кто же остается? Вадим Марасевич? Он по-прежнему приветлив, когда встречаются на Арбате. Печатается в газетах и журналах, преуспевает, как и вся его семейка, а ведь признали-то Советскую власть на семнадцатом году ее существования.

Варя стояла босиком на подоконнике, в коротком вылинявшем сарафане, мыла окно. Темные капли сбегали по рукам, ползли по стеклу, скапливались в лужицы между рамами.

— Ты почему не пришла фотографироваться?

— Забыла. А когда вспомнила, было уже поздно.

— Слава богу, что ты помнишь хотя бы про другие свои дела.

Варя бросила тряпку в таз с водой, спрыгнула на пол.

— Не сфотографировалась,— она задвигала ящиками, вынула фотографии, положила на стол,— вот шестой класс, вот седьмой, восьмой. Кстати, вот и десятый, мы снимались осенью. Не слишком изменились за эти полгода. Можешь убедиться.

Нина, не взглянув на фотографии, холодно объявила:

— Через два дня я уезжаю на семинар. Решай, что ты намерена делать. Я могу помогать тебе только при условии, что ты будешь готовиться в вуз. В ином случае тебе придется самой позаботиться о себе.

— Я думаю, у тебя нет оснований для больших беспокойств,— ответила Варя,— я поступаю на работу.

Потрясение, которое испытала Варя на вокзале, увидев Сашу, не проходило. Ее ужаснуло, что его вели под конвоем, ужаснуло, как он выглядел, бледный, постаревший, обросший бородой. И как бежали мимо него по перрону люди, озабоченные только одним — поскорее забраться в вагон и занять места получше. И то, что молодые командиры, веселые, краснощекие, даже не взглянули на человека, которого вели под конвоем, уезжали на Дальний Восток, убежденные, что все устроено правильно.

Еще больше потрясло ее, как покорно шел Саша, сам тащил свой чемодан, своими ногами шел в ссылку.

Почему он не дрался, не сопротивлялся, почему его не несли связанным? Если бы он дрался, сопротивлялся, кричал, протестовал, если бы его несли связанным по рукам и ногам, тогда бы не двое конвойных, а целый взвод, тогда бы не в общий вагон, а в железный, с решетками, тогда бы люди не бежали по перрону так бездумно. И эти Максимы и Серафимы в своих новеньких военных формах тоже, может быть, не были бы такими самодовольными, ограниченными, такими послушными.

Саша покорился.

Когда она носила ему передачи в Бутырки, ей казалось, что эти высокие, толстые, непробиваемые стены выстроены для Саши — так его боятся эти вооруженные люди. Нет, они его не боятся, он им не страшен, они ему страшны. Поэтому так безропотно шел он между двух молоденьких конвоиров, которых мог раскидать одной рукой. Не мог.

Но Софью Александровну Варя жалела, по-прежнему бывала у нее каждый день, выкладывала разные новости, старалась развлечь. Когда Софья Александровна поступила на работу в прачечную, ходила за нее в магазины, отоваривала карточки.

Софья Александровна хвалила Сашу, называла его честным, мужественным, бесстрашным. Варя не возражала, но сама Сашу мужественным больше не считала. Если он позволил *так* себя унизить, значит, он такой, как все. И всегда был, как все, выполнял то, что приказывали. А теперь ему приказали ехать в ссылку, он и поехал в ссылку, покорно шел по перрону, тащил чемодан.

Софья Александровна решила сдать Сашину комнату, Варя помогала убирать ее для новой жилички. В шкафу лежали Сашины коньки, «гагены» на изношенных ботинках, с длинными шнурками, завязанными в порванных местах узлами. Софья Александровна взяла коньки и заплакала, они напомнили ей Сашино детство.

А Варе они напомнили морозный запах катка, пятно тусклого света на льду, оркестр в раковине, горячий чай в буфете, сутолоку раздевалки. И у нее порванные шнурки были завязаны такими же неуклюжими узлами. Эти узлы мешали протянуть шнурки сквозь дырочки ботинок, приходилось долго возиться.

И еще Варя вспомнила, как они были в «Арбатском подвальчике» и она пригласила Сашу пойти на каток. Тогда казалось, что все благополучно кончилось, Саша всех победил. Они веселились, танцевали танго, румбу, оркестр играл «Мистера Брауна» и «Черные глаза», «Ах, лимончики, вы мои лимончики» и «Где б ни скитался я цветущею весной»... И Саша защитил незнакомую девчонку, вел себя смело.

Тогда, в «Арбатском подвальчике», он казался ей героем.

Теперь она поняла, что он не герой. И вообще нет героев.

Есть громадный дом без солнца, без воздуха, выдыхающий из подвалов запахи тухлой капусты и гниющей картошки. Перенаселенные коммунальные квартиры со склоками, судами. Лестницы, пропахшие кошками. Очереди за хлебом, сахаром, маргарином. Неотоваренные карточки. Интеллигентные мужчины в залатанных брюках. Интеллигентные женщины в замызганных кофтах.

И рядом, на углу Арбата и Смоленской, магазин торгсина, где есть в с е, но только для обладателей золота и иностранной валюты. И тоже рядом, в Плотниковом переулке, закрытый распределитель, где тоже есть в с е. И здесь же на Арбате — «Арбатский подвальчик», где тоже есть в с е, но для тех, у кого много денег. Нечестно, несправедливо!

В шестом классе Варя ходила в драмкружок, его вела бывшая актриса Елена Павловна. Активисты обвинили ее в том, что она ставит Островского и Грибоедова и не ставит агитационных пьес советских авторов. Елену Павловну уволили, а на ее иждивении больная дочь. Варя поражалась жестокости, с какой старого человека лишили куска хлеба. С тех пор прошло три года, драмкружок не возобновился, не могли найти руководителя на такую ничтожную ставку. Все угробили. И никто за это не ответил. Варя удирала со школьных собраний, там все решалось заранее, а тянуть руки унизительно. И Нинка их защищает, Нинка дура, у нее готовый ответ на любой вопрос. Вопросы разные, а ответы одинаковые.

Варя спасалась во дворе среди мальчишек и девчонок, таких же неприкаянных, как она. Курить нельзя — мальчики курили, красить губы предосудительно — девочки красили, пудрились, отпускали длинные волосы, носили ажурные чулки, яркие косынки.

Но сейчас и это становилось неинтересным. Потрясение, которое испытала Варя на вокзале, толкало ее к поискам другой независимости. Тем более к этому времени двор заменился новой компанией.

Как-то Варя встретила на Арбате Вику Марасевич с франтоватым мужчиной лет сорока, очень противным.

Раньше Вика не замечала Варю, а тут остановилась, даже обняла ее. От Вики пахло удивительными духами.

— Виталий — мой приятель, Варя — моя школьная подруга...

Варя отметила про себя эту легкую неточность, всего каких-нибудь пять классов разницы...

— Вот какие у нас красотки на Арбате,— продолжала Вика.— А? Что скажешь, Виталик?

Виталик поднял дурацкие брови, развел руками, не находя слов.

— Совсем исчезла, не звонишь, не заходишь.

Варя никогда не звонила Вике, никогда не бывала у нее.

— Как Нина?

— Ничего, работает.

— Нина — ее сестра,— пояснила Вика своему спутнику,— звони, и я тебе буду звонить.

Вика вынула из сумочки записную книжку, перелистала, назвала их телефон.

— Не изменился?

— Нет.

— Ну, не пропадай.

Через два дня Вика позвонила и позвала к себе.

Варя пришла.

Вика, видимо, только встала, была еще в халате, чулки, шелковое белье, платье валялись на кресле, ничего ей эти тряпки не стоят, не трясется над ними.

Вика показала свой гардероб: юбки, костюмы, плащи, туфли — пар шесть или семь. Маленьким ключиком открыла деревянную шкатулку — она стояла на трельяже среди флакончиков и баночек,— там лежали серьги, бусы и броши. Показывала не из чванства, а демонстрировала, что модно, что носят за границей, перебирала иностранные журналы: с их страниц смотрели зябкие красотки, укутанные в меховые манто, в чулках телесного цвета и лаковых туфельках.

Потом они сели за столик, придвинутый к тахте, пили кофе и ликер «Бенедиктин» из крошечных рюмочек, курили длинные сигареты с золотым обрезом.

Да, совсем другой мир! Там стоят в очередях, отоваривают карточки. Здесь пьют кофе, курят сигареты, любуются заграничными модами.

— Нина знает, что ты пошла ко мне?

— Нет.

— Ты ей говорила, что встретила меня?

— Я обязана докладывать?

— Правильно сделала,— похвалила Вика.— Я уважаю твою сестру. Но у нее мужской склад ума, ей безразлично все, чем живут женщины, она презирает меня, я знаю. Нина — синий чулок. Я не ставлю ей это в вину, уважаю ее стремления, она общественница, это хорошо, прекрасно! Но не все созданы такими.

— Нина хочет, чтобы все жили так, как живет она,— сказала Варя.

— Ты кого любишь? — спросила Вика, заводя патефон.— Мелехова? «Скажите, девушки, подружке вашей...» Ну, сколько можно?..

Она запустила Вертинского, потом Лещенко. «Край Прибалтийский объезжая, я всем ужасно надоел»...

— У Виталия замечательные пластинки. Как-нибудь зайдем послушать.

Варя рассмеялась:

— К нему?!

— А что ты имеешь против?

— Я, конечно, знаю, что человек произошел от обезьяны, но зачем к нему ходить?

— Ты его недооцениваешь. Виталик — весьма влиятельный гражданин.

— Пусть влияет на других.

— Ты не собираешься в театральный?

— В этом году я никуда не буду поступать. Пойду работать.

— Куда?

— Куда-нибудь чертежницей.

— Варя! — воскликнула Вика.— Виталий тебя моментально устроит. У него вся Москва друзья. Сейчас я ему позвоню.

Она подтянула к тахте телефон на длинном шнуре и набрала номер.

— Это Вика.

В трубке слышалась джазовая музыка.

— Прикрути свою шарманку! — приказала Вика.— У меня Варя,— продолжала она,— моя школьная подруга, с Арбата... Хорошо,— она кивнула Варе,— тебе привет...

— Мерси!

— Слушай, она хочет устроиться чертежником-конструктором... В школе... был чертежно-конструкторский уклон, она прекрасно чертит. Что? А кто у тебя?.. Нет, неинтересно... А где ты его достанешь? (Речь, по-видимому, шла о человеке, из-за которого Вика согласилась бы приехать.) Нет! Договоримся на послезавтра, в субботу, Эрик будет наверняка, поедем в «Метрополь»... Сейчас спрошу... Варя, ты свободна послезавтра?

— Да.

— Она свободна. И будет Эрик... А я тебе говорю — будет! Иначе мы с Варей не придем. Он должен быть обязательно, имей это в виду...

Вика положила трубку.

— С нами будет еще один человек, его зовут Эрик. Он работает по оборудованию Магнитостроя.

Она посмотрела на Варю.

— Приходи ко мне послезавтра в шесть, от меня поедем. Обсудим и устроим твои дела. Заодно развлечемся.

Она улыбнулась, потрепала Варю по волосам.

— Могу тебя сводить к Павлу Михайловичу, и он сделает тебе прическу.

Павел Михайлович — знаменитый парикмахер, его парикмахерская возле «Праги» называлась «Поль». Клиентки так в свое время и называли его: «Господин Поль». Назвав его по имени-отчеству, Вика подчеркнула свое близкое с ним знакомство.

5

Как оденется она завтра, в чем поедет в «Метрополь»? Варя представила себя рядом с Викой — девочка в вытертой кофте. Все, что у нее есть, старомодно, уродливо. А чулки? А туфли? Она рылась в шкафу, одевалась, раздевалась. Только старое синее платье сидело прилично. «Бульдожки» на высоком каблуке придется снова просить у Зои, ничего не поделаешь.

Вика была в платье, сплошь расшитом бисером, впереди чуть ниже колена, сзади ниже икры, и один бок чуть ниже другого. Платье плотно облегало грудь и талию. Высокая, белокурая, эффектная, с гладкой кожей и большими серыми глазами.

Она сняла платье, осталась в белье цвета чайной розы, сидела раздетая, меняла прическу, не торопилась, хотя встреча назначалась на семь, а время приближалось к восьми.

Звонил телефон, шли сложные переговоры с Виталием. Он никак не мог найти Эрика, предлагал приехать к нему. Вика объявила, что им и здесь прекрасно.

— Было бы прекрасней с тобой, но, к сожалению, ты должен дежурить у телефона.

Вика все еще сидела перед трельяжем в одном белье.

— Ленка Будягина бывает у вас?

— Не была с Нового года.

— К Юрке ходит?

— Не видела, Юрка — легавый, терпеть его не могу!

Вика повернулась на своем вращающемся пуфе, гневно посмотрела на Варю — так в их доме не говорят. Вика, ее брат, их отец, весь их к р у г приняли действительность как данность, как неизбежные условия существования. Форма этого приятия проста: уважительная сдержанность, никаких двусмысленностей, анекдотов, намеков — слишком хорошо известно, чем они кончаются.

— Варя, запомни хорошенько! Я познакомлю тебя с людьми. Положение, которое они занимают, ко многому обязывает. Тебе придется взвешивать свои слова.

— А что я такого сказала?

Вика не хотела повторять слова «легавый», не она его произнесла.

— Твои эпитеты отдают улицей.

Варя вспыхнула.

— А я на улице выросла.

— Ты меня не поняла. Я не о вульгарности, у меня такой мысли не было. Но от некоторых вещей и от некоторых слов лучше подальше. Юра занимается своим делом, а мы с тобой в этом не разбираемся.

Варя молчала. Где уж ей разбираться?.. Разве что в тюремных очередях... Но Вика права: здесь новый, незнакомый мир и надо держаться по-другому.

— Просто я не люблю Шарока, он так смотрит, противно.

Вика обняла ее.

— Ты умница. «Жизнь коротка» — банальные слова, но доля истины в них есть. А остальное нас не касается. Правда?

Когда Варя пришла к Вике, в квартире стояла тишина. Часов в девять дом ожил, послышались голоса, шаги в коридоре, хлопанье дверьми. Вика не обратила на это никакого внимания: здесь каждый живет своей жизнью, никому нет дела до другого, даже Вадим ни разу не заглянул к сестре. И Варя сравнивала это со своей коммунальной квартирой, с комнатой, где она жила вместе с Ниной, под ее нудным обременительным контролем.

В десять часов позвонил Виталий и попросил их через пятнадцать минут, не позже, спуститься к подъезду.

Вика неторопливо поправила прическу, снова подмазала губы, надела свое платье, расшитое бисером.

Эрик оказался высоким стройным молодым человеком с гладко зачесанными назад блестящими черными волосами. По костюму и по тому, как костюм сидел на нем, было видно, что иностранец. Он вышел из машины, открыл Вике и Варе дверцу с галантностью принца, приглашающего пастушек войти в карету. Затем сел за руль и всю дорогу не проронил ни слова. У «Метрополя» помог девушкам выйти из машины.

Очередь у входа в ресторан расступилась, швейцар в форме с галунами открыл перед ними дверь, возник метрдотель в черном костюме, в переполненном зале сразу нашелся свободный столик, официант расставил приборы. Со швейцаром, гардеробщиком, метрдотелем, официантом разговаривал Виталий, но Варя видела, что все стараются ради Эрика, и больше всех сам Виталий. Как свой здесь человек, Виталий просмотрел меню, посоветовал, что заказать, официант с блокнотом и карандашом в руках записывал.

Вика преобразилась. Очередь у ресторана, швейцар, гардеробщик, отсутствие мест, внимание метрдотеля, услужливость официанта — ничто ее не касалось. Из своего короткого прохода по залу она устроила триумфальное шествие, направленные на нее взгляды должны свидетельствовать о ее красоте и тем усилить впечатление, которое она хотела произвести на Эрика. Она шла, глядя прямо перед собой,— никаких знакомых, которые могли бы скомпрометировать ее фамильярностью, сегодня она сама решит, с кем будет общаться.

Сев за стол и обведя зал равнодушным, ничего не пропускающим взглядом, она кивнула миниатюрной блондинке, сидевшей с плотным низкорослым японцем в темных очках.

— Узнаешь Ноэми?

Как и тогда, на Арбате, она держалась с Варей, как с близкой подругой. Варя понятия не имела о Ноэми, слышала только, как час назад Вика договаривалась с ней встретиться в «Метрополе».

Потом показала на хорошенькую китаяночку.

— Смотрите, и Сибилла здесь!

Следя за тем, как официант расставляет приборы, Виталий объяснил Варе и Эрику, что Сибилла Чен, дочь китайского министра иностранных дел, знаменитая танцовщица, начинает завтра гастроли в Москве, продолжит их в Ленинграде, затем отправится в турне по Европе и Соединенным Штатам. Он назвал еще несколько артистов. Главный съезд через полчаса, когда кончатся спектакли. С одиннадцати начнет играть теа-джаз Утесова, без самого Утесова, он в ресторанах не поет.

Многие девушки были с иностранцами. Варя знала, они дарят им модные тряпки, катают на автомобилях, женятся на них и увозят за границу. Варю иностранцы не интересовали, но этот ресторан, фонтан и музыка, знаменитости кругом — не к тому ли стремилась она из своей тусклой коммунальной жизни?

Накрахмаленные скатерти и салфетки, сверкание люстр, серебро, хрусталь... «Метрополь», «Савой», «Националь», «Гранд-отель»... Коренная москвичка, она только слышала эти названия, теперь наступил ее час. Девочка с арбатского двора, цепкая, наблюдательная, она все заметила — и как смотрят на нее мужчины, и как скользят мимо взглядом женщины. Не принимают всерьез потому, что плохо одета. Ничего, они по-другому посмотрят на нее, когда она придет сюда, одетая пошикарнее многих. Каким способом удастся ей добыть наряды, Варя не задумывалась. Она не будет продаваться иностранцам, она не проститутка. И не все здесь такие. Вон через столик компания — одна бутылка на всех, денег нет, пришли потанцевать, найдет и она *свою* компанию.

Обсуждали вина. Виталий советовал «Шато-и-кем», но Вика потребовала «Барзак», о таком вине Варя слышала впервые. Эрик предпочел рюмку водки и икру. Вежливая улыбка не сходила с его лица, он прилично говорил по-русски, хотя и с легким акцентом, иногда напрягался, вспоминая слова. Его отец — швед, владелец известной телефонной фирмы, устанавливает какие-то особенные средства связи на наших заводах, и вот Эрик — инженер, представитель фирмы отца. Его мать родилась в России, в Прибалтике, научила Эрика русскому языку, даже отец знает русский — их фирма еще до революции устанавливала первые в России телефоны. Варя улыбнулась, сказала, что скандинаву полагается быть голубоглазым блондином.

Так же серьезно Эрик объяснил, что его бабушка по материнской линии — грузинская княжна, вышедшая замуж за остзейского барона, генерала русской службы. Он назвал его фамилию, что-то из викторин, которые любила отгадывать Варя. В ее классе учились потомки старинных дворянских фамилий, это были мальчишки и девчонки с Сивцева Вражка, Гагаринского, Староконюшенного и других арбатских переулков. А родословная Эрика проходила не только через века, но и через страны, она была причудлива, как сама история, разбивающая старинные роды и раскидывающая по свету их осколки.

— Вы сразу не оборачивайтесь,— наклоняясь к столу, тихо проговорила Вика,— потом посмотрите. Сзади нас, справа, второй столик, сидят двое — итальянец и с ним девушка...

Все по очереди, как бы между прочим, оглядели столик. Там сидел итальянец и с ним высокая худая девушка с марсианским лицом — громадные глаза и очень белая кожа.

— Нина Шереметева,— объявила Вика.

— Из тех? — поднял брови Эрик.

Заметив интерес Эрика к графине, Вика ответила:

— Из тех, но не из главных, из захудалых.

— Была замужем за фотокорреспондентом, потом за актером, потом актер вернулся к жене, интересно, чем кончится авантюра с итальянцем,— добавил Виталий.

Вика спровоцировала эти разоблачения. Теперь, когда они были сделаны, сочла нужным продемонстрировать такт.

— Ну, знаете ли, вокруг хорошенькой женщины всегда сплетни.

Притушили свет, прожекторы осветили фонтан, заиграл оркестр. На Варю смотрел мальчик небольшого роста, с лицом херувима, правильный, чуть удлиненный овал лица, высокий лоб, аккуратно уложенные каштановые волосы, прямой коротковатый нос, добрые улыбающиеся голубые глаза. Костюм, рубашка, галстук, ботинки — все безукоризненно, безупречно, даже чересчур, ни морщинки, на пылинки, мальчик с пасхальной открытки. Варя решила, что он актер. Таким красивым и элегантным мог быть только актер. Танцевал он просто, без фигур, выкрутасов — это и есть последний стиль. А Виталий танцевал по-старому. Варе было стыдно танцевать с таким пожилым кавалером. Херувим улыбнулся ей не нахально, а так, по-компанейски, мол, хорошо, танцуем в «Метрополе», видно, свой парень, никакой не иностранец, немного пижон и ресторанный завсегдатай.

Музыка смолкла, все пошли к своим местам. Херувим прошел рядом с Варей, опять улыбнулся ей, усадил даму, поблагодарил и отправился к своему столику, на той же стороне, где сидела Варя, только ближе к фонтану. Было не совсем понятно, сколько человек и кто именно сидит с ним за столом, подходили молодые люди, присаживались, одни оставались, другие отходили, подходили новые. Херувим и единственная девица за столом, хорошенькая веснушчатая толстушка из тех, на кого весело смотреть, не пропускали ни одного танца, толстушка танцевала с кем-нибудь из их компании, херувим приглашал разных девушек. И, когда оркестр заиграл румбу, он очутился возле столика Вари, сделал общий поклон и, обращаясь к Виталию, попросил разрешения пригласить его даму. Эту просьбу Варя сочла простой ресторанной формальностью — она сама вправе решать, с кем ей танцевать. Поднялась и пошла впереди херувима в круг.

Румбу он танцевал тем же шагом, что и фокстрот, шаг — глиссад, шаг — глиссад. Варя и с плохими партнерами танцевала прекрасно, а уж с таким...

— А я вас знаю,— сказал он, улыбаясь. У него были белые-белые зубы, но при улыбке видно, что один зуб скошен.

Способ знакомства интригой: задают наводящие вопросы и получают желаемые ответы. Примитивно! Варя сделала легкую гримасу, мол, знаете, и прекрасно.

— Вашу подругу зовут Вика.

Варя ответила той же гримасой: почему ему не знать Вику? Здесь ее, наверное, все знают.

— Вы живете на Арбате,— продолжал он, улыбаясь, и опять обнажая в улыбке косой зуб, отчего его улыбка становилась еще милее. И голос у него был красивый.

— Зная, что Вика живет на Арбате, об этом нетрудно догадаться.

— А другую вашу подругу зовут Зоя.

Херувим торжествующе улыбался: играли, играли, а вот он и выиграл.

Варя отстранилась, посмотрела ему в лицо. Значит, это не интрига, не игра. Где же он видел ее с Зоей?

— Откуда вы ее знаете?

Его загадочная улыбка означала, что он многое знает, но просто так не скажет, теперь ее очередь открываться.

— Меня зовут Лева, а вас?

— Варя.

— Позволите пригласить вас на следующий танец?

— Пожалуйста.

Она вернулась к столику одновременно с Викой и Эриком. Виталий сидел, не танцевал.

— Варя, прогуляемся,— позвала ее Вика.

Женщины мазали губы, пудрились, причесывались — уборная походила на филиал парикмахерской. Какая-то женщина пришивала пуговку на кушак. Иголки и нитки были у служительницы, раздававшей салфетки, ей бросали мелочь.

— Как же так? — спросила Вика.— Ты пришла с нами, а танцуешь с кем попало. Неужели не понимаешь?

— Но Виталик разрешил.

— Он разрешил тебя *пригласить*, а ты должна была отказать. В какое положение ты поставила меня, что подумает Эрик? Все будут подходить к нашему столику — увидели девочку, которая никому не отказывает.

— А если я не хочу танцевать с Виталиком?

— Тогда приходи с теми, с кем ты хочешь танцевать. Но, раз ты пришла с нами, танцуй с Виталием, с Эриком, с нашими общими знакомыми, в конце концов. Но танцевать с кем попало?!

— Он, между прочим, не *кто попало*, он, между прочим, тебя знает.

— Да, он меня знает. По имени. И я его знаю. *Левочка*! Все его тут знают,— она презрительно скривила губы,— чертежник из проектной мастерской.

Вот откуда он знает Зою, Зоя тоже работает в проектной мастерской. Там он ее и видел, она заходила к Зое. Запомнил, а она думала — актер. Ну и что ж, тем лучше, что чертежник, она сама собирается стать чертежницей.

— Ресторанный танцевальный мальчик,— продолжала Вика,— прилипала при одном бильярдисте, пьет и ест за его счет. Если он тебе нравится, можешь в следующий раз прийти с ним, танцевать с ним и с его друзьями, но сегодня, будь добра, не ставь меня в идиотское положение.

Они вернулись в зал, Эрик и Виталий поднялись, пододвинули стулья, помогли сесть.

Лева сидел за своим столом, но уже не спиной к Варе, как сидел раньше, а лицом к ней, и, когда заиграла музыка, вопросительно посмотрел на нее. Варя чуть заметно отрицательно качнула головой. Лева направился к другому столику. Вика пошла с Эриком в круг. Варя сказала Виталию, что ей не хочется танцевать.

Вечер был испорчен. Виталий дулся на Вику: он честно организовал Эрика, а ему что подсунули? Туманно рассуждал об эгоистах, использующих порядочных людей в своих интересах. Вика делала вид, что не понимает его намеков, а Варе на этого Виталика было ровным счетом наплевать.

Из ресторана вышли около трех ночи. Виталий предложил ехать к нему послушать пластинки. Вика объявила, что устала и поздно.

— Ты как? — спросила она Варю.

— Мне давно пора быть дома.

Эрик сказал, что он шофер и готов выполнить любое приказание. Виталий в машину не сел. Он живет рядом, на улице Горького, и прекрасно дойдет пешком. Большое спасибо за приятный вечер!

Вика насмешливо помахала ему рукой.

В общем, Вика осталась довольна Варей. На такую можно положиться, не дешевка, не пустышка, хорошая, чистая девчонка, отсвет ее наивности будет падать и на Вику, именно такая спутница ей нужна. Они и смотрятся в паре классически: блондинка и брюнетка, одного роста, обе красивые, ее только приодеть, причесать, привить хорошие манеры.

С Эриком они договорились встретиться завтра в «Национале».

Она придет с Варей и еще с одним своим приятелем, известным архитектором, получившим недавно первую премию на каком-то конкурсе. Эрик обрадовался, имя было ему знакомо.

Собиралась ли Вика выйти замуж за иностранца и уехать с ним, как к тому стремились другие «метропольские» девицы? Она еще не решила. Она выросла в неприятии всего этого. С детства был невыносим хам, поселенный за стеной, в их комнате, устанавливающий свои порядки в коридоре и на кухне, замызганный рабочий, являющийся под утро с ночной смены, превращающий ванную в грязную лужу и видящий в ее отце, владельце квартиры, недобитую контру. А ее отец, профессор с мировым именем, вынужден был получать гонорары мукой, повидлом, слипшимся монпансье,— даже это скрывали от соседей, чтобы не прослыть буржуями. Незабываемая пора детства...

Теперь все изменилось. Квартиру вернули, гонорары у отца баснословные, снабжение по высшей категории, в доме собираются знаменитости, все у нее есть, туалеты, косметика. И здесь неплохо ей, одной из первых красавиц Москвы.

Но что дальше? Профессор? Народный артист? Крупный начальник? Разводы, алименты... А молодые начинают с нуля, с четырехсот рублей, не ее стиль привести нахлебника в дом. Правда, появилась новая элита — летчики, авиационные конструкторы, их ласкает правительство, им дают прекрасные квартиры, пайки, оклады, часть даже бонами на торгсин. Водопьянов, Каманин, Доронин, Ляпидевский, Леваневский, Молоков, Слепнев — самые знаменитые в Москве фамилии. Но где они, эти летчики? Наверно, женаты. Где эти таинственные авиаконструкторы?

В общем, ничего не решено. Во всяком случае, не японец, даже не американец — слишком далеко, не немец-перец — там беспокойно. Родовитый англичанин, богатый француз, даже легкомысленный итальянец, то есть Париж, Рим... Годится швед — потомок спичечного короля, голландец — потомок нефтяного. Они только числятся шведами и голландцами, а живут в Лондоне и Париже. Стать женой Эрика — девчонки умрут от зависти, для них турецкий шашлычник — уже принц.

Во всяком случае, в ресторан можно ходить только с иностранцами — обслуживают, угождают, на валюту все есть, чувствуешь себя человеком. Она пойдет завтра днем в «Националь». Не знает, поднимется ли потом к Эрику, можно отговориться присутствием Вари. Оберегая ее скромность, она выкажет собственную добродетель.

И вот Вика и Варя сидят в ресторане «Националь» за маленьким столиком, с ними Эрик и известный архитектор Игорь Владимирович, худощавый, лет тридцати пяти, с нервным лицом и тихим голосом. Варя слышала о нем по радио. Вика называла его просто Игорь.

Длинный зал с маленькими столиками на четыре персоны, официантки разносят чай. На подстаканниках монограммы ресторана «Националь», на сахарницах и бисквитницах — тоже. Пирожные, вино. Все чинно, спокойно, достойно.

Варя увидела нескольких вчерашних посетителей «Метрополя»: Ноэми с японцем, Нину Шереметеву с итальянцем, веснушчатую толстушку, но без Левы. Женщины были не в длинных платьях, а в коротких дневных, многие в костюмах. На Ноэми был костюм цвета «кардинал» с замшевым кушаком и серебряной пряжкой, на плечиках жилета вставки вроде погончиков.

Говорили о музыке и балете. Эрик рассказывал о Стравинском, Дягилеве, Павловой, называл русских музыкантов и артистов, живущих за границей.

Варя любила музыку, ходила с девочками в консерваторию, но, когда Игорь Владимирович спросил, какую музыку она любит, ответила:

— Громкую.

Игорь Владимирович и Эрик засмеялись. Вика тоже засмеялась, потому что засмеялись они.

Заиграл оркестр: скрипка, виолончель, пианино, труба и ударник. Танцевали на маленькой площадке перед оркестром.

Игорь Владимирович танцевал не так профессионально, как Левочка, но хорошо, на них обращали внимание — он был известен, его знали в лицо. Толстушка улыбнулась Варе, дала понять, что узнала, что в их компании ее заметили.

— Вы прекрасно танцуете,— сказал Игорь Владимирович,— с вами очень легко.

— С вами тоже.

Игорь Владимирович держался так, как пожилой воспитанный человек держится с юной девушкой. Но Варя чувствовала, что нравится ему.

Вика танцевала с Эриком, он пригласил ее потом зайти к нему в номер, отказываться было нерасчетливо: видятся уже четвертый раз, дальше тянуть нельзя.

Немалую роль в этом решении сыграл и «кардинал» Ноэми. Такой костюм! А у Вики, кроме вечернего платья с бисером, ничего настоящего нет. Снимает фасоны с туалетов, которые привозят из-за границы жены наших дипломатов, и потом шьет у московских портных. А что они могут сшить?

Надо решаться. Сегодня. Не ночью, а сейчас, поддавшись чувству. Их разговор — хорошее начало, кроме увлечения это еще тоска по интеллигентному человеку. А входить в номер днем никому не запрещается.

Но как быть с Варей? Взять ее в номер, потом отправить — неудобно, ясно, для чего осталась. Отвезти домой, а самой вернуться — еще хуже. Она предложила обменяться кавалерами и, танцуя с Игорем, попросила проводить Варю.

— Мне надо к портнихе. Варя — прелестная девочка, но когда возникает портниха, то самым лучшим подругам следует держаться врозь.

Они вышли из «Националя». Игорь Владимирович предложил:

— Прогуляемся по Александровскому саду, если у вас есть время.

Вход в сад почему-то загородили скамейкой, хотя было еще не поздно.

— Преодолеем это препятствие.

Игорь Владимирович отодвинул край скамейки, и они пошли вдоль металлической решетки мимо высоких лип и подстриженных кустов, по мокрым от дождя дорожкам. Вечер был теплый, еще не стемнело, на выступах Кремлевской стены светлели отблески заката.

— Когда-то здесь протекала Неглинка,— сказал Игорь Владимирович,— потом устроили пруды, а уж потом сады. Их проектировал Бове, великий зодчий.

— Был такой,— подтвердила Варя насмешливо.

Помня ее ответ о музыке, он примолк.

— Манеж,— продолжала Варя.— Малый театр построил, Большой театр после пожара, фасад ГУМа... Что еще? Триумфальную арку, Первую Градскую больницу, дом князей Гагариных на Новинском бульваре.

— Откуда вы это так хорошо знаете?

— Я училась в школе с чертежно-конструкторским уклоном. Мы проходили.

Он сказал:

— У вас необычный разрез глаз, они подняты к самым вискам.

— Во мне есть татарская кровь.

— Нет,— возразил он,— у вас не монгольский разрез, такие глаза, как у вас, встречаются на персидских миниатюрах.

— А татарских миниатюр не существует,— сказала Варя.

Оба рассмеялись.

Потом он сказал:

— Мне жаль, что вы любите громкую музыку, я люблю тихую.

— Я люблю хорошую музыку,— ответила Варя.

Вдали возникла фигура сторожа.

— Сейчас нас прогонят отсюда? — спросила Варя.

— Объяснимся,— ответил он мужественно.

— Лучше удерем.

Перескакивая через лужи, они побежали к выходу. Вслед им раздался свисток. Но они уже отодвинули скамейку и выскочили из сада.

— Спасены,— объявил Игорь Владимирович.

Она запрыгала на одной ноге, прислонилась к ограде, сняла туфлю.

— Промочили? — он наклонился к ней.

— Хуже. Чулок полез.

Он стоял возле нее, не зная, что делать, огорченный ее огорчением. А она расстроилась: единственная пара приличных чулок.

Он поднял ее туфельку, вынул носовой платок, вытер туфлю внутри и снаружи. Она стояла, опираясь о решетку сада.

— Какой у вас номер?

— Тридцать пятый,— Варя надела туфлю,— все хорошо, можем идти.

Они пошли к остановке.

— Вы разрешите вам позвонить? — спросил он, когда Варя поднялась на ступеньку трамвая.

— Пожалуйста.

6

Двадцать девятого июня открылся Пленум ЦК партии, а тридцатого из Германии пришло сообщение об убийстве начальника штаба штурмовиков Рема и многих руководителей штурмовых отрядов. Акцией, вошедшей в историю под названием «Ночь длинных ножей», руководил лично Гитлер.

Уже первого июля «Правда» и другие газеты опубликовали статьи, среди них статьи Зиновьева и Радека, в которых эти события расценивались как конвульсия фашистского режима, предвещающая его неизбежный крах.

Сталин не возражал против подобной трактовки: слабость чужой власти всегда подчеркивает силу власти собственной. Хотя сам хорошо знал, что раскол не ослабляет политическое движение, а расширяет его социальную базу, привлекая к нему разных сторонников и укрепляя в борьбе с раскольниками основное течение. Нагляднейший пример тому — христианство.

Ленин не боялся раскола до захвата государственной власти, но раскола внутри правительственной партии опасался. В этом причина его так называемого завещания. Государственную власть Ленин рассматривал как фактор, объединяющий людей, заинтересованных в ее сохранении и упрочении. На самом же деле власть разъединяет, ибо каждый стремится ее захватить. Консолидирующим фактором власть становится тогда, когда она сосредоточена в таких руках, из которых никто не только не способен ее вырвать, но и не смеет помышлять об этом.

Для этого нужно создать у народа убеждение в несокрушимости власти и уничтожить тех, кто способен на нее посягнуть.

К революции Ленин привел свою партию, он ее создал, и никто на его руководство не покушался. Иное положение сейчас. ОН, Сталин, утверждает свою власть в условиях, когда на нее много претендентов, убежденных, что имеют большее право на ленинское наследство, чем ОН. Даже поверженные, они не теряют надежды. Тот же Зиновьев... Разве он не понимает, что убийство Рема не ослабляет, а усиливает Гитлера? Не новичок в политике. И плут Радек тоже понимает. Но они хотят внушить партийным массам убеждение, будто всякий раскол ослабляет власть, будто физическое уничтожение противников присуще только фашизму, а большевизм, мол, наоборот, всегда стремился сплачивать свои ряды, свои силы. Они сила?! Давно должны были бы уйти из политики. Не уходят. Пишут, выступают, напоминают о себе, хотят быть на виду, на поверхности, барахтаются, ждут своего часа, пугают его войной! Более того, они эту войну провоцируют. Как иначе можно расценить намерение редакции журнала «Большевик» опубликовать статью Энгельса «Внешняя политика русского царизма»? С чего вдруг? Через сорок лет после ее написания? К двадцатой годовщине мировой войны, видите ли! Примитивная уловка Зиновьева — члена редколлегии «Большевика», на которую, однако, поддался главный редактор болван Кнорин.

В своей статье Энгельс утверждает, будто в период наивысшего военного могущества России ею руководили талантливые иностранные авантюристы, в основном немцы: Екатерина Вторая, Нессельроде, Ливен, Гирс, Бенкендорф, Дубельт и другие. Зачем это подчеркивать именно сейчас? Зачем давать такую карту гитлеровской пропаганде, возвеличивая немцев? Зачем вообще подчеркивать роль нерусского элемента в руководстве Россией? Не есть ли это намек на н е г о, на его грузинское происхождение? Зиновьев и Кнорин — тоже не русские. Но кто о них думает, кому они нужны?! Такая параллель никому не придет на ум. На ум придет товарищ Сталин, на это и рассчитано. А весь тезис о нерусском элементе подбрасывается чисто русскому человеку — Кирову, ему подкидывается этот приз, на него теперь делают они главную свою ставку, так же как в свое время делали ставку на товарища Сталина, чтобы устранить Троцкого.

Но идут они на этот раз дальше, гораздо дальше. Ибо не только тезис о нерусском элементе в руководстве Россией увидели они в статье Энгельса. Энгельс называет Россию оплотом европейской реакции, обвиняет в экспансии, будущую войну против России изображает как войну чуть ли не освободительную. Так и пишет: «Победа Германии, стало быть, победа революции... Если Россия начнет войну — вперед на русских и их союзников, кто бы они ни были!» И ни слова о противоречиях между Англией и Германией, а ведь это-то и оказалось главным фактором мировой войны. Не все, видимо, сумел предвидеть Энгельс.

Таким образом, главный смысл публикации этой статьи таков: о н и хотят показать Гитлеру, что в СССР есть политические силы, ожидающие войну, возлагающие на войну все свои надежды, чтобы свалить нынешнее руководство, и потому готовые сторговаться с Гитлером, уступить ему кое-что; дать ему иллюзию внешнеполитической победы, нужную ему для оправдания идеи реванша, а в этой идее вся сила Гитлера, ею он сплачивает нацию.

Однако советскому народу не нужна война, Советский Союз не готов к войне — промышленная реконструкция страны еще не завершена. Война нужна и м, и только и м, ибо других путей свалить ЕГО у них нет, других путей к захвату власти они не видят. На словах Зиновьев и Радек выступают как непримиримые противники Гитлера, а пытаясь сейчас опубликовать статью Энгельса, они служат Гитлеру, подогревают его амбиции, подкидывают ему идейки для сговора с Западом, готовят сделку за ЕГО спиной и за ЕГО счет.

Сталин взял лист бумаги, обмакнул перо в чернильницу и своим мелким, но четким почерком написал письмо членам Политбюро о статье Энгельса. Только по существу статьи. Свои личные соображения, связанные с Зиновьевым, Радеком и Кировым, он не изложил и имен их не называл. Письмо Сталин закончил так:

«Стоит ли нам после всего сказанного печатать статью Энгельса в нашем боевом органе, в «Большевике», как статью руководящую или, во всяком случае, глубоко поучительную, ибо ясно, что напечатать ее в «Большевике» — значит, дать ей молчаливо такую именно рекомендацию?

Я думаю, что не стоит. И. Сталин».

Затем он пересек кабинет и открыл дверь в приемную, которая одновременно служила и кабинетом Поскребышеву. Сталин редко пользовался звонком, если ему нужен был Поскребышев, он открывал дверь и приглашал его или через него вызывал того, кто ему нужен. Поскребышев всегда был на месте, а если отлучался на короткое время, то вместо него за столом сидел Двинский.

Поскребышев был на месте. Сталин подошел к висевшей на стене сводке. В нее ежедневно вносились данные о ходе сева — весной, уборки — летом, заготовок — осенью. Как обычно, внимательно ее просмотрел и, как обычно, никак не прокомментировал. Возвращаясь в кабинет, сказал Поскребышеву:

— Зайдите.

Вслед за Сталиным Поскребышев вошел в кабинет, осторожно прикрыв за собой дверь (Сталин не любил, когда дверь оставалась открытой, но и не любил, когда ею хлопали), и остановился в нескольких шагах от стола так, чтобы стоять не рядом со Сталиным (этого Сталин тоже не любил), а достаточно близко, чтобы слышать тихий голос Сталина и ни о чем его не переспрашивать (Сталин не любил, когда его переспрашивают).

— Возьмите это письмо,— сказал Сталин.

Поскребышев подошел, взял протянутые ему листки.

— Ознакомьте с письмом членов Политбюро. Вместе с письмом разошлите членам Политбюро проект решения: товарищ Кнорин освобождается от должности главного редактора журнала «Большевик». На должность главного редактора назначается товарищ Стецкий. Зиновьев выводится из состава редколлегии «Большевика», вместо него вводится товарищ Таль.

Поскребышев с полуслова понимал, что хочет товарищ Сталин. В данном случае товарищ Сталин хочет: а) чтобы его письмо осталось в одном экземпляре и после прочтения членами Политбюро хранилось бы в его личном сейфе; б) письмо объясняет членам Политбюро причины изменений в составе редколлегии «Большевика»; в) официального объяснения этих перемещений не будет.

— Есть! — ответил Поскребышев.

Но не уходил. Обладал еще одним свойством: по лицу Сталина точно знал, пора ему уходить или еще не пора.

Сталин взял со стола темно-красную сафьяновую папку и передал Поскребышеву.

— Почту заберите.

Теперь Поскребышев знал, что пора уходить, попятился, затем повернулся и вышел из кабинета, опять же плотно и осторожно прикрыв за собой дверь.

Усевшись за своим столом, Поскребышев просмотрел возвращенную ему Сталиным почту в сафьяновой папке.

Почту товарищу Сталину докладывали наиважнейшую. Умение отличать важное от неважного, нужное от ненужного тоже было достоинством Поскребышева. Прочитать всю почту, приходящую на имя Сталина, он один, естественно, не мог физически, этим занимались специальные люди в секретариате, они сортировали почту и передавали Поскребышеву то, что считали существенным. А уж из этого он отбирал то, что считал нужным доложить. Люди в секретариате понимали свое дело, знали, что требуется, знали, что письма, касающиеся членов ЦК и особенно членов Политбюро, докладывать обязательно. Почту Поскребышев клал на стол товарищу Сталину каждое утро в этой самой красной сафьяновой папке, а забирал, когда Сталин сам ее отдавал, как отдал сегодня.

Как обычно, возвращенную ему почту Поскребышев разложил на две стопки: письма, к которым прикоснулось перо товарища Сталина, и письма, к которым его перо не прикоснулось. Первые он тут же передавал в секретариат, чтобы их зарегистрировали и поступили с ними так, как того требовала резолюция Сталина. Вторые, то есть письма, на которых не было никакой резолюции, не регистрировались, а хранились в сейфе до того, как их потребует товарищ Сталин.

Но была еще одна группа писем — те, что Сталин сразу не возвращал, а иногда и вовсе не возвращал, хранил у себя, а бывало, и уничтожал. Это были письма исключительного значения.

Кладя утром на стол товарищу Сталину почту, Поскребышев пересчитывал и записывал количество писем. Получая от Сталина почту, снова ее пересчитывал и, таким образом, знал, сколько писем Сталин оставил у себя. Знал также, какие именно оставил. У него была цепкая канцелярская память: кладя утром на стол Сталина почту, он в общих чертах помнил ее содержание.

На этот раз все было на месте, кроме закрытого пакета с докладом Ягоды. Но эти пакеты Сталин всегда оставлял у себя.

7

Марк Александрович приехал в Москву двадцать девятого июня, утром, к самому открытию Пленума ЦК, и уехал первого июля вечером, как только пленум закончился. Торопился. Предстоит пуск прокатного стана, с его пуском завод станет предприятием с законченным металлургическим циклом. Главное дело жизни Марка Александровича — создание крупнейшего в мире металлургического гиганта — будет завершено.

С Пленума Марк Александрович не отлучался. Обсуждаемые вопросы — поставки зерна и мяса, улучшение и развитие животноводства — часть экономической политики партии, и он, один из руководителей экономики, обязан быть в курсе всех ее аспектов. Он даже не зашел в Наркомат: главная задача — пуск прокатного стана — решается уже не в Москве, а там, на заводе.

И только одно, не относящееся к Пленуму дело предстояло Марку Александровичу — повидать Соню. Саша осужден, выслан, и помочь ему уже ничем нельзя. Не помогли хлопоты до вынесения приговора, тем более не помогут они теперь: приговор Особого совещания обжалованию не подлежит. То, что за Сашу хлопотал он, Рязанов, кандидат в члены ЦК, бесспорно, доложено на самые верха, однако Саша осужден, значит, в чем-то замешан. Но катастрофы нет: Саша молод, три года пролетят быстро, жизнь впереди.

И все же мысль о Саше угнетала Марка Александровича. В его жизни бывали сложности, но с этой стороны все всегда оставалось в порядке, чисто, ясно, никаких уклонов, никакой фракционности ни у него, ни у его близких. Он вырос в семье, стоявшей вне политики, только он, Марк, стал членом партии. Его сестры беспартийные, их мужья тоже. Члена партии, коммуниста он видел в Саше. Вот что получилось с Сашей! Его, Рязанова, племянник осужден по пятьдесят восьмой статье — контрреволюционная агитация и пропаганда. Марк Александрович чувствовал свою вину перед партией — недосмотрел, проглядел, упустил. На нем пятно. Случись такое сразу после революции, это было бы понятно: революция разделила не одну семью. Случись такое даже в двадцатые годы, тоже объяснимо: двадцатые годы — годы перемены руководства, годы уклонов, оппозиций, увлечения некоторой части нашей молодежи, особенно учащейся молодежи, демагогией Троцкого. Но сейчас, в тридцать четвертом году, когда навсегда покончено с уклонами и оппозициями, когда утвердилось новое партийное руководство, стабилизировалась генеральная линия партии, когда в партии и в народе царят невиданные единство и сплоченность, то, что произошло с Сашей, дико, безобразно, кидает пятно и на него.

Чего Саше не хватало? Все имел: Москву, дом, институт, прекрасное будущее. Конфликт с преподавателем по учету, стенгазета — за это не могли посадить, за это не могли дать срок. Значит, было еще что-то, значит, скрывал. Поддался чьему-то влиянию? Но ведь не мальчик, двадцать два года, взрослый парень, обязан думать! И не только о себе. Обязан думать о матери, мог бы подумать и о дяде, заменившем ему отца, подумать, как это отразится на нем, на его положении, на его репутации в партии и стране. Не подумал! Не посчитался! Почему? Умничал. «Хотелось бы побольше скромности»,— это он, молокосос, посмел сказать о Сталине, смеет рассуждать, каким быть Сталину! У Марка Александровича на заводе одиннадцать тысяч комсомольцев, юношей и девушек, они работают! По шестнадцать часов в сутки работали, когда возводили вторую домну, без выходных, зимой, в лютые морозы, под ледяным ветром. Он вернулся из Москвы (его вызывал на несколько дней Орджоникидзе), ему доложили: песок, щебень и цемент смерзаются в вагонах. А бетон должен быть теплым. И эти парни и девушки, только вчера пришедшие из деревни, додумались ведь: ставили паровозы, протягивали трубы, по ним круглые сутки подавали пар и горячую воду — вот как работали, добивались чести назвать эту вторую домну комсомольской! Пищу варили тут же на кострах. Лошади вязли в глине, тачки срывались с мостков, главное орудие — лопата, главный транспорт — конная грабарка, котлованы, котлованы, горы земли, пыль до самого неба, шум, грохот — вот из какого хаоса возник величайший современный завод. И эти молодые люди, юные энтузиасты, не щадили себя, не рассуждали о трудностях. Жили не в благоустроенном доме на Арбате, а в палатках, землянках, бараках, семья на одной койке, на одном тюфяке, набитом сеном. Все было. Вши, блохи, тараканы, сыпняк... Не хватало учителей, дети учились в тех же бараках, где спали, кинокартины показывали на пустырях, магазины оборудовали в сараях, а что в магазинах — пустые полки. Ударников награждали ордером на брюки, на юбку, на ботинки, а то и просто пакетиком леденцов. И такой наградой гордились.

Они понимали, что создают бастион социалистической индустрии, преодолевают вековую отсталость страны, укрепляют ее обороноспособность, ее экономическую независимость, строят новое, социалистическое общество.

Вот что понимали эти юноши и девушки. Они ни в чем не упрекнут товарища Сталина. Сталин — символ их жизни, их беспримерного труда. Они, эти юноши и девушки, творят историю, они, а не его племянник Саша, скатившийся до тюрьмы и ссылки в Сибирь.

Марк Александрович подошел к хорошо знакомому дому сестры.

По фасаду здание выложено белой глазурованной плиткой, над кинотеатром «Арбатский Арс» ветер треплет яркие афиши, глубокий двор образован тесно стоящими корпусами, Саша часто играл здесь, бежал навстречу, протягивал ручонки и вместе с ним поднимался в квартиру, радостно кричал: «Дядя Марк приехал, ура!» — четко выговаривая все «р» и «л».

Да, мир не безоблачен, невзгоды сопровождают нас, теперь они обрушились на Соню, самую мягкую и беззащитную из его сестер: ушел муж, выслали сына. Он жалел сестру, но был бессилен помочь ей тогда, когда ушел Павел Николаевич, бессилен помочь и теперь. Он может дать ей только свою любовь, сочувствие, материальную помощь. Надо быть стойкой, мужественной. Несчастья не вечны, они проходят.

Он вспомнил свое последнее посещение сестры. Какое у нее было жалкое, дрожащее лицо, как подобострастно с ним разговаривала, суетливо искала какие-то бумажки, разглаживала их нервными пальцами. Еще не войдя в квартиру, он уже чувствовал ломоту в затылке. Сейчас опять увидит ее взгляд, исполненный надежды и страха за то, что эти надежды не сбудутся. Ничего для Саши сделать нельзя, пора уже понять и примириться. Саша будет дома через три года.

Софья Александровна только что вернулась с работы, разогревала обед. Поздоровалась с ним спокойно, без той радости, с какой встречала его обычно. Раньше она готовилась к его приходу, пекла пирог, принаряжалась, сегодня он пришел в дом к одинокой работающей женщине, которая каждый день ходит на службу и которой поэтому не до пирогов и приемов. Она поздоровалась с братом, предложила разделить с ней обед, хотя не была уверена, что он будет есть перловый суп и солонину с картошкой, жаренной на маргарине.

Безразлично посмотрела на пакет, который принес с собой Марк Александрович, на свертки, которые вынул из портфеля. Марк с удовлетворением подумал, что служба пошла сестре на пользу, преобразила ее. Раньше она была только женой, матерью, домохозяйкой. Теперь трудовая жизнь, коллектив, заботы, лежащие вне дома, отвлекли ее от личных переживаний, расширили мир, придали устойчивость и силу.

Марк Александрович был рад за сестру и за себя: посещение будет не таким тяжким, как он того опасался.

Но в глубине души он не мог не отметить, что, приобретя нечто новое, по убеждению Марка Александровича, очень хорошее, Соня утеряла что-то очень ему дорогое, что-то из далекого и родного: мягкость, доброжелательность. Исчез привычный и притягивающий уют ее дома, устроенность, прибранность, какие-то милые безделушки. Теперь здесь было только самое необходимое, теперь тут торопились, жили наспех. Она ела картошку со сковородки, сковородка стояла на решетчатой металлической подставке, скатерть была загнута на одном углу. Сестра не опустилась, наоборот, подтянулась, похудела, стала подвижней, деловитей. Просто, по-видимому, дом потерял для нее смысл. В нем не было сына.

Она рассказывала о своей работе в прачечной. Работа приемщицы белья несложная, попадаются, конечно, тяжелые клиенты, ничего не поделаешь, все теперь нервные, издерганные. Бывают неполадки и со стороны производства — испортят вещь или потеряют. Тогда трудно: объяснение, разбор, оформление, а люди ждут, очередь негодует. Разбирать конфликт должен заведующий, чтобы она не отвлекалась от приема, но заведующий не выходит, его никогда нет на месте, целыми днями где-то пропадает, это даже загадочно. Она оказалась способной шутить и сейчас, чувство юмора у нее было всегда.

Но ни слова о Саше. Говорила с Марком из вежливости, чтобы не молчать, не смотрела на него, избегала его взгляда, и он чувствовал, что у нее есть приготовленная фраза. Она ее еще произнесет. А пока колеблется, и в этой нерешительности, в том, что избегает его взгляда, Марк Александрович видел прежнюю Соню.

Она вдруг прервала свой рассказ:

— Да, Марк, я должна тебя предупредить, маленькую комнату я сдаю. Так что если ты останешься ночевать, то здесь, у меня.

— Я остановился в гостинице,— ответил Марк Александрович.

О том, что сестре удалось сохранить комнату, он знал. Они с Павлом Николаевичем формально не разведены, Павел Николаевич после ареста Саши сумел забронировать площадь, как специалист, временно выехавший на работу на периферию. Но сестра сдает комнату — от такой новости он не в восторге, брать за комнату больше, чем квартплата, нельзя, формально это спекуляция жилплощадью. Сейчас на такие вещи смотрят сквозь пальцы — жилищный кризис, людям негде жить, и все же ему бы не хотелось, чтобы его сестра, сестра Рязанова, жила сдачей комнаты внаем. Он никогда не отказывал ей в помощи, он может обеспечить ее суммой, много больше той, что она получает за комнату.

— В этом была необходимость?

Она не поняла.

— В чем?

— Сдавать комнату?

— Да, мне нужны деньги.

— Сколько тебе платят?

— Пятьдесят рублей.

— А кто жильцы?

— Жиличка. Пожилая женщина...

— Как она к тебе попала?

— Рекомендовали соседи... А что? — наконец она прямо посмотрела на него.— Ты считаешь, я поступила неправильно?

— Ты ее не знаешь... Рекомендовали соседи... Зачем тебе это? Возиться с домоуправлением, с пропиской, объяснять, что и почему... Повторяю: зачем это? Я предлагаю тебе не пятьдесят, а сто пятьдесят рублей в месяц. Я привез тебе пятьсот рублей. Ты знаешь, мне деньги не нужны.

Она молчала, думала. Потом спокойно сказала:

— Я не возьму твоих денег. Лично мне не нужно, я зарабатываю на жизнь. А что касается Саши... У Саши есть отец, есть мать, они позаботятся о нем.

Переспорить ее не удастся, он и не хотел спорить. Он предложил ей деньги, она предпочитает сдавать комнату — ее дело, хотя и видит, что ему это не нравится. И то, что она сказала сейчас, еще не есть та приготовленная фраза, пусть произнесет ее, хватит играть в прятки.

— Как Саша? — спросил Марк Александрович.

Она помедлила с ответом.

— Саша... Последнее письмо было из Канска. Ему назначено село Богучаны, но оттуда еще ничего нет. Не знаю, как он туда — поехал или пошел? Я смотрела по карте... Богучаны на реке Ангаре, дороги туда нет никакой, пешком, наверное...— она вдруг усмехнулась.— Не знаю, как теперь гонят на каторгу; раньше в столыпинских вагонах везли, а сейчас уж не знаю...

— Соня! — внушительно произнес Марк Александрович.— Я понимаю, тебе очень тяжело. Но я хочу, чтобы ты ясно представила себе положение вещей. Во-первых, у нас нет каторги. Во-вторых, Сашу отправили не в лагерь, а в ссылку. Я обращался в самые высокие инстанции. Они вмешались, но ничего сделать не смогли. Закон есть закон. За Сашей что-то есть, не слишком, вероятно, значительное, но есть. Время у нас строгое, ничего не поделаешь, его выслали на три года, он будет жить в селе, в селах живут миллионы людей, устроится там на работу. Он молод, три года пролетят быстро, надо только примириться с неизбежным, надо спокойно и терпеливо ждать, не распускать себя.

Она вдруг улыбнулась, потом еще раз улыбнулась. Он хорошо знал эту улыбку.

И она сказала:

— Выходит, мало дали, всего три года.

— Разве я говорю, что следовало дать больше?! Соня, опомнись! Я говорю, что это, будем прямо говорить, в наше время пустяк — три года ссылки... Ведь расстреливают...

Она все улыбалась, казалось, сейчас засмеется.

— Вот как... Не расстреляли... За стишки в стенгазете не расстреляли, дали за стишки в стенгазете всего три года ссылки в Сибирь — спасибо! Три года, чего там, пустяк! Ведь и Иосифу Виссарионовичу Сталину больше трех лет ссылки не давали, а он вооруженные восстания устраивал, забастовки, демонстрации, подпольные газеты выпускал, нелегально за границу ездил, и все равно — три года, он бежал из ссылки, и его водворяли обратно на те же три года. А побеги сейчас Саша, ему, в лучшем случае, дадут десять лет лагерей...— Она перестала улыбаться, прямо и строго посмотрела на Марка Александровича.— Да! Если бы царь судил вас по *в а ш и м* законам, то он продержался бы еще тысячу лет...

Он ударил кулаком по столу.

— Что ты мелешь?! Дура! Где ты этого набралась? Прекрати сейчас же! Как ты смеешь так говорить? При мне! Да, у нас диктатура, а диктатура — это насилие. Но насилие большинства над меньшинством. А при царе меньшинство подавляло большинство, поэтому царь и не смел применять тех крайних мер, которые применяем мы во имя народа и для народа. Революция должна защищать себя, только тогда она чего-то стоит. Твое несчастье велико, но оно не дает тебе права превращаться в обывательницу. Ты не отдаешь себе отчета в том, что говоришь. Если ты такое кому-нибудь скажешь, то угодишь в лагеря. Учти это хотя бы ради Саши, который не должен сейчас лишаться матери.

Она молча слушала, кончиками пальцев нащупывала и прижимала к столу крошки. Потом спокойно проговорила:

— Вот что, Марк... Я тебя прошу в моем доме никогда не стучать кулаком по столу. Мне это неприятно. Кроме того, у меня соседи, мне перед ними неудобно: раньше муж на меня стучал кулаком, теперь брат. Чтобы этого больше никогда не было. Если тебе очень хочется стучать, стучи у себя в кабинете на своих подчиненных. Запомни, пожалуйста. Что касается лагерей, то не грозись, я ничего не боюсь, хватит, боялась, довольно! Всех не пересажаете, тюрем не хватит... Ничтожное меньшинство... Поворачивается язык! «В селах живут миллионы»! А ты видел, как они живут? Когда-то, раньше, молодой, ты любил петь «Назови мне такую обитель», помнишь?.. «Где бы русский мужик не стонал», помнишь? Хорошо пел, с душой, добрый был, жалел мужика. Что же ты сейчас его не жалеешь? О ком ты тогда пел? «Для народа, во имя народа»... А Саша — не народ? Такой чистый, такой ясный, так верил, а его в Сибирь, расстрелять нельзя было, так хоть в Сибирь. Что осталось от ваших песен?.. Молитесь на своего Сталина...

Марк Александрович встал, двинул стулом.

— Ну, дорогая сестрица...

— Не шуми, не волнуйся,— спокойно продолжала она,— вот что я тебе скажу, Марк: ты мне деньги предлагал, деньгами не откупишься. Подняли меч на невинных, на беззащитных и сами от меча погибнете! — Она наклонила седую голову, исподлобья посмотрела на брата, вытянула палец.— И, когда придет твой час, Марк, тогда ты вспомнишь Сашу, подумаешь, но будет поздно. Ты не защитил невинного. Тебя тоже некому будет защищать.

8

Углубляясь в тайгу, партия шла четвертый день. Впереди телега, сзади сельский исполнитель — сонный парень верхом на лошади, с охотничьей винтовкой за спиной.

Сельский исполнитель — повинность, ее несут крестьяне по очереди, в каждой деревне конвоир сменяется. В числе прочих обязанностей сибирского мужика всегда существовала и эта. Так же сопровождали ссыльных отец, дед и прадед молодого верхового, а прапрадеда самого гнали таким же образом.

Конвоирование это формальное, партия принимается и сдается без расписки. Истинный охранник — тайга, тут не укроешься, здесь за тридцать верст чуют чужого человека. Охрана — невозможность нелегального существования в такое время, когда каждый проверяется вдоль и поперек.

Редкие побеги бывают только с места, когда заскучает ссыльный по свободе и у б е г о м у б е ж и т, не думая, что ожидает его. Побежит весной, когда запахи ее, одинаковые на всех широтах, защемят сердце неодолимой тоской по родине, или ранней осенью, когда станет невыносимой мысль о долгих месяцах беспросветной сибирской зимы. А то побежит и зимой, за месяц до окончания срока: всеми помыслами уже дома, нет сил ждать и страшит час, когда придешь за справкой, а вместо справки объявят новый срок. И находят такого зимнего беглеца весной под талым снегом, оттого и зовут «подснежником».

А с этапа не бегут. Только что из тюрьмы, из лагеря, из душного вагона, идут вольно, свободно, барахлишко на телеге, тайком его не снимешь. И документ один на всю партию, побежишь — всех подведешь, всех потянут, пришьют пособничество. Хочешь бежать — беги с места, будь человеком.

Уже таял последний снег в низинах, сверху пробивались лучи солнца, а на тропе было сумрачно и сыро. Бурелом, валежник, засохшие на корню деревья, покрытые косматым серым мхом, трухлявые колоды, ни куста, ни цветка, только местами пожелтевшая прошлогодняя травка, и всюду следы гари, будто свирепствовал здесь неукротимый лесной пожар. Лес без края, унылый, однообразный: лиственница, лиственница, иногда сосна, кедр, ель, еще реже береза или осина. Жизнь угадывалась только в кронах высоких деревьев, шумел там ветерок, слышалось тиньканье синичек, прыгали с дерева на дерево белки, шуршали шишками. И впереди тот же сплошной лес, хребты и отроги.

Вблизи Канска деревни были часты, из каждой их торопились отправить дальше, лишь бы не оставлять на ночь. Они приходили на ночлег поздно вечером, уходили рано утром. Ругался хозяин, гремя дверным засовом, плакал разбуженный ребенок, ворчала хозяйка, бросая на пол тряпье, а то и ничего не бросала — спите, как хотите. Спать на полу было холодно, надрывно кашлял больной Карцев, тоскливо вздыхал Ивашкин, думая о жене и детях.

Но в тайге деревни редки, перегон равнялся дню. В первое таежное поселение они пришли засветло и выспались наконец.

Володю конвоиры развязали, когда отошли от Канска.

— Теперь иди.

Он размял затекшее тело, потом пошел, легко, не уставал, не жаловался, смотрел зло и непримиримо. Была в нем лагерная хватка: любая мелочь может стоить жизни, надо быть начеку, мгновенно принимать решения, не уступать ни в чем, никого не бояться, наоборот, заставить бояться себя. Был снисходителен к Борису, к Саше, к Ивашкину — «случайным жертвам сталинского режима», презирал Карцева — «капитулянта», не разговаривал с ним, не замечал его. Саша удивлялся способности игнорировать человека, с которым идешь рядом, вместе спишь, делишь невзгоды.

Володя Квачадзе шел впереди. Карцев, больной, задыхающийся, плелся сзади, часто останавливался. Останавливалась и партия. Володя стоял, не оборачиваясь, досадуя, что приходится задерживаться. Физическую слабость Карцева объяснял душевной слабостью, в этом видел и причину его отступничества. И того, кто шел рядом с Карцевым, помогал ему на трудном переходе, встречал подозрительно, как лазутчика из вражебного лагеря.

Саше нравились отвага Володи, сопротивление, которое он оказывает начальству, достоинство, с которым держится. Но он абсолютно не принимал чужого образа мыслей, этот недостаток Саша знал и в себе. В первый же день он сказал:

— Володя, чтобы не было недоразумений. Я разделяю линию партии. Будем держать свои взгляды при себе. Ни к чему бесполезные споры.

— У меня тем более нет желания дискутировать со сталинскими подголосками,— высокомерно ответил Володя,— но уж раз вы меня сюда загнали, то рот не заткнете.

Саша улыбнулся.

— Я вас сюда не загонял, меня самого загнали.

— Своя своих не познаша. А то бы выкручивали руки не хуже тех, канских.

— Представляю, что бы вы делали с нами, будь вы у власти,— сказал Саша.

— Вы бы и при нас тянули руки вверх,— презрительно заметил Квачадзе.

— Не надо ссориться, ребята,— вмешался Борис.— Вечная беда политических — ссорятся... А уголовники сплочены, их администрация и не трогает.

— Уголовники — рвань! — сказал Володя.— Шкуры, палачи. За миску баланды продадут товарища. Они главная опора администрации, ее помощники. Убил жену — восемь лет, да и те скостят наполовину за примирное поведение. А вынес с фабрики пару подошв — десять лет.

Все глуше становилась тайга. Те же заросшие густым сплошным лесом хребты, плоскогорья, пади и сопки, птичий гомон в кронах деревьев, сумрак и сырость на тропе. Мелькнул раз в березняке громадный длинноногий лось и скрылся, треща сучьями.

С утра грело солнце. Лучи его почти не попадали на тропу, и все же идти было веселее и легче.

На привал остановились в полдень возле зимовья, крохотной лесной избушки с темными прокопченными стенами, без потолка, без окон, без печи, с земляным утоптанным и прокаленным полом — зимой тут раскладывают костер, дым выходит через отверстие в крыше. Лежала в углу охапка сухих сучьев — уходящий оставляет топливо тому, кто придет за ним, тот может прийти в мороз, снег, метель, не добудет суховья, не разожжет костер и замерзнет на утоптанном полу. Хороший человек оставит не только сучья, но и запрячет в сухом месте коробок спичек.

Они развели костер, принесли воду из родничка, сварили пшенную кашу, чай.

Пшено достал вчера Борис в сельпо. Продавец был ему знаком, открыл ночью лавку, кроме пшена дал еще пачку табака, раздобыл бутылку самогона, которую они в тот же вечер и выпили.

Сознание того, что его знают даже здесь, в глухой таежной деревне, что без него ребята совсем бы пропали, возвращало Бориса в привычное состояние активной деятельности, укрепляло уверенность, что и в Богучанах он будет не последним человеком.

Он рассчитывался за ночлег, за ужин, платил за всех, у ребят денег нет, есть у Саши, но неизвестно, устроится ли он на работу. А Борису работа в Богучанах обеспечена. Он был похож на начальника: френч с отложным воротником, брюки, заправленные в добротные сапоги, плащ-дождевик, фуражка защитного цвета. И мягкий властный голос начальника из образованных, с которым спорить трудно, все равно он тебя переговорит, лучше сразу выполнить, что требует.

И сейчас он тоже командовал, послал одного за водой, другого за сучьями, уже можно набрать в лесу сухих, и они решили не трогать тех, что лежали в зимовье. Только Карцева никуда не послал. Карцев сел на пенек, закрыл глаза, подставил солнечному лучу бледное страдальческое лицо.

Тот же продавец устроил, что не в очередь пошел с ними конвоиром хороший, услужливый парень и умелый — на привале понаделал ложки из бересты. Шел он пешком, легкий, белобрысенький, вел лошадь в поводу. Саша, как вышел рядом с ним из деревни, так с ним и дошел до привала. Паренек дал ему ружье стрельнуть в рябчика, Саша не попал.

— В медведя промахнешься, плохо, однако, будет,— засмеялся паренек.

— А ты ходил на медведя?

— Ходил, три раз. Медведя в берлоге берем. Как

собаки учуют зверя, так срубаем слеги, затыкаем берлогу, он начнет выдираться, мы и стрелим. Есть которы ходят с рогатиной, а то и с ножом, по-нашему кинжалом. Медведь — зверь хитрый, на человека вылетает, а на лошадь или там скотину — скрадом.

Он улыбнулся, когда Саша сказал, что есть звери посильнее медведя: лев, тигр, слон... Не верил.

Так же улыбаясь, рассказал, как год назад на поляне, мимо которой они шли, убили трех ссыльных уголовников.

— Гнали их так-то вот, а они в деревне сели в карты играть. Наши ребята деньги у них увидали. Сюда подошли, начали стрелять. Те побегли в целик, попадали, снегом их завалило, мороз был хляшший. Наши-то думали, догрызет их зверье, тут его много. А ехал как раз из района уполномоченный заготовитель, собаки и учуяли мертвых-то. Стали дознаваться, отправили ребят наших в Новосибирск. А там их шпана в тюрьме поубивала.

— И много денег они взяли у убитых?

— Десять рублей, однако, взяли.

В разговоре за костром опять возникла эта история. Ее знал Борис — ссыльные в Канске рассказали, знал Квачадзе — в лагере слыхал. Обоих парней убили в ту же ночь, как привели в тюрьму: весть о них дошла раньше, чем их туда доставили. Камера была большая, дружная, так и не дознались, чьих рук дело.

— И хорошо, что прикончили,— заметил Володя,— а то дали бы, самое большое, по пять лет и выпустили через год, подумаешь, убили ссыльных. А теперь местные будут знать: у тюрьмы телеграф получше казенного. Государство нас не защищает, будем защищаться сами. Другого выхода нет.

— Володя,— сказал Саша,— ведь вы сами говорили, что уголовники — не люди! Как же можно позволять им вершить суд?

— На каторге свои законы, походите в этой шкуре, узнаете,— отмахнулся Володя,— интеллигентские рассуждения.

— Зачем же кидаться на интеллигенцию? Она тоже кое-чего стоит,— сказал Саша.

Володя поднял палец.

— Отдельные представители.

— Ведь вы тоже интеллигент.

— Почему вы думаете, что я этим горжусь?

— Первым интеллигентом,— сказал Саша,— был человек, добывший огонь. Современники, конечно, убили его. Один обжег палец, другой пятку, третий убивал просто так — не высовывайся! Уже в каменном веке это было — не высовывайся!

— Саше первую премию за логику,— объявил Борис.— Володя, вы согласны отдать Саше первую премию?

— Давайте, если у вас есть,— ответил Квачадзе.

Все были настроены миролюбиво. Солнце опускалось за кроны деревьев, но они чувствовали его тепло, шли налегке, кинув пальто и шапки на телегу. Сопровождает их услужливый паренек, дает пострелять из ружья, никакой он не конвоир, все это не похоже на этап. Они в первый раз едят не за чужим столом, а в лесу, у костра. Треск сосновых веток, их смоляной запах, запах пригорелой каши, сосновые иглы в чае — все это возвращает к детству. Не так уж давно сидели они у костра в пионерском лагере.

Карцев подставил больное лицо солнцу, поворачивал голову туда, куда уползал его узкий туманный луч.

Ивашкин поддакивал и Володе, и Саше, любил умственные разговоры. Свою профессию считал интеллигентной, особенной. Поспешишь — вот и опечатка, вот и гонят в Сибирь, хотя и не ты даже набирал. В выступлении товарища Сталина вместо «вскрыть» ошибочно набрали «скрыть». Посадили шестерых. У Ивашкина дома остались жена и три девочки — дочки.

Паренек-конвоир тоже слушал их разговор, улыбался. Каши поел совсем немного, чтобы не обделять других.

Возчик держался угрюмо, от каши отказался и от чая отказался, пожевал чего-то в телеге и задремал, дожидаясь, когда отдохнет и нащиплется травки его лошадь. Потом запряг ее. Разомлевшие у костра ребята неохотно поднялись. Партия двинулась.

Они отошли километров пять, и вдруг засвистел ветер в верхушках деревьев, сразу потемнело, замела метель, повалил снег.

Заторопился возчик, заторопился парнишка-конвоир, спеша засветло выйти на Чуну. Снег кончился так же неожиданно, как начался, только покрыл кусты белыми шапками и вконец испортил и без того плохую дорогу. Ребята подталкивали телегу. Шли по-прежнему быстро.

Только Карцев не мог идти, задыхался, останавливался и кашлял, прислонясь к дереву.

— Садись, Карцев, на телегу,— сказал Саша.

Но возчик не позволил:

— Не наймовался я людей везти, лошадь не таш-шит, дороги нет.

— Совести у тебя нет,— сказал Ивашкин.

Саша ухватил лошадь под уздцы.

— Стоп! Карцев, садись!

— Не тронь, паря! — закричал возчик.— Поверну назад, покажут вам бунтовать!

— Папаша, не будем ссориться,— по-начальнически произнес Борис, подсаживая Карцева на телегу.

Пришлось снять с телеги два чемодана, какие полегче, конвоир приторочил их к седлу. Только Володя Квачадзе не сказал ни слова, равнодушно ждал, чем это кончится. Он не вступится за «капитулянта», если даже тот будет подыхать.

Через Чуну перебирались на дощанике. До берега он не доходил, шли вброд, несли вещи, втаскивали телегу. Промокли окончательно.

Деревня попалась большая, но захудалая, с завалившимися, почерневшими избами, разоренными скотными дворами. Шла гулянка, светился ранний огонь в избах, слышались пьяные крики и песни, пошатываясь, прошли по улице мужики, таежники, лесовики, разноростые, разномастные, непохожие на статных русоволосых сибиряков степной полосы. На бревнах сидели парни и девки, смеялись, окликнули конвоира, сказали, что сегодня престольный праздник. Конвоир сразу заторопился, побежал искать председателя, чтобы поскорее сбыть партию.

Пока ожидали председателя, подошли местные ссыльные: осанистый мужчина с пышной шевелюрой, неторопливыми движениями, внимательным взглядом, хорошо знакомый Саше по Пятому дому Советов тип государственного деятеля, и худая рыжеволосая женщина с суровым измученным лицом. Прибыл первый после распутицы этап, и им не терпелось узнать, нет ли здесь *своих*.

— Здравствуйте, товарищи!

Взгляд женщины остановился на Квачадзе, в его ответном взгляде почувствовала единомышленника. Володя назвал свою фамилию, она была им знакома, их фамилии оказались известны ему. Они обнялись, расцеловались, а с остальными знакомиться не стали. Мужчина улыбнулся вроде бы приветливо, но никому не протянул руки — он мог протянуть ее кому не следует или тому, кто в ответ не подаст свою. Женщина даже не улыбнулась.

Они увели Володю. Он шел между ними, высокий, гибкий, в черной телогрейке, с мешком на плече, отвечал на их вопросы, видно, вопросов было много — почта не приходила уже два месяца.

— Адье! — сказал им вслед оскорбленный Борис: Володя нарушил солидарность более высокую, чем солидарность политическая.

Прибежал мордастый, жующий на ходу парень, пьяный, суетливый, вытаращил глаза.

— Которы тут сослатые? Энти вот? Чтой-то вы больно черны, русски ли вас делали? Айда!

Он привел их в заброшенную избу на краю деревни с развалённой печкой, а им надо согреться, высушить одежду, уложить в тепле больного Карцева. Но, пока они рассматривали это давно покинутое жилище, мордастого и след простыл. Уехал и возчик, сбросив на землю их вещи.

— Нажмем на местную власть,— сказал Борис,— идемте, Ивашкин!

— Куда идти-то? Деревня гуляет.

— Говорить буду я, а вы поможете донести шамовку,— успокоил его Борис.

Они ушли. Саша вынул из чемодана пару чистого белья, шерстяные носки, рубашку, протянул Карцеву.

— Переоденьтесь.

Саша поразился его худобе. Кожа, туго натянутая на ребрах, острые колени, бесплотные ноги, длинные, бессильно висящие руки, лопатки, торчащие, как обрубки подрезанных крыльев.

— Отощали вы за голодовку,— заметил Саша.

— Кормили зондом, принудительно,— Карцев неловко заправлял рубашку в кальсоны,— потом перевели на госпитальное, молоком отпаивали. Я вены вскрывал, потерял кровь.

Глаза его лихорадочно блестели, лицо шло красными пятнами, наверно, температура, но градусника у них нет, да и мерить ее незачем, все равно завтра в дорогу. Наконец он переоделся, закутался в Сашино байковое одеяло, сел на скамейку, привалился к стене, закрыл глаза.

— Из-за чего вы вскрывали себе вены? — спросил Саша.

Карцев не ответил, не расслышал, может быть, задремал.

Саша осмотрел печь. У топки и подтопка торчали концы проволоки, кто-то уже выдрал заслонки. Саша хотел затопить, но раздумал: возможно, Борис раздобудет другое помещение.

Борис и Ивашкин принесли буханку хлеба и берестяной кувшин со сметаной, больше ничего не достали. Другого помещения тоже не добились — все пьяны, не с кем разговаривать, никто не пускает на ночлег.

Ивашкин нашел во дворе деревяшку, нащепил лучину, но она гасла, только спички зря тратили.

В темноте поели сметаны с хлебом.

— Холодный ужин лучше, чем никакой ужин,— изрек Борис.

Карцев от еды отказался, попросил пить. Воды не было.

— Пойду к Володиным друзьям, пусть возьмут его на ночь,— сказал Саша.

Борис в сомнении покачал головой.

— Не возьмут. Впрочем, попробовать можно. Я пойду с вами.

— Зачем?

— Деревня вдрызг пьяная, и эти ребята на бревнах настроены агрессивно.

На улице было светлее, чем в избе, полная луна висела в безоблачном небе. На бревнах по-прежнему сидели парни и девушки. Один из парней, видно, местный острослов и забияка, что-то рассказывал смешное, махал руками, ему отвечали взрывами смеха. Увидев Сашу и Бориса, он крикнул:

— Эй, позабыт-позаброшен, пойди сюда!

— Не обращайте внимания,— вполголоса проговорил Борис.

— Почему же? — Саша направился к бревнам.— Что нужно?

— Чего по улице шастаете? Девок ищете? А дрючков не хотите?

На бревнах сидел молоденький конвоир, молча улыбался. Но было очевидно: если начнут их бить, он будет так же улыбаться.

Саша обернулся к Борису.

— И верно. Смотрите, какие здесь девушки красивые.

— Красивы, да не про вас! — закричал парень.

— Тебе одному? — усмехнулся Саша.— А справишься?

На бревнах засмеялись.

— Но, но,— вмешался парень,— ты тово, не больно...

— Тово, чаво,— передразнил его Саша,— твою в господа бога...

Саша загнул такое, чему позавидовал бы любой грузчик из тех, с кем он работал на химзаводе.

И пошел дальше.

— Не надо задираться, ребята, посерьезнее надо быть,— добавил Борис и двинулся вслед за Сашей.

По дороге он ему сказал:

— Если вас тут не убьют, будете долго жить. Умеете что-то внушать.

Дверь в избу была не заперта. Володя, мужчина и женщина сидели за столом. Горела керосиновая лампа.

— Это Панкратов и Соловейчик,— сказал Володя,— я вам про них говорил.

Видно, говорил что-то хорошее, потому что мужчина улыбнулся.

— Садитесь, товарищи, попейте с нами чайку.

— Спасибо!

Саша не сел, повернулся к Володе.

— Что будем делать с Карцевым?

— А что я должен делать?

— Ты, по-видимому, собираешься здесь ночевать. Может быть, уступишь свое место?

Вместо Володи ответил мужчина:

— До некоторой степени я решаю, кто будет ночевать у меня.

— Может быть, вы знаете, к кому можно устроиться на одну ночь? — спросил Борис.

— Здесь никто не берет проходящих. Тем более больных.

Женщина обратилась к Володе:

— Когда вы в последний раз видели Ильина?

Уже на улице Саша с горечью сказал:

— А вы говорите, я умею что-то внушать.

— Дорогой мой,— ответил Борис,— здесь действуют политические страсти, а они самые неистовые.

9

К концу дня Поскребышев положил Сталину на стол прочитанное членами Политбюро письмо о статье Энгельса. Все согласились с тем, что статью печатать не следует. Проведенное опросом решение об изменениях в редколлегии «Большевика» также было единогласным.

Сталин не сомневался, что оба решения пройдут: ход со Стецким — правильный ход. Стецкий — человек Бухарина, а Бухарин у них в резерве. Бухарина они пока не отдадут, как не хотели отдавать в прошлом году Смирнова, Толмачева и Эйсмонта, а в позапрошлом году Рютина.

И все же все противники — прошлые, настоящие и будущие должны быть уничтожены и будут уничтожены. Единственная в мире социалистическая страна может устоять, только будучи незыблемо устойчивой внутри, это залог ее устойчивости и во внешнем мире. Государство должно быть могучим на случай войны, государство должно быть могучим, если хочет мира, его должны бояться.

Чтобы в кратчайший срок страну крестьянскую превратить в страну индустриальную, нужны неисчислимые материальные и человеческие жертвы. Народ должен на них пойти. Но одним энтузиазмом этого не достигнешь. Народ надо заставить пойти на жертвы. Для этого нужна сильная власть, внушающая народу страх. Страх надо поддерживать любыми средствами, теория непотухающей классовой борьбы дает для этого все возможности. Если при этом погибнет несколько миллионов человек, история простит это товарищу Сталину. Если же он оставит государство беззащитным, обречет его на гибель — история не простит ему никогда. Великая цель требует великой энергии, великая энергия отсталого народа добывается только великой жестокостью. Все великие правители были жестоки. Каменев, теперь директор издательства «Академия», не случайно выпустил Макиавелли. Для НЕГО выпустил, хочет ЕМУ показать, что методы, ИМ применяемые, были известны еще в пятнадцатом и шестнадцатом веках. Он ошибается, Каменев. Рекомендации Макиавелли устарели. Впрочем, неизвестно, годились ли они и в пятнадцатом веке?! Хлестко, но поверхностно, не диалектично, схематично. «Власть, основанная на любви народа к диктатору,— слабая власть, ибо зависит от народа, власть, основанная на страхе народа перед диктатором,— сильная власть, ибо она зависит только от самого диктатора». Это положение верно лишь частично: власть, основанная т о л ь к о на любви народа,— слабая власть, это так. Но власть, основанная т о л ь к о на страхе, тоже неустойчивая власть. Устойчива власть, основанная и на страхе перед диктатором, и на любви к нему. Великий правитель тот, кто через страх сумел внушить любовь к себе. Такую любовь, когда все жестокости его правления народ и история приписывают не ему, а исполнителям.

Высылка Троцкого за границу была актом гуманным и, следовательно, ошибочным: Троцкий на свободе и действует. Зиновьева и Каменева он за границу не отправит, они лягут первыми камнями в бастионе страха, который необходимо возвести, чтобы защитить народ и страну. За ними последуют их союзники. Бухарин — их союзник, бегал к Каменеву с заднего крыльца, вел с ним тайные переговоры, говорил, что предпочитает видеть в Политбюро вместо Сталина Зиновьева и Каменева. Сам нашел себе союзников и разделит их участь.

В политике нет места жалости. Если он и жалеет о ком-либо, то только об одном человеке — Каменеве. Жалеет в том смысле, что Каменев не с ним, а с Зиновьевым. «Уютный» человек, мягкий, уступчивый, к тому же тифлисец, окончил в Тифлисе гимназию, много лет жил в Тифлисе. Что-то в нем и от еврейского, и от грузинского интеллигента — ласковость, деликатность, приветливость, немного циник, но циник добродушный. Образован, ориентируется в политической обстановке, умеет точно и ясно формулировать выводы, за это его справедливо ценил Ленин. Не честолюбив, не претендует на лидерство, традиционно в т о р о й человек. Таким он был при Ленине, таким мог бы остаться и при товарище Сталине. Не захотел! Предпочел ЕМУ болтуна Гришку! Когда-то они хорошо действовали вместе, отлично понимали друг друга. Именно Каменев выдвинул его, Сталина, кандидатуру на пост Генерального секретаря партии. Но выдвинул только для того, чтобы использовать против Троцкого, они придумали это вместе с Зиновьевым — сделать партаппарат дубинкой против Троцкого, привыкли загребать жар чужими руками. Они не поняли главного: партийный аппарат — не дубинка, партийный аппарат — это рычаг власти. Передав ему этот рычаг, они и вручили ему всю полноту власти. ЕГО гений в том, что он единственный это понял. Впрочем, Ленин тоже понял, но не сразу, а спустя почти год, поздно понял! Но даже тогда, когда Ленин потребовал снятия ЕГО с поста Генсека, даже тогда Каменев ничего не уразумел и предложил съезду не принимать во внимание письмо Ленина. Сообразил только после смерти Ленина, когда отодвинутым от ленинского наследства оказался не только Троцкий, но и Каменев с Зиновьевым. Здесь бы ему и сделать правильный политический выбор, здесь бы ему вместе со всей партией пойти за товарищем Сталиным. Пошел за ничтожеством Гришкой! Почему? Верил в великие Гришкины таланты? Ерунда! Просчитался он потому, что никогда по-настоящему не понимал ЕГО, не понимал, что так называемая примитивность, так называемая посредственность товарища Сталина на самом деле есть простота вождя, который не только читает лекции в Комакадемии, но прежде всего разговаривает с массами, ведет за собой массы.

Евреи никогда не понимали, что такое ВОЖДЬ. Они никогда не умели по-настоящему подчиняться, это у них сложилось исторически, в этом их национальная трагедия. Все народы подчинились Риму и сохранили себя как нации. Евреи единственные не подчинились. Во всех религиях бог воплощается в человека: Христос, Магомет, Будда... Только у евреев нет обожествленного вождя, только иудейская религия не допускает олицетворения бога в человеке. Для них нет абсолютного авторитета, потому и не смогли сохранить свою государственность — верховная власть в государстве должна олицетворяться в верховном вожде. Евреи проспорили всю свою историю, демократия означает для них возможность спорить, мнению большинства им надо противопоставить свое личное мнение.

Есть, конечно, и евреи, способные признать вождя и служить ему, Каганович, например. Именно Каганович первым, еще в 1929 году, выступая в Институте красной профессуры, назвал ЕГО вождем... Но Каменев предпочел чужую поверхностную эрудицию и краснобайство. И просчитался. Эрудиции и краснобайства мало для вождя. Куда девались все предреволюционные «вожди» из интеллигентов и «литераторов»? Все эти Луначарские, Покровские, Рожковы, Гольденберги, Богдановы, Красины? А Ногины, Ломовы, Рыковы? Нет их, и ничего от них не осталось. Троцкий имел некоторые качества вождя. Но интеллектуальное высокомерие делало его невыносимым для партийных кадров. На каждом шагу он подчеркивал свое умственное превосходство, люди не любят, когда их считают глупцами. Люди признают умственное превосходство, когда оно сочетается с превосходством власти. Умственное превосходство приемлемо для них только в п р а в и т е л е, это значит, что они подчиняются у м н о м у правителю, это не унижает их, а, наоборот, возвышает, оправдывает в их глазах безоговорочное подчинение, они утешают себя мыслью, будто подчиняются не силе, а уму. А пока вождь не достиг единоличной власти, он должен уметь убеждать, создавать в людях уверенность, будто они его добровольные союзники, будто он только выразил, сформулировал их собственные мысли. Троцкий этого не понимал, как не понимал и значения аппарата. Почитая себя вождем, он думал, что сам, один может увлечь за собой массы своим красноречием, своим интеллектом. Нет! Для овладения массами мало блестящих речей, нужен инструмент, этот инструмент — аппарат. «Дайте нам организацию революционеров — и мы перевернем Россию!» — этого главного ленинского положения Троцкий никогда не понимал. Это и был его «небольшевизм», о котором говорил Ленин в своем «завещании».

Может быть, Ленин принимал всерьез мысль о коллективном руководстве? Нет! Ленин понимал значение вождя. «Советский социалистический демократизм единоличию и диктатуре нисколько не противоречит... волю класса иногда осуществляет диктатор, который иногда один более сделает и часто более необходим...»

И еще... «Договориться... до противоположения *вообще* диктатуры масс диктатуре вождей есть смехотворная нелепость и глупость...» Это Ленин понимал, но думал управлять Россией европейскими методами, а в НЕМ, Сталине, видел азиата.

Ленин понимал значение аппарата. Но он хотел усиления аппарата государственного, на который опирался сам, как глава правительства, и не хотел усиления аппарата партийного, на который опирался товарищ Сталин. Потому и предложил тогда снять его с поста Генсека. Где-то в перспективе наряду с нэпом он, видимо, намечал изменения более широкие, ибо если установка на фермера, то фермер потребует своих прав. Для таких маневров Ленин считал более подходящими Троцкого, Зиновьева, Каменева, Бухарина, даже Пятакова и неподходящим считал ЕГО, товарища Сталина. В товарище Сталине он видел главного «аппаратчика», а усиления аппарата он опасался. И правильно. Аппарат имеет свойство коснеть, аппарат, сплоченный долгими многолетними связями, вместо рычага становится тормозом, становится мумией. Канцелярия в громадной отсталой, крестьянской и многонациональной стране нужна для удержания завоеваний революции, но канцелярия таит в себе угрозу и для самой революции — власть этой канцелярии становится всеобъемлющей, могущественной и бесконтрольной. Ленин правильно этого опасался и потому утверждал, что «мы переняли от царской России самое плохое, бюрократизм и обломовщину, от чего мы буквально задыхаемся». Это так. Но это вовсе не значит, что аппарат надо уничтожить, что надо создать политический баланс. Политический баланс означает КОНЕЦ диктатуре пролетариата. Аппарат надо сохранить, аппарат надо укреплять, но надо в зародыше убить в нем самостоятельность, непрерывно менять людей, не давать цементироваться взаимным связям, непрерывно сменяющийся аппарат не имеет самостоятельной политической силы, но остается могучей силой в руках вождя, в руках всесильного правителя. Этот аппарат как инструмент власти должен внушать народу страх, но перед вождем этот аппарат должен сам трепетать.

Имеет ли он такой аппарат? Нет, не имеет. Он давно хотел изменить состав ЦК, но не смог этого сделать даже на Семнадцатом, ЕГО триумфальном съезде.

Не было, видите ли, оснований для отвода, пришлось оставить в ЦК тех, кому там уже не место, действовала их круговая порука, их сплоченность, их устоявшиеся взаимные связи, он не смог этого одолеть. Все! Этот аппарат уже отслужил свою службу и больше в таком виде ему не нужен, ему нужен другой аппарат, не рассуждающий, для которого есть только один закон — ЕГО воля. Нынешний аппарат — это уже старье, отработанный пар, хлам. Однако эти старые кадры и наиболее сцементированы, наиболее взаимосвязаны, они со своего места так просто не уйдут, их придется убирать. Но это будут навсегда обиженные, навсегда затаившиеся, потенциальные смертельные враги, готовые в любую минуту присоединиться к тому, кто выступит против НЕГО. Их придется уничтожать. Среди них будут и заслуженные в прошлом люди — история простит это товарищу Сталину. Теперь их прошлые заслуги становятся вредными для дела партии, они мнят себя вершителями судеб государства. И потому их надо менять. Менять — значит уничтожать.

Сталин снова прошелся по кабинету, остановился против окна... Да, Октябрьской революцией руководил Ленин и свершил ее Ленин, в этом его историческая заслуга. Но, свершив революцию и отстояв новую власть в огне гражданской войны, он пошел, в сущности, путем, который подсказал ему опыт ортодоксального марксизма: нэп — начало этого пути. Крайними революционными средствами Ленин доделал буржуазную революцию, расчистил для нее путь, уничтожив все остатки феодально-помещичьего строя. Но Ленин умер. История — великий режиссер. Она вовремя увела Ленина и дала нового вождя, который поведет Россию по истинно социалистическому пути. Для этого потребуется еще не одна революция. Одну революцию, не менее значительную, чем Октябрьская, он уже свершил — ликвидировал индивидуальное сельское хозяйство, ликвидировал кулачество, ликвидировал самую возможность фермерского пути развития деревни. При этом погибли миллионы людей — история ему это простит. Он совершил и вторую революцию — поставил Россию на путь промышленного, индустриального развития, превратил ее в современное, промышленное, могучее в военном отношении государство. Дорогой ценой превратил, много жизней на это ушло — история простит это товарищу Сталину, история не простила бы ему, если бы он оставил Россию слабой и беспомощной перед лицом ее врагов. Теперь надо создать новый, особенный аппарат власти. И уничтожить старый. Уничтожение старого аппарата надо начинать с тех, кто уже выступил против НЕГО,— с Зиновьева, Каменева, они более уязвимы, они боролись против партии, и они так много признавались в своих ошибках, что будут признаваться и дальше, будут признаваться в чем угодно. И никто не посмеет их защищать, и Киров не посмеет.

Девять лет Киров в Ленинграде. Что сделал он за эти годы, чтобы превратить Ленинградскую партийную организацию не в показной, а в истинный оплот Центрального Комитета партии? Он решил умиротворить этот вечно фрондирующий город, вместо того чтобы сокрушить его. Сокрушить — значит заменить старый аппарат новым, старые кадры — новыми. Умиротворить — значит оставить старый аппарат нетронутым, оставить старые кадры на месте, только перетянуть их на свою сторону. По этому пути и пошел товарищ Киров.

Почему пошел? Не понимал своей задачи? Хорошо понимал. Но понимал именно свою задачу, а не партийную, превратил Ленинград не в оплот партии, а в свой оплот. Не он их завоевал на сторону партии, а они его завоевали на свою сторону, сотворили из него нового лидера.

Сталин снова подошел к столу, снова перечитал доклад Ягоды. Да, ставленник Ягоды — Запорожец не способен изменить обстановку в Ленинграде. Беспомощный человек, ничтожество!

Сталин открыл дверь приемной и приказал Поскребышеву вызвать к нему назавтра наркома внутренних дел товарища Ягоду.

10

На Ангару вышли в полдень. Нависшие над могучей рекой высоченные скалы, прослоенные бурыми, желтыми, красными известняками, обнажали первозданное строение земли.

Через час въехали в Богучаны. Здесь им предстояло жить.

У берега черные бани, сети на подпорках, лодки, привязанные к столбикам. По обе стороны широкой улицы — бревенчатые черно-серые избы. Тесовые крыши заросли зеленым мхом. Между избами высокие плотные заборы. Крыльцо во дворе. На улицу смотрят окна в резных наличниках, выкрашенных синей или фиолетовой краской.

Возчик въехал в большой двор с хлевом, сеновалом, сараями, открытым загоном для скота. Скота, однако, не было, только куры рылись в навозной куче. Возчик открыл дверь в просторную избу, в нос шибанул кислый запах, они увидели грубый самодельный стол, лавки вдоль стен — убогое вдовье жилище.

Хозяева: скрюченная бабка с клюкой сидела на скамье и провожала тревожным взглядом каждое движение постояльцев; ее дочь — женщина лет сорока с впалой грудью и отвислым животом, перетянутым грязным передником, молчала, точно немая; и, наконец, ее сын, маленький некрасивый мальчишка лет шестнадцати.

Сложили вещи и отправились к райуполномоченному НКВД.

Им оказался некий Баранов, толстый человек с сытым казенным лицом, на котором было написано, что он проспал всю зиму, спал бы и дальше, да вот государственные дела не позволяют. Он вскрыл пакет, надулся, прочитал и каждому назначил место жительства. Ивашкин оставался в Богучанах, Володя Квачадзе отправлялся вниз по Ангаре, остальные вверх: Карцев в село Чадобец, а Борис и Саша в другой район, в село Кежму, в распоряжение тамошнего уполномоченного.

— Видите ли,— объяснил Борис,— у меня назначение в местное отделение «Заготпушнины». Есть распоряжение товарища Хохлова товарищу Косолапову.

Хохлов был управляющим окружной конторой «Заготпушнины», Косолапов — богучанской. Но письмо Хохлова Борис не показал, опасался, что Баранов заберет его.

— Зря Хохлов вмешивается в функции,— насупился Баранов,— придет почтовая лодка, отправляйтесь в Кежму.

Володя пошел разыскивать своих.

Ивашкин сразу посерьезнел, снова проникся сознанием исключительности своей профессии: в Богучанах затевалась типография, а наборщиков нет, они везде дефицит.

— Откуда вы знаете про типографию? — удивился Саша.

— В Канске слыхал,— уклончиво ответил Ивашкин и побежал искать себе квартиру.

Было неприятно, что он всю дорогу молчал об этом, опасался, что кто-то займет его место.

Борис выглядел подавленным. Далекая Кежма, еще триста километров, неизвестно, есть ли там вакантная должность, дурак он, не догадался запастись письмом и туда.

— Все же я схожу к Косолапову,— сказал Борис,— может быть, он что-нибудь сделает. Баранов полностью оправдывает свою фамилию.

Саша и Карцев пошли домой. Карцев совсем ослаб, едва добрался до избы, свалился на лавку, попросил попить, его бил озноб, Саша укрыл его, спросил у старухи:

— Есть у вас кипяченая вода?

— Отварная? В котле вон.

Она сидела в своем углу, как сова.

— Зачичеревил в дороге. Никого. Оклемается, молодой. Ись будете?

— Когда товарищи придут.

Первым пришел Володя, забрал свой мешок, сказал, что остановился у знакомого, третий дом за школой, и ушел.

Потом пришел Борис. Косолапов бессилен, все дело в Баранове — от такого тупицы зависит жизнь! Ну и черт с ним!

— Знаете, Саша, я даже рад. Я к вам привык. Вместе мы начали дорогу, вместе закончим.

Он уже рассуждал о том, как устроится в Кежме, устроит Сашу, вспоминал какие-то цифры по Кежемскому району, которыми он покорит тамошнего управляющего «Заготпушниной».

Явился Ивашкин, сообщил, что нашел угол с харчами за недорого, оклады здесь хорошие, с северной надбавкой и он сумеет посылать домой, а то и выпишет семью сюда.

Обедать не остался, за сегодняшний харч уже заплачено.

— Побегу, ребята, ждет меня человек.

Не спросил, когда им в путь, адреса не оставил, писать не просил и сам не обещал... Побегу, ребята, человек ждет.

— Вот так расстаются люди,— заметил Борис.

— Не порыдал на вашей груди,— усмехнулся Саша.

— Вы тоже это заметили? Молодец! Способный ребенок.

Поели драчены из общей миски и отправились на почту, оставили заявления, чтобы им все пересылали в Кежму. Саша написал маме, что чувствует себя прекрасно, Ангара — грандиозная река, он ни в чем не нуждается, а писать ему следует в Кежму, до востребования.

Они вернулись домой. На улице лежали лайки, хвост кренделем, даже не поднимали голову, когда мимо проходила женщина с коромыслом или выкатывалась из ворот толпа ребятишек.

— Не вижу ни одного мало-мальски подходящего объекта,— сказал Борис,— девушка на почте — и это местная элита... Между прочим, здесь распространена трахома — упаси вас господь вытираться их полотенцами! Да, так по главному вопросу: заметили вы девчушку, что вертится возле нашего дома? Такая скуластенькая, ничего девочка.

Саша видел ее, она разговаривала с хозяйским сыном.

— На вас заглядывается,— добавил Борис.

— Она совсем девочка.

— Почему? Лет шестнадцать. Вполне годится. Потом они выходят замуж и превращаются в рабочих лошадей. Присмотритесь.

— Растление малолетних,— засмеялся Саша,— с меня достаточно пятьдесят восьмой статьи.

У дома на завалинке сидела та самая девчонка, небольшая, стройная, крепконогая, с точеным, хорошо очерченным личиком, крутым лбом, полными губами. В чуть выдающихся вперед зубах был заметен отдаленный тунгусский, монгольский оскал. Глухо застегнута кофточка, длинная деревенская юбка закрывает до щиколоток босые ноги с твердыми грязными ступнями. Она жевала серу и смотрела на Сашу небольшими карими смеющимися глазами.

— Чего смеешься? — спросил Саша.

Она прыснула, закрыла рот рукой, вскочила, убежала, хлопнув калиткой. Но Саша видел, что она подглядывает за ним в щелку.

— Дикарка, но прелесть, статуэтка,— сказал Борис.

На ужин дали паренки — изрезанную пареную брюкву и бурдук — овсяный кисель. Опять все, в том числе хозяйка и ее сын, хлебали из общей миски. Старуха жаловалась: нет ни молока, ни мяса, даже рыбы — нет мужика в доме, некому рыбачить.

Во время ужина снова появилась соседская девчонка. Открыла дверь, увидела Сашу, опять прикрыла, затаилась в сенях.

— Чего прячешься, чувырла змеиная?! — крикнула старуха. Та продолжала тихо стоять в сенях.— Мешаная девка,— объяснила старуха.— Лукерьей звать. Лукешка,— опять крикнула она,— заходи в избу-то. Вот у городских еда нова.

Саша нарезáл остатки колбасы для Карцева.

Лукешка вошла и стала в дверях.

— Капошная девка,— сказала старуха, имея в виду малый рост Лукешки,— по обоим родовым капошная, и отец, и мать... Где братанья?

— Лешак их знат,— ответила Лукешка, косясь на Сашу,— в лесу, однако.

— На корчевье, ломовщина, или пьянствуют, рюмочки-то, они заманчивые. Отец с нимя?

— С нимя...

Лукешка кивнула на Карцева.

— Больной?

— Больной,— ответила старуха,— все бормотал. Кого он бормотал? Душа с телом расстается. Что стоишь? Садись, поговори, вон он какой баской,— и кивнула на Сашу.

Но Лукешка не садилась, стояла в дверях, жевала серу, косилась смеющимся взглядом на Сашу, босоногая, в кофте навыпуск и длинной юбке. Ее гибкое тело пахло водой, рекой, сеном. Она была в той короткой поре деревенской юности, когда девушка еще не изнурена работой, домом, детьми, ловкая, сильная, все знает, получила воспитание в общей избе, где спят вместе отец с матерью и братанья с женами, на грубой деревенской улице, откровенная, наивно-бесстыжая.

Саша протянул ей кусок колбасы.

— Попробуй.

Лукешка не двинулась с места.

— Бери, лешакова дочка, жабай! — сказала старуха.

Лукешка взяла колбасу.

— Ваши третьеводни на рыбалку ходили? — спросила старуха.

— Ходили.

— Много добыли?

— Два ведра добыли.

— Тебе сколько лет? — спросил Саша.

— Кого? — переспросила Лукешка.

— Годов тебе сколько?

— Кто его знат... Шестнадцать, однако...

— Кого кружаш,— возразила старуха,— нашему Ваньке пятнадцать и тебе пятнадцать.

Лукешка поскреблась плечом о косяк и ничего не ответила.

— Лукешка!!! — послышалось с улицы.

— Тебя ревут,— сказала старуха.

— Меня,— ответила Лукешка, не двигаясь с места.

— Лукешка!

— У, варнак! — выругалась Лукешка и вышла, хлопнув дверью.

— Справная девка,— сказала старуха Саше,— ты ей катетку подари, она и погуляет с тобой.

— Что значит катетка?

— Ну, платок по-вашему.

— Интересно,— усмехнулся Саша.

Карцев ночью стонал, задыхался, просил посадить его, сам уже сесть не мог.

Утром Саша и Борис отправились в больницу. К врачу тянулась длинная очередь. Люди сидели в коридоре и на крыльце. Соловейчик прошел прямо в кабинет. За ним Саша. Молодой врач выслушал Бориса и, узнав, что дело идет о ссыльном, велел принести предписание от райуполномоченного НКВД.

— Человек умирает,— грубо сказал Саша,— какое вам еще предписание?!

— Баранов знает какое,— ответил врач.

Баранов вышел к ним во двор, заспанный, нелюбезно спросил, в чем дело, недовольно нацарапал на бумажке: «Райврачу. Осмотрите больного адм-ссыльного Карцева».

Они вернулись в больницу. Снова Борис прорвался без очереди и вручил бумажку. Врач сказал, что после приема зайдет.

Вечером он пришел, осмотрел Карцева, определил воспаление легких и отек легкого на фоне общей дистрофии. Нужна кислородная подушка, ее нет, нужна госпитализация, но больница на десять коек, а лежат двадцать человек. Выписал лекарство и велел поить на ночь горячим молоком. Но по сурово-замкнутому взгляду Саша понял, что для него Карцев уже мертв.

Утром Карцеву стало легче и он попросил позвать Баранова.

— Зачем он тебе? — удивился Саша.

— Пойди, скажи,— задыхаясь и кашляя, говорил Карцев,— есть кислород, все есть. Идите, идите, пусть придет.

Они пошли, Борис предложил зайти за Володей Квачадзе.

— Он умеет с ними разговаривать.

Володя выслушал их спокойно, даже сочувственно. Хочет загладить свой поступок на Чуне, когда оставил Карцева в холодном сарае? Вряд ли... Вероятнее другое: есть повод поскандалить с начальством, утвердить себя, и повод серьезный — не хотят оказать ссыльному медицинскую помощь.

— Карцев просил, чтобы Баранов пришел к нему.

— Что?! — Володя повернулся к Саше, лицо его было страшно.— Просил Баранова прийти?!

Голос его дрожал, и, как всегда, когда он волновался, грузинский акцент слышался очень сильно.

— Не может же он сам в таком состоянии идти к нему.

— Он просил Баранова прийти?! — повторял Володя, с ненавистью глядя на Сашу.— И вы взялись за такое поручение?

Саше надоела его нетерпимость.

— Что ты на меня смотришь, первый раз видишь?

— Володя, успокойтесь,— сказал Борис,— Саша тут ни при чем.

Володя помолчал, потом мрачно произнес:

— Карцев — провокатор.

— Почему?! — поразился Саша.— Он три года просидел в политизоляторе, голодал, вскрывал вены.

— Просидел, голодал, вены вскрывал! — закричал Володя, бегая по комнате.— Всякие сидят, разные сидят и голодать должны со всеми... Зачем его в Москву повезли?

— Ему дали ссылку,— заметил Борис.

— Ну и что?! — снова закричал Володя.— Такие и в ссылке нужны. «Отошел, признал ошибки? Нет, извините, мало, докажи делом! Нам референты нужны...»

— Будь это так,— возразил Саша,— Баранов не заслал бы его в Чадобец, а оставил здесь, в Богучанах.

— Баранов ни-че-го не знает! В пакете были только наши справки. А такое придет потом, со спецпочтой. Карцев хочет ему объяснить, что он свой, его надо лечить, надо спасать. Всех из Верхнеуральска разослали по лагерям и тюрьмам, а его в Москву! Зачем? В Третьяковскую галерею?

— Все, кто с тобой не согласен, или сволочи, или провокаторы,— сказал Саша,— мы пойдем к Баранову.

— Ну что ж,— угрожающе проговорил Володя,— присоединяйтесь к этой работе, присоединяйтесь!

— Не пугай! Не таких видели!

— Кого ты видел?! — снова закричал Володя.— Ты ничего не видел. Маменькин сынок! Ты в сорок градусов лес не валил. Ты не видел, как подыхают люди на снегу. Как харкают кровью. Карцева пожалел! А тех, кого карцевы посылают на смерть, не жалеешь?

— Прежде всего мне жаль тебя,— сказал Саша.

Когда подошли к дому Баранова, Борис остановился.

— Давайте, Саша, все трезво обдумаем. Можно не соглашаться с Володей, но в известной логике отказать ему нельзя. Зачем Карцеву понадобился Баранов? Лечь в больницу? Это и мы можем потребовать. Тогда зачем? Вы, Саша, только начинаете, а я уже потерся здесь. Нет ничего страшнее такого подозрения, оно разносится мгновенно. И на всю жизнь — доказать обратное невозможно. Я готов идти в больницу, ухаживать за Карцевым, что угодно, горшок выносить... Но устраивать ему свидание с Барановым не хочу.

— Я пойду один,— сказал Саша.

Борис задумался, потом предложил:

— Давайте сделаем так — потребуем у Баранова больницу, а то, что Карцев звал его, не скажем. А там, в больнице, если ему нужен Баранов, пусть вызовет официально, через доктора.

— Врача я вам дал, что еще? — раздраженно спросил Баранов.

— Его надо положить в больницу.

— Так ведь сказано: нет мест.

— Человек умирает.

— Не умрет.

— Но, если умрет, мы сообщим в Москву, что вы отказались положить его в больницу.

— Плохо вы здесь начинаете, Панкратов,— зловеще произнес Баранов.

Часа через три к дому подъехала больничная телега. Саша и Борис вынесли Карцева.

Кончился жаркий июньский день, с реки дул легкий ветерок. Карцев лежал с закрытыми глазами, дышал ровнее, спокойнее.

Вечером Лукешка опять сидела на завалинке в кожаных ичигах, обтягивающих ее маленькую ногу. Яркий платок покрывал голову и плечи.

Она подвинулась, приглашая этим движением Сашу сесть рядом.

Саша сел.

— Ну расскажите что-нибудь, Луша. Тебя ведь Лушей зовут?

— Лукешкой кличут.

— По-нашему Луша. Я тебя буду Лушенькой звать.

Она прикрыла рот платком.

— Нравится, Лушенька?

Она отняла платок ото рта, глаза ее смеялись.

— Ты работаешь, учишься?

— Отучилась.

— Сколько классов?

— Три, однако.

— Читать, писать умеешь?

— Умела, да забыла.

— Работаешь?

— Стряпка я. Где жить-то будешь?

— В Кежме.

— У... — разочарованно протянула она.— Далеко. У нас тут сослатые живут, много.

— Ты бывала в Кежме?

— Не, дальше леса не бегала.

— Медведя не боишься?

— Боюсь. Лонись мы в лес бегали за ягодой, а он как выскочит, ревет, аж дубрава колется. Мы в голос, да и к лодке. Ягоду жалко, а она тяжела, лежуча. Бросили. Он идет не браво, косолапит. Мы веслом пихаемся, а он в воду... Едва на гребях ушли, все ревем, обмираем... Ой, край... Приехали ни по што. Теперь на матеру не ездим, боимся.

Она говорила бойко, посмеивалась и в то же время смущенно прикрывала рот кончиком платка.

— Поедешь со мной в Кежму? — спросил Саша.

Она перестала смеяться, посмотрела на него.

— Возьмешь — поеду.

— А что там делать будем?

— Поживем. Тебе сколько жить-то в Кежме?

— Три года.

— Три года поживем, потом уедешь.

— А ты?

— Чего я? Останусь. Тут все-то так, поживут и уезжают. А может, обангаришься?

— Нет, не обангарюсь.

— Завтра на Сергунькины острова поедем. Айда с нами.

— Зачем?

— С ночевами поедем,— с наивным бесстыдством объявила она.

— Лукешка! — раздался голос с соседнего двора.

— Так поедешь?

— Надо подумать.

— Эх ты, думный-передумный,— засмеялась Лукешка и убежала.

В гробу лежали стружки. Саша хотел их выкинуть, но Борис сказал:

— Нельзя выкидывать, разве вы не знаете?

Саша не знал — первый раз хоронил человека.

Служитель и возчик спустились в погреб, в мертвецкую.

Врач вышел на крыльцо, посмотрел на Сашу тем же суровым взглядом, каким смотрел на умирающего Карцева, и сказал:

— Справка о смерти передана райуполномоченному.

Саша и Борис не ответили — зачем им справка, кому ее пошлют?

Врач не уходил, стоял, смотрел на них. Он был их ровесником.

Служитель и возчик вынесли тело, положили в гроб.

Заколотили крышку. Телега выехала со двора. Сбоку шел невысокий мужик — возница, за гробом Саша и Борис. Проехали длинной сельской улицей, мимо бревенчатых черно-серых изб, свернули на другую, такую же черно-серую, выехали из села, поднялись по косогору к деревянной заколоченной церкви. За ней лежало кладбище.

Взяли лопаты, начали копать. Только сверху земля была мягкая, глубже — твердая, мерзлая, с пластинками льда.

Вот и кончился жизненный путь Карцева, случайного попутчика по этапу. Рабочий «Серпа и молота», комсомольский работник, заключенный Верхнеуральского политизолятора, ссыльный. Прав ли Володя? Что толкнуло Карцева на это? Желание искупить свою вину, доказать искренность своего раскаяния? Может быть, обещали свободу. Или просто слабость?

Ответы на эти вопросы ушли с Карцевым в могилу в далекой Сибири, на краю света.

Но, даже если это так, все равно, т а к о г о Карцева Саша не знал. Он знал больного и страдающего человека.

Возчик отставил лопату.

— Хватит. Медведь не докопается.

Гроб сняли с телеги, положили на веревки и, осторожно переваливая через свежую насыпь, опустили в яму.

Потом вытащили веревки и засыпали могилу. Все кончилось. Возчик вскочил на телегу, дернул вожжи и погнал рысью к селу. Саша и Борис остались у могилы.

— Надо дощечку с фамилией поставить хотя бы,— сказал Борис.

Но не нашлось у них ни фанерки, ни карандаша.

С горы далеко была видна Ангара, она катила свои воды среди скал и лесов из неведомых земель в неведомые земли. На горизонте вода становилась такого же цвета, как небо, сливалась с ним, будто не создал бог еще тверди, чтобы отделить воду от воды.

Что-то горькое и радостное пронзило Сашу. В тоске и отчаянии, стоя на заброшенном кладбище, он вдруг совершенно ясно ощутил незначительность собственных невзгод и страданий. Эта *великая вечность* укрепляла веру в нечто более высокое, чем то, ради чего он жил до сих пор. Те, кто отправляет людей в ссылки, заблуждаются, думая, что таким образом можно сломить человека. Убить можно, сломить нельзя.

11

— Прочитайте!

Пока Ягода читал свое же последнее донесение, Сталин рассматривал его: грубое узкое лицо краснокирпичного цвета с маленькими усиками под носом, как у Гитлера. Угрюмый настороженный взгляд. Не красавец!

На нем он остановил свой выбор еще в 1929 году. Менжинский тяжело болел, практически был не у дел, и на Семнадцатом съезде партии вместо него в состав ЦК ввели Ягоду, его заместителя. Можно было бы освободить товарища Менжинского от должности председателя ОГПУ и назначить на его место Ягоду, но это было бы неправильно понято — в Менжинском все видели преемника Феликса Дзержинского. Месяц назад Менжинский умер. Тут же состоялось давно подготовленное решение Политбюро о создании Народного комиссариата внутренних дел. В него включили Главное управление государственной безопасности, милицию, пограничную и внутреннюю охрану, исправительно-трудовые лагеря и колонии, а также пожарную охрану и загс. Наркомом внутренних дел назначили Ягоду.

Кандидатура Ягоды не вызвала возражений в Политбюро — старый член партии, кадровый чекист, не политик, не член Политбюро, «нейтральное» лицо, не нарушит равновесия в партийном руководстве.

Свердлов, на племяннице которого женат Ягода, был в свое время невысокого мнения о талантах родственника: послал его сначала в редакцию «Деревенской бедноты», потом на рядовую работу в ВЧК. Но Свердлов мало разбирался в людях и напрасно хвастался, будто весь отдел кадров ЦК ему заменяет записная книжка. Ведь и ЕГО Свердлов считал «индивидуалистом», говорил ему это в глаза еще там, в Туруханской ссылке, и ОН не обижался. Свердлов, в общем, простой хороший парень, однако не личность. Ленин и поставил его во главе ВЦИК, должность чисто представительскую. После смерти Свердлова Ленин на это место подыскал тверского мужичка Калинина — «всероссийского старосту».

Покойный Дзержинский тоже недолюбливал Ягоду, держал его на вторых ролях — управделами. Но при всех своих достоинствах товарищ Дзержинский был барин по рождению.

Естественно, что Менжинский, тоже барин, к тому же полиглот, знавший четырнадцать языков (зачем большевику четырнадцать языков?!), был ему ближе, чем Ягода — простой аптекарь из Нижнего Новгорода. И при всех своих достоинствах товарищ Дзержинский, надо сказать, не лишен был некоторого позерства... Потому и не любил Троцкого, тот в позерстве далеко его превзошел. Естественно, что малообразованный «канцелярист» не слишком импонировал Железному Феликсу...

Но в ГПУ ангелы не нужны, красавцы тоже не нужны, искусство руководства состоит в умении поставить нужного человека на нужное место, а затем, и это главное, когда он станет ненужным, убрать его. Ягода пока на своем месте — понимает истинный смысл того, что ему говоришь.

Подозрение, будто Ягода работал на царскую охранку, возможно, небезосновательно. Но такие дела сложны и запутанны, проверить эти подозрения практически невозможно. Косвенные доказательства всегда зыбки и ненадежны, прямых доказательств почти не существует — в первые же часы после революции охранка уничтожила почти все архивы. Много ли имен бывших осведомителей мы получили? А полученное тоже малодоказательно: охранка умела запутывать следы, умела пускать по ложному следу. И вообще для человека, который общался с жандармскими чинами и был вынужден маневрировать, чтобы сохранить себя для партии, неизбежны ситуации, которые теперь, через много лет, могут показаться сомнительными.

Доказать, что человек был связан с охранкой, трудно, но еще труднее доказать, что он с ней связан не был, если такое подозрение возникло и если есть хоть кое-какие материалы. Кое-какие материалы на Ягоду были представлены, материалы косвенные, неубедительные, но достаточные, чтобы при желании обвинить Ягоду в провокаторстве. Лицу, представившему эти материалы, ОН объявил тогда, что партия считает эти материалы неубедительными, и приказал никогда и нигде к этому вопросу не возвращаться. Но материалы оставил у себя. И Ягода знает это. И человека, представившего материалы, запретил трогать. И это Ягода знает. Будет предан из страха, а это лучше, чем преданность по убеждению: убеждения меняются, страх не проходит никогда.

Ягода положил бумаги на стол и ничего не сказал — Сталин пока ни о чем не спрашивал. И не смотрел на Сталина: смотреть на товарища Сталина значило задавать ему немой вопрос, вызывать на разговор, Сталин этого не любил, он сам знал, когда и что ему надо говорить. Конечно, Сталин показал ему его же собственный рапорт, однако пока неясно, что за этим стоит.

Сталин едва заметно кивнул на стул, возле которого стоял Ягода. Предложил сесть, значит, разговор предстоит длинный, и, как уже понимал Ягода, разговор серьезный в том смысле, что ему придется разгадывать в нем немало ребусов.

Прохаживаясь по кабинету, Сталин сказал:

— О чем свидетельствует ваш доклад? Он свидетельствует о том, что товарищ Запорожец не справляется со своими обязанностями. Если бы ликвидация зиновьевской оппозиции в Ленинграде была простым делом, можно было бы поручить эту задачу товарищу Медведю с его аппаратом. Но товарищ Медведь — человек Кирова, а товарищ Киров, к сожалению, не сознает размера зиновьевской опасности для партии и для себя лично. Неправильно оценивает обстановку в Ленинграде.

Медленно и неслышно Сталин прохаживался по ковру.

— В чем особенность этой обстановки? — продолжал он.— Особенность обстановки в Ленинграде состоит не только в том, что в Ленинградской партийной организации сохранилось много зиновьевцев. Главное, их сохранилось много в руководстве Ленинградской партийной организации, их много сохранилось в окружении товарища Кирова. Куда, спрашивается, девались десятки тысяч людей, голосовавших за Зиновьева перед Четырнадцатым съездом партии? Они там же, в Ленинграде, на тех же местах, на тех же постах. Товарищ Киров утверждает, что ныне они за генеральную линию партии, ныне они за ЦК... Так ли это? Да, они за товарища Кирова, но это не значит, что они за ЦК! Как им не быть за товарища Кирова, если товарищ Киров сберег их в Ленинграде в целости и сохранности? Естественно, что они за товарища Кирова, естественно, что они преданы товарищу Кирову. Но не принимает ли товарищ Киров преданность себе за преданность партии? Не ставит ли товарищ Киров знак равенства между собой и партией? Не *рано* ли он это делает? Что же удивительного в том, что честные ленинградские коммунисты недовольны подобным положением в Ленинградской партийной организации? Ничего удивительного в этом нет. Такое недовольство вполне закономерно, особенно, как вы сами правильно пишете в своем донесении, у молодых коммунистов, выросших и созревших уже после зиновьевского периода. Они протестуют против подобного положения, тем более что на пути их роста, их продвижения стоят старые, зиновьевские кадры, которые, естественно, двигают *своих* и не дают дороги другим, чужим, а чужие для них — это честные и искренние сторонники ЦК.

Сталин замолчал, продолжая медленно и неслышно ходить по кабинету, потом заговорил снова:

— В чем заключалась задача товарища Запорожца? В том, чтобы изменить обстановку в Ленинграде, изменить отношение Ленинградской организации к зиновьевцам, показать размеры троцкистской и зиновьевской опасности. Что же сделал товарищ Запорожец? Ничего. Жалуется, что Киров и Медведь не *позволяют* ему, видите ли, этого сделать. Такие жалобы недостойны настоящего чекиста. Он жалуется, что аппарат подчинен не ему, а Медведю. Дурак! Пусть подберет свой аппарат или пусть распишется в своем бессилии.

Сталин вдруг остановился против Ягоды.

— Со сторонниками Зиновьева и Каменева надо покончить раз и навсегда. Товарищ Киров окружил себя зиновьевцами, они же и отблагодарят его за все его благодеяния. Безусловно,— Сталин снова стал прохаживаться по комнате,— безусловно, в сегодняшней конкретной обстановке устранение Кирова не выгодно зиновьевцам — он сохраняет в Ленинграде их кадры. Но при обострении ситуации в обстановке борьбы за власть Киров им будет не нужен. Обстановка может обостриться и в случае угрозы войны. А война выгодна только противникам ЦК, война открывает путь к перемене власти. Сейчас Зиновьев и Каменев пытаются использовать товарища Кирова как ударную силу против ЦК, но придет час, когда он станет им не нужен и они уберут его, чтобы вызвать кризисную ситуацию в стране. Киров держит за пазухой троцкистскую змею против Сталина, а не укусит ли она самого товарища Кирова?

Он взял со стола и бросил Ягоде его доклад.

— Партии нужны не бумажки, а дела. Вы свободны.

Сталин отпустил Ягоду. Понял ли он его? Все понял. Впрочем, лучше всего, если Киров согласится переехать в Москву. Он секретарь ЦК, пусть и работает секретарем ЦК. Будет на глазах. Правда, рядом с Орджоникидзе, но посмотрим, во что выльется их нежная дружба, если в ведении Кирова, как секретаря ЦК, будет вся промышленность, в том числе и тяжелая, а значит, и Серго со своим аппаратом. Орджоникидзе не шибко умен, в этой паре ходит вторым, но подчиняться Кирову впрямую не захочет. Ну что ж, здоровое недоверие — лучшая основа для совместной работы.

Сталин вышел в приемную и приказал Поскребышеву вызвать к нему товарища Ежова.

В аппарате ЦК Ежов появился в двадцать седьмом году. Маленький, почти карлик. Сталин любил низкорослых, его собственный рост — 160 сантиметров.

Редкий случай — Сталин забыл, кто его рекомендовал. Мехлис? Поскребышев? Товстуха? Кто-то из них. До этого Ежов был на партийной работе в Казахстане.

В секретариате проявил себя хорошо, помнил, кто, где, когда, на каком месте работал, держал в голове сотни фамилий. Прирожденный кадровик. В 1930 году ОН сделал его заведующим отделом кадров ЦК. И не ошибся. За десять минут Ежов давал исчерпывающую справку о любом работнике номенклатуры, в том числе и любом члене Политбюро — картотека Ежова включала всех, этот коротышка не признавал авторитетов, для него партстаж, социальное происхождение, прошлые заслуги не играли никакой роли. Все эти понятия он считал устаревшими, даже вредными, ибо они давали их обладателю иллюзорное право на исключительность. Когда Ежов докладывал материал на членов Политбюро, его фиалковые глаза становились равнодушными, для него члены Политбюро ничем не отличались от людей из номенклатуры. Единственный в секретариате, он был свободен от всяких личных связей, никому ранее не ведомый партработник из далекого Казахстана, именно поэтому ненавидел кадры, сцементированные давними связями, эти «обоймы» он безжалостно разрушал, вынимая из них самые важные звенья, проводя ЕГО политику разобщения людей в аппарате. Конечно, Ежов — одиночка, в борьбе с могущественными «обоймами» отстаивал себя и свое положение. Безусловно, слепая ненависть — плохое качество в политике, мешает принимать правильные решения. Но и плохие черты характера можно использовать. Ежов — не «белые перчатки». Ежов — «черные перчатки», но и они полезны для дела. Не рассуждает, а действует, свободен от всякого нравственного тормоза, от этических условностей. Внешне скромен, однако честолюбив, хочет управлять людьми, решать их судьбы, но тайно, в своем кабинете, за своим столом, со своими папками, со своей всемогущей картотекой. Практически он уже контролирует органы НКВД, и Ягода его ненавидит — тут баланс найден. На Семнадцатом съезде ОН ввел его в состав ЦК — одна из немногих перемен, которая ему тогда удалась. Теперь надо ввести его в состав секретариата для наблюдения над органами НКВД, суда и прокуратуры — тогда равновесие закрепится окончательно. С Ежовым и Ягодой, двумя партнерами, ненавидящими друг друга, за этот участок можно быть спокойным.

Сталин кивнул на стул.

Ежов сел и положил перед собой блокнот.

— Есть предложение,— сказал Сталин,— видоизменить структуру ЦК, дополнить аппарат ЦК новыми отделами.

Когда товарищ Сталин говорил «есть предложение», это означало, что предложение исходит от самого товарища Сталина.

— Чем вызвано это предложение? — Сталин задал вопрос как бы самому себе.

И сам на него ответил:

— Я думаю, оно вызвано разумными соображениями.

Ежов смотрел в блокнот, держа наготове карандаш.

— Мы тогда простили товарищу Рязанову его поступок,— сказал Сталин,— простили потому, что на этот поступок его спровоцировал Пятаков. Однако сам по себе поступок возмутительный. Арестовать комиссию из центра! На это не решился бы ни один секретарь обкома. А вот директор завода решился, даже не посоветовался с секретарем горкома партии. Это серьезный сигнал.

Сталин сделал паузу. Ежов, не поднимая головы, писал.

— О чем свидетельствует этот сигнал? — снова спросил самого себя Сталин.

И сам ответил:

— Этот сигнал свидетельствует о том, что руководящие кадры промышленности бесконтрольны. Аппарат промышленный из аппарата советского превращается в аппарат технократический. Это большая опасность!

В этом месте Сталин сделал ту особую паузу, означающую, что сейчас он произнесет фразу-обобщение, которая должна быть доведена до самой широкой аудитории. Ежов сосредоточился, чтобы точно записать ее.

— Технократический аппарат стремится к экономическому господству, экономическое господство есть господство политическое, это азбучная истина марксизма. Допустить экономическое, а следовательно, политическое господство технократии мы не можем, это означало бы конец диктатуры пролетариата.

Выждав, пока Ежов запишет, Сталин сказал:

— К сожалению, товарищ Орджоникидзе недооценивает эту опасность.

Ежов перестал писать: все, что касалось членов Политбюро, он должен запоминать, а не записывать.

— Впрочем, товарищ Орджоникидзе повторяет ошибку многих наших высших руководителей, которые преданность своего аппарата себе лично принимают за преданность этого аппарата партии и государству. Технократический аппарат действительно предан товарищу Орджоникидзе. А почему ему не быть преданным? Товарищ Орджоникидзе всячески защищает этот аппарат, оберегает, выводит из-под контроля партии, поощряет его автономистские тенденции, возражает против ареста любого инженера-вредителя, возражал даже против процесса Промпартии. Конечно, при таких условиях технократический аппарат ему предан. Но предан до поры до времени, предан, пока набирает силу. А вот когда они наберут силу, они обойдутся без товарища Орджоникидзе! Рязанов арестовал и выгнал комиссию, назначенную Пятаковым. Но ведь Пятаков — заместитель товарища Орджоникидзе! Где гарантия, что завтра товарищ Рязанов не выгонит комиссию, назначенную самим товарищем Орджоникидзе? Изгнав комиссию Москвы, товарищ Рязанов совершил акт политический. Почему же свой политический шаг он не согласовал с политическим руководством в лице секретаря горкома товарища Ломинадзе? Товарищ Ломинадзе лично не авторитетен для товарища Рязанова? Допустим. Но, каков бы ни был товарищ Ломинадзе, он все же возглавляет партийную организацию, а партийную организацию никому не позволено обходить...

С того места, когда Сталин перестал говорить об Орджоникидзе и заговорил о Рязанове, Ежов снова начал записывать.

— Товарищ Рязанов,— продолжал Сталин,— уже не считается ни с Москвой, ни с местным партийным руководством. Что это означает? Это означает, что технократический аппарат почувствовал себя бесконтрольным и безнаказанным. Почему?

Сталин опять сделал паузу, предвещающую обобщение, Ежов склонился к блокноту.

— Хозяйственный аппарат,— продолжал Сталин,— почувствовал себя бесконтрольным потому, что ему нет равнозначного партийного контроля. Какую роль может играть партийная ячейка Наркомата тяжелой промышленности, если во главе Наркомата стоит член Политбюро? Какую роль могут играть партийные ячейки при главках, трестах, заводах и фабриках, если начальники главков и директора заводов — члены обкомов, а то и ЦК партии, а секретари ячеек, в лучшем случае, члены райкомов партии? На таком уровне роль партийных организаций практически равна нулю. Дело Рязанова подсказывает нам решение первостепенной задачи: контроль за деятельностью хозяйственного аппарата надо осуществлять на равнозначном партийном уровне. Партийный аппарат должен контролировать все аппараты страны, в том числе и народнохозяйственный, и прежде всего аппарат промышленный, располагающий наиболее самостоятельными, образованными и чванливыми кадрами.

При слове «чванливыми» в желтых глазах Сталина мелькнула злоба, и он после паузы добавил:

— Любые поползновения к созданию в нашей стране технократии должны быть уничтожены в корне, разбиты вдребезги. Поэтому есть предложение к ныне существующим отделам ЦК добавить еще три отдела: промышленный, сельскохозяйственный и транспортный. Таким образом, основные отрасли народного хозяйства — промышленность, сельское хозяйство и транспорт — будут иметь прямую связь с Центральным Комитетом партии. Таким образом, партия сумеет лучше помогать решающим участкам народного хозяйства. Руководители этих новых отделов должны быть работниками того же, а может быть, и большего масштаба, чем народные комиссары, тогда они будут иметь вес и авторитет. Подготовьте проект решения о реорганизации партийных органов и покажите мне. Подберите кандидатуры на посты заведующих новыми отделами и тоже покажите мне. Курировать каждый отдел будет секретарь ЦК, а возможно, и член Политбюро. Промышленный отдел, как наиболее важный, должен курировать, безусловно, член Политбюро. Товарищ Киров, например. Ведь у него, кажется, техническое образование. Кстати, принесите мне его полное личное дело.

Сталин встал.

Поспешно поднялся и Ежов, закрывая блокнот и опуская в нагрудный кармашек самопишущую ручку.

Уже стоя, Сталин сказал:

— Наказать Рязанова в тот момент значило бы оправдать провокационную вылазку Пятакова. Но принцип демократического централизма нельзя нарушать, даже если центр не прав. Пусть в этом теперь разберется обком партии. Пусть обком потребует объяснений, пусть произведет расследование и материалы доложит вам. Инцидент должен быть зафиксирован.

12

Еще весной, накануне выпуска из института, Шароку позвонила Малькова и велела завтра утром явиться в отдел кадров Наркомюста.

Итак, его вопрос решен. Если завод — прекрасно, если суд или прокуратура, то, безусловно, Москва, иначе его не вызвали бы в Наркомат. В институте все уже получили назначения, и всех загнали на периферию.

На следующий день в назначенное время Юра явился к Мальковой. Она встала при его появлении, коротко и сухо бросила:

— Идемте!

Привела его в маленькую полупустую комнату с голыми стенами, стояли там только обшарпанный канцелярский стол без тумбочек, покрытый зеленым, в чернильных пятнах листом бумаги, и три стула. С потолка на проводе свешивалась лампочка без абажура, заброшенная, неизвестно для чего предназначенная комната.

У мутного, давно немытого окна стоял небольшого роста человек. Он обернулся, когда они вошли, Малькова пропустила вперед Шарока и тут же вышла, плотно закрыв за собой дверь.

Некоторое время они разглядывали друг друга. У человека было неподвижное детское лицо, которому большие роговые очки придавали неестественную взрослость. Юра всегда сторонился таких сухариков — слабосильны, но обидчивы и мстительны. Сухарик назвался Дьяковым, предложил Юре сесть и сам уселся против Шарока.

— Кончаете институт, товарищ Шарок,— начал Дьяков,— предстоит распределение, хотелось бы поближе познакомиться. Расскажите о себе.

Точно такими же словами встретила его в свое время и Малькова. Не слишком оригинальны работники отдела кадров. И Шарок ответил Дьякову точно так же, как ответил тогда Мальковой: сын рабочего швейной фабрики, по прошлой специальности фрезеровщик, вел в институте такую-то общественную работу. Есть и *сложность* — брат судим за воровство. В общем, ответил так, чтобы ничем себя не скомпрометировать и в то же время оказаться непригодным для работы в органах суда и прокуратуры, пусть отпустят на завод.

Однако в отличие от Мальковой Дьяков не стал читать ему нотации по поводу брата, видимо, уже осведомлен на этот счет. Зато подробно расспросил о другом: откуда родом родители, кто родственники, где живут, какая у Шароков квартира, наконец, каковы его планы после института.

— Хочу вернуться на завод.

Дьяков сочувственно кивнул головой.

— Мое дело выяснить ваши намерения, остальное решит начальство. Я вам еще позвоню.

Итак, его хотят взять в Наркомат или прокуратуру, неясно только, на какую работу. Выделили из всего выпуска, лестно, конечно, но нарушает его планы. И, хотя Наркомат или прокуратура означают Москву, он решил все же добиваться назначения на завод.

Через несколько дней Дьяков позвонил и попросил приехать в Наркомат юстиции. Юра приехал. Дьяков дожидался его в бюро пропусков. На лифте они поднялись на четвертый этаж и прошли в ту самую комнату, где прошлый раз принимал его Дьяков.

У окна сидел и читал газету грузный человек в военной форме с четырьмя ромбами в петлицах гимнастерки. Петлицы были малиновые — войска ОГПУ. Юра сжался — понял, на какую работу хотят его взять.

— Товарищ Березин,— объявил Дьяков.

Березин опустил газету, Юра увидел бронзовое эскимосское лицо и снова почувствовал тревогу.

Движением руки Березин пригласил Юру сесть.

Дьяков продолжал стоять и сел уже во время разговора, когда Березин и ему кивнул головой на стул.

Березин молча разглядывал Юру, потом медленно произнес:

— Партийная организация рекомендует вас для работы в органах НКВД. Я ознакомился с вашим личным делом. Ваш брат осужден за уголовное преступление. Вы были знакомы с теми, кого судили вместе с ним?

— Я их впервые увидел на суде.

— Вы дружили с братом?

— Он на четыре года старше меня. У меня были свои друзья, у него свои.

— Вы поддерживаете с ним связь?

— Он пишет отцу, матери... Они отвечают... Передают мои пожелания закончить срок и вернуться к честной, трудовой жизни. Помогут ли мои советы, не знаю.

Березина интересует не брат, а он, это Юра отчетливо понимал. И надо отвечать так, чтобы не вызвать сомнений в своей искренности, но и так, чтобы его не взяли в органы. Они сами должны отказаться от него. Березин никогда не будет ему верить, того же плана, что и Будягин, из железной когорты.

— А кто ваши друзья? — спросил Березин.

— Особенно близких друзей у меня нет,— осторожно начал Шарок, понимая опять же, что это и есть главный вопрос. Только о ком хочет узнать Березин: о Саше Панкратове или о Лене Будягиной?.. Но и Саша, и Лена уже давно не его друзья...— Особенных друзей у меня нет,— повторил Шарок.— Есть знакомые по институту, по школе, где я учился, по дому, где живу.

— Вы учились в седьмой школе?

Так, ясно... Дело в Саше или в Лене.

— Да, в седьмой.

— В Кривоарбатском переулке?

— Да.

— Хорошая школа. С кем из школьных товарищей вы встречаетесь?

Подбирается к Саше Панкратову. Умолчать? А зачем? Все равно знают. И что могут ему вменить? Дружбы-то никакой не было, наоборот, вражда была. Но и про вражду говорить не следует, подумают, что клепает на арестованного. Ничего не было — ни дружбы, ни вражды. Жили в одном доме, однолетки, значит, и учились в одной школе, потом работали на одном заводе, давно все это было...

— Видите ли,— сказал Юра, тщательно обдумывая каждое слово,— по существу, мы уже не встречаемся друг с другом. Да и раньше встречались так, случайно — жили в одном доме. А теперь разошлись в разные стороны. Костин Максим, например, кончил пехотное училище, уехал на Дальний Восток, Панкратов Александр арестован, по какому делу, откровенно говоря, не знаю, Иванова Нина — учительница, видимся иногда во дворе, здравствуй — до свидания... Да еще Марасевич Вадим, живет не в нашем доме, но на Арбате, иногда видимся, он филолог... Кто еще? Лена Будягина живет в Пятом доме, тоже почти не видимся.

— Дочь Ивана Григорьевича? — спросил Березин.

— Да.

— У вас есть невеста, подруга?

Этот вопрос, заданный сразу после того, как Шарок упомянул Лену, показал, что о нем осведомлены. Они и должны быть осведомлены. И цель вопросов — не столько узнать о подробностях его жизни, сколько проверить честность.

— Жениться пока не собираюсь,— улыбнулся Юра.

— Любите театр, кино, потанцевать...

Знают, что он бывал с Леной в ресторанах.

— Потанцевать люблю.

— С хорошенькими девушками?

— Лучше с хорошенькими.

Березин помолчал, потом спросил:

— Вы упомянули Панкратова. Это Панкратов Александр Павлович?

— Да, мы его звали просто Сашей. Он был у нас секретарем комсомольской ячейки. Но он арестован...

— Что он за человек?

Шарок опять пожал плечами.

— Это было давно. Восемь лет прошло, тогда он был хороший как будто парень, честный,— он улыбнулся,— комсомольский вождь. Ну, а что с ним произошло потом, я не знаю.

Иначе он ответить не мог. Отрицательная, даже сдержанная характеристика вызвала бы вопросы, на них ему нечего отвечать и незачем. Тогда Панкратов был хороший парень, тогда Саше было пятнадцать лет, тогда и Шароку было пятнадцать лет, тогда он смотрел на все молодыми доверчивыми глазами. Он и сейчас смотрит доверчивыми глазами, вряд ли им нужен такой открытый, откровенный да еще с братом-уголовником.

Шарок и не подозревал, что именно этот его хороший, «искренний» отзыв о Саше Панкратове и решил его судьбу. На него, на Шарока, Березин перенес свое отношение к Саше, как и в Панкратове, увидел в Шароке хорошего, честного парня. Жестокая ошибка, она дорого обошлась потом Березину.

А пока он сказал:

— Мы обдумаем вашу кандидатуру. Но прежде вы сами должны решить: хотите вы у нас работать или нет? Это высокая честь, органы Чека — вооруженный отряд партии. Насильно никого не заставляем, откажетесь — в обиде не будем.

Он снова повернулся к Дьякову.

— Дайте товарищу Шароку свой телефон.

— Есть,— Дьяков привстал.

— Вопрос не решен,— сказал Березин,— и разговор остается между нами.

— Я понимаю,— ответил Шарок.

Почему именно он? Он средний студент, не отличник. И общественник средний — выполняет порученное дело. Видимо, такие средние и нужны.

Он пытался представить их разговор о себе. Березин будет сомневаться. Почему брат уголовник? Почему ходит по ресторанам? Наверное, тот, уголовник, тоже любил роскошную жизнь, вот и ограбил ювелирный магазин. Почему именно такого надо брать к нам? А Дьяков будет за Шарока, он остановился на его кандидатуре и должен защитить свой выбор. Что-то такое промелькнуло между ними, взаимное понимание, что ли. С ним бы Юра сработался.

А вот с Березиным...

— Бываете с отцом на бегах? — спросил Березин.

— Нет, не бываю.

Этот вопрос показался Юре самым неприятным. Они знают о нем все, они знают все обо всех. А он-то всегда боялся Будягина. Не Будягина надо бояться, Березина. Будягин известен, Березин нет, и все же Березин — главная сила. Обладая властью тайной, они стоят за спинами тех, чья власть на виду.

И Дьяков — тоже сила, хоть вставал при каждом обращении к нему Березина. Юра вспомнил свой первый разговор с ним, как основательно Дьяков тогда уселся на стул. Нет, не середнячков он выискивал в институте, зачем им середнячки. Выбор Дьякова уже точно сделан — он, Шарок, создан для этой работы, он, а не простодушный Максим Костин, не мягкотелый интеллигент Вадим Марасевич, не чересчур самостоятельный Саша Панкратов. У Шарока бы никто не вывернулся, перед ним никто бы не оправдался, он не верит ни в чью искренность — невозможно искренне верить во все это, и тот, кто утверждает, что верит, врет.

Все. Решение правильное. Надо довериться судьбе. Согласие он даст, а там пусть решают. Захотят — возьмут, не захотят — не возьмут. Именно там он будет в безопасности. Там его никто не тронет, они сами всех трогают.

Юра позвонил Дьякову и сказал, что решает вопрос положительно.

— Зайдите вечером,— сказал Дьяков.

С пропуском в руках Юра шел по длинному коридору, вглядываясь в номера кабинетов. Неужели он будет здесь работать?

Дьяков принял его в крохотном кабинете, но это был его кабинет, он сидел здесь, как хозяин. В военной форме, с тремя шпалами в петлицах гимнастерки. Как ни странно, военная форма шла ему, делала его тщедушную фигуру представительной.

— Правильно сделал.

Он обращался к нему на «ты», говорил приветливо, как со своим, вытащил из стола папку.

— Твое дело. Будем оформлять.

Юра чувствовал, что нравится ему.

— Слушай, Шарок,— сказал Дьяков,— прошлый раз ты назвал Панкратова, что он за парень?

— Ну,— Юра пожал плечами,— я уже рассказывал... В школе был секретарем комсомольской ячейки. Тогда он производил впечатление человека честного. К его недостаткам я бы отнес стремление выглядеть умнее других, более знающим, более осведомленным.

— Может, он и был более осведомленный?

— Возможно,— согласился Юра. Он все понял и теперь уже знал, что ему говорить.— Его дядя, Рязанов, начальник строительства. У нас в школе вообще учились дети многих ответственных работников. Панкратов бывал у них дома. Я бы про него сказал так: любил командовать, быть первым.

— То-то и оно,— серьезно проговорил Дьяков,— вот и натворил. И себя запутал, и хороших, честных ребят.

— Говорят, выпустил какую-то стенгазету.

— И это было, и по другой линии связи... Скажи, у кого из ответственных работников он бывал?

Интересуется Будягиным, но не называет — слишком большое имя.

Юра тоже не назовет, *такая* информация пойдет не от него. В разговоре с Березиным он уже упомянул Лену, хватит!

— У нас учились ребята из Пятого дома, вот у них и бывал.

Дьяков покосился на Шарока.

— Заполнишь анкету и напишешь автобиографию...— И добавил весело: — Я думаю, мы с тобой сработаемся.

Юра сразу привился в новых условиях, подошел этому учреждению, даже украсил его своей молодостью, приветливой улыбкой, открытым русским лицом, с возрастом оно приобрело некую скандинавскую правильность. Стройный, ловкий, он был к тому же сообразителен, деловит, сдержан — качества, оцененные и Дьяковым, и Березиным.

Покровительство Березина обеспечивало Шароку быстрое продвижение, но Юра опасался этого покровительства, боялся Дьякова. Березин высоко, он неделями не видит Юру и вспоминает о нем тогда, когда тот предстает перед его глазами. Дьяков рядом, может в любую минуту воспользоваться Юриной неопытностью и сломать. Березин — один. Дьяковых — много. Да и крючкотворство Дьякова было Юре ближе прямодушия Березина. Березин верил, Юра не верил ни во что, Дьяков притворяется, будто верит.

Но с Дьяковым надо быть начеку, интриган — Шарок сразу это сообразил и был настороже. Дьяков передал ему ряд людей, с которыми р а б о т а л, среди них и Вику Марасевич.

«Вот тебе и на! Вот так новость! И Вика, значит...

Непонятно, случайно Дьяков передает ее или что-то знает об их отношениях?»

На всякий случай Шарок сказал:

— Я с этой Викой Марасевич знаком, учились в одной школе. Я с ее братом в одном классе, она не то на класс старше, не то на класс младше, не помню уже.

Но Дьяков ничем не показал, известно ему об этом или нет, бесстрастно пояснил:

— Эта дамочка засыпалась на иностранцах, посмотришь ее досье, увидишь. Но у ее отца, профессора Марасевича, бывает Глинский, вот на эту связь ее и надо вывести. Принимать будешь на Маросейке. Ее день — вторник, 11 часов. Приходит точно, не опаздывает.

Вика действительно явилась точно в одиннадцать часов. Юра открыл ей дверь. Увидев Шарока, Вика попятилась назад к лифту. Она знала, что Юра работает в НКВД, но никак не предполагала, что именно он будет ее в е с т и.

— Входи, входи, миленькая, не стесняйся,— Юра широко улыбнулся,— давно не виделись.

Он провел ее в комнату, любезно подставил стул, стройный и красивый в военной форме. Все на нем — ремень, кубики на гимнастерке, сапоги — новенькое, блестящее, сверкающее. Он олицетворял силу, власть, успех, говорил с ней дружелюбно, даже весело, как будто в этой ее роли ничего особенного нет. И в том, что они встретились в такой ситуации, тоже ничего особенного нет.

Но, когда на следующую встречу Вика явилась в открытом летнем платье, плотно облегавшем бедра, и ловким движением опустила бретельку, обнажив белое круглое плечо, Юра скользнул по нему безразличным взглядом и, прямо глядя ей в глаза, сказал:

— Мы с тобой учились в одной школе и если целовались тайком на переменках, то это никого не интересует. Ничего другого у нас с тобой не было. Ясно?

Она подняла бретельку и смущенно забормотала:

— Да, да, конечно.

В свое время Дьяков привлек к работе Вику потому, что появилась необходимость проникнуть в дом профессора Марасевича, вызванная, в свою очередь, делом Ломинадзе.

Глинский, сообщник Ломинадзе, посещает дом Марасевичей — не то земляк, не то родственник — и встречается там с иностранцами. Почему бы через них не осуществлять тайную связь со сторонниками Ломинадзе в зарубежных компартиях?

Такое, на первый взгляд неожиданное соображение позволяло создать версию, придать устойчивость зыбким показаниям Чера, подкрепить их именами людей, не имеющих прямого отношения к Коминтерну, косвенные связи придают делу объемность и убедительность. Любой факт весом, существенны даже ничтожные показания Вики, если связать их с версией, фамилия Глинского оказывается рядом с именами людей, о которых Чер, безусловно, вспомнит как о курьерах Ломинадзе. С другой стороны, жена Глинского — директор института, где существовало троцкистское подполье, возглавляемое ее заместителем Криворучко.

Шарок еще в школе знал сына Глинского Яна, слышал его отца, он выступал с воспоминаниями о Ленине, видел его мать, сановную даму, она стала потом директором того института, где учился Саша Панкратов, и, между прочим, исключила его из института. Не знала, дура, что дело Саши станет со временем частью дела ее мужа, а потом и ее собственного.

Теперь этим занимался он, Шарок.

Встреча здесь, в этом новом мире, со знакомыми именами связала прошлое с настоящим. Впервые Шарок ощутил реальность возмездия тем, кто в той жизни унижал его, третировал. Саша Панкратов уже получил свое, не от него, но получил. И остальные получат.

13

Квартира, в которой Юра принимал Вику, принадлежала Дьякову, но сам Дьяков жил у жены Ревекки Самойловны, толстой, кривобокой, поразительно некрасивой, зато политически образованной — преподавала политэкономию. Благодаря ей и Дьяков стал политически образованным, хотя, по наблюдениям Шарока, читал только одну книгу — «Вопросы ленинизма» Сталина.

Ревекка не нравилась Шароку. Если говорить правду, он вообще не любил евреев. Во дворе и в школе никто не отличал евреев от неевреев, а вот Юра отличал. Отец и мать тоже отличали.

Антисемитизм Шароков был дремучий, охотнорядский. В их памяти копошился какой-то еврей еще с тех времен, когда отец и дед портняжничали на Москворецкой улице, а рядом в переулках Зарядья, возле Глебовского подворья, жили евреи, там же стояла ихняя синагога. Над ними — портными, шапочниками, скорняками — потешались магазинные молодцы. Теперь они из бесправных вдруг выскочили в начальники. Свой брат, Иван, неграмотный мужик, завладел властью — это нестерпимо, еще нестерпимее, что он поделил власть с Янкелем. Свой протест против нового строя старый Шарок обращал в ненависть к евреям. Протестовать против самого строя было опасно.

То, что Дьяков женат на Ревекке, Юра относил за счет его собственной неприглядности. Ничего он Дьякову о евреях не говорил, он вообще о них не говорил. Даже дома, когда отец упражнялся на эти темы, Юра только усмехался.

Семья теперь представляла для него серьезную проблему. Мать он быстро привел в порядок, запретил болтать во дворе. Да у нее и времени не хватало там рассиживаться: каждый день ездила в закрытый распределитель, то одно дают, то другое. А во дворе не останавливалась — зачем людям знать, что у нее в сумках. С отцом дело обстояло сложнее. Он продолжал шить дома. Немного, два-три костюма в месяц, но это, скрываемое от фининспектора занятие позволяло старику ездить на бега, играть на тотализаторе. Все это компрометировало Юру, могло погубить его карьеру.

Отказаться от частной практики старик не пожелал ни под каким видом, это была его форма независимости от треклятой власти. На фабрике он никто, простой рабочий, здесь — хозяин. К нему пробивались самые шикарные московские дамочки и не могли пробиться, заискивали, не смели торговаться. Ему нравились красотки, их ножки в ажурных чулочках, их кокетство, пусть даже вызванное желанием подольститься. Он предпочитал заказчиц молодых и красивых, даже красивым еврейкам соглашался шить иногда, такие бывают чернявочки — закачаешься! Лишь бы баба молодая, свежая, ядреная, он любил полнотелых, полногрудых, старухам, даже пожилым женщинам не шил, талии нет, нет того вида.

Отец был единственным человеком, которого Юра уважал, к которому был привязан, ценил его житейскую мудрость. И знал: он для отца тоже единственная привязанность. Володьку отец бил нещадно, Юру не тронул пальцем. Оба они, красивые, похожие друг на друга, любящие жизнь, противостояли в семье матери, дворовой скандалистке, и старшему брату-уголовнику. Своего отношения к новому положению сына старый Шарок ничем не выказал. Так в свое время не осудил и не одобрил его вступления в комсомол, в партию, не осудил и не одобрил связь, потом разрыв с Леной. Не от равнодушия это шло, а от доверия. Все служат, все нынче государственное, больше служить некому, а уж как — кто как сумеет. Лично он отстоял свою независимость и не перестанет заниматься своим ремеслом. Заикнуться об этом значило бы нанести оскорбление, которого отец не простит.

Разъехаться? Лишить и себя, и стариков редкого в Москве преимущества отдельной квартиры? Навсегда рассориться с отцом?

Юра ничего не мог придумать. Но скрывать на работе сложности своей жизни тоже не смел. Пусть лучше знают от него, а не от кого-то постороннего.

— Мы живем в этом доме с довоенных времен,— объяснил он Дьякову,— все знакомые, все приятели, одному пиджак перелицуй, другому пальто укороти, третьему поставь заплату. И родитель мой не прочь перехватить четвертинку — портной, сам понимаешь!

— Твой отец работает на фабрике,— ответил Дьяков,— поставить в нерабочее время пару заплат — не преступление, выпить четвертинку — тоже не преступление.

Дьяков пренебрегал тем, что подумают и скажут люди. Они с Шароком вершат здесь судьбы и жизни, они на переднем крае борьбы с врагом, у них особая ответственность и потому особенные права. Секретна не только их работа, но и их личная жизнь. Излишнее любопытство к ней можно квалифицировать поразному.

Юра носил теперь форму сотрудника НКВД. Домой возвращался под утро, уходил на работу после обеда, во дворе почти никого не встречал, а встречая, делал вид, что не замечает.

Заказчики из дома перестали ходить к отцу. Их и раньше было немного, а сейчас старик и вовсе отказал им. Юра увидел в этом такт и понимание. Отец дошел даже до такой деликатности, что стал сам ходить на дом к двум главным клиенткам, а уж к ним приходили другие заказчицы. Это сделало Шарока-старшего еще менее доступным, а потому еще более знаменитым.

Таким образом, эта сторона *быта* устроилась, придав семье Шароков чувство уверенности, которого они были так долго лишены, даже несколько устранив чувство страха, которому были подвержены. Осталась другая сторона *быта* — женщины.

Юра и раньше вел себя осторожно: опасался алиментов. На новой работе женщины заглядывались на него, но в своем *коллективе* шашни не заводят. Новые связи не возникали, старые он не возобновлял.

Нравилась ему Варька Иванова. Всегда в ней что-то было, а теперь мадонна! Но стерва. Как-то встретил ее во дворе, дружески улыбнулся, она ответила ему взглядом, полным ненависти. Сашкина компания, она и Нина, ее сестричка-истеричка. Юра не забыл встречу Нового года. Оскорбил его Саша, но затеяла историю Нина, она подняла скандал. С Сашей кончено, Сашу угнали. И этих могут угнать. Но он к этому руки не приложит, нет! Они с одного двора. Такое чувство Дьяков назвал бы мелкобуржуазной псевдопорядочностью. Но здесь его дом, здесь он вырос, здесь отец и мать, сюда вернется брат — он не хочет окружать их врагами.

Воспоминания об одной только женщине волновали Шарока. Лена. Он не мог забыть ее любящее, страдающее лицо. Кроме отца, она была единственным человеком, к кому он чувствовал привязанность, в чью преданность верил, она готова для него на жертву и доказала это. Та страшная ночь, больница, и ни словом, ни вздохом не выдала его. Любила. Он помнил тот последний горячий горчичный запах, этот запах возбуждал его и сейчас. Мысль, что она может полюбить другого, сойтись с другим, выйти замуж, терзала его. Он чуть не убил ее, бросил, и все же он один имеет на нее права. Он вернет Лену, заставит забыть все, снова подчинит себе.

Юра рассчитывал на случайную встречу, но им негде было встретиться. Он знал место ее работы, но неудобно идти на работу. Он поступил так, как поступал раньше, позвонил ей домой. Пришлось бросить трубку — к телефону подошел Иван Григорьевич.

На следующий день он позвонил ей на работу.

Лена не удивилась или сделала вид, что не удивилась. Все тот же медлительный глубокий голос. Здоровье? Хорошо. Повидаться? Что ж, можно. Только с работы она уезжает прямо на дачу. Надо созвониться, может быть, всем собраться?

Юра удивился:

— Кого ты имеешь в виду?

Она рассмеялась.

— Да, действительно никого. Я думала про Нину, но она уехала на какой-то семинар. Может быть, Вадим, созвонись с ним.

— Попытаюсь,— ответил Юра, сразу решив не звонить Вадиму.— Как мы договоримся?

— В воскресенье, по-видимому.

Ответ не слишком уверенный, но она всегда так говорит. Четко произносит окончания слов, задерживается на ударениях, это придает ее ответам оттенок неуверенности.

Лена назвала время отправления автобуса с Театральной площади, номер линии (так в Серебряном бору назывались улицы), номер дачи и объяснила, как идти от круга — конечной остановки, где автобус разворачивается обратно в Москву.

Ни попреков, ни обиды, ни радости, ни злобы, ни растерянности. Несколько оскорбительная деликатность. Превосходство аристократки. И все же это устраивало его.

Смущала встреча с Иваном Григорьевичем и Ашхен Степановной, но они, наверное, ничего не знают. Иван Григорьевич его не любит, что ж, он и раньше его не любил. Да и увидит ли он его? Пойдет с Леной купаться на Москву-реку, обедать не останется, ему надо только повидаться с ней, все уладить, восстановить прежние отношения. И не исключено, что Лена одна.

Родители могли уехать в отпуск, взять с собой Владлена. Может быть, поэтому пригласила его на воскресенье и попросила привезти Вадима — боится остаться вдвоем.

Мысль о том, что через два дня, в воскресенье он ее увидит, вернула Шарока в прошлое. Он вспомнил, как сидел в кабинете у Ивана Григорьевича, Лена переодевалась в своей комнате, он ждал ее, у него замирало сердце от волнения. Сейчас он опять волнуется, еще больше, чем тогда.

14

Новая работа, новое положение, тайное могущество придавали Шароку самоуверенность. Но, приехав в Серебряный бор, он оробел. Улицы, или, как их здесь называли, линии, различались только номерами. Ровные ряды штакетника с нависшими над ними кустами сирени и жасмина, одинаковые калитки тоже из штакетника, дорожки от калиток к дачам, скрытые за деревьями и кустами. Ни шлагбаумов, ни часовых, никого из посторонних — как в заповеднике.

Калитка была не заперта. Юра прошел по дорожке, обсаженной цветами, и очутился перед двухэтажной дачей, выкрашенной в бледно-зеленую краску. Ни души, ни звука. На большой веранде стол, еще не убранный после завтрака, со стаканами, чашками, тарелочками. Посуды много, и стульев вокруг стола много, значит, Лена не одна.

Он в нерешительности стоял перед верандой, не зная, как дать знать о себе. Из окна выглянула домработница, приветливо и вопросительно на него посмотрела.

— Я к Лене,— сказал Шарок.

— А вы обойдите, пожалуйста, кругом.

Она показала, куда пройти.

Юра обошел дом и увидел еще одну веранду, совсем крохотную, увитую диким виноградом, услышал мужской голос и сразу узнал Вадима.

А ведь он ему не звонил. Как же Вадим очутился здесь? Странное совпадение. Завсегдатай? Вызван специально, чтобы нарушить тет-а-тет?

Впрочем, поскольку все дома, присутствие Вадима даже на пользу. С ним он чувствует себя здесь увереннней, выглядит именно старым школьным товарищем. Лена сама пригласила этого обалдуя, избавила их от неловкости.

Он поднялся по деревянным ступеням. В плетеных креслах сидели Лена и Вадим. Стоял здесь еще круглый столик, узкая плетеная кушетка, на нее Юра и сел. Веранда примыкала к маленькой комнате.

Если Вика проболталась Вадиму, то он себя выдаст: взглядом, смущением, растерянностью. Ничего нет. Вадим такой, как всегда, занимает площадку, пританцовывает, тучный, грациозный, как слон, по-прежнему говорит о том, что знает он и не знают другие.

Лена внимательно слушает его. Она совсем не изменилась. Все так же стеснительно улыбается исподлобья. Тот же клубок черных волос на затылке, яркокрасные, чуть вывернутые губы. Держится просто и естественно. Но Юра видел, что она по-прежнему его любит... Сердце его наполнилось гордостью и ликованием.

Хотя ему, как и раньше, неприятен этот сановный дом, он все так же чего-то боится, странно, его самого должны бояться. Так он и не понял секрета власти этих интеллигентов. Почему он должен служить им? А не понимать — это и значит бояться.

Вадим рассказывал о том, что в Венецию выехала наша делегация, повезла четыре картины: «Пышку» Михаила Ромма с участием Галины Сергеевой, «Веселые ребята» Александрова, в главной роли Леонид Утесов, «Челюскин» Посельского, оператор Трояновский, плававший на «Челюскине», «Новый Гулливер» Птушко.

Вадим давал понять, что участвовал в отборе этих картин, рассказывал их содержание, предрекал успех, особенно «Пышке». За исключением «Челюскина» эти фильмы еще не появлялись на экране, Юра и Лена их не видели, и опять же получалось, что Вадим говорит о том, что известно ему и неизвестно другим.

По словам Вадима, многие фильмы испорчены формалистическими выкрутасами и снобистскими изысками. Однако «Пышка» и «Веселые ребята» внушают большие надежды. Наш кинематограф станет истинно народным.

— «Пышка» Мопассана для народа? — усомнился Юра.

— Да, да, да,— закричал Вадим,— представь себе! Это не только история проститутки. Это фильм антимилитаристский, антифашистский. Это понятно и нужно народу.

Юра прикусил язык. Для него «Пышка», как и весь Мопассан, прежде всего эротика. Он упустил из виду, что Пышкой овладел прусский офицер.

— «Броненосец «Потемкин» тоже довольно сложен, однако его смотрели,— сказала Лена.

Юра отметил, что Лена выручает его.

— Да,— согласился Вадим,— однако чем обернулся для Эйзенштейна его формализм? «Октябрь» уже совершенно непонятен зрителю, опошлена великая тема. Вот вам Дзига Вертов! Вы не смотрели его «Симфонию Донбасса»? Хаос, пародия на действительность! Теперь Вертов работает над картиной о Ленине,— Вадим пожал толстыми плечами,— допустить Дзигу до такого материала?! Большие мастера, но пора определяться: с кем ты?

Юра вспомнил, с каким упоением Вадим разглагольствовал в свое время об Анри де Ренье и других французах, даже давал читать ему занятные книжонки из жизни французских сутенеров.

Может быть, и не стоило бы пикироваться с Вадимом. Но желание рассчитаться за «Пышку» взяло верх.

— Твои вкусы меняются, Вадик,— сказал Юра.

— В лучшую сторону, в лучшую сторону, мой дорогой,— с вызовом ответил Вадим,— все мы проходим эволюцию, вопрос в том, куда движемся.

— Что ты хочешь сказать? — нахмурился Шарок. Агрессивность Вадима его поразила. Не Вика. Чувствует себя в силе.

— Я хочу сказать то, что сказал,— брюзгливо ответил Вадим,— человек развивается, важно куда. Каждый берет препятствие — важно какое, ку-да скачет? Куды? В школе мои литературные вкусы были еще зыбки, важно, к чему я пришел. В школе ты не торопился вступать в комсомол, теперь ты член партии, я считаю такую эволюцию нормальной.

И все же нельзя создавать конфликтную ситуацию, надо быть добрым, уступчивым, от этого он только выиграет в глазах Лены.

Юра сказал:

— Прекрасно! Возможно, и Эйзенштейн станет социалистическим реалистом?

Он упомянул только Эйзенштейна, боялся ошибиться в имени и фамилии второго режиссера. Чудная фамилия, чудное имя. Сплошные рабиновичи, черт ногу сломит!

Лена с благодарностью взглянула на него.

— Может быть, застой, о котором говорит Вадим, объясняется переходом к звуковому кино?

Вадим моментально возразил:

— Я не говорил о застое, но относительно звукового кино я осторожен в прогнозах. Что ни говори, кино — это великий немой. Слово может превратить кино в театр на экране. Вы представляете себе Чарли Чаплина говорящим? Я не представляю.

В Лондоне Лена видела много звуковых фильмов. Звуковое кино там утвердилось, утвердится и у нас. Но спорить с Вадимом не стала, только улыбнулась, вспомнив, как на демонстрации американского звукового кино публика смеялась над произношением американских актеров.

— А как же «Встречный», «Златые горы»? — спросил Юра смиренно, признавая превосходство Вадима.

Вадим улыбнулся.

— Разве это говорящие фильмы? Это ленты, озвученные музыкой Шостаковича. Она хороша и сама по себе, и тем еще, что Шостакович опирается на народные мелодии. Это важно для становления композитора.

Вадим показывал свою осведомленность, хотел внушить Юре, что он защищен со всех сторон. Юра это понял, понял и то, что источник этого желания — страх перед ним. В этом же причина и странной агрессивности Вадима. Он не сдержал улыбки, улыбнулся Лене, и она улыбнулась в ответ, благодарила за терпимость.

— Искупаемся до обеда или после? — спросила Лена.

— Я вам не компания,— объявил Вадим, взглянув на часы,— мне надо забежать к Смидовичам. А к обеду, если ты разрешишь, я вернусь.

Лена ушла переодеваться, закрыв за собой дверь. Вадим и Юра остались на веранде. Из комнаты Лены на веранду выходило окно, затянутое легкой занавеской. Она полоскалась по ветру, надувалась, и тогда можно было видеть Лену — подняв руки, она стягивала через голову платье. Юра встал у окна, загородив его собой, прижав занавеску.

— Как делишки, Вадик?

Вадим перебирал книги на столике.

— Все по-прежнему. Не звонишь, не заходишь.

— Работы много.

Вадим взял со стола книгу, поднял, показал Юре.

— Читал?

— Что это?

— Воспоминания Панаева.

— Не помню... Если не ошибаюсь, мне попадались воспоминания Панаевой.

— Это его супруга. Формально. Фактически гражданская жена Некрасова. Ее воспоминания не лишены интереса. А это сам Панаев,— Вадим листал книгу,— тут есть любопытные строчки.

На соседней даче послышался приятный мужской голос:

— «Отчего я люблю тебя, светлая ночь...»

Вадим оторвался от книги, прислушался.

— Музыка Чайковского, слова Якова Полонского.

И снова начал перебирать страницы.

Вышла Лена в красном цыганском сарафане на бретельках, с обнаженными плечами и спиной.

Эффектная женщина, роскошная и большая. То, что надо Шароку.

Стесняясь своей наготы, Лена улыбнулась.

— Я надела купальник, чтобы там не переодеваться. Пошли?

— Сейчас, минуту! — Вадим наконец нашел, что искал.— Вот интересное место. Панаев цитирует Белинского. Белинский говорит: «Для нас нужен Петр Великий, новый гениальный деспот, который бы во имя человеческих принципов действовал с нами беспощадно и неумолимо. Мы должны пройти сквозь террор. Прежде нам нужна была палка Петра Великого, чтобы дать нам хотя бы подобие человеческое; теперь нам надо пройти сквозь террор, чтобы сделаться людьми в полном и благородном значении этого слова. Нашего брата, славянина, не скоро пробудишь к сознанию. Известное дело — покуда гром не грянет, мужик не перекрестится, нет, господа, что бы вы ни толковали, а мать святая гильотина хорошая вещь».

Вадим опустил книгу.

— А?.. Каково?

Юра молчал, не знал, как реагировать на этот прямой намек. Слова поразительные, от Вадика можно кое-чего набраться, но так прямо...

Опять выручила Лена:

— Я читала это место. Это написано не Белинским, а Панаевым. Он приписывает эти слова Белинскому.

— Он точно цитирует Белинского,— уперся Вадим,— эти слова Белинского есть в других воспоминаниях о нем, в частности, у Кавелина. Да, Белинский был великий человек и понимал, что России нужно твердое руководство. Но он был человеком своего времени, не знал и не мог знать, что это должна быть диктатура пролетариата.

Юра в душе подивился политической оборотливости Вадима.

— «И за что я люблю тебя, тихая ночь...»

Это был тот же голос с соседней дачи.

— Хорошо поет,— сказал Юра,— кто это?

— Наш сосед,— ответила Лена,— работник ЦК, Николай Иванович Ежов.

Вадим повел головой в знак того, что впервые слышит эту фамилию. А уж он-то знает все фамилии.

— Кто такой, не знаю,— сказал Юра,— но поет хорошо.

— Очень милый человек,— сказала Лена.

Когда Юра и Лена остались вдвоем, Лена сказала:

— Я не узнаю Вадима. Я его даже боюсь, честное слово. Он стал такой категоричный, такой нетерпимый, подозрительный. Защищает Советскую власть! От кого? От нас с тобой?

Лена всегда скрывала свое особое положение, она и теперь старалась не выделяться. И все же она принадлежит к тем, кто управляет государством, а не просто служит ему, как Вадим и его отец. И Юра принадлежит к тем, кто управляет государством, он рабочий класс, народ, из таких теперь и выходят руководители. Именно поэтому его взяли в органы. В доме Лены на улице Грановского и здесь, в Серебряном бору, живут видные чекисты, есть прекрасные люди, и ее отец когда-то был членом коллегии ВЧК — ОГПУ. В поведении Вадима было что-то неестественное, фальшивое, коробили эти: «МЫ можем», «МЫ не можем», «У НАС уже есть», «НАШЕ государство»... Нина Иванова, даже Саша Панкратов могли бы так говорить, это их мир, у них есть на это право. А у Вадима нет. Он может только служить, не более того.

В ту минуту, когда Лена подумала о Саше, Юра заговорил о нем — совпадение, заставившее Лену вздрогнуть.

— Вадим переменился с того дня, как арестовали Сашу,— сказал Юра,— я это сразу тогда заметил. Арест Саши напугал его. Теперь с перепугу он старается кричать громче всех.

— Да,— с грустью согласилась Лена,— после Сашиного ареста мы стали другими.

Как в разговоре с Березиным, так и сейчас Юра понимал: от того, что он скажет о Саше, зависит многое.

— Жаль Сашу. Я был тогда не прав. Он оскорбил меня на встрече Нового года, и я был необъективен.

— Что все-таки случилось? — Лена посмотрела на Юру взглядом, рассчитывающим на доверие.

Обдумывая слова, Юра сказал:

— Саша привык быть на первых ролях. В институте на первых ролях были другие. Саша примкнул к тем, кто хотел их свалить. А хотели свалить партийное руководство уклонисты. Саша оказался втянутым. Три года ссылки — это все, что можно было для него сделать, остальные получили тюрьму, лагерь, большие сроки.

В его словах был намек на то, что и он кое-что сделал для Саши.

— Я попал на работу в НКВД после института, по распределению, ведь я юрист, как ты знаешь,— продолжал Шарок,— мое оформление совпало с Сашиным делом. Откровенно говоря, я до последней минуты не знал, в качестве кого я там появляюсь.

— Даже так?! — поразилась Лена.— Но ведь вы учились в разных институтах, а школа... В школе все дружили.

Он улыбнулся многозначительно.

— Леночка! Если не заинтересовались всеми Сашиными друзьями, это не значит, что не заинтересовались некоторыми. Не забывай, что с Сашей я жил в одном доме, на одной лестнице, два года проработал с ним на одном заводе. Вадик перепугался не случайно. Когда арестовали Сашу, я был вынужден ни с кем не встречаться, в том числе и с тобой, не мог допустить осложнений для Ивана Григорьевича, он хлопотал за Сашу, вмешался в дело, о котором был мало осведомлен. К счастью, все распуталось. Саша отделался сравнительно легко, с его друзей сняты подозрения, только Вадик продолжает нервничать.

Лена, чуть наклонив голову, шла рядом с ним. Верила ли она ему? У нее нет оснований не верить. Она знала не только, какие прекрасные люди работают в органах, но и каких прекрасных людей эти органы преследуют. Допускала, что ребят вызывали, а ее нет, тоже своего рода лотерея. И у Юры, как он говорит, были осложнения, а он не хотел осложнений для ее отца, и правильно: Сталин не любит папу, ничтожного повода достаточно для больших неприятностей. Другой на месте Юры, вероятно, поступил бы иначе: сказал, объяснил. Но Юра таков, каков есть. Важно, что им руководило.

Народу на пляже было немного. Шумно плескались ребятишки у берега, загорелые парни в трусах играли в карты на песке.

Лена сбросила сарафан и осталась в черном купальнике, как будто наклеенном на теле: грудь и бедра. Снова застенчиво улыбнулась Юре, но не отвернулась, когда он надевал плавки, поддевая их под трусы.

— Пойдем дальше, там глубже,— сказала Лена.

Она плыла, загребая согнутыми в локтях руками, низко, в самую воду опускала голову, поворачивала ее то вправо, то влево. Такого стиля Юра не знал. Сам он плавал саженками. Он удивился тому, как хорошо плавает Лена. Она открывалась ему сегодня с новой, незнакомой стороны. Опасение, что наладить все будет не так легко и просто, закрадывалось в сердце.

Потом они лежали на песке, подставив солнцу голые спины. Положив голову на сплетенные руки, она сбоку поглядывала на него, и ему снова казалось, что она любит его по-прежнему.

Она действительно любила его. Может быть, потому, что эту любовь не заменила никакая другая. И она была чувственна, а Юра первый и единственный мужчина в ее жизни. Страдания, которые он ей доставил, только усилили это чувство. Ведь и он страдал.

— Когда мы встретимся? — спросил Юра.

Она ответила просто:

— Когда хочешь.

Он мог опять привести ее к себе, в свою комнату. Отец поморщится, мать всплеснет руками, ничего, переживут. Но сдерживала примитивная мужская осторожность. Возобновить отношения — да. Но не на полную катушку. Второй раз он так легко не отделается.

Где им встретиться? Куда пригласить ее? Была только одна квартира — Дьякова. Практически Дьяков живет у своей жены в Замоскворечье. Не совсем подходящее место для свидания. Если Лена узнает... Но она ничего не узнает. Постель старая, грязная, он даже не уверен, есть ли на ней белье. Ничего. Простыни можно принести из дома в портфеле.

— Понимаешь, в чем дело,— сказал Юра,— у нас в квартире сейчас ремонт, спим все вместе, кочуем из одной комнаты в другую и вещи таскаем за собой. У меня приятель, товарищ по институту, сейчас в отпуске, ключи от его комнаты у меня. Можем там посидеть.

— Можем,— согласилась Лена.

15

Зоя пришла в восторг, узнав, что Варя танцевала с Левочкой в «Метрополе». Его фамилия Синявский, он чертежник-конструктор, милый, славный парень, всегда поможет по работе. А как одевается! У лучших портных. А как танцует! Не хуже знаменитого Вагана Христофоровича. Та хорошенькая толстушка, что сидела с Левочкой, тоже чертежница. Ее зовут Рина.

Зоя льстиво заглядывала Варе в глаза. Она всегда мечтала попасть в Левочкину компанию и не могла. Что значит быть красивой, все само получается, плывет в руки.

— Ах,— искренне вздохнула она,— повезло тебе.

Левочка не особенно нравился Варе — не мужественный. Но он прекрасно танцевал, а главное, он свой парень, вся их компания с в о я. Это не Вика с Виталиком, не девки с их иностранцами. Единственный, кто произвел на нее впечатление, это Игорь Владимирович. Но ему тридцать пять лет, она стеснялась его. С ним должно быть серьезно, а она не могла полюбить такого старого и не хотела ему морочить голову. Он вызывал уважение, он благородный человек, и стыдно его огорчать. У Вари был свой кодекс порядочности, она знала, что можно и чего нельзя.

Она надеялась, что Левочка примет ее в свою компанию, и ждала приглашения. Приглашение поступило не так скоро, недели через две после знакомства в «Метрополе».

Прибежала возбужденная Зоя, торжествуя, объявила, что завтра вся компания будет в саду «Эрмитаж» и их тоже там ждут.

И тут же позвонила Вика, предложила завтра вечером пойти вместе с Игорем Владимировичем в ресторан «Канатик».

— Не могу,— ответила Варя,— я иду в «Эрмитаж».

— С кем, интересно, ты идешь?

— С Левочкиной компанией. Я поступаю к ним на работу.

— Это обязывает тебя идти с ними? Позвони и откажись. Ведь я тебе говорю: с нами будет Игорь Владимирович.

— Не могу. Я обещала и не могу их обмануть.

— Но я тоже обещала,— возмутилась Вика,— и не какому-то Левочке — говну, а Игорю Владимировичу. Я не о себе думала. Ты ему нравишься. Он не женат.

— Извини,— ответила Варя,— в другой раз, пожалуйста. Звони. Пока.

И положила трубку.

Как тогда в «Метрополе», так и сейчас в саду «Эрмитаж» Левочкина компания то увеличивалась, то уменьшалась, подходили разные люди, исчезали, возвращались опять. Это естественно — не обязательно гулять гурьбой. Они даже не гуляли, а стояли у главного входа, чтобы всех видеть и чтобы их все видели.

Мужская компания: Левочка, два мальчика из проектной мастерской — Воля-большой и Воля-маленький, красивый молодой человек со странным именем Ика, затем Вилли Лонг, сын ответственного работника Коминтерна, крепыш с хулиганским лицом, и, наконец, Мирон, ассистент знаменитого преподавателя танцев Вагана Христофоровича, добродушный кудрявый парень с душой бизнесмена. Единственной постоянной девочкой была пухленькая Рина, девушка-веснушка, веснушки покрывали ее кожу, как загар, и это выглядело очень симпатично. Воля-большой говорил, что это поцелуи солнца. Рина родилась на свет, чтобы веселиться. Она излучала веселье вместе с веснушками и полыхала рыжими волосами, как настурция.

Другие девочки прибивались к компании случайно. Случайной оказалась сегодня и Варя. Но никто с ней, как с новенькой, не обращался. Никто здесь ни за кем не ухаживал, все равны, мальчики и девочки, обыкновенные чертежники, как и Зоя. Эти ребята помогут ей устроиться в архитектурную мастерскую Щусева, проектирующую гостиницу «Москва». Ставки там не меньше, чем в организациях, которые проектируют объекты тяжелой промышленности.

Левочка мило улыбался, обнажая косой зуб, мальчик с лицом херувима, улыбалась, как солнышко, Рина, шел какой-то треп, они разглядывали и обсуждали проходивших мимо девушек, делали это весело и без пошлости, девушки не сердились.

Именно они хозяева сада, они, ребята без денег, даже в сад прошли без входного билета и поедут сегодня в какой-нибудь ресторан танцевать. Кудрявый Мирон, добродушный бизнесмен, куда-то ходил, чего-то темнил, упоминал какого-то Костю, но беспокойства никто не выказывал, знали, что все равно поедут.

Варя чувствовала себя легко и свободно в этой компании, видела, что нравится мальчикам, молчаливому Ике, Левочке, но не была убеждена, что ее возьмут с собой в ресторан, тем более с Зоей. Зоя им навязалась, держалась шумно, возбужденно, и, как всегда в таких случаях, от нее желали отвязаться.

Недалеко от входа стоял небольшой столик, за ним сидел человек с бородкой. На столике лежала стопка конвертов и карандаши, стояла табличка: «Графолог Д. М. Зуев-Инсаров. Исследование характера по почерку. Стоимость пятьдесят копеек».

— Мне давно хотелось узнать свой характер,— объявила вдруг Зоя,— есть еще желающие?

Рина с недоумением подняла брови.

Вилли Лонг сокрушенно вздохнул, развел руками.

— Жалко, карусели нет, а то бы на карусели повертелись.

Варя поняла, какой промах совершила ее подруга: в глазах компании это всего лишь аттракцион.

Зоя подошла к столику, окликнула Варю:

— Варя, иди сюда!

Если она не подойдет к Зое, у нее появится шанс поехать в ресторан, если подойдет, будет отвергнута вместе с ней.

И все же она подошла к столику графолога. Перелистала книгу отзывов... Максим Горький, Луначарский, известные актеры... «Зуеву-Инсарову от разоблаченного Ярона...»

Зоя надписала конверт, протянула его графологу, кивнула Варе.

— Пиши!

— Нет, не хочу,— отказалась Варя. У нее было всего восемь копеек на трамвай. Да и кто может определить характер, тем более по надписи на конверте, ерунда все это!

Но Зоя уже вручила графологу рубль.

— За нее и за меня.

Варя надписала конверт. Они вернулись к компании, никто не обратил внимания на то, что они снова рядом, это в порядке вещей, любой может отойти и вернуться.

Появился Мирон, произнес что-то невнятное и опять исчез.

Когда Зоя отвлеклась разговором с одним из Волей, Рина тихо сказала Варе:

— Поедем в «Савой», но без Зои.

— Куда я ее дену?

Рина пожала плечами, мол, твое дело, тебя берем, а ее нет, отделывайся как знаешь. Солнечно улыбаясь, Рина отвернулась, будто ничего и не говорила.

И они стали уходить, не все вместе, а по одному, как-то очень ловко и незаметно, как фокусники... А теперь откройте глаза, никого нет.

Зоя и Варя остались одни.

— Смылись,— прошептала Зоя и заплакала.

— Ты надеялась, что тебя проводят в автомобиле? — насмешливо спросила Варя.— Или на извозчике, на резиновых шинах?

— Свиньи они,— мрачно проговорила Зоя,— а главная свинья — Рина, воображала конопатая. Рыжая.

Они пошли по аллее, смешавшись с эрмитажной толпой, толпа была густая — и в театре, и на эстраде, где выступал джаз Цфасмана, объявили антракт. Они совершили два скучных круга и увидели Ику на том самом месте, где весь вечер топтались.

— Девочки,— закричал Ика,— а я вас ищу. Пошли, быстро!

— Куда? — спросила Варя.

— В «Савой». Ждали на остановке, вас нет, все уехали, а меня послали за вами.

— Нам никто ничего не сказал,— возразила Зоя.

— Не знаю,— Ика не хотел объясняться,— вы чего-то не поняли. Поехали, быстро!

16

Компания уже сидела за большим овальным столом. Появление Вари и Зои не вызвало никаких эмоций, пришли — садитесь. Так Варя и не поняла, вернулся Ика за ними по своей воле или по поручению.

За столом шел разговор о какой-то Алевтине, убитой из ревности мужем-бухарцем. Рина была на суде.

— Его выручил защитник Брауде,— рассказывала Рина,— разливался, судьи уши развесили... «Турникет у входа в «Националь» вовлекает наших девушек в порочный круг ресторанной жизни».— Она покрутила рукой, показывая, как вертящаяся дверь вовлекает девушек в порочный круг ресторанной жизни.

— Убил женщину — и за это всего два года! — возмутилась Зоя.

— И то, наверное, условно по причине культурной отсталости.

Левочка улыбался, как херувим, мило обнажая косой зуб.

— А если ходить не через главный вход, не через турникет, тогда не вовлечемся?

— Во всем мире люди проводят время в ресторанах и кафе,— сказал Вилли Лонг.

Воля-маленький закрыл лицо руками и, раскачиваясь, как мусульманин на молитве, забормотал:

— Бедная Алевтина, несчастная Алевтина, за что ее зарезал дикий бухарец, зарезал, как курочку, зарезал, как цыпленочка.

— «Цыпленок жареный, цыпленок пареный,— запел Воля-большой,— цыпленок тоже хочет жить...»

— А если убрать турникет, сделать просто двери, тогда порочного круга не будет? — опять спросил Левочка.

Появился Мирон, усаживаясь за стол, сообщил:

— Кончает партию, сейчас придет.

— Идет! — объявил сидевший лицом к двери Вилли.

К их столу приближался человек лет двадцати восьми, коренастый, широкоплечий, с маленькими усиками, в блестящих черных лакированных ботинках, в великолепном костюме, сидевшем на нем несколько небрежно, а потому и лучше, чем на безукоризненном Левочке. Он пересекал зал легкой, уверенной, но настороженной походкой, кивая знакомым и улыбкой отвечая на приветствия. Это был Костя, знаменитый бильярдист, о котором вскользь упоминал Мирон в «Эрмитаже».

Компания его приветствовала. Он обвел стол медленным взглядом, взгляд был странный, шальной и в то же время недоверчивый, что, мол, здесь за люди, которых он, между прочим, знает как облупленных. Взгляд задержался только на незнакомых Варе и Зое.

Он сел рядом с Варей.

— Ничего не заказали,— определил Костя.

— Рина рассказывала про Алевтину, она была на суде,— ответил обходительный Левочка.

Прямолинейный Ика грубовато поправил:

— Тебя ждали.

Внимательно посмотрев на Ику, Костя сказал:

— Жалко Алевтину, хорошая была девочка. Я ее предупреждал — не связывайся с бухарцем, не послушалась.

Говорил он медленно, четко, растягивая губы и чуть растягивая слова, как говорят на юге России. Глаза у него были темно-карие, а волосы светло-золотистого теплого цвета.

Он повернулся к Варе.
— Девочки, наверно, проголодались.
— Я не хочу есть,— заманерничала Зоя.
— А я хочу,— объявила Рина,— ужасно хочу, сейчас все съем.
— Перекусить следует,— сказал Ика.
По-видимому, он один здесь не зависел от Кости.
Подошел официант.
— Принеси пока папиросы,— распорядился Костя.
— «Герцеговину флор»?
— Да.
Говорил он и делал все нарочито медленно. Всем не терпится закусить, он это хорошо знает и не торопится.
Ногтем вскрыл папиросную коробку, бросил на стол — закуривайте. И только Варю спросил:
— Курите?
В его голосе она услышала ожидание отказа, ему, видимо, не хотелось, чтобы она курила.
Но она взяла папиросу.
— Я думал, вы не курите.
— Какое разочарование,— засмеялась Варя, как жестокая кокетка.
Костя отвел от нее медленный взгляд и, по-прежнему растягивая слова, спросил:
— Так что будем есть, что будем пить?
Левочка начал читать меню. Костя перебил его:
— Салат, заливное,— он оглядел стол, подсчитывая сидящих,— две бутылки водки и одну муската. Черный или розовый?
— Лучше черный,— сказала Рина.
Он повернулся к Варе.
— А вы?
— Мне все равно.
— Значит, две бутылки водки и одну черного муската. Горячее — запеченный карп.
— Ого! — крякнул Вилли Лонг.
— Костя, не гусарь,— попросил Мирон.
— Я угощаю,— ответил Костя.
— У вас день рождения? — как бы всерьез спросила Варя.
— Да. День рождения. В некотором смысле.
Этот человек идет прямо к цели. Не будет говорить о разрезе глаз. Она сумеет дать отпор, если понадобится. Пока не надо, он только пижонит.

Появился какой-то тип с рожей бандита в отставке, наклонился к Косте, что-то зашептал ему на ухо.

— Нет,— ответил Костя,— на сегодня все.

Тип исчез, растаял в воздухе.

Неожиданно для Вари и незаметно для других Костя взял с ее колен сумочку, сунул туда пачку денег, вполголоса проговорил:

— Чтобы сегодня не играть.

Варя растерялась. Если он захочет играть, то заберет деньги, не захочет — они могут лежать в его кармане. Примитивный пижонский ход: выказывает доверие, делает соучастницей. Так, наверное, воры дают на сохранение деньги своим марухам. Но возвращать их при всех неудобно, сделать это так же незаметно, как он, она не сумеет. Деньги остались в ее сумочке. Варя была недовольна.

Официант ставил вина и закуски. Костя следил за его действиями, как хозяин, любящий хорошо накрытый стол. В «Метрополе» и «Эрмитаже» их компания все время менялась, одни уходили, другие приходили, были разброд и шатание. Здесь все сидели смирно. И Варя поняла, что компания эта не случайная, как ей показалось раньше, она объединена вокруг Кости, это его компания. Только Мирон позволял себе отлучаться от стола по каким-то своим бизнесменским делам и Ика, демонстрируя независимость, подсел к соседнему столику.

Повар в белом фартуке и высоком белом колпаке поднес садок, на дне в сетке трепыхалась живая рыба.

— Как называется эта рыба? — спросил Костя у Вари и предупреждающе поднял палец, чтобы никто не ответил за нее.

— Вы ведь заказывали карпа,— ответила Варя,— он и есть, по-видимому.

— Но какой карп — простой или зеркальный?

— Не знаю.

— Это карп зеркальный,— пояснил Костя,— у него спинка высокая, острая, видите, и чешуя крупная. А у обыкновенного карпа спинка широкая и чешуя мелкая. Понятно?

— Понятно. Спасибо. Теперь я могу поступать в рыбный институт.

Костя кивнул повару, и тот унес рыбу.

— Вы рыболов? — спросила Варя.

— Я не рыболов, а рыбак, из Керчи, мой отец рыбак и дед рыбак, я мальчиком ходил в море.

— С каких пор карп стал морской рыбой? — спросил Ика, возвращаясь к их столику.

— А я в море не за карпом ходил,— Костя растянул губы, гневно посмотрел на Ику,— я за таранью ходил. Знаешь, какая разница между таранью и воблой? Не знаешь? Вон музыканты пришли, иди танцуй, я тебе потом объясню.

Варя танцевала с Левочкой, с Икой, с Вилли. Костя не танцевал, не умел. И это теперь почему-то не казалось Варе недостатком, даже выгодно отличало Костю от других. Он сидел за столом один и поднимал голову только для того, чтобы взглянуть на нее, улыбнуться ей. И Варе было за него обидно: веселятся за его счет, бросают одного, танец им дороже товарища.

Когда все поднялись на следующий танец, Костя задержал ее руку.

— Посидите со мной.

Она осталась.

— Вы работаете, учитесь?

— Я кончила школу и поступаю на работу.

— Куда?

— В проектную мастерскую, в нашей школе был чертежно-конструкторский уклон.

— А вуз?

— Пока не собираюсь.

— Почему?

— Стипендия мала. Вас устраивает такой ответ? И вообще пустой разговор. Вы тоже проектировщик?

— Проектировщик? — он усмехнулся.— Нет, у меня другая специальность.

— Бильярд?

Он уловил иронию, тяжело посмотрел на нее, гнев мелькнул в его глазах, но он погасил его. Медленно, растягивая слова, сказал:

— Бильярд — это не профессия. Как говорил один образованный человек, бильярд — это искусство.

— А я думала, что бильярд — это игра,— возразила Варя. Ей хотелось его позлить, пусть не задается особенно.

— Моя специальность — медицинское электрооборудование,— сказал Костя серьезно,— синий свет, солюкс, кварцевые лампы, горное солнце, бормашины. Вы любите бормашины?

— Ненавижу.

— Я тоже. Я их ремонтирую.

И, видимо, считая, что достаточно рассказал о себе, спросил:

— Давно вы знаете Рину?

Хотел выяснить, как она попала в его компанию.

— Нет, только сегодня познакомились. Она работает вместе с Зоей, а мы с Зоей живем в одном доме.

— В одном доме? — почему-то удивился он.— А где?

— На Арбате.

— На Арбате? — он опять почему-то удивился.— С папой, с мамой?

— У меня нет папы и мамы, они умерли давно. Я живу с сестрой.

Он недоверчиво посмотрел на нее. Ресторанные девочки стараются быть отмеченными или особой удачей, или особым несчастьем, каждая хочет иметь судьбу. Круглая сирота в семнадцать лет — тоже судьба.

Но перед ним сидела не ресторанная девочка.

— А у меня все живы,— сказал Костя,— отец, мать, четыре брата, три сестры, дедушка, бабушка — вот сколько родни.

— Они все в Керчи?

— Нет, переехали,— уклончиво ответил Костя,— а в Москве у меня никого. И ничего. Даже жилплощади.

— Где же вы живете?

— Снимаю комнату в Сокольниках.

Варя удивилась:

— У вас столько друзей, и они не могут достать вам комнату в центре?

У нее возникла мысль устроить его к Софье Александровне, жиличка скоро уезжает. Конечно, не переговорив с Софьей Александровной, ничего Косте обещать не следует, но желание посчитаться с его неблагодарными друзьями пересилило.

— Ничего твердого я не обещаю. Но спрошу у одной женщины в нашем доме. У нее свободная комната, может быть, она вам сдаст.

Он снова покосился недоверчиво.

Но нет, эта девочка говорит серьезно.

— Это было бы прекрасно,— сказал Костя,— это было бы просто великолепно. У этой женщины есть телефон?

— Я должна сначала сама с ней переговорить.

Он рассмеялся.

— Вы меня не поняли, я не собираюсь ей звонить. Телефон мне нужен по моей работе.

— Есть телефон.

Зря сказала о комнате. Может быть, ничего не выйдет.

— Как же вы из рыбака превратились в электроспециалиста?

— Рыбак... Жил на море, вот и рыбак.

— Я никогда не была на море,— сказала Варя.

Он удивился:

— Ни разу не видели моря?

— Только в кино.

Теперь он смотрел на нее в упор.

— А хочется?

— Еще бы!

Музыка смолкла. Все вернулись к столу.

Костя откинулся на спинку стула, поднял рюмку.

— Предлагаю выпить за наших новых знакомых: Варю и Зою.

— Ура! — крикнул Воля-маленький насмешливо.

Тосты действительно как-то не подходили ни к этой компании, ни ко времени, уже выпили и закусили, на столе царил беспорядок, подходили какие-то люди, присаживались, разговаривали.

Возле Кости вырос молодой человек в очках, с лицом профессора. Сжимая в кулаке купюру, по цвету Варя увидела, что это десятка, он спросил:

— Чет, нечет?

— Не играю,— ответил Костя.

Потом передумал.

— Подожди!.. Варя, загадайте любое желание про себя. Загадали?

— Загадала,— сказала Варя, ничего не загадав.

— Теперь скажите: чет или нечет?

— Чет.

— Чет? — переспросил молодой человек.

— Чет,— подтвердил Костя.

Молодой человек положил десятку на стол. Что они на ней с Костей увидели? Костя ухмыльнулся, забрал десятку и сказал Варе:

— Я выиграл деньги, а вы желание. Что задумали?

Она сказала первое, пришедшее на ум:

— Возьмут ли меня на работу.

— Этого вы бы могли не загадывать, и так бы взяли.

Он был разочарован.

— Что это за игра? — спросила Варя.

Костя разгладил десятку, показал номер купюры: 341672.

— Тут шесть чисел, вы загадали четные: четыре, шесть, два, итого двенадцать. А ему остались нечетные: три, один, семь, итого одиннадцать. У вас больше, вы выиграли, десятка ваша. Будь у него больше, мы бы ему выложили десятку, поняли?

Варя рассмеялась.

— Не высшая математика.

— Тем хорошо: разжал кулак, сразу видишь — выиграл или проиграл,— сказал он по-детски радостно.

— И как называется эта сложная игра?

— Железка. Не «шмен де фер», а просто «железка».

— Железка «по-савойски»,— сказала Варя.

Костя рассмеялся.

— Слышите? Слышишь, Лева! Железка «по-савойски».

— Вы имели в виду «Савой» или Савойю? — Ика улыбкой давал понять, что никто, кроме них, не понимает разницы между рестораном «Савой» и Савойей, а уж Костя и подавно.

— Я имела в виду ресторан «Савой»,— раздраженно ответила Варя, недовольная тем, что Ика подсмеивается над Костей.

— Ну, конечно, ресторан «Савой»,— подхватил Костя.

Он был сообразителен, уловил разницу, хотя, что такое Савойя, понятия не имел. Сидел он, чуть отвалясь от стола, держал руку на спинке Вариного стула, но не прикасался к Варе.

Завоевывает ее примитивными средствами, дерзок, настойчив, но умеет держать себя в руках, Варя понимала все его ходы. Но ей не хотелось его обижать, в конце концов, она, как и другие, блаженствует здесь за его счет. И он чем-то нравился ей, не только широкий, но и добрый, искренний.

Снова заиграла музыка, все пошли танцевать, и опять Костя задержал Варю.

— Вы действительно никогда не были на море?

— Я вам уже сказала — нет.

Глядя ей прямо в глаза, он медленно проговорил:

— Поездом до Севастополя, автобусом по южному берегу до Ялты. Едем завтра, пока у нас есть деньги,— он кивнул на сумочку,— поезд уходит днем, возьми самое необходимое, купальники, сарафан, впрочем, все это можно купить там.

Варя изумленно смотрела на него. Как он смел ей предложить такое?! Неужели она дала повод? Чем?

— У вас очередной отпуск не с кем провести? — спросила она, вложив в эти слова все презрение и всю иронию, на которые была способна.

Он гордо вскинул голову и четко произнес:

— У меня не бывает очередного отпуска, я сам себе назначаю отпуск, я ни от кого не завишу.

Теперь она поняла, что привлекло ее в этом человеке: он независим и предлагает ей разделить с ним его независимость. Понимала, к чему обяжет ее согласие. Но этого она не страшилась, это должно рано или поздно произойти. Страшило другое. Он игрок, выиграл деньги, теперь хочет прокутить их со свеженькой девочкой.

Давая понять, что предлагает ей не только эту поездку, он добавил:

— Остальное купим, когда вернемся.

Варя молчала, думала, потом сказала:

— Как я могу с вами ехать, я вас совсем не знаю.

— Вот и узнаешь.

— А почему вы мне говорите «ты», мы с вами, кажется, не пили на брудершафт.

Он потянулся к бутылке.

— Можем выпить.

Она отстранила его руку и, понимая банальность своих слов, но не находя других, спросила:

— За кого вы меня принимаете?

— Я тебя принимаю за то, что ты есть. Ты прелестная, чистая девочка,— сказал он искренне и положил на ее руку свою.

Варя не отняла руки. Он не пожимал ее ладонь, не перебирал пальцы, как это делали робкие мальчики, он просто и мягко положил свою руку на ее руку, и ей было хорошо. И она видела, что и ему хорошо так, просто держать свою руку на ее руке.

Он спокойно и снисходительно смотрел на шумный зал, независимый, могущественный человек, с деньгами, рядом с девушкой, единственной, кому он здесь доверяет, единственной, кого здесь признает. Хотя и нет на свете героев, но этот не будет стоять по стойке «смирно» и есть глазами начальство, не потащит под конвоем свой чемодан по перрону...

Не глядя на Варю, он вдруг задумчиво сказал:

— Может быть, рядом с тобой и я стану человеком.

И нахмурился. Отвернулся.

— Хорошо,— сказала Варя,— я поеду.

17

Саша надел лямку и удивился, как легко идет против течения большая нагруженная лодка. Бечевой, перекинутой через лучок — высокую палку на носу, лодка оттягивалась в о д д о р, шла параллельно берегу легко, без м ы р и — так Нил Лаврентьевич, почтарь, называл рябь.

Реку переходили в гребях. Саша и Борис садились на нашесть, надевали гребовые весла на уключины и гребли изо всех сил, течение здесь сильное. Но даже в самой борозде виднелась цветная галька на дне, так чиста и прозрачна была вода. Только цвет ее менялся в зависимости от погоды, становился то серо-стальным, то густо-синим, то голубовато-зеленым.

— Побежим хлестко,— балагурил Нил Лаврентьевич,— ребята молодые, свежие.

Нил Лаврентьевич, хлопотливый мужичишка с мелкими чертами подвижного лица, добывал золото на Лене, партизанил против Колчака, теперь колхозник. О партизанстве рассказывал туманно, врал, наверно, с чужих слов, о золотнишестве говорил правду. Был обычай у ангарцев — в парнях уходить на прииски. Вернулся с золотым кольцом на пальце, значит, добывал золото, теперь женись! Так и Нил Лаврентьевич: побывал на приисках, вернулся, женился, имел хозяйство — шесть коров. По здешним местам и десять коров — не кулак, тем более батраков не наймовал, не держал сепаратора, с тунгусами не торговал. Уходил осенью в лес, добывал за зиму шестьсот — семьсот шкурок, белковал ладно. Теперь белка отступила на север, и соболь ее поистребил, и колхоз требует работы. Раньше литовкой помахаешь на сенокосе, вся прочая домашность была на женщине. Теперь не отличишь, мужик и баба одно — колхозники.

Так, слушая разглагольствования Нила Лаврентьевича, шли они берегом, вдоль нависших скал, по каменным осыпям или вброд — там, где скалы подступали к самой воде. Днем солнце стояло высоко над головой, жарило, к вечеру уходило за лес, и тогда берег пересекали лиловые таежные просветы.

Покажется иногда одинокая рыбачья лодка, мелькнет у берега деревянный поплавок — здесь самолов, или м о р д а, проплывет вдали дощаник со стоящей на нем лошадью, и опять ни человека, ни зверя, ни птицы. Шумели шивера, как шумит тайга при сильном ветре, вода мчалась через валуны и каменные глыбы, кипела в водоворотах, играла брызгами на солнце. В шивере бечеву тянули все, а Нил Лаврентьевич, стоя в лодке, правил кормовым веслом. И жена его, болезненная молчаливая женщина, закутанная в большой платок, тоже шла в лямке.

Борис натер плечо, побил ноги на прибрежных камнях, мрачно говорил:

— Володя Квачадзе не тащил бы лодку, заставил бы себя везти.

— В лямке, зато без конвоя,— отвечал Саша.

В деревне Гольтявино, на берегу, лодку поджидали местные ссыльные: маленькая седая старушка — знаменитая в прошлом эсерка, анархист — тоже маленький седенький, с веселым, добрым лицом, и поразительной красоты девушка — Фрида. Старушку звали Мария Федоровна, старичка — Анатолий Георгиевич.

Почта не ходила два месяца, и каждому Нил Лаврентьевич вручил пачку писем, газет и журналов, а Фриде еще и посылку.

— Третий день дежурим,— весело сказал Анатолий Георгиевич,— с утра и до вечера.

— Сортировка задержала, Натолий Егорыч,— объяснил Нил Лаврентьевич,— на проход пойдем до Дворца.

Эта новость подверглась оживленному обсуждению: если в селе Дворец теперь почтовое отделение, то зимняя почта по Тайшетскому тракту будет приходить быстрее. С другой стороны, создание нового почтового отделения может предшествовать административным изменениям. Может быть, во Дворце будет новый районный центр. И, значит, новое начальство, новая метла, и будет эта метла ближе.

— Берите вещи,— распорядилась Мария Федоровна,— устроим вас на ночлег.

— Спасибо,— ответил Саша.— Нил Лаврентьевич хотел отвести нас на квартиру.

— К Ефросинье Андриановне?

— К ней,— подтвердил Нил Лаврентьевич, вытаскивая из лодки мешок с почтой.

— Прекрасно, тогда вечером посидим, Фрида за вами зайдет. Хорошо, Фрида?

Фрида читала письмо из своей почты.

— Фрида, очнитесь!

— Да, да,— девушка вложила письмо в конверт и подняла на Марию Федоровну громадные синие глаза. Черные локоны падали на старенькую кофточку, свободно облегавшую тонкую талию.

— Зайдете за ними,— повторила Мария Федоровна,— посидим у Анатолия Георгиевича.

— У меня, у меня,— Анатолий Георгиевич перелистывал журнал.

— Товарищи, успеете прочитать,— властно проговорила Мария Федоровна,— пошли!

Борис поднял посылку.

— У вас свои вещи,— сказала Фрида.

— Подумаешь!

Молодецким движением Борис вскинул на плечо посылку, взял в руки чемодан. Усталости его как не бывало.

— Чемодан пока оставьте, вернетесь, заберете,— посоветовала Мария Федоровна.

Саша помог Нилу Лаврентьевичу разгрузить лодку. Вернулся Борис, и они перетащили все в избу, стоявшую над берегом.

Пока хозяйка чистила рыбу и готовила ужин, Саша и Борис вышли на улицу.

— Ну?! — Борис вопросительно посмотрел на Сашу.

Саша притворился, что не понимает вопроса.

— Приятные, милые, гостеприимные люди.

— Да,— нетерпеливо подхватил Борис,— это вам не те, с Чуны, приятели Володи, это истинные интеллигенты, им неважно, в кого вы верите, им важно, что вы такой же ссыльной, как и они. Люди!.. Ну, а что вы скажете о Фриде?

— Красивая девушка.

— Не то слово! — воскликнул Борис.— Суламифь! Эсфирь! Песнь песней! Это надо было пронести через тысячелетия, через изгнания, скитания, погромы.

— Я не знал, что вы такой националист,— засмеялся Саша.

— Русская девушка — не националист, еврейская — националист. Я ведь имею в виду тип, породу. У меня жена тоже была из еврейской семьи, я за нее не дам мизинца этой Фриды. Какая осанка! Достоинство! Это че-ло-век! Жена, мать, хозяйка дома.

— Заговорил еврейский муж.

— Да, а что?

— У вас срок, и у нее срок. У вас Кежемский район, у нее Богучанский.

— Ерунда! Если мы поженимся, нас соединят.

Саша подивился фантазерству Бориса, но заметил только:

— Может быть, она замужем.

— Тогда-таки плохо.

На тарелках рыба, сметана, голубичное варенье. Нил Лаврентьевич и его жена сплевывали кости на стол. Саша к этому уже привык.

Хозяйка, полная смышленая женщина, жаловалась на сына: не хочет работать в колхозе, в е р б о в щ и к и сманивают в Россию на стройку.

— Самый отъявленный народ,— заметил Нил Лаврентьевич про вербовщиков,— крохоборы, шатаются-болтаются.

Сын хозяйки, форменный цыганенок, с любопытством косился на Сашу и Бориса, молча слушал упреки матери. Хозяин, тоже похожий на цыгана, сидел на лавке, курил. Борис поглядывал на дверь, ждал Фриду. Хозяйка все жаловалась на сына:

— Ководни серянки у него нашла, дырки в кармане, папиросы прячет, поджигает карман-ту. И чего ему тут не живется? На работу шибко не посылаем, все с мужиком. Ешшо пташка не чирикает, а уже в поле. Начальство требует, не прогневишь.

Сын молчал, косясь на Сашу и Бориса. И хозяин молчал, сам в душе бродяга. А хозяйка все жаловалась: уедет парень, свяжется с плохой компанией и попадет в тюрьму.

Вошла Фрида, поздоровалась, села на лавку, не мешая разговору. Она была в сапогах, стареньком пальто и платке, повязанном вокруг головы и шеи. Платка не развязала, так в нем и сидела, дожидаясь, когда ребята кончат ужинать.

Борис поднялся, нетерпеливо посмотрел на Сашу, предлагая ему поторопиться.

В переднем углу божница с иконами, в другом угловик, на нем зеркало, тюручок — катушка с нитками, рядом выкотерник — чистое расшитое полотенце, на подоконниках камни, образцы минералов, семена в коробочках, в горшочках рассада.

— Анатолий Георгиевич у нас агроном, геолог, минералог, палеонтолог, не знаю, кто еще,— Мария Федоровна усмехнулась,— надеется, оценят.

— Край пусть оценят,— ответил Анатолий Георгиевич,— такого богатства, как на Ангаре, нет нигде. Уголь, металлы, нефть, лес, пушнина, неисчерпаемые гидроресурсы.

Он перебирал в тонких пальцах камешки, куски лавы, обломки породы, прожиленной серебряными нитями, счастливый вниманием своих случайных слушателей — следующие появятся у него, может быть, через год, а то и вовсе не появятся.

— На Ангаре я был в ссылке еще до Февральской революции,— продолжал Анатолий Георгиевич,—и вот опять здесь. Но тогда мои статьи о крае печатались, теперь и думать об этом не смею. Все же надеюсь, записки мои еще пригодятся.

— В связи с развитием второй металлургической базы на Востоке,— сказал Борис, косясь на Фриду,— изыскания природных богатств очень важны. Вслед за Кузбассом индустриализация будет продвигаться сюда. Вопрос времени.

Он произнес это веско, как руководящий работник, поощряющий местных энтузиастов. Бедный Борис! Хочет выглядеть перед Фридой значительным человеком, а значительность его совсем в другом.

Мария Федоровна насмешливо кивнула головой.

— И вам надо: индустриализация, пятилетка... Вас свободы лишили — вот о чем подумайте. Вы рассуждаете, что будет с краем через пятьдесят лет, какая, мол, Сибирь станет... А вы думайте, во что через эти самые пятьдесят лет превратится человек, которого лишили права быть добрым и милосердным.

— Все же очевидных фактов отрицать нельзя,— сказал Анатолий Георгиевич,— в России промышленная революция.

Этот седенький, пушистый старичок совсем не вязался с Сашиным представлением об анархистах.

— Что же вы здесь сидите?! — воскликнула Мария Федоровна.— Откажитесь! В академики выскочите!

— Нет,— возразил Анатолий Георгиевич,— пусть знают: инакомыслие существует, без инакомыслия нет и мысли. А работать надо, человек не может не работать,— он показал на рассаду,— вот еще помидоры развожу, арбузы.

— За эти помидоры вы первым и уплывете отсюда,— заметила Мария Федоровна,— суетесь со своими помидорами, а колхозникам надо решать зерновую проблему. В России ее не решили, вот и вздумали решать на Ангаре, где хлебом отродясь не занимались.

Она вздохнула.

— Раньше еще было сносно, работали ссыльные у крестьян или жили на то, что из дома пришлют, мало кто ими интересовался. А теперь колхозы, появилось начальство, приезжают уполномоченные, каждое незнакомое слово оборачивается в агитацию, что ни случись в колхозе, ищут виновного, а виновный вот он — ссыльный, контрреволюционер, это он влияет на местное население, так влияет, что и картошка не растет, и рыба не ловится, и коровы не телятся и не доятся. Фриду, например, принимают за баптистку. Один ей так и сказал: вы свою баптистскую агитацию бросьте! Так ведь он сказал?

— Да,— улыбнулась Фрида.

— Одного только добились,— усмехнулась Мария Федоровна,— мужик воевать не будет. За что ему воевать? Раньше боялся, вернется помещик, отберет землю. А сейчас землю все равно отобрали, за что ему воевать-то?

— Это вопрос спорный,— сказал Саша,— для народа, для нации есть ценности, за которые он будет воевать.

— А вы пойдете воевать? — спросила Мария Федоровна.

— Конечно.

— За что же вы будете воевать?

— За Россию, за Советскую власть.

— Так ведь вас Советская власть в Сибирь загнала.

— К сожалению, это так,— согласился Саша,— и все же виновата не Советская власть, а те, кто недобросовестно ею пользуется.

— Сколько вам лет? — спросил Анатолий Георгиевич.

— Двадцать два.

— Молодой,— улыбнулся Анатолий Георгиевич,— все еще впереди.

— А что впереди? — мрачно спросила Мария Федоровна.— Какой у вас срок?

— Три года. А у вас?

— У меня срока нет,— холодно ответила она.

— Как это?

— А вот так. Начала в двадцать втором: ссылка, Соловки, политизолятор, снова ссылка, впереди опять Соловки или политизолятор. Теперь, говорят, нами, контриками, будут Север осваивать. И вам это предстоит. Попали на эту орбиту, с нее не сойти. Вот разве Фрида, если отпустят в Палестину.

— Вы собираетесь в Палестину? — удивился Саша.

— Собираюсь.

— Что вы там будете делать?

— Работать,— ответила девушка, слегка картавя,— землю копать.

— Вы умеете ее копать?

— Умею немного.

Саша покраснел. В его вопросе прозвучала недоброжелательность. «Вы умеете ее копать?» А ведь она и здесь землю копает, этим живет.

Пытаясь загладить свою бестактность, он мягко спросил:

— Разве вам плохо в России?

— Я не хочу, чтобы кто-нибудь называл меня жидовкой.

Она произнесла это спокойно, но с тем оттенком несгибаемого упорства, которое Саша видел у людей, одержимых своими идеями. Ничего у Бориса не выйдет, разве что перейдет в ее веру.

И Мария Федоровна, и Анатолий Георгиевич — это обломки той короткой послереволюционной эпохи, когда инакомыслие принималось как неизбежное. Теперь оно считается противоестественным. Баулины, столперы, дьяковы убеждены в своем праве вершить суд над старыми, немощными людьми, смеющими думать не так, как думают они.

— У меня к вам просьба,— сказала Мария Федоровна,— разыщите в Кежме Елизавету Петровну Самсонову, она такая же старушка, как и я, передайте ей вот это.

Она протянула Саше конверт.

Должен ли он его брать? Что в нем? Почему не посылает почтой?

Колебание, мелькнувшее на его лице, не ускользнуло от Марии Федоровны. Она открыла конверт, там лежали деньги.

— Тут двадцать рублей, передайте, скажите, что я еще жива.

Саша снова покраснел.

— Хорошо, я передам.

Опять поднимались по реке, проходили шивера, выгребали с берега на берег. Было жарко, но жена Нила Лаврентьевича, как сидела на корме, закутанная в платок, так и сидела, и сам он не снимал брезентового дождевика.

Они услышали отдаленный шум.

— Мурский порог,— озабоченно объяснил Нил Лаврентьевич.

Все чаще попадались подводные камни, течение убыстрялось, шум нарастал, переходя в непрерывное гудение, наконец стал неистовым. Река впереди была окутана громадным белым облаком, из воды торчали голые камни, над ними высоко пенились буруны, шум был подобен грохоту сотен артиллерийских орудий. С левого берега с бешеным ревом вырывалась из скалистого ущелья река Мура. У впадения ее в Ангару высился громадный утес с гранитными зубцами.

Вытащили лодку на берег, разгрузили, перенесли вещи выше порога, потом вернулись, волоком перетащили туда и лодку.

Борис уже не уставал, наоборот, жаловался, что медленно идут, торопился добраться до Кежмы, устроиться, начать хлопоты о переводе Фриды. В том, что они поженятся, не сомневался.

— Нет у нее ни жениха, ни мужа. Где-то возле Чернигова мать. Каково ей одной? Будем жить в Кежме, работать ее не пущу, пусть занимается домом, появится ребенок, здесь тоже дети растут, кончим срок — уедем. Вы представляете ее в Москве, а театре, в вечернем платье? Чтобы раздобыть хорошую жену, стоит побывать на Ангаре. Ссылка — три года, жена на всю жизнь.

— Она собирается в Палестину.

— Чепуха! Пройдет. Она еще не ощутила себя женщиной. Будет семья, дом, дети — от ее Палестины ничего не останется.

Саша вспомнил выражение упорства на красивом лице Фриды и подивился слепоте Бориса.

— Она даже утверждает, что верит в бога,— продолжал Борис,— думаете, это серьезно? Покажите мне современного еврея, который бы серьезно верил в Йегову. Религия для еврея — лишь форма национального самосохранения, средство против ассимиляции. Но ассимиляция неизбежна. Мой дедушка был цадик, а я не знаю еврейского языка. Какой же я, спрашивается, еврей?

— Боря, вы видели ее один вечер.

— Чтобы узнать человека, достаточно пяти минут. Я увидел вас в комендатуре и сказал себе: с ним мы сойдемся. И я не ошибся. Я уже видел и беленьких, и синеньких, и зелененьких. Если найду настоящую женщину, никакая другая мне не понадобится. А кто до женитьбы был пай-мальчиком, тот увязывается за первой юбкой, бросает жену, детей, разрушает семью.

Что бы ни стояло за этими рассуждениями — одиночество, сочувствие девушке, как и он, попавшей в богом забытый край,— все равно это была любовь, неожиданная в таком деловом человеке, волоките и жуире. Он говорил о Фриде, и лицо его озарялось нежностью.

Прошли село Чадобец, где было назначено место жительства покойному Карцеву, прошли еще деревни, ночевали у знакомых или у родных Нила Лаврентьевича.

Саша и Борис сразу после ужина ложились спать, а Нил Лаврентьевич долго сидел с хозяевами. Приходили люди, сквозь сон Саша слышал хлопанье дверей, обрывки длинных мужицких разговоров.

Вставали рано, разбуженные запахом жареной рыбы, грохотом печной заслонки, передвигаемых в печке горшков.

— Как спали-то, никто не кусал? — спрашивала хозяйка.

— Хорошо, спасибо.

Утром за столом долго не засиживались, торопились в дорогу. На улице уже слышались голоса.

— На работу, однако, ревут,— объясняла хозяйка.

— Благодарим,— Нил Лаврентьевич вставал, отрыгивал, небрежно крестил рот.

В лодке после таких ночевок Нил Лаврентьевич рассуждал:

— Какие по нашим местам колхозы? Земля тощшая, таежная, мерзлая, не Россия, хлеб не вывозной, абы себя и детишек прокормить. Что мы государству могим сдать, никого не могим, окромя белки. Бывало, скот на Лену гоняли, теперь молочка не добудешь. Раньше наймовали ссыльных, политику, они лес корчевали, а теперь не корчуем. И кедру никто не бьет.

Прошли Калининскую заимку, деревню, построенную в тридцатом году спецпереселенцами, высланными из России к у л а к а м и.

— Привезли их в самой кончине января,— рассказывал Нил Лаврентьевич,— мужики, кто посмелее, пошли в ближнюю деревню, в Коду, восемь верст, считай, приютите, мол, ребятишек. Да побоялись кодиские, у них одна фамилия Рукосуевы, у них своих кулаков тоже повыдергали, увезли самых заядлых, вот и побоялись. Мужики обратно в лес, землянки копать, поковыряй ее, землю-то, в мороз и снег. Кто помер, кто жив остался. Весну лес корчевали, расчищали елани, пахали, сеяли, народ работящий, ломовой народ, умелый. Теперь живут, помидоры сажают. Раньше у нас помидоры сажал Натолий Егорыч, политикант сослатый, смеялись над ним, пол скребли, народ у нас дикой, невежество, а теперь доказали кулаки энти. Вот и польза от них государству.

Последнюю фразу он произнес важно и значительно, подчеркнул, что понимает интересы государства: и необходимость раскулачивания, и полезность разведения помидоров.

Но, как ни хитрил он, было видно, что сочувствует спецпереселенцам, и у него есть дети, и сам он такой же человек, как и они. И потрясен тем, что происходит, не знает, что будет дальше, не постигнет ли и его участь крестьян с Украины и Кубани, п о в ы д е р г а н н ы х с родных мест и угнанных неизвестно куда и неизвестно за что. Саша вглядывается в новые избы, непохожие на местные. Обычные русские пятистенки с крылечками на улицу и завалинками у стены — кусок России, выдернутой с родной земли, брошенной в таежный снег, но воссозданной и сохраненной здесь русскими людьми.

Саша хотел увидеть этих людей, каковы они сейчас. Но люди были на работе, деревня лежала тихая, мирная, спокойная, и берег был такой же, как и в других деревнях на Ангаре, с лодками, перевознями и сетями.

Живут, как все. Конечно, те, кто выжил. Промелькнула на косогоре ватага ребятишек. И ребятишки эти были те, кто выжил, а не замерз в снегу. А может, народились новые.

И снова спокойная могучая река, синие скалы, бескрайняя тайга, солнце в голубом небе, все это щедро и обильно сотворенное для блага людей. Тихий плес, мелкие безымянные перекаты. На правом берегу деревня Кода, где все Рукосуевы и куда спецпереселенцы обращались за помощью и не получили ее. И она тоже тихая, спокойная, безлюдная.

18

«Хорошо, я поеду» — это было легко сказать вчера, когда они сидели в ресторане, играла музыка, нарядные женщины танцевали с элегантными мужчинами, это была новая, независимая жизнь. И сам Костя, и его предложение поехать в Крым были частью этой жизни, поэтому вчера прямо из ресторана Варя могла бы уехать с ним куда угодно. Но сегодня, здесь, в их коммунальной квартире, в их тусклой комнате все выглядело совсем по-другому, нереальным, неосуществимым, казалось игрой, пустым ресторанным трепом. В Викиной компании так треплются о поездках за границу, в Костиной — о поездках в Крым или на Кавказ.

Да и кто он такой, этот Костя? Ресторанный бильярдист, игрок. Какими примитивными средствами обольщал: положил деньги в ее сумочку, заказывал дорогие блюда, редкие вина, гусарил, выпендривался... Сколько он перевидал таких девочек? Скольких заманивал поездками в Крым? Она на такой огонек не полетит! Ее, как дурочку, не охмурит какой-то бильярдист! Как она будет выглядеть, если после Крыма он бросит ее или оставит в Крыму, хорошо, если даст деньги на обратный билет, а то и не даст, добирайся, как хочешь, телеграфируй Нине, выручай, мол, сестричка, а Нину хватит удар, от такого у кого угодно может случиться разрыв сердца: вчера познакомились в ресторане, сегодня отправились в Крым. И почему надо ехать именно сегодня? Что за спешка?

С Софьей Александровной, как и обещала, она переговорит. Если та сдаст ему комнату, они познакомятся ближе, тогда у них, может быть, и сложатся какие-то отношения.

Вчера после ресторана Костя привез ее и Зою домой на такси, прощаясь, сказал:

— Завтра не уходи из дома, жди моего звонка. В первой половине дня я позвоню.

Уже двенадцать часов, и самое правильное сейчас уйти, скажем, к Софье Александровне или к Зое на работу. А если он позвонит вечером, сказать: «Я все утро ждала вашего звонка, вы не позвонили». Впрочем, позвонит ли он? Сам, наверно, забыл, что наболтал. Как он может так вдруг поехать в Крым? Бросить дела! Как достанет билеты? Командировочным по броне и тем едва дают, а простые смертные простаивают на вокзале неделями. Можно спокойно сидеть дома. Бегать унизительно. Обещала ждать звонка — подождет. Даже интересно — позвонит или не позвонит. Как будет выкручиваться?

В половине первого Костя позвонил и сказал, что билеты у него на руках, поезд отходит в четыре, в три он за ней заедет, на каком этаже она живет, какой номер квартиры.

Варя растерялась, как только услышала его голос, его мягкие, но повелительные интонации. Как и вчера, он говорил медленно, четко, чуть растягивая слова. Она тут же вспомнила его лицо, его странный, шальной и в то же время недоверчивый взгляд, который подолгу он не отводил от нее, его широту, лихость и одновременно наивность: удивлялся, что она живет на Арбате, был разочарован тем, что загадала не то, на что он надеялся. Вспомнила и свою обиду на его друзей: пьют, едят за его счет, а его оставляют одного. Как сказал: «Может быть, рядом с тобой и я стану человеком». И тут же нахмурился, застыдившись такого признания.

Как же можно обмануть его, нарушить слово? Зря обещала, но о б е щ а л а! У нее не повернется язык сказать «нет».

— Не надо за мной заходить,— ответила Варя,— я буду вас ждать в Никольском переулке, возле второго дома от угла.

— Хорошо, только не задерживайся, а то на поезд опоздаем.

В Никольский переулок Варя решила пройти проходным двором — в воротах можно наскочить на Нинку.

Чемодан не понадобился. Все, что у нее есть, на ней. А еще одно платье, сарафан, трусики и комбинацию, пару чулок, зубную щетку, мыло, расческу запихнула в портфель.

И хорошо, что не понадобился чемодан — проходной двор оказался закрытым. Варя вспомнила, что на днях на Арбате закрыли все проходы на соседние дворы. Арбат стал режимной улицей, по ней иногда проезжает на дачу Сталин. Пришлось идти до Никольского обычным путем.

К счастью, никого не встретила. А если бы и встретила, то что такого — идет со старым школьным портфелем.

Нине она оставила записку: «Уехала с друзьями в Крым, вернусь через две недели, не скучай. Варя».

Свернув в Никольский переулок, Варя увидела такси, а возле такси Костю в том же костюме, в каком он был вчера в «Савое».

Они ехали в международном вагоне. Варя первый раз в жизни видела такой вагон. К тетке в город Козлов, теперь он называется Мичуринск, они с Ниной ездили в общем плацкартном. И ее знакомые тоже ездили в общих плацкартных. Она слыхала, что есть вагоны, разделенные на закрытые купе, в каждом купе четыре пассажира. Но о купе на двоих с отдельным умывальником не слыхала. И вот она едет в таком вагоне, в таком купе, все в бархате, в бронзе, даже дверные ручки бронзовые. В коридоре мягкая дорожка, на окнах бархатные занавесочки, на столе лампа под красивым абажуром. Проводник в форме разносит чай в массивных подстаканниках, вежливый, предупредительный, с Костей особенно.

Как понимала Варя, в этом вагоне ехали важные, может быть, и знаменитые люди: в соседнем купе военный с четырьмя ромбами в петличках — высший военный чин, через купе — пожилая красивая дама с мужем, наверняка актриса. Варе даже показалось, что она видела ее в каком-то фильме. И в других купе тоже ехали, может быть, народные комиссары или заместители народных комиссаров, во френчах, бриджах, сапогах — стандартной одежде ответственных работников. Но и проводник, и разносчик вин и закусок, и официант, приходивший записывать тех, кто пойдет обедать в вагон-ресторан, а затем официант и буфетчик в вагоне-ресторане относились к Косте с особой предупредительностью. В его облике, манере поведения было нечто такое, что сразу заставило этих людей выделить Костю изо всех пассажиров.

Варю вначале коробила его грубоватая фамильярность, всему обслуживающему персоналу он говорил «ты», но они угадывали в Косте своего парня и никто на него не обижался, смеялись его шуткам, с видимым удовольствием выполняли его требования. Старания официантов Костя принимал с благосклонной улыбкой, как подобает человеку, который находится на гребне успеха и понимает, что успех притягивает к нему людей. Но вел себя весело и дружелюбно.

У Кости нет ни чинов, ни должностей, ни званий, но он в них и не нуждается. Независимый, рисковый, обаятельный, он добивается того, чего другие добиться не могли бы. Кто в июне, в разгар курортного сезона может достать билеты в Крым в день отхода поезда, да еще в международном вагоне, забронированном только для высших лиц? А Костя смог, хотя Варя допускала, что заплатил он за билеты вдвое или втрое дороже стоимости. Он широко оставлял чаевые, не брал сдачи, делился с людьми своей удачей.

С Варей он держался так, будто они знакомы сто лет и нет ничего удивительного в том, что они вдвоем едут в отдельном купе. Ни о чем ее не расспрашивал, будто все уже знал о ней, и о себе ничего не рассказывал, будто и она все знает о нем. Рассказывал о местах, через которые они проезжали, чувствовалось, что видит их не первый раз. Не приставал. Ни разу не пытался обнять ее, поцеловать, как-то все *начать*. Только, когда они стояли в коридоре и смотрели в окно, положил руку ей на плечо, этот жест и эта поза были просты и естественны — стоят в коридоре молодые супруги, и молодой муж держит руку на плече своей молоденькой жены. И в вагоне все к ним как к молодоженам и относились, улыбались и, как казалось Варе, даже любовались ими, а ею особенно. Варя видела, что Косте это приятно, ему льстит, что все любуются *его* женой.

Только мучила мысль о том, что будет ночью. Костя, конечно, убежден, что, согласившись с ним ехать, она согласилась и на *это*. Мужчины вообще считают, что если пригласили девушку в театр, кино, на танцы, то уже имеют право на *это*, и обижаются, сердятся, когда им *этого* не разрешают. А он везет ее в Крым, они будут жить в одном номере гостиницы, он будет поить и кормить ее... Нет, такая *сделка* ее не устраивает, на такую *сделку* она не пойдет. Она не навязывалась, не напрашивалась, она едет в Крым ради него, он просил ее, она согласилась поехать, но ни на что другое согласия не давала. Ему приятно прогуляться по Крыму с молоденькой хорошенькой девчонкой, пожалуйста, она доставит ему такое удовольствие.

За окном стало темнеть, Костя заглянул ей в глаза, улыбнулся.

— Все в порядке?

— Все в порядке,— в тон ему ответила Варя, хотя с приближением вечера начинала все больше робеть.

Другое дело, если бы она влюбилась, потеряла голову от любви. Но голову она не потеряла и неизвестно, потеряет ли. Ей, как и всем, импонирует Костина широта и лихость, но она привыкла к большей сдержанности. Костя не-вос-пи-тан, он из какого-то чужого мира. А она, пусть и во дворе выросла, все же воспитанна. И друзья ее воспитанны. Левочка, Ика, Рина, Воля-большой, Воля-маленький — все это интеллигентные ребята, а вот Костя, несмотря на то, что он у них главный, не интеллигентен. И тянутся все к нему потому, что у него есть то, чего нет у них,— деньги, а он окружает себя этими ребятами потому, что в них есть то, чего нет у него,— интеллигентность. Конечно, он человек из народа, из провинции, это характер, натура, только так его и можно воспринимать. Но это не совсем ее устраивает.

Устраивает его независимость. Но лично она может быть независимой, только сама зарабатывая себе на жизнь. Даже став его женой. Но хочет ли она стать его женой — этого она тоже не знает. О женитьбе у них вообще разговора не было. Тогда, значит, она станет его любовницей? Но любовники любят друг друга. Значит, содержанкой? Нет, быть содержанкой она не намерена.

Но, что бы ни говорила себе Варя, она понимала шаткость своих доводов. То, что должно произойти, произойдет. Ломаться — значит ломать комедию.

19

В деревне Дворец они расстались с лодочником и его молчаливой женой. Нил Лаврентьевич побежал на почту, вернулся с приемщиком, вытащил из лодки мешки, хлопотал, спорил, на Сашу и Бориса не обращал внимания. Привез попутных ссыльных, приказали — вот и привез.

— Может быть, зайдем в комендатуру? — предложил Борис.

— Зачем?

— Отправят в Кежму.

— Без них доберемся. Предписание у нас на руках.

— Могут быть неприятности,— поморщился Борис,— почему не явились, не отметились. Не надо по пустякам их раздражать.

Саша не хотел идти в комендатуру. Лишняя встреча — лишнее унижение. Борис одержим желанием поскорее начать хлопоты, он думает только о Фриде. Услышав о том, что Дворец станет районом, хочет завязать здесь какие-то связи, знакомства, чтобы облегчить потом переезд Фриды к нему или его переезд к Фриде. Фантазер.

— Завтра решим,— сказал Саша.

— Ладно,— согласился Борис,— посидите с вещами, я поищу квартиру.

Солнце уходило за тучи, дул хиус — холодный ветер с реки, трепал гибкий тальник на берегу. Саша накинул на плечи пальто, принес чемодан. Тоска сжимала сердце. Почему он не пошел в комендатуру? Квачадзе бы пошел, потребовал, и Борис хочет идти, хочет как-то устроить свои дела, это его право. А вот он не пошел и не пойдет. За неделю пути без охраны, по вольной реке он ощутил относительную свободу. Неужели она кончилась? Здесь, на краю земли, это особенно дико и неестественно. Нет, он не пойдет. Иллюзия, самообман, пусть!

Вернулся Борис, весело объявил:

— Сейчас я вас познакомлю с обломком империи. Повар его величества! Кормил князя Юсупова и Григория Распутина. Поразительный экземпляр.

В избе, куда он привел Сашу, на скамейке сидел тучный красноносый старик в стеганой телогрейке защитного цвета и стеганых брюках, заправленных в сапоги с разрезанными голенищами. Одутловатое, гладко выбритое лицо, ровный, как мох, бобрик седых волос выдавали в нем городского человека.

— Знакомьтесь,— возбужденно говорил Борис,— Антон Семенович! Шеф-повар двора его императорского величества.

— Тогда уж лейб-повар,— заметил Саша, с интересом разглядывая старика.

Тот тоже внимательно из-под полуприкрытых век посмотрел на Сашу.

— Антона Семеновича отзывает Москва,— продолжал Борис,— будет кормить послов и посланников. Котлеты «де-воляй», соус «провансаль»... Знал я поваров в Москве. Конечно, с вашим масштабом не сравнить, но сохранились. В «Гранд-отеле» Иван Кузьмич, знаете?

— Не помню что-то,— ответил Антон Семенович равнодушно: не может помнить каждого Ивана Кузьмича, а вот каждый Иван Кузьмич должен знать его, Антона Семеновича.

— Вполне приличный повар,— продолжал Борис,— конечно, когда есть из чего. Метр Альберт Карлович.

— Знаю,— коротко проговорил Антон Семенович.

— Квалифицированный, представительный,— Борис еще больше оживился оттого, что у них нашелся общий знакомый.

— На чем представляться-то,— брюзгливо заметил Антон Семенович,— первое, второе, третье...

— О чем и говорю,— подхватил Борис,— было бы из чего. И для кого. Когда бефстроганов — предел мечтаний...

— И бефстроганов надо уметь сделать,— Антон Семенович оглянулся на хозяйку, она озабоченно готовила ужин.

— Когда вы уезжаете? — спросил Борис.

— Как отпустят.

— У вас же освобождение на руках, вы говорите.

— При комендатуре работаю, тоже есть хотят, вот и тянут.

Хозяйка почистила рыбу, бросила на сковородку.

Кивнув на печь, Борис сказал:

— Представляю, как бы это у вас получилось.

Антон Семенович величественно промолчал.

— Вернемся в Москву, вы уж нас покормите,— засмеялся Борис.

Антон Семенович покосился на него, потом с настырной требовательностью пьяницы сказал:

— Если доставать, то сейчас.

Получив от Бориса деньги, тяжело поднялся и вышел.

— Алкоголик,— сказал Саша.

— Нет,— возразил Борис,— соскучился по людям.

Антон Семенович вернулся с бутылкой спирта.

— Самое что надо. В смысле сердца.

Пил он, почти не закусывая, и сразу опьянел. Шея побагровела, лицо стало злым, человек, норовящий выпить за твой счет и тебя же обругать. Борис этого не замечал и продолжал перечислять знакомых ему московских поваров и метрдотелей.

— За что вы здесь? — спросил Саша.

Антон Семенович поднял на Сашу тяжелые глаза, собираясь послать к чертовой матери своих случайных собутыльников, московских дурачков, которых он искренне презирал прежде всего за то, что так легко дают себя одурачить.

Но натолкнулся не на деликатный взгляд московского дурачка, на него смотрела московская улица, насмешливая, все понимающая, умеющая дать отпор кому угодно.

Отводя тяжелый взгляд и трудно дыша, Антон Семенович неохотно сказал:

— В столовой работал в районе. Написал в меню «щи ленивые». Тут прокурор: «Почему ленивые?» Насмешка, выходит, над ударниками. Показываю поваренную книгу, тысяча девятьсот тридцатого года книга: «Щи ленивые». Ясно? Нет, врешь! Книгу тоже контрик написал.

Из всего, с чем сталкивался здесь Саша, это было самое бессмысленное.

— Слава богу, все кончилось,— сочувственно проговорил Борис,— все с вас снято, возвращаетесь домой.

— Домой?! — Антон Семенович с ненавистью посмотрел на Бориса.— Где он, дом-то? В вашем Бердичеве?

Так! Вот и урок Борису: не увлекайся каждой сомнительной личностью.

— А ну, чеши отсюда, мать твою через семь гробов в мертвый глаз! — сказал Саша.

— Нет! — Борис встал, подошел к двери, накинул крючок.

— Вы чего, ребята? — беспокойно забормотал Антон Семенович.— Я ведь в шутку.

— Последний раз шутил, стерва,— усмехнулся Саша.

Борис навалился на Антона Семеновича, прижал голову к столу.

— Ребята, пустите,— хрипел Антон Семенович, выкатывая дрянные белесые глаза.

— Не до конца его, Боря, на мою долю оставьте,— сказал Саша.

Эта одутловатая морда с белыми глазами была ему ненавистна. Падаль! Задумал над ними измываться. Гад! Рванина! Товарищ по ссылке! Коллега!

Отвратительная сцена, но их погрузили на дно жизни и с этими подонками иначе нельзя.

— Извиняйся, гад!

— Извиняюсь,— прохрипел Антон Семенович.

— А теперь катись к трепаной матери!

Борис вытолкал его за дверь, сбросил с крыльца, устало опустился на скамейку.

— Вот вам и лейб-повар его императорского величества,— засмеялся Саша.

— Среди таких людей должна жить Фрида,— сказал Борис.

На следующий день они нашли попутную лодку. Коопepaторщик согласился их взять, если они пойдут бечевой наравне с ним и лодочником.

До Кежмы семьдесят километров, и, если ничто не помешает, они будут там через два дня. Это была удача.

Они снесли свои вещи на берег к громадной, тяжело нагруженной лодке, которую им предстояло тащить. Возле нее хлопотал кооператорщик, толстомордый веселый парень в брезентовом плаще и бокарях — высоких, до паха сапогах, похожих на болотные, только из камуса — мягкого оленьего чулка.

— Отправимся скоро? — спросил Борис.

— Документы оформим и потянемся,— ответил кооператорщик.

— Знаете, Саша,— снова начал Борис, отведя Сашу в сторону,— все же надо сходить в комендатуру. Скажем: нашли лодку, уже погрузились, вот только забежали отметиться. Иначе будут неприятности в Кежме. Этот сукин сын, повар его императорского величества, конечно, настучал, что мы здесь.

— Дело ваше,— холодно ответил Саша,— можете идти, я не пойду. И не говорите, что я здесь. У меня предписание явиться в Кежму, я и являюсь в Кежму.

— Как знаете,— пожал плечами Борис,— я все же схожу.

В нем бушевал бес деятельности. Одержимый мыслью о женитьбе на Фриде, он уже все подчинил этому, боялся совершить промах.

Борис не вернулся ни через полчаса, ни через час. Кооператорщик ушел оформлять документы, вернулся, а Бориса все не было.

— Сходи, поищи товарища,— сказал кооператорщик,— некогда, уйдем без него.

Саша не знал, что делать. Нельзя оставлять Бориса, но идти в комендатуру он не хотел, да и поздно, спросят: почему не пришел сразу?

— Подождем еще немного.

Наконец появился Борис, молча вытащил из лодки чемодан.

— В чем дело? — спросил Саша, догадываясь, что произошло.

— Отправляют в Рожково,— ответил Борис. На нем лица не было.

Рожково, крошечную деревеньку на левом берегу, они прошли вчера с Нилом Лаврентьевичем.

— Как это без райуполномоченного?

— У них есть право самим назначать место жительства.

— Плюньте на них и едем.

— Они отобрали предписание.

Голос Бориса дрожал.

— Не горюйте,— сказал Саша,— приедете в Рожково, напишите в Кежму или в Канск, потребуйте перевода, ведь в Рожкове для вас нет работы.

Я приеду в Кежму, тоже скажу уполномоченному.

Борис махнул рукой.

— Все пропало! Ах, дурак я, дурак!

Саше было жаль Бориса, грустно с ним расставаться: хороший товарищ, веселый, неунывающий спутник. Они обнялись и расцеловались. На глазах у Бориса блестели слезы.

Саша вошел в лодку. Лодочник оттолкнул ее от берега и, перевалившись через борт, влез сам. Некоторое время они шли на гребях — лодки и сети на берегу мешали идти бечевой. Саша видел скорбную фигуру Бориса. Он смотрел им вслед, потом поднял чемодан и начал подыматься по косогору.

20

Один на пустынной реке, Саша шел навстречу своему будущему. Хорошо ли, плохо ли, но все уже определились по местам, а он не знает, что его ждет, куда зашлют. Он никогда больше не увидит Володю, Ивашкина, ссыльных, которых встречал в деревнях, не увидит, наверно, Бориса, хотя и будет жить с ним в одном районе. Горечь коснулась его сердца, он потерял людей, с которыми прошел первые сотни километров своего пути.

На корме сидел лодочник, неразговорчивый человек лет сорока с суровым фельдфебельским лицом. Саша и кооператорщик шли в лямке попеременно, а в шивере тащили лодку вдвоем.

Кооператорщика звали Федей, демобилизованный красноармеец, общительный парень, работает продавцом в Мозгове, деревне возле Кежмы, величает себя заведующим сельмагом, зачислен на какие-то курсы в Красноярске, зимой уедет учиться. Федя с комической важностью рассуждал о роли сельского продавца как проводника государственной линии в деревне. Новый тип сельского активиста, сообразительный, принимающий все на веру, с веселой готовностью, без сомнений и рассуждений, к тому же песенник и гармонист. То обстоятельство, что Саша — ссыльный, не играло для него никакой роли. Так, значит, устроено, есть ссыльные, всегда были, испокон веку, такие же люди, как все. А служи сейчас Федя в комендантском взводе и прикажи ему расстрелять Сашу, он бы расстрелял. Опять же потому, что так устроен мир.

Федя расспрашивал Сашу про Москву, на какой улице жил, хорошая ли улица, какие еще есть улицы, чем занимаются его родители, был ли он когда в Кремле, видел ли товарища Сталина и других руководителей и какие цены в магазинах. Всему удивлялся, всем восхищался. Москва была конечной целью его мечтаний. Сашей тоже восхищался — коренной москвич! Угощал его папиросами «Люкс», предназначенными для районного начальства.

Иногда он пел «Позабыт-позаброшен», песню, занесенную ссыльными и популярную на Ангаре. Пел хорошо! «На мою, на могилку, знать, никто не придет, только ранней весною соловей пропоет. Пропоет и просвищет и опять улетит, одинокая могилка, как стояла, стоит».

Федя не ходил на золотые прииски, такого обычая теперь нет. Зато перед армией служил два месяца в экспедиции профессора Кулика, искали тунгусский метеорит, только не нашли, ушел, видно, под землю. На том месте выступили озера, потом заболотились, заедает гнус, спасения нет, все бегут. И Федя бежал, тем более, взяли на действительную. В армию тут стали брать с двадцать шестого года, и школа открылась в двадцать шестом году, до этого школ не было, из парней он один только и был грамотный, отец выучил, отец его на фактории работал, с тунгусами торговал.

— Народ необразованный, дикой,— добродушно рассказывал Федя про тунгусов,— но, чтобы воровать, этого у них нет. Русских зовут Петрушка, Ивашка, Павлушка, Корнилка... «Мука мой давай», «Смотреть мало-мало надо», «Продай два булка»... Табак любят, пьют и курят и мужики, и бабы, и одеваются, что мужик, что баба. Ребят, тех отличишь: у мальчиков одна косичка, у девочек — две. Бисер любят — и на доху нацепят, и на камасины.

«Камус» по-тунгусски значит «чулок с ноги оленя или лося», из него и делают сапоги — камасины. Слово это поразило Сашу сходством с индейским мокасины. Факт, подтверждающий, что тунгусы одного племени с североамериканскими индейцами.

Приехать бы сюда с экспедицией, изучать местные диалекты или прийти с геологами, в этой земле неисчислимые богатства. А ему выпала ссылка в глухой деревне, без права выезда, три года коптить небо без пользы для себя, без пользы для других.

Почему это обрушилось на него? Не виноват ли он сам? Расскажи про Криворучко, был бы на свободе теперь. А он не рассказал, посчитал безнравственным. А что такое нравственность? Ленин говорил: нравственно то, что в интересах пролетариата.

Но пролетарии — люди, и пролетарская мораль — человеческая мораль. А оставлять детей в снегу бесчеловечно и, следовательно, безнравственно. И за счет чужой жизни спасать собственную тоже безнравственно.

Последняя ночевка в деревне Заимка, на острове с неожиданным названием Тургенев. Длина его двадцать два километра, в нижнем изголовье деревня Алешкино, в верхнем Заимка.

Изба, куда привели Сашу, была большая, просторная, с пристройками и вымощенным досками двором. Хозяйка — дородная, представительная старуха, в прошлом, видно, красавица, хозяин — скрюченный рыжеватый старичок, сыновья — жгучие брюнеты, горбоносые, густобровые, настоящие кавказцы, старший лет под сорок, младший лет тридцати, их жены и дети.

— Сейчас отец Василий придет,— сказала хозяйка,— с ним и поужинаете.

Пришел священник с русой бородкой, иконописным добрым лицом, в дождевике и сапогах, переоделся в домашнюю рясу. Хозяйка подала на стол вяленую рыбу, яишню и молоко. Отец Василий ел и расспрашивал Сашу, откуда он и куда следует, где родился и кто его родители. Сказал, что сам он тоже ссыльный. Но, за что Сашу выслали, не спрашивал и о себе не рассказывал.

После ужина они пошли в каморку, где стояла кровать отца Василия и маленький столик. Пахло чуть приторно, по-церковному.

— Раздевайтесь, попарьте ноги, будет легче,— предложил отец Василий и принес котел горячей воды, таз, дал мыло и полотенце. Саша опустил ноги в горячую воду, ощутил мгновенную слабость и блаженное чувство освобождения от усталости.

Отец Василий стоял, прислонившись к двери, смотрел на Сашу добрыми глазами. Теперь, когда Саша присмотрелся к нему, он выглядел совсем молодым, в первую минуту показался старше — из-за бородки, из-за рясы, из-за того, что был священником, а в Сашином представлении священник должен быть стариком. Ему казалось, что все священники с дореволюционных времен.

— Можно баньку затопить,— сказал отец Василий,— только на берегу она, пойдете обратно — простудитесь, а у вас дорога.

— И так замечательно, спасибо,— ответил Саша.

— Здесь по-черному моются,— продолжал отец Василий,— у вас в Москве, наверное, ванна?

— Да, есть ванна.

— В моих местах,— сказал отец Василий,— тоже черные баньки, а то просто залезут в печь и моются. Здесь народ куда чистоплотнее.

— Вы откуда? — спросил Саша.

— Из Рязанской области, Кораблинского района, слыхали?

— Рязанскую область знаю, а Кораблинский район — нет.

— Наши места южные,— улыбаясь, рассказывал отец Василий,— яблочные. Здесь вы не увидите ни яблочка, ни груши, будете по ним тосковать. Брусника, черника, голубица — вот и вся ягода, ну, морошка еще, черная смородина, мелкая, лесная. А фруктов никаких.

— Придется обойтись без фруктов,— сказал Саша, с наслаждением перебирая пальцами в горячей воде.

— Вы их мыльцем, мыльцем, вот я вам намылю,— отец Василий взял мыло и мочалку.

— Что вы, что вы, не надо, я сам! — испугался Саша.

Но отец Василий уже обмакнул мочалку в воду, намылил ее, наклонился и начал тереть Сашину ногу.

— Не надо! Что вы, в самом деле! — закричал Саша, пытаясь вырвать ноги и боясь в то же время расплескать воду.

— Ничего, ничего,— ласковым голосом говорил отец Василий, растирая Сашину ногу,— вам неудобно, а мне удобно.

— Нет, нет, спасибо! — Саша наконец отобрал у него мочалку.

— Ну, мойте,— отец Василий вытер руки полотенцем.

— Чем вы тут занимаетесь? — спросил Саша.

— Работаю, хозяевам помогаю, кормят — спасибо. Народ хороший, отзывчивый народ. Вы к ним с добром, и они вас вознаградят. Уведут, наверно, отсюда ссылку.

— Почему?

— Из-за колхоза. Личного хозяйства нет, заработать негде, а в колхоз ссыльных не принимают. Есть тут колхозы из спецпереселенцев, из раскулаченных, и туда не берут...

— Странные сыновья у хозяев, похожи на черкесов.

Отец Василий улыбнулся.

— Согрешила хозяйка в молодости. Жил у них на квартире ссыльный кавказец, красавец, говорят. Ну и случился грех.

— Не раз, видно, случился,— заметил Саша,— сыновей трое.

— Он жил у них девять лет,— охотно объяснил отец Василий,— потом уехал. Дети остались. Хозяин их считает за своих, а они его за отца. Тут испокон веку ссылка, перемешался народ. Живут хорошо, ладно, вот и меня призрели. Веры у них особой нет, в этих местах веры настоящей никогда не было. Сибирь, а все же совесть требует своего.

— Справляете службу?

— Церковь закрыта... Так, поговоришь, утешишь.

Саша вытер ноги, натянул носки.

— Спать ложитесь, отдыхайте,— сказал отец Василий.

— Таз вынесу, тогда лягу,— ответил Саша.

— Я вынесу,— отец Василий поднял таз.— Вы не знаете куда.

Потом вернулся с тряпкой, затер пол и вынес котел.

Опять вернулся, разобрал постель.

— Ложитесь!

— Как? А вы?

— Найду, где лечь, я у себя дома, ложитесь.

— Ни за что! Я лягу на полу.

— Пол холодный, простудитесь. А я люблю спать на печи.

— Я тоже люблю спать на печке,— сказал Саша.

— Хозяева уже легли, придется их беспокоить,— ответил отец Василий,— а я лягу тихонечко, никто не услышит.

Он мягко убеждал Сашу, но в его мягкости была твердость человека, которому ничто не помешает исполнить долг. Долг — отдавать другому то, что у тебя есть, а ничего, кроме таза с водой и узкой жесткой кровати, у него нет.

Саша лег на кровать, почувствовал холодок простыни, давно он не спал на простыне, давно не укрывался теплым одеялом, потянулся, повернулся к стенке и заснул.

В тюрьме сон его стал чуток, утренний шорох разбудил его. Это отец Василий встал с пола, где спал на дохе, покрывшись шубой.

— Ну вот,— Саша уселся на кровати,— а сказали, ляжете на печке.

— Сунулся я на печь,— весело ответил отец Василий,— а там уже все занято. Я и здесь неплохо устроился, выспался очень прекрасно.

— Вы не должны уступать свою постель каждому проезжему, их много, вы один.

— Где же много? — возразил отец Василий, причесываясь перед висевшим на стене карманным зеркальцем и завязывая косичку.— Три месяца вовсе не было. И в дорогу бывают не каждый день, и ставят их по домам в очередь. В год, может, один или два попадут на нашу квартиру. Я на этой кровати сплю каждую ночь, мне безразлично, а вам какой-никакой, а отдых. Спите, есть еще время.

Он вышел. Саша повернулся на другой бок и заснул.

И снова его разбудил отец Василий: вернулся, снял грязные сапоги, надел домашнюю рясу.

— Вот теперь вставайте, умывайтесь, будем завтракать.

На завтрак опять яишня, горячие шаньги и кирпичный чай. Все ушли на работу, только старуха хозяйка возилась у печи.

— Сколько вам лет? — спросил отец Василий.

— Двадцать два. А вам?

— Мне? — улыбнулся отец Василий.— Мне двадцать семь.

— И какой у вас срок?

Отец Василий снова улыбнулся:

— Срок небольшой — три года. Два уже прожил, остался год. Тянет в родные места, и уезжать жалко — привык.

— И живите,— сказала хозяйка,— куда вам ехать? Не дадут вам в России богу служить.

— Богу всюду можно служить,— ответил отец Василий.

Он повернулся к Саше.

— Будет вам скучно первое время, потом привыкнете. Не падайте духом, не ожесточайтесь сердцем, за плохим всегда приходит хорошее. Помню, читал я Александра Дюма. Сказано там: невзгоды — это четки, нанизанные на нитку нашей судьбы, мудрец спокойно перебирает их. Светский писатель, сочинял авантюрные романы, а как мудро и хорошо выразился.

В окно постучали, вызывая Сашу в дорогу.

— Сколько я вам должен? — спросил он у хозяйки.

— Ничего не должны,— махнула та рукой.

Отец Василий тронул его за локоть.

— Не обижайте ее.

Он проводил Сашу, помог положить чемодан. Лодочник размотал бечеву, оттолкнул лодку и сел на кормовое весло. Федя перекинул лямку через плечо и, двигаясь вперед, тихонько натянул бечеву, озираясь на лодку и следя, как лодочник выводит ее. Убедясь, что лодка идет правильно, сказал:

— Как в самую изголовь выйдем, перейдем на матеру.

Саша протянул руку отцу Василию.

— До свидания. Спасибо вам за все.

Федя весело крикнул:

— Тронулись!

Наклоняясь и натягивая бечеву, Саша двинулся вперед.

— Храни вас господь! — сказал отец Василий.

ЧАСТЬ ТРЕТЬЯ

1

Местом ссылки Саше определили деревню Мозгову, в двенадцати километрах от Кежмы вверх по Ангаре.

Квартира попалась хорошая. Большой достаточный дом, хозяйка — вдова, два взрослых сына и сожитель хозяйки — не ангарец, пришлый, из солдат. В свое время сыновья не позволили матери выйти за него замуж, не хотели совладельца в хозяйстве. Теперь хозяйство отошло в колхоз, но, когда солдат напивался, в нем просыпалась обида за старое, он бегал по деревне, красный, со взъерошенными седеющими волосами, грозился убить пасынков, они его ловили, запирали в чулане, пока не проспится.

Младший сын, Василий, ладный паренек с чеканным лицом, переспал, наверно, со всеми девками в деревне — нравы тут свободные. Являлся домой под утро, а то и вовсе не являлся. Саша его почти не видел, а когда видел, Василий молча улыбался ему, был неразговорчив, но дружелюбен.

Старший, Тимофей, девками не интересовался, вечерами *улицей* не ходил, ночевал только дома. Не спросясь, заходил в Сашину комнату, разглядывал Сашины вещи: это зачем, а это?.. Смотрел недоверчиво, молчал. Его бесцеремонность коробила, но Саша терпеливо отвечал на все вопросы Тимофея. Народ! Великий, могучий, но еще темный, невежественный, перед которым Саша, как и всякий русский интеллигент, всегда испытывал чувство вины.

Как-то Саша поехал с Тимофеем на остров на покос. Косить он не умел, но решил попробовать. Саша сидел в гребях, на веслах, Тимофей на корме, правил. На дне лодки лежали две косы, брусок для правки, маски от гнуса: грубая из конского волоса — Тимофея и шелковая сетка — Сашина, купленная в Канске по совету Соловейчика. Рассматривая Сашину сетку, Тимофей сказал:

— Все-то у вас, городских, есть, а у нас, у хрестьян, никого нет, никого мы не видали, а ведь на нашей шее сидите.

В примитивной форме Тимофей излагал теорию прибавочной стоимости: материальные ценности создает Тимофей, создают крестьяне, а Саша и такие, как Саша, ничего не производят.

Так думал Саша, налегая изо всех сил на весла, чтобы не снесло их ниже острова — в протоке течение сильное.

— Высылают вас на нашу голову,— продолжал Тимофей,— нашим по́том и кровью живете.

Саша не ответил. Что он мог ответить? Если бы Тимофей хотел разобраться... Он ни в чем не хочет разбираться. Перед ним с о с л а т ы й, бесправный, можно поиздеваться.

— Сжабел? Боишься? — усмехнулся Тимофей.— Шваркну тя косой, скину в реку-ту, пропадешь с чолком! И никого мне не будет, убег, скажу, на матеру. Контры вы, трокцисты, кто за вас спросит? Едак!

Саша подгреб к берегу, шагнул в воду, подтянул лодку, Тимофей не встал, не помог, сидел на корме, ухмылялся и, только когда Саша совсем вытянул лодку и бросил цепь, сошел на берег.

— Что же ты меня не утопил? — спросил Саша.

— Галиться будешь, взаболь утоплю,— пригрозил Тимофей.

— Зря не утопил.

— Почему такое?

— А потому, что убью тебя сейчас,— сказал Саша.

Тимофей сделал шаг назад.

— Но, но, не балуй!

Пустынный остров на краю земли. Где-то в глубине его работают косари. Роится и гудит гнус, и больше ни звука на реке. Мира нет, человечества нет, есть только они двое, и вот наконец Авель воздаст Каину за грехи его, за все преступления его.

Не спуская с Саши напряженного взгляда, Тимофей медленно отступал, потом повернулся и бросился к лодке, к косам. Саша настиг его, ткнул кулаком в спину, Тимофей упал в воду, поднялся, обернулся, Саша сильно ударил его в лицо, Тимофей опять упал и, расплескивая воду, пополз к берегу.

Нет, он не убьет Тимофея, не будет погибать из-за дерьма. Тимофей не поднимался, лежал на берегу, со страхом смотрел на Сашу. Мерзкая харя!

Тоска... Тоска...

Саша пошел к лодке, выкинул косы, брусок, Тимофееву сетку, взялся за весла и погреб от берега к деревне.

За ужином Саша объявил, что переезжает на другую квартиру.

— Плохо тебе у нас? — спросил солдат.— Тимошку проучил, ладно сделал. Здряшный он, только бы грозить кому, такой пакостный, никакого от него никому пардону. А ты вон экой здрюк дюжой! Иди с Васькой, все девки его, уступит какую.

— На него учителка заглядыват,— рассмеялся Василий.

Тимофей молчал, ни на кого не смотрел.

Дом хороший. Но жить под угрозой чьей-то мстительности противно, да и рискованно в его положении. Утром Саша перенес вещи на новую квартиру.

В избе кроме кухни еще горенка, ее и сдали. Хозяева, старик со старухой, победнее прежних, но кормили сносно. В колхозе работали мало, весь день дома, меж собой не ссорились, старуха называла старика «мой кривенький», был он чуть кособок, мал ростом. В доме тихо: орудовала ухватом старуха у печи да тюкал топором старик во дворе, чинил что-то. В горнице пахло свежевымытыми полами, на черных от времени бревенчатых стенах висели портреты Ленина и Калинина и рядом вырезанные из «Нивы» фотографии царской семьи в открытой коляске.

Иногда старик уходил на целый день, возвращался к вечеру, на вопрос, что делал в колхозе, отвечал:

— А что заставят, то и делал.

Колхоз здесь — понятие условное. Коллективизация началась позже, чем в других областях, а после статьи Сталина «Головокружение от успехов» колхозы распались начисто, собрали их заново тоже с опозданием года на полтора-два. Да и что тут коллективизировать? Короткий вегетационный период позволял выращивать хлеб в количестве, едва достаточном для прокормления семьи. Но если этот хлеб отобрать, то везти его по санному пути за шестьсот километров или спускать по Ангаре через пороги и шивера нет никакой возможности. Скот? Коров у каждого до десяти, две тысячи голов на деревню, да лошадей около тысячи. Обобществили, загнали во дворы к выселенным кулакам, переморили более половины стада, зимы тут суровы. Вернули скот по дворам, но не как собственный — как колхозный, а куда молоко сдавать, кому? Маслобоен нет, молоковозов нет. Возить в Кежму для начальства? Оно-то росло не в пример скоту, который убывал на глазах. Оставалось основное — охота. Именно отсюда, из Мозговы, шла главная тропа к тунгусам, на Ванавару. До коллективизации белку сдавали в «Заготпушнину», в кооперацию. А теперь сдавай через колхоз, а колхоз удерживает половину стоимости. Куда деваться? Охотники припрятывали шкурку, сбывали тунгусам, на факториях им платили полную цену.

Года через два в центре спохватились — упала заготовка пушнины. А ведь валюта! Послали комиссию, судили-рядили и наконец решили: охотников отвлекает земледелие, в нем все зло — в земледелии, не товарное оно, никакой государству от него выгоды, один вред и убыток, а потому объявить район не земледельческим, специализироваться ему на пушнине, а хлеб доставлять из других, земледельческих районов, как доставляют хлеб эвенкам.

Теперь колхозники продавали шкурки тунгусам уже ради хлеба: свой сеять запретили, а привозного не доставили, забыли, однако. Перед начальством оправдывались тем, что белка, мол, ушла на север, добирайся до нее три недели, зимовья надо рубить на новом месте, а тунгус те зимовья рушит, чуть до стрельбы не доходит. На самом же деле еще никогда так не дружили с тунгусами, уже не только на хлеб меняли пушнину, больше на спирт. Для эвенков на факториях все есть. И пили вместе.

Глухая сибирская деревня, дававшая государству до ста тысяч беличьих шкурок в год, гонявшая гурты в Иркутск, сама себя кормившая хлебом, молоком и рыбой, прекратила охоту, перестала сеять хлеб, уменьшила стадо в десять раз и вместе с другими приангарскими деревнями села на шею алтайскому мужику, которому самому есть нечего.

И все же Ангара не испытала голода начала тридцатых годов. Выручили дальность, заброшенность, вековой уклад натурального, по существу, хозяйства.

Кормила река — рыбу шапкой черпай: хариус, таймень, красная рыба, поднимавшаяся сюда на нерест; кормил лес ягодами и грибами; кормил скот, который хотя и считался колхозным, а все равно стоял на своем дворе, ферма уже третий год строилась; кормила домашняя птица, и свинья с поросенком, и барашки для настрига шерсти — тоже не обобществленные. Главное, нет плана сдачи, заготовок нет, кроме пушнины, да и по той план год от года уменьшали, пока не объявили район не только не земледельческим, но и не зверодобывающим. Назначили район товарно-молочным, обязали поставлять ежедневно свежее молоко районному начальству, которого кежемский колхоз уже не прокармливал. Мозгова поставляла молоко аккуратно, это было нетрудно, от двух тысяч коров осталось двести — погрузили на телегу десять бидонов молока, да и отправили.

Саша застал деревню еще не совсем оскудевшей. Деньги ценились: за квартиру с питанием платил он хозяевам двадцать рублей, иногда приносил туесок сметаны — чинил общественный сепаратор.

Сепаратор шведский, конца прошлого века, так называемый лавалевский «альфа-С», с тарелочками, очень сложный в разборке и чистке. С сепаратором Саша познакомился года три назад на институтской производственной практике. Автоколонну послали в деревню на уборочную. От раскулаченного остался сепаратор, никто с ним обращаться не умел. Механик из автоколонны разобрал сепаратор, почистил, собрал. То же из любопытства проделал тогда и Саша, и вот теперь пригодилось. Аппарат был старый, резьба на оси сносилась, гайка едва держалась, нарезать новую резьбу было нечем.

— Передайте вашему председателю,— говорил Саша,— пусть свозит сепаратор в Кежму, там нарежут новую резьбу, а так совсем развалится.

Но или колхозницы не передавали этого председателю, либо тому было недосуг возиться с сепаратором.

Сепаратор — клуб замужних женщин. *Сходить на сепаратор* значило хоть на часок уйти из дома, поболтать, пока дойдет очередь — короткий просвет в отчаянной доле. На женщине тут все: поле, огород, река, скот, дом. Истинный ангарец — охотник, бродяга, работу презирал, особенно *домашность*.

Соловейчик был прав: в двадцать лет женщина здесь рабочая лошадь, в сорок — старуха. Истинный ее век от тринадцати до шестнадцати, до замужества. И, хотя девушка несла и колхозную и домашнюю работу наравне со взрослыми, вечером у нее была *улица*. Впереди в два ряда шли девушки — пели, за ними, тоже в два ряда, парни с гармонистом. Доходили до околицы, возвращались, снова шли, и так, пока не стемнеет, тогда расходились парами по гумнам и сеновалам. Если чем муж и попрекал жену, то именно тем, что оказалась *целой*. Значит, и в девках никому не понадобилась.

Против ожидания инцидент с Тимофеем укрепил Сашин престиж в деревне: *сослатый* не побоялся *отодрать* местного. Им, сослатым, еще с царских времен не давали потачки — за воровство, пьянство, драку расправлялись всей деревней, виноватого не найдешь. Верно, то были уголовники, *политика* не дралась. А этот, сослатый, рассказывал кооператорщик Федя, из самой Москвы и никого не боится, потому что «*приемы* знат» — незнакомые слова Федя употреблял для придания большего веса собственной образованности.

Благодаря Феде Саша и попал в Мозгову.

В отличие от богучанского уполномоченного НКВД, сонного, ленивого, кежемский уполномоченный Алферов был подвижен, болезненно тощ, на Сашу смотрел испытующе, отрывисто спросил:

— На чем прибыли?

— С кооператорщиком из Мозговы.

— Уехал он?

— Нет.

— С ним и отправляйтесь в Мозгову,— решил Алферов, рассудив, видимо, что так меньше хлопот — человек уже в лодке.

И Саша был доволен: будет жить в двенадцати километрах от Кежмы и есть уже какой-никакой, а знакомый человек.

Как-то вечером Федя зашел к Саше, вызвал на улицу. В проулке на бревнах сидели разводка Лариска, невзрачная, угреватая, косила узким глазом, и Маруся, сестра Феди, квадратная добродушная девка с широким плоским лицом.

Федя опустился на бревна рядом с Лариской, сказал Саше:

— Присаживайся к сестре.

Маруся подняла на Сашу глаза, улыбнулась поощряюще, присаживайся, мол, обними за плечи, видишь, какие они у меня широкие, податливые, и грудь широкая, теплая — угреешься.

Все же он сел несколько поодаль. Что-то сдерживало. В богучанской Лукешке было живое, подростковое, она играла с ним наивно-бесстыдно, чем-то напоминала Катю. С этой квадратной толстухой он не знал, о чем говорить, ей, наверно, и не надо говорить, завалится с ним на сеновале...

С улицы доносились песни, звуки гармоники. Прошла учительница Зида, Нурзида Газизовна, татарка, лет 25—26, звали ее здесь Зиной, Зинкой, а ученики Зинаидой Егоровной. Неторопливо прошла мимо переулка, где сидели Саша и его новые знакомые, посмотрела на них. Добродушно улыбаясь, Маруся заметила Саше:

— Тебя шукает.

— Почему меня?

— Приглянулся. Хочешь, подведу?

Саше понравилась ее доброжелательная откровенность: не хочешь меня, бери другую, сама доставлю. Просто, без обиды.

— Не надо,— ответил он.

— Чем не поглянулась?

— Тошша,— за Сашу ответил Федя.

— Зато платья городски, штаны шелковы,— вставила Лариска.

— А под штанами мослы,— возразил Федя.

Он встал, потянулся.

— Пошли, Лариска, шаньги простынут.

— Я их в лопотину завернула, горячи будут.

Во дворе Лариска сказала:

— Взбирайтесь на повити, я шаньги принесу.

По деревянной лестнице они взобрались на сеновал. Пахло прошлогодним сеном. Ночь была лунная, светлая, белело круглое Марусино лицо, Саша чувствовал ее выжидательный взгляд, слышал ее дыхание. Федя пошарил под матицей, в руках его блеснула бутылка, звякнули стаканы.

Эту ночь Саша помнил смутно. Лариска и Маруся пили мало, а он, чтобы не отстать от Феди, выпил полстакана спирта, обожгло горло, запил водой, закусил вяленой рыбой, а дальше помнит свой кураж, похвалялся, как умеют пить в Москве. На него нашло, наехало, море по колено, он вырывался из самого себя, из своей горькой судьбы, требовал еще спирта, Федя поднимал бутылку, показывал, что спирта больше нет.

Потом его рвало, уже не на сеновале, а на земле, пахнущей навозом, к нему наклонялись белые лица Феди, Маруси, тыкали в зубы ковшиком, лили воду за ворот, он поднимался, пытался куда-то идти, опять накатывало, рвало долгими мучительными приступами, звезды сияли в далеком небе, лаяли где-то собаки, его тащили, он не давался, но в дом влез через окно, не хотел будить хозяев, не хотел позориться.

Утром он слышал, как хозяева собираются на работу, притворился спящим и действительно уснул, а когда проснулся, в доме никого не было. Встал, спустился в погреб, приятно обдало сырым, земляным холодком, взял с доски крынку со сметаной, покрытую деревянной крышкой, поднялся на кухню, вынул из-под полотенца калач, еще теплый, мягкий, обмакивая в сметану, съел. Стало легче, он проспал до вечера, вышел только к ужину. Хозяева ни о чем не спрашивали, но Саша был уверен — знают.

На следующее утро чувствовал себя совсем хорошо, но настроение было отвратительное, он не хотел выходить из дома, боялся встретить Федю, Марусю, Лариску, стыдился их насмешливого взгляда, не понимал, как мог дойти до такого свинства. Перепил — такое случалось, но хвастовство, фанфаронство — этого никогда не было. Все же пришлось зайти в кооператив, кончились папиросы. Федя встретил его приветливой улыбкой. Здорово! Здорово! Как голова? В порядке? Ну и ладно! Отпустил папиросы, спички. Предложил купить гитару с самоучителем. Прислали три штуки, а ни тунгусы, ни чалдоны на гитарах не играют. Саша не купил, о чем впоследствии жалел — научился бы играть.

На улице встретил Марусю, шла с коромыслом на плече, несла воду с реки, улыбнулась ему, будто ничего и не произошло.

Деревня не удостоила вниманием это происшествие, зря он беспокоился: выпил человек, известное дело. Да и Федя приказал девкам помалкивать: спирт-то кооперативный, дармовой.

Единственный, кто заговорил с Сашей об этом, был Всеволод Сергеевич, ссыльный из Москвы, поджарый, жилистый человек тридцати пяти лет, казавшийся старше: лысая голова, мясистый нос, тонкие насмешливые губы. Посмеялся добродушно: бывает...

За что выслали, не рассказывал — здесь не принято. В этапе попутчики рассказывали, а здесь называли только статью. Статья почти у всех была пятьдесят восьмая, пункт десять.

Всеволод Сергеевич ссылку отбывал сначала в Кежме, потом загремел в Мозгову: завел роман со служащей райфо, а это ссыльным запрещено. Могли угнать и подальше, километров за сто, расстояния тут большие, но оставили в Кежме на службе, только заставили каждый день отмеривать пешком двадцать четыре километра. Однако весной уволили, прислали из округа другого бухгалтера. Теперь Всеволод Сергеевич подрабатывал в Мозгове: плотничал, косил, убирал сено, копал огороды, ходил с бреднем, удивлял деревню трусиками — здесь их не видывали, ходили в подштанниках, помогал колхозному счетоводу — мальчику, окончившему курсы в Канске.

Но вся его жизнь была в женщинах, говорил о них откровенно, цинично. Увидев, что Саша поморщился, заметил без обиды:

— Что осталось нам в этой жизни? Что вы собираетесь тут делать? Единственная радость — женщина, других не будет. Дорожите крохами, которые отпускает нам комендатура. Вы мужчина, значит, вы еще человек.

Сашу коробили эти рассуждения, но с Всеволодом Сергеевичем он дружил. Было в нем что-то от Москвы двадцатых годов, от Москвы Сашиного детства, от ее словечек, анекдотов, цыганских романсов. Приятным баритоном он пел: «Живет моя отрада в высоком терему, а в терем тот высокий нет ходу никому...» Было что-то от непринужденности и, как понял Саша позже, человечности того времени. Москвича тридцатых годов в нем не чувствовалось. Давно, видно, из Москвы.

Как узнал, что Саша перепил, не сказал, только поморщился:

— Это вам не компания. Обратите внимание на учительницу. Очаровательная, интеллигентная! И вот занесло на Ангару.

— Меня это тоже удивило,— признался Саша,— забраться в такую глухомань.

— Катаклизмы любви, по-видимому,— подхватил Всеволод Сергеевич,— а женщина, которая уже подходит к тридцати, одинокая, к тому же женщина восточная, это такой букет, такой аромат...

— Она не похожа на татарку,— заметил Саша.

— Сибирские татары совсем обрусели,— пояснил Всеволод Сергеевич,— тобольские, томские, кузнецкие татары — те же русские, те же сибиряки. Мусульмане? Какие теперь мусульмане? И православных-то не найдешь!.. Но национальный характер, склад, тип — это, конечно, осталось, особенно у женщин — раба мужчины, верная, преданная, но и надменная. В ее взгляде что-то ханское... Признаюсь вам честно: я у нее не прошел. Почему? Кто знает? А вот вы другое дело... В добрый час, Саша! Все проходит, остаются женщины, с которыми нас свела жизнь. Займитесь ею, развлекитесь. Такие женщины редки в наше время, поверьте мне, такая дамочка — достойный приз даже в Москве.

— У нее могут быть неприятности,— сказал Саша.

— Не думаю, другой учительницы не найдут. И нет конкретного доносчика — никто ее не домогается. Конечно, необязательно афишировать. В крайнем случае, поедете в Савино или Фролово, дамочка того стоит.

Рядом с коренастыми широкоскулыми деревенскими девушками, босоногими, в длинных развевающихся юбках, Зида, невысокая, худощавая, похожая на подростка, в своем коротком и узком городском платье выглядела чужой и незащищенной: одинокая приезжая учительница в глухой таежной деревне, где учение считается напрасной тратой времени, школа — обузой.

Она зашла в лавку, когда там был Саша. Не случайно зашла. Ее серые глаза смотрели прямо, спокойный, открытый, несколько отстраненный взгляд. Улыбка мягкая, доброжелательная. Говорила с Сашей просто, как со знакомым, в деревне все знакомые. И все же в глубине ее взгляда читалось еще что-то...

Федя жаловался: уже второй год не завозят мыла, кирпичный чай и керосин тоже не привезли, ситец хоть и привезли, но не той расцветки, которая здесь требуется. Зида слушала внимательно, понимала Федины заботы, отвечала немногословно, но именно так, как и следовало отвечать, когда ничем, кроме понимания, не можешь помочь.

Саша перелистал завезенные сюда для продажи книжонки о льне и хлопке. Ни лен, ни хлопок здесь не выращивались.

— В школе есть книги для чтения, хотите? — предложила Зида.

— Прекрасно!

— Приходите вечером к лодкам, принесу.

Сказано было просто, естественно, но сказано в ту минуту, когда Федя через заднюю дверь вышел в кладовую.

Вечером они встретились на берегу, возле лодок, пахнущих сырым деревом, рыбой и смолой. Зида была в пальто, застегнутом на все пуговицы, но с непокрытой головой. В свете луны ее лицо, четкое и правильное, выглядело очень молодым, совсем девочка, если бы не взгляд, выдававший опыт взрослой женщины.

— Я не знаю, какие книги вам нужны. Зайдем ко мне, глянете.

Саша притянул ее к себе, поцеловал в мягкие губы, она закрыла глаза, он слышал, как бьется ее сердце... Потом откинулась назад, коротко взглянула на него и, тихонько высвобождаясь из его рук, прошептала:

— Подожди.

Поправила платочек на шее, взяла Сашу за руку, и они пошли по берегу, затем тропинкой, мимо маленьких темных банек, поднялись по косогору.

— Побудь здесь, когда я зажгу лампу, войдешь.

Саша ждал, прислонясь к почерневшим бревнам баньки. В окошке мелькнул свет. Саша перепрыгнул через плетень, пересек двор. Дверь была открыта...

Он ушел от Зиды до рассвета той же дорогой, по которой они пришли, мимо банек, по берегу и с другого края деревни, к себе.

Они не договорились о встрече, впереди день, успеют, договорятся. Но получилось так, что не увиделись, Зида уезжала в Кежму.

Поздно вечером Саша вышел на улицу. Деревня спала, но окно у Зиды светилось. Саша, как и вчера, перемахнул через плетень, взялся за ручку двери, она тихонько скрипнула открываясь.

— Ты что дверь не закрываешь?

— А если ты придешь...

По-русски Зида говорила чисто, без акцента, а во всем остальном, как правильно заметил Всеволод Сергеевич, была восточная женщина — покорная, страстная, заходилась от первого Сашиного прикосновения... «Что ты со мной делаешь...» И рядом с этим восточная сдержанность, даже скрытность. О себе рассказывала мало и неохотно, как-то упомянула вдруг о муже и тут же поправилась: бывший муж. Дома, в Томске, у ее родителей осталась дочка, Роза, ей уже шестой год... Там же в Томске Зида окончила педагогический институт, пять лет учительствовала, потом уехала сюда. «Все там надоело». Но почему именно сюда, в глушь, не говорила... «Так получилось...» Молча согласилась с Сашей, что их отношения должны оставаться тайной, Саша хочет оберечь ее от неприятностей, хотя прекрасно понимал, что такую тайну в деревне не сохранишь. Но не возражала, ни на чем не настаивала, ни слез, ни ссор, ни проявлений бурной радости, ни признаний в любви. Только раз ночью Саша проснулся и увидел, что Зида не спит, облокотившись на локоть, смотрит на него.

Он погладил ее по щеке.

— Чего не спишь?

— Думаю.

— О чем думаешь?

Она засмеялась.

— Думаю, где рождаются такие красивые.

2

Как-то за Сашей прибежали — сепаратор опять испортился. Недавно он его чинил, видел — бесполезное дело, резьба сносилась, не держит гайку, сколько раз говорил, везите в МТС, до сих пор не свезли.

Все же он пошел. Возле сепаратора судачили бабы. Тут же стоял председатель колхоза Иван Парфенович — здоровый, кряжистый мужик, Саша с ним знаком не был, но знал, что человек он крутой, своих колхозников учит кулаками. Сейчас с ним разговаривала Зида, покосилась на Сашу.

— Здравствуйте,— весело сказал Саша,— что случилось?

Он и сам увидел, что случилось: сепаратор распался. Этого следовало ожидать.

— Твоя работа? — спросил Иван Парфенович.

— Почему моя? — ответил Саша.— Шведская работа, этот сепаратор шведы сделали.

— Шво́ция, Шво́ция,— угрюмо пробормотал Иван Парфенович,— сломал, теперь исправляй.

— Я его не ломал, его никто не ломал. Этому сепаратору сто лет, резьба на валике стерлась, я несколько раз говорил — надо свезти в МТС нарезать новую резьбу.

— Кому это ты говорил?

Саша показал на женщин.

— Всем говорил, все слышали.

— Ты не им, ты мне должон доложить, твою господа бога мать!

— Я у вас на службе, кажется, не состою, я вам докладывать ничего не обязан.

— Ах ты гад, вредитель! — взорвался Иван Парфенович.— Сломал сепаратор, теперь на баб сваливаешь?!

— Как вы смеете так со мной разговаривать?!

— Что?! С тобой разговаривать не смею? Троцкист проклятый! Ты перед кем стоишь?! — Иван Парфенович сжал кулаки.

— Я перед дураком стою, понятно? — усмехаясь в лицо Ивану Парфеновичу, сказал Саша.— Так и запомни: перед дураком.

Отвернулся и пошел прочь. Иван Парфенович что-то сказал ему вслед, но, что именно, Саша не расслышал.

В тот же день, к вечеру, к Сашиному дому подъехала телега, с нее соскочил незнакомый мужик, вошел в дом, протянул Саше записку: «Адм-ссыльному Панкратову А. П. С получением сего вам надлежит немедленно явиться к уполномоченному НКВД по Кежемскому району тов. Алферову, в село Кежма». И подпись Алферова, довольно интеллигентная подпись, без завитушек.

И сам Алферов произвел на Сашу впечатление человека интеллигентного, даже странно, что он всего лишь районный уполномоченный. И неясно, какое у него звание: как и в прошлый раз, когда Саша впервые явился к нему, он был в штатском.

Канцелярия его помещалась в том же доме, где он жил, занимала переднюю половину избы. Но принял он Сашу по-домашнему, в просторной горнице, где одна дверь вела в канцелярию, другая в спаленку, третья на кухню, оттуда тянуло холодком, там выход во двор.

— Садитесь, Панкратов,— Алферов указал на стул возле стола, сам уселся по другую его сторону, любезный, оживленный, Саше показалось, что он под хмельком.— Как устроились на новом месте?

— Устроился.

— Приличная квартира, приличные хозяева?

— Вполне.

— Хорошо, очень хорошо...

Алферов встал, вынул стекло из висящей над столом лампы, зажег фитиль, подрегулировал, вставил стекло обратно. В углах горницы потемнело, стол осветился, и Саша увидел на столе лист бумаги, сразу догадался, что это жалоба на него.

— Так,— сказал Алферов, плотно усаживаясь на стуле,— значит, все хорошо, все благополучно, прекрасно, прекрасно... А вот это плохо, Панкратов,— он показал на лежащую перед ним бумагу,— жалуются на вас: преднамеренно, вредительски, так и написано — *вредительски* испортил единственный в деревне сепаратор. Что скажете?

— Сепаратор я не портил,— ответил Саша,— я раза три его чистил, для этого его надо разобрать, а это довольно сложно. Когда первый раз разобрал, я увидел, что резьба на валике износилась, гайка на ней долго держаться не будет, надо везти сепаратор в МТС и нарезать новую резьбу. Любой механик, любой слесарь это подтвердит. Это я им тут же сказал и повторял, когда разбирал аппарат во второй и третий раз. Так что моей вины нет. Виноваты те, кто своевременно не отвез его в МТС. Я отвезти не мог, отлучаться из деревни не имею права.

Алферов его внимательно слушал, только несколько раз менял позу, устраиваясь на стуле попрочнее, и както особенно посматривал на Сашу. Хватил, наверно, за обедом стопку, расположен поговорить, времени у него достаточно.

— Хорошо,— сказал Алферов,— значит, при первой же разборке вы увидели, что резьба сносилась. Правильно я вас понял?

— Правильно. И я сразу сказал...

— Это потом. Вы утверждаете, что любой механик, слесарь подтвердят, что с такой резьбой аппарат негоден.

— Конечно, подтвердят.

— Так вот, Панкратов. Механик подтвердит, что сейчас, повторяю, сейчас резьба сорвана. Но ни один механик не подтвердит, что она была сорвана месяц назад, когда вы впервые разбирали аппарат. И если спросить у него: а мог гражданин Панкратов, накручивая гайку, перекосить ее и сорвать резьбу? Что ответит механик? Да, скажет, могло быть и так, неправильно наживил гайку, вертанул ключом и сорвал резьбу. Логично я рассуждаю?

— Нет, не логично,— ответил Саша.

— Да? — удивился Алферов.— А я-то считал себя сильным в логике. В чем же моя нелогичность, Панкратов?

— Когда я первый раз разобрал сепаратор, я тут же сказал, что надо его везти в МТС и нарезать новую резьбу.

— Кому вы сказали?

— Всем, кто там был.

— А кто там был?

— Женщины, колхозницы, человек двадцать.

Алферов весело смотрел на него.

— Панкратов, вы же умный, образованный человек! Вы им сказали, а они, по-вашему, что должны были делать?

— Доложить председателю колхоза.

— Панкратов! Это же неграмотные бабы, они таких слов слыхом не слыхали: резьба, гайка, валик. Они их не выговорят. Они ничего не посмеют сказать председателю, он им ответит: не лезьте не в свое дело. Да они и сами не хотят, чтобы увозили аппарат, увезут и не привезут, а так работает, и ладно. Председателю должны были сказать вы, а вы ему не сказали, и в результате аппарат вышел из строя. Ну, а как сейчас насчет логики?

— Не совсем.

— Да? Почему?
— Я на службе в колхозе не состою, за починку сепаратора денег не брал, просто хотел помочь людям. Вопрос в одном: сломал я аппарат или нет? И если я при первой же разборке публично, при всех заявил, что он неисправен, значит, я его не ломал. А то, что я это говорил, могут подтвердить все.
Алферов с улыбкой смотрел на него, потом неожиданно тихо, даже грустно спросил:
— И подтвердят?
— Почему же им не подтвердить? — ответил Саша не слишком уверенно, вдруг начиная понимать шаткость своей позиции.
— Ах, Панкратов, Панкратов,— так же тихо и грустно сказал Алферов,— какой же вы наивный человек. Вы где жили в Москве?
— На Арбате.
— Значит, мы с вами соседи,— задумчиво продолжал Алферов, но где его московская квартира, не сказал.— Да, Панкратов, наивный вы человек. Представляете себе, вызывают на суд этих баб. Во-первых, сумеете ли вы назвать их имена и фамилии? Вряд ли. Во-вторых, все они смертельно боятся суда и всеми способами будут уклоняться от явки. Если все же удастся вытащить на суд двух-трех баб, то они будут долдонить одно: ничего не знаем, ничего не слыхали, ничего не видали. На одной чаше весов вы — ссыльный контрреволюционер, на другой — председатель колхоза, он сила, власть, хозяин их судьбы. За кого они будут свидетельствовать? Спуститесь с небес, Панкратов, и правильно оцените свое положение. Ни одного свидетеля у вас нет. А у председателя колхоза свидетели — вся деревня. И у прокурора есть все основания обвинить вас в преднамеренной порче сельскохозяйственной техники, то есть во вредительстве. Вы читаете, конечно, газеты?
— Я еще не получаю почты.
— Ну, в Москве читали. Видели? Сплошь вредительство: с тракторами, комбайнами, молотилками, жатками — всюду вредительство. Так ли это? Нарочно ломают? Кто ломает? Колхозники? Зачем? И получается: нет у нас другого выхода. Наш мужик столетиями знал только одну технику — топор, а мы его на трактор, на комбайн, на автомобиль, он их ломает от неумения, от незнания, от технической и всякой иной

неграмотности. Что же нам делать? Ждать, пока деревня станет технически грамотной, преодолеет свою вековую отсталость, пока мужик изменит свой веками сложившийся характер? А пока пусть ломают трактора, комбайны, автомашины, пусть на этом учатся? Обречь нашу технику на слом, на уничтожение мы не можем, слишком большой кровью она нам досталась. И ждать мы тоже не можем — капиталистические страны нас задушат. У нас есть только одно средство, тяжелое, но единственное — страх. Страх воплощен в слове «вредитель». Сломал трактор, значит, ты вредитель, получай десять лет! И за косилку и за молотилку тоже десять. Вот тут-то мужик и задумывается, тут-то он и чешет затылок, трясется над трактором, ставит бутылку мало-мало знающему человеку — покажи, помоги, выручи. На днях иду я по берегу, смотрю, парень сидит в моторке, плачет: «Дернул шнур, сорвал что-то, мотор не заводится, влепят мне пятерку». Моторчик простой, примитивный, я его открыл, вижу, рычажок сорвался, я его закрепил, мотор завелся. А ведь судили бы парня за поломку мотора, за срыв плана заготовки рыбы или еще там за что-нибудь. Такая установка в судах. И другого выхода нет: спасаем технику, спасаем промышленность, спасаем страну, ее будущее. Почему так не действуют на Западе? Отвечу вам. Мы свой первый трактор выпустили в 1930 году, а на Западе в 1830-м, сто лет назад, у них вековой опыт, там трактор — личная собственность и хозяин свое добро бережет. А у нас добро казенное, вот и приходится его беречь по-казенному. Если мы малограмотному деревенскому парню за его неумение даем пять, а то и десять лет, как вредителю, то вам, ссыльному контрреволюционеру, почти инженеру, сколько надо дать? Да любой судья вас засудит без колебания, с чистой совестью, более того, он вами свою совесть очистит, скажет: тех несчастных мужиков я засудил по приказу, ну уж хоть этого за дело. Не понимаете вы своего положения, Панкратов! Вы думаете, что в ссылке вы на свободе. Ошибаетесь! Скажу вам больше: тем, кто в лагере, тем лучше, да, да, там тяжело, там надо лес валить на морозе, в холоде и в голоде, там вы за колючей проволокой, но там вас окружают такие же заключенные, как и вы, там вы ничем не выделяетесь. Здесь нет часовых, нет вышек, кругом лес, река, целительный воздух, но здесь вы чужой, здесь вы враг, здесь никаких прав у вас нет. По первому же доносу мы вас обязаны посадить. Придет ваша хозяйка и скажет: ругал товарища Сталина. Вот вам и подготовка террористического акта.

Он смотрел на Сашу и улыбался.

— Вот так, Панкратов, обстоит дело с первым пунктом. По нему вы получите, самое малое, десять лет. Вы меня поняли, Панкратов?

— Да, я вас понял,— ответил Саша.

Он хорошо все понял. Если Соловейчика выслали за невинный анекдот, Ивашкина за опечатку в газете, повара за слова «щи ленивые», если за пару подошв дают десять лет по закону от 7 августа, если его самого выслали за какие-то дурацкие эпиграммы, то за сепаратор, за «сельхозтехнику» ему, конечно, впаяют крепко.

— Прекрасно,— сказал Алферов,— теперь перейдем ко второму пункту: «Дискредитация колхозного руководства». В присутствии колхозников вы назвали председателя дураком. Назвали?

— Да. Но перед этим он обругал меня матом, назвал гадом, вредителем, троцкистом, контрреволюционером и еще чем-то там.

— Нехорошо, конечно,— согласился Алферов.— Но, Панкратов, представьте перед судом себя и его. Ваша вина в порче сепаратора доказана. И вот председатель колхоза, душой болеющий за колхозное добро, назвал вас вредителем. Правильно назвал, даже если бы стукнул в сердцах, судьи бы его поняли. А на мат здесь не обращают внимания, за мат не судят. Вы же мало того, что сломали сепаратор, вы его публично обозвали дураком. Он ведь председатель колхоза, его власть в авторитете, а вы этот авторитет подорвали. Ему с этого поста теперь надо уходить. Влепят вам десять лет, вот тогда колхозники будут знать, что такое оскорблять председателя колхоза, будут его уважать, будут ему подчиняться. Вот как обстоят дела, Панкратов. Понятно вам?

— Я уже сказал, что мне все понятно.

— Хотел бы услышать, что именно вы поняли.

— Я понял, что я бесправен, со мной можно сделать что угодно, можно судить за вредительство, за подрыв престижа, можно меня оскорблять и плевать мне в лицо. Но учтите, на оскорбление я буду отвечать оскорблением, на плевок — плевком.

Алферов с интересом смотрел на него.

— И еще, если вам угодно,— продолжал Саша,— ваши рассуждения о вредительстве я считаю аморальными. Допускаю, что совершаются ошибки, много ошибок, на себе убедился. Но, что вредительство придумано как метод государственной, партийной политики, в это я не могу поверить, допустить такую возможность — значит перестать верить в партию, а я, несмотря на все, что со мной произошло, верю в партию.

Алферов продолжал с интересом смотреть на него.

— Ну и дальше?

— Я все сказал.

— Так вот,— внушительно произнес Алферов,— насчет теории вредительства мы еще поговорим, если представится возможность, конечно. Вы верите в партию, это очень хорошо. Я в партию вступил еще до революции, я старый большевик, Панкратов, и в политике партии, наверно, разбираюсь не хуже вас. Но сейчас разговор не об этом, разговор о вас, я должен решить, как поступить с вами. Вы на меня смотрите как на своего стражника, угнетателя. Безусловно, я осуществляю за вами надзор, это входит в мои обязанности. Но я и отвечаю за вас, за ваше поведение, и за вашу, между прочим, безопасность. Вы в Богучанах встречались с тамошним уполномоченным Барановым? Видели эту чурку? Будь он на моем месте, вы давно очутились бы в Канской тюрьме и ждали приговора. Но я, как вы, наверно, заметили, не Баранов. Разговариваю с вами. Почему разговариваю? От скуки? Есть отчасти, не буду отрицать. Но только отчасти. Главное, я должен принять решение. Если я его не приму, его примут другие и с худшими для вас последствиями. Во всяком случае, для начала я обязан убрать вас из Мозговы, оставить вас в Мозгове — значит сделать вас правым, а председателя виноватым, это значит подвергнуть вас опасности нового конфликта. Председатель колхоза вам устроит штуку почище этого сепаратора. Что скажете?

Переезжать на новое место, начинать все сначала, оставить Зиду, к которой он привязался, Всеволода Сергеевича, с которым подружился, снова переадресовка: был Канск, потом Богучаны, потом Кежма, потом Мозгова, теперь еще что-нибудь. Что подумает мама... Ужасно, конечно... С другой стороны, Алферов прав: в Мозгове оставаться ему не следует — от Ивана

Парфеновича можно ждать чего угодно. Но почему Алферов не решает сам? Почему спрашивает его?

— Вы очень убедительно доказали, что я получу не меньше десяти лет,— сказал Саша.— Какая же мне разница, где дожидаться? Уж лучше в Мозгове — наверно, долго не придется.

Алферов покачал головой.

— Как знать, долго или недолго... Пока я запрошу Канск, пока будут решать, может пройти много времени, а в сентябре прекратится дорога, значит, ответ придет зимой, через полгода.

Что он крутит? Что задумал? Никого он не должен запрашивать. Может завтра отправить в Канск с обвинением во вредительстве, это в его власти. Чего он от него добивается?

— Поступайте как знаете, все равно сделаете, как сочтете нужным.

Алферов встал, подошел к комоду, налил из графина рюмку темноватой жидкости, выпил, обернулся к Саше.

— Хотите рюмочку? Прекрасная наливка.

— Спасибо, нет.

— Не пьете.

— Не в таких ситуациях.

— Правильно делаете, ударит в голову, можете сказать не то, можете подписать не то.

Алферов выпил еще рюмку, бросил в рот пару ягод.

— Прекрасная наливка,— повторил он,— моя хозяйка настаивает ее на какой-то лесной ягоде, утверждает, что полезно, особенно для мужчин. Для вас, молодого человека, это не имеет значения, но в моем возрасте приходится учитывать.

Он вернулся к столу.

— Ну так что решим, Панкратов?

— Отправляйте меня в Канск, и дело с концом. У ссыльных есть поговорка: раньше сядешь, раньше выйдешь.

Алферов не реагировал на шутку.

— Я знаю, Панкратов, что вы не ломали сепаратор, и брать на себя ваши десять лет не хочу. И вообще могу не торопиться. Да, да! Заявление лежит, всегда можно его пустить в ход.

Он опять улыбался. Потом встал, прошелся по комнате, прикрыл дверь на кухню, оттуда уже сильно тянуло холодом, сел, серьезно и значительно сказал:

— Возвращайтесь в Мозгову. Но учтите, председатель не простит вам «дурака». Обдумайте свое поведение, расстаньтесь со своими иллюзиями, ни с кем не конфликтуйте.

В его голосе Саша услышал что-то человеческое, и все же нельзя поддаваться, нельзя раскисать.

— Может быть, мне на улицу не выходить?

— Если это опасно, не выходите.

— А на что мне жить?

— Родные вам не высылают?

— Высылают. Но у моей матери ничтожная зарплата, она работает в прачечной, а отец давно с нами не живет.

— Плохо, но я ничем не могу вам помочь. Другие ссыльные как-то устраиваются. Вообще ссылка здесь анахронизм, она осталась с доколхозных времен, когда ссыльные могли работать у единоличников. По-видимому, ссылку здесь скоро ликвидируют, переведут в города. Кстати, какова ваша специальность?

— Меня взяли с последнего курса транспортного института.

— Вам бы в МТС,— задумчиво проговорил Алферов.

— Я не знаю сельскохозяйственной техники.

Алферов вдруг рассмеялся.

— Не знаете сельскохозяйственной техники, а взялись ремонтировать сепаратор. И еще обвиняете меня в слабой логике. Это я говорю из самолюбия, как бывший философ. Но какая тут техника? Отличишь шестеренку от болта — вот и техник. Директор нашей МТС — слесарь, главный механик — тракторист. А вы знаете автомобиль, разберетесь в тракторе. Когда вы прибыли, я не знал вашей специальности, а то бы оставил в Кежме, видите, от какой мелочи зависит ваша судьба, догадайся я тогда спросить, жили бы сейчас в районном центре, работали в МТС... Ну ладно, к этому мы еще вернемся, надо закончить дело,— он показал на заявление Ивана Парфеновича.— Возвращайтесь в Мозгову, но, повторяю, будьте осторожны или, как сейчас говорят, бдительны.

Они вышли на темную ночную улицу.

— А телега ваша укатила,— сказал Алферов.— Наверно, решили, что обратно уже не придется везти.

— Ничего, дойду.

— Двенадцать километров ночью по тайге... Не боитесь?

— Нет, ночью медведь спит.

— Хотите, останьтесь, переночуйте,— предложил Алферов,— в соседней избе живет сестра моей хозяйки, она вас там устроит.

— Нет, спасибо, не надо.

3

Возвратясь из Крыма, Варя и Костя поселились у Софьи Александровны. К тому времени жилица выехала и комната освободилась.

Замужество Вари Софья Александровна перенесла стоически: что делать, еще одна живая душа отходит от Саши. Все его друзья забыли о нем, не звонят, не интересуются, ни Вадим, ни Лена Будягина, о Юре Шароке и говорить нечего — он с ней даже не здоровается. Нина Иванова первое время заходила, а теперь не заходит, бойкотирует Софью Александровну, давшую приют Варе и Косте. Откровенно говоря, Софья Александровна была даже рада, что она не заходит. Сначала Нина говорила, что Сашин арест — нелепая случайность, а потом в ее высказываниях стали сквозить новые нотки: сложная внутренняя и международная обстановка, обострение классовой борьбы, активизация антипартийных группировок, как никогда требуется сейчас особенная четкость, ясность позиции, а Саша, к сожалению, иногда собственное понимание вещей и событий ставил выше точки зрения коллектива. В общем, намекала на то, что Сашин арест имеет основания.

И только Варя не покинула Софью Александровну, а значит, не покинула и Сашу. Ничего между ними не было, и все же стояла с ней в тюремных очередях, готовила передачи, защищала от грубых клиентов в прачечной, своим участием скрашивала ее одинокую жизнь. И делала это не только из сострадания. За этим незримо стоял Саша, интерес к нему, сочувствие к его судьбе.

Но ничего не поделаешь. Жизнь есть жизнь. Софья Александровна относится к Варе, как мать, желает ей добра. Рановато, конечно, выскочила замуж, будет ли она счастлива? Костя — парень щедрый, широкий, приносил из ресторана всякие лакомства, притащил как-то громадный торт, вручил его Софье Александровне, она не знала, что с ним делать — испортится, разрезала на куски, развезла сестрам; дарил ей всякие мелочи: набор дамских носовых платков, чулки, подарил даже зонтик. И, хотя каждый раз Софья Александровна отказывалась, устоять перед его щедростью было невозможно.

И все же Софья Александровна, думая о нем, испытывала тревогу. Нигде не служит — как это можно в наше время? Варя рассказывала, будто он изобрел какую-то амальгаму для покрытия электрических лампочек, получил патент, платит налог, имеет дело с фининспектором. Все это звучало странно, как будто бы вернулись времена нэпа. Слова «нэпман», «нэпманское» были для Софьи Александровны синонимом нуворишества, показной роскоши, торгашества. И вот теперь из этого, навсегда ушедшего прошлого возник человек, нигде не служит, ведет по телефону непонятные разговоры, одевается вызывающе шикарно, именно так, как в те времена одевались молодые нэпманы. И Софья Александровна жалела, что Варя, девочка из трудовой семьи, окунулась в чуждую ей среду; Костя каждый вечер в ресторане, Варя если не каждый вечер, то в субботу и воскресенье обязательно. Сама Варя призналась ей, что Костя играет на бильярде, это, по существу, и есть его главный заработок, а электрические лампочки, амальгама лишь узаконивают его положение — якобы он живет на законные источники дохода. На самом же деле игрок, ресторанный бильярдист, потому и приходит домой под утро. Пришлось дать ему ключ от входной двери и предупредить Варю: когда все уснут, снимать дверную цепочку, чтобы Костя мог открыть дверь. Это было нарушением годами сложившегося в квартире правила: на ночь дверь обязательно брать на цепочку, но другого выхода нет — если цепочка останется накинутой, то Косте придется звонить.

Как-то Варя забыла снять цепочку, уснула, Костя явился в четыре часа утра, всех разбудил своим звонком. Михаил Юрьевич смолчал, а соседка Галя раскричалась: «Ходят по ночам всякие, спать не дают».

Галя зарилась на Сашину комнату: они с мужем и ребенком живут на четырнадцати метрах, а Софья Александровна лишнюю и ненужную ей комнату сдает, спекулирует жилплощадью. Галя обостряла их отношения, хотела скандалом зафиксировать нарушение закона, отвоевать комнату. Софью Александровну это беспокоило. Конечно, броня Павла Николаевича зарегистрирована в Моссовете, а то, что в комнате живет Варя, кому какое дело! Варя прописана в этом доме, и не может же она с молодым мужем спать в одной комнате с сестрой! Софья Александровна разрешает им находиться во временно свободной комнате, никого это не касается! Но Костя? Варя говорит, что у него прописка в Сокольниках, так ли это? А требовать паспорт у Вариного мужа неудобно. Если Галя вызовет милицию и у Кости не окажется московской прописки, что тогда? И, хотя Софье Александровне не хотелось огорчать Варю, она решила с ней поговорить. Повод скоро представился.

Варе нездоровилось. Костя принес из ресторана обед в судках, он вообще не разрешал ей готовить, не хотел, чтобы от нее пахло кухней, чтобы портила руки. Обеды приносил дорогие, и не только Варе, но и Софье Александровне.

Обед обычно разогревала Варя, но на этот раз Софья Александровна вызвалась это сделать сама.

Она выложила телячьи отбивные на сковородку, по кухне распространился запах вкусной, ресторанной пищи.

Галя, усмехаясь, заметила:

— Ишь, как пахнет... Слюнки текут...

Делая вид, что не замечает иронии, Софья Александровна сказала:

— Варя болеет, Константин Федорович принес из ресторана.

— Хороши они, буржуйские обеды,— усмехаясь, продолжала Галя,— а мы на одной треске сидим. Ихний обед, надо думать, рублей восемь, а то и все десять стоит...

— Я не знаю, сколько он стоит,— сухо ответила Софья Александровна и отвернулась к плите.

— И откуда люди деньги берут,— не унималась Галя,— по ночам работает, ночной сторож, что ли?! Так ведь ночные сторожа меньше дворников получают.

— Оставьте, Галя, прошу вас, не надо,— сказала Софья Александровна,— ведь вы хорошая, добрая женщина, зачем вам это?

— На добрых-то нынче и ездят,— злобно проговорила Галя,— на добрых нынче пашут и воду возят. Добрые по полдня в очередях стоят, карточки не могут отоварить, в трамвае на подножках висят, того и гляди, под колеса свалятся, а недобрые на такси катаются, из ресторана не вылазят.

Софья Александровна промолчала, отнесла в комнату обед. Но Варя заметила ее состояние.

— Чем вы расстроены, Софья Александровна?

— Галя сейчас на кухне: буржуйские обеды, ходят по ресторанам, являются домой под утро...

— Ей какое дело?

— Завидует, наверно...

— Дрянь! — сказала Варя.

— А может, хочет занять Сашину комнату.

— У вас же броня.

— Она думает: если доказать, что я этой комнатой спекулирую, то ее отберут у меня.

— Вы боитесь Гали?

— Я ее не боюсь, но эти скандалы...

— Сволочь! — выругалась Варя.— Я ей выдам, она у меня быстро заткнется.

— Не надо, Варенька, она может навредить.

— Чем это она может мне навредить, интересно?!

— Не тебе, так Константину Федоровичу.

— А что он, вор, жулик?

— Что ты болтаешь, Варя?! Но, согласись, у него неопределенное положение. Ведь он нигде не работает, не служит.

— Нет, служит,— возразила Варя,— в артели. А то, что играет на бильярде, так на государственном бильярде. Никому это не запрещено.

— Варенька, я ничего не имею против Константина Федоровича. Но Галя может использовать то, что он не прописан здесь.

— Я у вас тоже не прописана.

— Но ты прописана в этом доме.

— А он в другом доме, какая разница?

— Ты уверена, что у него московская прописка?

— Ну, конечно!

В этом по тону категорическом ответе Софья Александровна не почувствовала уверенности. Но спросить, видела ли Варя эту прописку собственными глазами, не решилась. Только сказала:

— И ваши отношения не оформлены.

Варя усмехнулась.

— В нашей стране фактический брак приравнен к официальному. Ведем общее хозяйство, спим в одной постели, муж и жена.

— Варя, что ты говоришь?! — поморщилась Софья Александровна.

— А что такого? Я недавно была в суде, разбиралось дело об алиментах. Судья прямо спрашивает: общее хозяйство вели? В одной постели спали?

Софья Александровна снова поморщилась.

— Софья Александровна, скажите прямо: вам неудобно держать нас у себя? — серьезно проговорила Варя.— Вы боитесь?

Софья Александровна так же серьезно ответила:

— Пока вы не устроитесь по-настоящему, в своей собственной комнате, живите у меня. Только надо сделать так, чтобы не было неприятностей. Ты согласна со мной?

— Я согласна, и я подумаю.

— И еще, Варенька, я видела у вас в комнате ружье, даже два.

— Это охотничьи ружья. Костя — охотник.

— Все равно. Ты должна меня понять. Арбат — режимная улица, и в *моем* положении я не могу допустить в доме ружей,— голос Софьи Александровны звучал настойчиво,— сейчас к этому относятся строго. В своей квартире Константин Федорович сам бы за это отвечал, в моей квартире отвечаю я.

Она помолчала, потом добавила:

— Я обязана сохранить эту комнату для Саши, это *Сашина* комната, я обязана отвести от нее любую угрозу, даже самую незначительную.

— Хорошо,— сказала Варя,— больше в доме ружей не будет.

Своими глазами Варя не видела Костиной прописки. В Крыму, в гостинице, вместе с ее паспортом он предъявлял и свой, заполнял анкету, писал адрес: Москва и так далее, то есть писал то, что у него в паспорте, ведь регистраторша это проверяет.

И все же в своих руках Варя Костин паспорт не держала. Вдруг она ошиблась, вдруг он писал не «Москва», а другой город? Ей безразлично, но подводить Софью Александровну нельзя.

В тот же вечер она сказала Косте:

— Софья Александровна беспокоится насчет твоей прописки.

— Я же ей сказал, где я прописан, она что, не верит?

— Верит. Но Галя, соседка, склочничает, хочет оттяпать комнату, кричит всюду, что Софья Александровна спекулирует жилплощадью. И, если у тебя не окажется московской прописки, у Софьи Александровны будут неприятности.

— Показать ей паспорт?

— Это было бы лучше всего.

— А когда? Я прихожу, она спит, просыпаюсь, она уже ушла.

— Оставь мне, я ей покажу.

Он покосился на нее.

— Я не могу оставлять паспорт, он мне нужен. Разбуди меня завтра пораньше, я ей сам покажу.

— И еще. Она просит не приносить в дом ружей.

— Но ведь это охотничьи ружья, это не запрещено.

— Все равно, Галя об этих ружьях может донести.

— Скажи, что у меня есть документ, разрешение.

— Разрешение может быть на одно ружье, а у тебя их несколько.

— Охотничьи ружья — вещь законная, и пусть Софья Александровна успокоит свои нервы,— раздраженно проговорил Костя.

— У нас тут только один закон — Софья Александровна,— сказала Варя,— она здесь хозяйка. Или мы подчинимся ее требованию, или нам придется выметаться отсюда.

— Пусть будет по-вашему,— недовольно проворчал Костя.

Утром он поднялся, зевая и потягиваясь, не привык рано вставать, накинул халат, взял из кармана пиджака паспорт, постучал к Софье Александровне, вошел к ней, потом вернулся.

— Все в порядке.

И снова улегся.

Костя не дал ей в руки свой паспорт, Варя отметила это про себя, но думать об этом не хотела. За то короткое время, что Варя прожила с Костей, она свыклась с мыслью, что Костя — человек со сложной судьбой и сложным положением, ни о чем спрашивать его не следует, того, что он не хочет рассказать, никогда не расскажет. Его родители, обрусевшие греки, азовские рыбаки, раскулачены и высланы из Мариуполя. Костя был тогда моряком торгового флота, находился в заграничном плавании и только поэтому избежал участи родителей. Как он признался Варе, вернувшись из плавания и узнав о высылке семьи, он пожалел, что не остался в Пирее или Стамбуле, гулял бы там сейчас. На флот он больше не устраивался: уходящих в загранку тщательно проверяют, выяснят, что родители раскулачены, самого вышлют. Он уехал в Москву, в столице легче затеряться, работал монтером, менял службу, изобрел амальгаму, вступил в артель, но главным был бильярд. Костю заметил Бейлис, главный бильярдист Москвы, ввел в лучшие бильярдные, где обыгрывались «фрайера», денежные провинциалы, командировочные с казенными деньгами. С ними Костя был беспощаден, заманивал первым легким выигрышем, а потом раздевал до нитки.

Левочка как-то сказал, что, живи Костя в Америке, он стал бы миллионером. Ика насмешливо заметил, что миллионерами в Америке становятся не только чистильщики ботинок, но и мафиози. Варя вспыхнула, посоветовала Ике держать язык за зубами. Но Косте разговор не передала, чистильщика сапог он бы Ике не простил.

Выйдя замуж за Костю, Варя перешагнула через все ступени, поднялась выше Вики Марасевич, Нины Шереметевой, Ноэми — те зависят от своих любовников, а она приходит в ресторан с мужем, все его знают, все перед ним заискивают. И заграничным тряпкам, что девчонки перепродавали друг другу, Варя не завидовала. Костя повез ее к лучшим московским портным, лучшим сапожникам и меховщикам. Пальто ей шил Лавров, платья — Надежда Петровна Ламанова, Александра Сергеевна Лямина, Варвара Степановна Данилова, даже Ефимова, лифчики — Лубенец, пояса — Кошке на Арбате, шляпки — Тамара Томасовна Амирова, туфли — Барковский, Гутманович, Душкин. Дешевых мастеров Костя не признавал, костюмы ему шил Журкевич, самый дорогой портной Москвы.

Таким образом, внешне все казалось ярким, праздничным, нарядным. Но Варя чувствовала, что связь ее с Костей недолговечна. Почему? Она сама не знала. В своей прошлой жизни она многое не принимала, но все было ясно и понятно. Теперь ясности нет, она не знает, куда идет, куда плывет. Костя старше ее почти на десять лет, но он ничего не читал, даже «Трех мушкетеров». Из всего Пушкина знал четыре строчки: «Один, в расчеты погруженный, тупым кием вооруженный, он на бильярде в два шара играет с самого утра». Но он был умен и цитировал эти строки не для того, чтобы показать, что Пушкин ему не чужд, а что Пушкину, как и ему, был не чужд бильярд.

Любила ли она его? Трудно сказать. Это произошло в гостинице в Ялте. Она не сопротивлялась, может, из желания испытать неизведанное, о чем рассказывали девчонки, возможно, из желания стать женщиной в полном смысле слова.

Но даже после этого полная близость не возникла, их разделяла дистанция, скорее всего, возрастная?.. Он прекрасно плавал, и все же на пляже ей бывало не по себе: коренастый, широкоплечий, но коротконогий (костюм это скрадывал), волосатый, руки, ноги, спина — все в волосах, на груди вытатуирован орел, на пляже Костя казался гораздо старше... Они возвращались в гостиницу, он запирал дверь на ключ, обнимал ее, целовал шею, грудь, но она стыдилась дневного света, боялась, что, когда они спустятся в ресторан, все по ее лицу догадаются, что это сейчас произошло. Ложась спать, Варя тушила свет — стеснялась раздеваться при Косте, стеснялась ласкать его, обнимать, целовать. И не хотелось этого делать.

Потрясения, упоения новой жизнью не было. То, что раньше казалось недосягаемым, стало вдруг доступным, привычным, будто она жила так всегда. По-прежнему привлекала праздничность вечернего ресторанного зала, нравились красивые наряды, но надоедали долгие примерки, раздражала необязательность портних, томительные ожидания у парикмахера Поля, хотя там и собирался весь московский бомонд.

Салон помещался на Арбате, рядом с рестораном «Прага». Костя в свое время оборудовал салон лампами для сушки волос, и Варя, как и другие постоянные клиентки, входила со двора, через квартиру. Впрочем, парикмахер Поль, он же Павел Михайлович Кондратьев, и его жена Вера Николаевна, маникюрша, выделяли почему-то Варю. Тогда входила в моду шестимесячная завивка, но Варе делать завивку Павел Михайлович отказался:

— Разве можно уродовать такое лицо?!

Это слышали ожидавшие завивки дамы и, конечно, оскорбились. Но Варе было на это наплевать! У нее свой круг знакомых, своя, все та же Костина компания. В ресторане они по-прежнему сидели за одним столом и Варя танцевала только с ними. Костя изредка и ненадолго выходил из бильярдной, выпивал рюмку водки, слегка закусывал, ласково обнимал Варю за плечи, как бы приглашая всех убедиться, что эта красотка — его жена и вся эта компания — его компания, пьют, едят за его счет. Варя подозревала даже, что Левочка за его счет и одевается, такие портные Левочке не по карману. Но Левочка — безукоризненный мальчик, не играет на бильярде, почти не пьет вина, вежливый, мягкий, предупредительный, к тому же простой чертежник — трудяга. Косте было нужно такое окружение, интеллигентные ребята из хороших московских семей, так же как нужна жена — чистая, порядочная девочка. Это его марка, его положение в обществе, его репутация в собственных глазах. Ничего не читая, он знал, что читают другие, кто сегодня в моде, кто известен, не хотел выглядеть профаном, хорошо запоминал имена, обладал живым умом и находчивостью.

Как-то за столом Ика таким тоном, будто задавал вопрос из викторины, спросил:

— Подающий надежды режиссер, два его фильма начинаются на «О». Как фамилия?

Костя успел перехватить взгляд Ики, обернулся и мгновенно ответил:

— Барнет.

Костя кино не любил, не выносил духоты, предпочитал эстраду, оперетту, балет, картин Барнета не видел, однако на вопрос Ики первым ответил он. И дружески кивнул Барнету.

— Охотились вместе,— небрежно сказал Костя.

— Да, да, вспоминаю,— насмешливо подхватил Ика,— ты нам рассказывал эту историю: вы с ним убили волка.

— Не с ним, а с Качаловым,— ответил Костя, растягивая губы,— и не волка, а волчью семью. Набрели на волчье логово, отстрелили волка, потом волчицу, а затем взяли троих волчат. Ты, наверно, видел волков? А если нет, сходи в Зоологический сад и посмотри, только не вздумай гладить — отхватят руку.

Он выпил еще рюмку водки, наклонился к Варе, тихо сказал:

— А ты, Ляленька, попрекаешь меня ружьями. Они,— он обвел рукой зал,— все готовы отдать, лишь бы я поехал с ними охотиться. Пойдем завтра в Клуб мастеров искусств, увидишь, как будут меня обхаживать.

— Но ведь туда пускают только артистов.

Он искренне удивился:

— Ты мне не веришь? Ляленька, завтра же поедем туда!

На следующий день Костя пришел домой рано, чтобы заняться ее туалетом. Сначала она примерила синий шелковый костюм с плиссированной оборкой на юбке и плиссированным воротником, затем серый атласный казакин, расшитый золотой ниткой, к нему полагалась узкая юбка с разрезом, затем открытое коричневое платье. Варю поражало: такой беспощадный во всем, что касается дела, Костя мог подолгу любоваться ее нарядами, приходил в восторг, глядя на нее, радовался, как ребенок.

— Шикарно, Ляленька, шикарно.

Варя доверяла его вкусу, но вдруг тамошние знаменитости будут только снисходить до Кости? Кто он для них? Бильярдист. Теперь, оказывается, еще и егерь. И она, жена егеря, такой разряженной будет выглядеть по-дурацки.

Ее опасания оказались напрасными.

В клубе бывали знаменитости и незнаменитости, но все делали вид, что хорошо знают друг друга, чтобы подчеркнуть равенство актерской братии. Был там бильярд на два стола. Костя мало играл. Стоял рядом со знаменитым маркером Захаром Ивановичем, тоже его приятелем, давал советы игрокам, а если играл, то по мелочи, чтобы не обидеть своих именитых друзей. На Старо-Пименовском он отдыхал от дел, становился веселым, благодушным, и Варя любила ездить с ним к Старому Пимену.

Клуб помещался во дворе бывшего барского дома, в полуподвале, обставленном уютной старинной мебелью. В ресторане ложи, маленькие открытые кабинеты на восемь — десять человек. Иногда Костя брал с собой в клуб Левочку и Рину, тогда они занимали отдельный столик на четверых. В ложах же сидели большие компании. Костя показал ей Ильинского и Климова, Варя их узнала, видела в фильме «Процесс о трех миллионах». Узнала и Смирнова-Сокольского —

он часто выступал на эстраде в «Эрмитаже». Смирнов-Сокольский сидел, полуобернувшись к лысому усатому человеку, что-то говорил ему, прикрывая рот рукой,— то ли не хотел, чтобы слышали остальные, то ли о чем-то просил. Лысый молчал, щурил заплывшие хитрые глазки, похожий на сытого кота.

— Это Демьян Бедный,— сказал Костя.

Варе здесь нравилось. Водка и вино не подавались, только минеральные и фруктовые воды, о чем предупреждал плакат: «Нарзан стопками не подается». Зато кухня была великолепная, кормили вкусно, рестораном заведовал лучший кулинар Москвы Яков Данилович Розенталь, его называли просто Борода.

Как знак добропорядочности этого заведения на стене красовалась надпись:

Запомни истину одну —
Коль в клуб идешь — бери жену,
Не подражай буржую:
Свою, а не чужую.

Рина утверждала, что первые две строки написал писатель Третьяков, а вторые две — Маяковский незадолго до смерти.

У Рины знакомых здесь было не меньше, чем у Кости. Компанейская, со всеми ладила, но умела держать людей и на расстоянии. Варя толком ничего о ней не знала, живет на Остоженке, возле Зачатьевского монастыря, в деревянном домишке, никого к себе не зовет, смеется: «В любую минуту дом может рухнуть». Рина бывала в клубе и без них, но они никогда не видели, с кем она пришла, с кем уходит. Гости съезжались к одиннадцати вечера, когда кончались спектакли в театрах, а разъезжались в два-три утра. Ночью в переулке их дожидались извозчики.

— Тебя отвезти? — спрашивал Костя Рину.

Та кокетливо поднимала светлые бровки.

— Меня провожают...

Костя подсаживал Варю, она откидывалась на спинку сиденья, устраивалась поудобнее. Старо-Пименовским выезжали на Малую Дмитровку, оттуда на бульвары, город казался малознакомым, в безлюдье, в темноте, безмолвии спящих домов таилось что-то тревожное. Варя молчала, перебирала в памяти впечатления вечера.

Часто из ресторана публика поднималась в зрительный зал, где устраивались капустники. Актеры сами писали пародии, сценки, скетчи, иногда это делали и писатели, игралось все это с блеском, пели цыгане, пела Русланова — такое не увидишь ни в каком театре. Как-то на эстраду вышел Сергей Образцов, нес в руках седобровую, седобородую куклу. В зале зааплодировали, стали поворачиваться в сторону Феликса Кона — начальника Главискусств и председателя правления клуба. Сходство куклы с ним было поразительным. Голосом Кона Образцов объявил, что прочтет доклад «О советской колыбельной песне». «Советская колыбельная песня,— кукла направила в зал указательный палец — это был любимый жест Кона,— не буржуазная песня, она должна будить ребенка...» И ничего, все сходило с рук. Вообще, как заметила Варя, этим людям многое разрешалось.

Но Костя сказал, что чаще раза в неделю они в Клубе бывать не могут: «Деньги зарабатываются не в Клубе, сама понимаешь». И очень твердо придерживался этого правила, только раз пошел Варе навстречу, когда инсценировали «Суд над авторами, не пишущими женских ролей». Судьей выступала Наталья Сац, подсудимые — Катаев, Олеша и Яновский, прокурор — Мейерхольд.

Варя и Костя сидели в седьмом ряду, в этом же ряду сидели Алексей Толстой, художники Дени и Моор. Мелькнула Вика Марасевич, Варя видела ее здесь впервые. А уж братец ее, Вадим, ставший литературным и театральным критиком, был тут завсегдатаем, толкался возле знаменитостей. Сейчас он шел по проходу, близоруко щурился, искал свободные места. За ним, видимо, он их и пригласил, шли Юра Шарок и Лена Будягина. Лена узнала Варю, ласково ей кивнула, вслед за ней на Варю посмотрел и Юра, Варя отвернулась — терпеть его не могла.

Ей сразу вспомнилась встреча Нового года, ссора между Сашей и Юрой. И вот Саша в ссылке, в Сибири, а Юра и Вадим, Лена Будягина и Вика Марасевич веселятся в этом прекрасном клубе.

Задумавшись, Варя не слышала, что сказала Наталья Сац. Очнулась, когда начали вызывать «подсудимых». Первым поднялся Катаев. Голос у него оказался неприятный, гнусавый, создавалось впечатление, что он простужен. У публики Катаев прошел средне, хлопали ему вяло, так же вяло хлопали и Яновскому. Зато каждая реплика Олеши встречалась взрывом хохота. Высокий носатый Мейерхольд налетал на Олешу, как коршун. Маленький, с разлетающимися волосами, Олеша молниеносно парировал удары. Сидевший впереди Вари Ярон то и дело оборачивался к Алексею Толстому, подмигивал радостно, мол, каков Юрочка, а заодно косился на Варю. А после суда встал, повернулся к Варе лицом, застыл в какой-то нелепой позе, мешал всем выходить и потом объявил: «Оглянулся на красавицу и окаменел, как Лотова жена». Это было смешно, Варя рассмеялась.

— Вы актриса? — спросил Ярон.— Почему я вас не знаю?

— Я не актриса, поэтому вы меня не знаете,— ответила Варя сухо. Не хотела, чтобы ее смех Ярон воспринял как поощрение.

У нее было сложное отношение ко всем этим знаменитостям. Она отнюдь не разделяла Костины и Ринины восторги: комедианты, вот им и разрешают кое-что болтать. Она же предпочитает видеть актеров на сцене, там она и хлопает им от души — талант есть талант. Но знакомиться с ними? Зачем? Косте нравилась ее позиция, он ликовал внутренне, но без себя ни в Клуб, ни в другие общественные места не пускал, разве что в кино с Зоей или Риной.

4

Столкнувшись в Клубе мастеров искусств с Юрой Шароком, Вика Марасевич решила туда больше не ходить. Лишний раз попадаться ему на глаза? Зачем? Достаточно свиданий на Маросейке. Приносила ему очередное донесение: такого-то числа в таком-то ресторане за столом сидели такие-то люди, говорили о том-то. Шарок требовал, чтобы она дословно воспроизводила реплики каждого, хотя разговоры эти были до того пустые, что она не могла их запомнить. И Вика перешла на сообщение новостей...

...Ноэми по-прежнему со своим японцем. Однако некий итальянец хочет жениться на ней и увезти в Италию...

...Появились два новых немца, с ними метропольские девчонки — Сусанна и Катя. Кто эти немцы, девчонки не говорят.

...Красотка Нелли Владимирова разошлась с цыганом Поляковым и вышла за богатого французского коммерсанта Жоржа — большая квартира, ковры, старинная мебель, фарфор, машина...

Вика старалась превращать свои встречи с Юрой в этакий великосветский треп. Сыну портного такой треп должен импонировать. Но очень скоро она убедилась, что все это его мало интересует. Возможно, он вообще ничего особенного от нее не ожидает: попалась на иностранцах, пусть поработает...

Нет, все же чего-то он от нее ждет... Но чего? Она ловила каждое его слово, реакцию на каждое произнесенное ею имя... И наконец догадалась... Юзик Либерман! Вот кто его интересует! Высокий губастый молодой человек, он был, по всеобщему убеждению, стукачом высокого ранга, открыто рассказывал антисоветские анекдоты, позволял себе рискованные шутки и хохмы, иностранцами не интересовался, зато обладал (вероятно, через мать) обширными связями в среде крупных ответственных работников, связями личными, интимными. Юзик Либерман нужен Юре именно из-за своих связей с ответственными работниками, на них-то Юра и собирает материал. Неважно, что они там говорят. Болтает только Юзик Либерман, но болтает за общим столом, все смеются, значит, реагируют, выходит, что болтают все.

Как только Вика это сообразила, она стала держаться поближе к Юзику, он охотно брал ее с собой, потом она писала точные донесения, у кого, когда, кого видела, что слышала. Это интересовало Шарока, именно это ему и требовалось, хотя, наверно, ничего нового по сравнению с донесениями самого Юзика Вика не сообщала, но и в таком качестве она, видимо, ему нужна.

Она была не настолько глупа, чтобы показать Шароку, что разгадала Юзика Либермана, разгадала цель, которую ставит перед ним Шарок. Повышать собственную ценность в этом учреждении не входит в ее намерения, предпочитала выглядеть в глазах Шарока глупенькой, недалекой, ничего серьезного требовать от нее не следует.

Хитря с Шароком, она оберегала от него главное: компанию крупных архитекторов, с которыми ее познакомил старинный приятель Игорь Владимирович, тоже архитектор.

С мечтами и проектами выйти замуж за прославленного летчика, новоявленного Героя Советского Союза, она давно рассталась: где найдешь этих летчиков, да и жены их Марфутки, чуть что, в партком, к командованию, к самому Сталину, если и удастся увести, то никакого будущего у такого «героя» уже нет, отправят рядовым летчиком на Чукотку. Заграница — это эфемерно. Эрик? Приятный мужчина, но и ничего особенного, обыкновенный иностранец. Каждый день принимает ванну, каждый день бреется, меняет белье, хорошо пахнет. А дальше что? С предложением не торопится, без папочки, без мамочки такого шага не сделает. Честь фирмы! В лучшем случае, через год явится папаша, благородный отец, а ей уже стукнет двадцать четыре.

Вике нужен человек с могучим будущим. Такой человек есть, видный архитектор, один из авторов проекта Дворца Советов — главнейшей стройки Москвы, детища Сталина. Еще не старый, сорок три года, очень моложавый, стройный, подтянутый, много лет жил за границей — европеец! Это был бы союз! Не какой-то там летчик в сапогах, а всемирно известный архитектор, и она, Вика, его жена, дочь знаменитого профессора, коренная московская интеллигентка. На такой альянс никакой Шарок, никакой Дьяков не покусятся, им быстро отобьют руки.

«Как же это так, Иосиф Виссарионович,— скажет в противном случае ее муж Сталину,— если мне не доверяют, то можно меня проконтролировать с помощью других людей. Но заставлять следить за мною мою жену аморально».

Вот тогда-то и забегают Дьяков и Шарок, полетят со своих местечек, а с их местечек далеко улетают.

Правда, у Архитектора есть жена. Жена, одесситка, жила с ним за границей, обтесалась там, подтянулась: тощая носатая брюнетка, курит длинные тонкие папиросы, щурит глаза — близорука, но очков не носит. Нигде она с мужем не бывает, надоели друг другу за двадцать лет. Он весь день в мастерской, иногда и ночует там, часто уезжает за границу и в подмосковный дом архитекторов Суханово. Как убедилась Вика, жена, как женщина, его не привлекает.

Одолеть эту итало-одесскую даму будет нетрудно. Во всяком случае, связь завязана, он увлечен Викой, они проводят в ее постели упоительные часы, она молода, прекрасна, опытная, умелая, он еще крепкий и темпераментный мужчина. Они не могут прожить дня, не повидав друг друга или, по крайней мере, не поговорив по телефону.

Но для всех эта связь держалась в тайне. Знают только Игоря Владимировича, знают как старого ее приятеля, как «пройденный этап», знают, что именно с ним, Игорем Владимировичем, она ходит в Дом архитектора, в бывший особняк адвоката Плевако на Новинском бульваре. Но девицы туда не ходят. Дом архитектора еще не вошел в моду, хотя там есть и ресторан, но третьеразрядный. Устраивались выставки проектов — кому они интересны?

Тем легче было Вике скрывать эту связь. В Дом архитектора она являлась только с Игорем Владимировичем, потом к ним присоединялся Архитектор. Такую конспирацию он считал излишней, но ценил в Вике деликатность, ценил ее внимание к его делам, она приходила на обсуждения проектов, в которых участвовал Архитектор, внимательно слушала споры и пререкания.

На обсуждениях бывали и пожилые женщины-архитекторы. Вику они не беспокоили, беспокоили смазливые чертежницы в проектной мастерской, но Игорь Владимирович сказал, что для ведущего архитектора, тем более Главного архитектора сотрудницы его мастерской неприемлемы.

— Первый закон сопромата,— шутил Игорь Владимирович,— гласит: каждая связь ограничивает одну степень свободы. А архитектор у себя в мастерской должен быть абсолютно свободным.

Свою роль Вика вела превосходно. Игорь Владимирович и тот поверил, что она влюблена в его друга. Для Архитектора то был тяжелый период борьбы архитектурных течений, школ, направлений, традиций. Обученный в Италии, объездивший много стран и знакомый с современной западной архитектурой, Архитектор возглавлял школу, опирающуюся на классическое наследие, но с учетом современных, прежде всего высотных, конструкций. За это на него многие нападали, но Вика объявила его гением, его здания, проекты, идеи — гениальными, говорила это всем:

и его друзьям, и его врагам. Он гений! Не тот гений, которого оценят через пятьсот лет, а гений существующий, признанный. Все, к чему прикоснулась его рука, гениально!

Да, это была правильно выбранная роль, и исполняла она ее мастерски. Ни в чем не противоречила Архитектору, никогда не спорила с ним, не капризничала, не обижалась — с великим человеком надо держаться на высоком уровне.

— Во мне много недостатков,— говорила она ему,— но знаешь, вот этого бабского, мелкого ни на грош, этим я горжусь, хочу, чтобы тебе было легко со мной, чтобы ничто тебя не обременяло. Главное — ты должен быть спокоен.

Если он не мог прийти на свидание, то предупреждал ее об этом по телефону, сочувственно спрашивал:

— Что будешь делать?

Она успокаивала его:

— Милый, не беспокойся, полежу, почитаю, схожу к подруге, сбегаем в киношку. Завтра утром позвони обязательно.

Она, конечно, не лежала на диване, не ходила к подруге, не бегала по киношкам, у нее были свои дела: портнихи, сапожники, Юзик Либерман и Шарок — это соблюдалось строго, тут сбоя быть не должно.

С Архитектором тоже сбоя быть не должно. Пусть знает, что она верная, преданная подруга. Дочь профессора как-никак, из гетманского рода как-никак! Она не виновата, что родилась здесь, среди хамов, она аристократка, черт побери!

Только один раз Вика позволила себе взорваться. Дело происходило в Музее изящных искусств, где устроили выставку конкурсных проектов Дворца Советов. Музей был переполнен с утра до вечера, длинная очередь тянулась по Волхонке. Архитекторы, в том числе и иностранцы, стояли возле своих проектов, почти все с женами, давали объяснения, отвечали на вопросы. Вика бывала там каждый день, встречалась с Архитектором, у нее уже было много знакомых в этом мире, может, кто-нибудь и догадывался, какую роль она играет при Архитекторе, но Вика держалась скромно.

Было шумно, оживленно, публика не убывала, и

только один человек ни разу не пришел в музей — жена Архитектора.

— Не ругай ее,— говорил Архитектор,— за двадцать лет она навидалась достаточно моих проектов, они ей надоели.

— Но ведь это твой главный проект, дело твоей жизни!

— Вот когда проект утвердят, когда будут вручать дипломы, тогда она придет,— пошутил Архитектор.

— О да! Тогда она будет стоять рядом с тобой, будет разделять твой триумф!

Он внимательно посмотрел на нее, понял ее намек: она сама хочет стоять рядом с ним, сама хочет разделять его триумф.

Вика почувствовала свою оплошность, взяла его за руку.

— Я ни на что не претендую. Но для меня непереносимо такое равнодушие к тебе, к твоей работе. Стоять рядом с тобой только в дни триумфа — это, знаешь...— она презрительно скривила губы.— Извини меня, мне вдруг стало очень обидно за тебя.

На следующее утро ее разбудил телефонный звонок Архитектора. Сегодня закрытый просмотр, пусть не приезжает, а ждет его звонка.

Закрытый просмотр означал, что выставку посетят Сталин и другие члены правительства.

Весь день Вика просидела дома, не отходила от телефона. Архитектор позвонил к концу дня.

— Еду.

Он приехал с бутылкой шампанского — это был день его победы, их победы: среди других Сталину понравился и его проект.

Утром они на две недели уехали в Суханово.

5

Сталин сидел на веранде сочинской дачи в плетеном кресле, подставив лицо солнцу. Он любил Сочи — создание его рук, любил лето на юге, хотя врачи рекомендуют юг только осенью. Но что знают врачи? Он и в детстве любил это время, любил лазить по развалинам Горис-Цихе, древней крепости на горе, построенной византийскими императорами. Там упал и повредил руку. Сочи напоминали ему Гори, хотя в Гори нет моря и нет такой растительности. Перед Сталиным на столике лежали книги: Соловьев, Ключевский, Покровский, лежали представленные референтами «Замечания о конспекте учебника по истории СССР». Этой работой руководил Жданов.

То был ЕГО выбор. В этом году он забрал Жданова из Горького и сделал секретарем ЦК. Не потому, что Жданов успешно справлялся с руководством края, со строительством Горьковского автозавода. Другие секретари обкомов тоже справляются. И не потому, что Жданову всего тридцать восемь лет, другие секретари тоже не старики: Хрущеву, Варейкису, Эйхе — по сорок, Хатаевичу — сорок один, Кабакову — сорок три... Но Жданов — интеллигентный человек, разбирается в литературе, искусстве. Не интеллигент типа всезнайки Луначарского, не кичится своей образованностью, не щеголяет иностранными словечками, не претендует на роль теоретика, как Бухарин, но интеллигент. Интеллигентный человек нужен в руководстве. Жданов подходит для этого. Первое порученное ему крупное мероприятие — создание Союза писателей — он готовит как будто хорошо. Предстоящий съезд будет поворотным пунктом в отношениях партии с интеллигенцией: писатели — главный отряд интеллигенции, всегда претендовали на духовное руководство народом.

В борьбе за власть Ленин опирался на интеллигенцию. Это было правильно: интеллигенция — извечный носитель инакомыслия, инакомыслие — хорошее оружие в борьбе за власть. Но, когда власть завоевана, опираться на интеллигенцию нельзя — орудие власти не инакомыслие, а единомыслие. РАПП и прочие группки разделяли интеллигенцию, обрекали ее на разномыслие. Нужна организация, способная обеспечить единомыслие, ею и будет Союз писателей.

Горький — хорошая фигура для объединения писателей. По сути своей он левый социал-демократ с большим уклоном в сторону мелкобуржуазного либерализма. Ленин много возился с ним, и правильно возился. У Горького имя, связи с крупными западными писателями. Он многого не приемлет у нас. Но жизнь в эмиграции показала ему, что там, за рубежом, у него перспектив нет. Настоящий писатель должен жить и умереть у себя на родине. Виктор Гюго мог дожидаться падения Наполеона Третьего потому, что написанное им за границей издавалось во Франции. Русские эмигранты у нас не издаются, издаваться не будут, шалость с Аркадием Аверченко не повторится. Бунин. Чего достиг? Нобелевской премии на шестьдесят третьем году жизни — кому это нужно? Кто читает Бунина? Умрет в безвестности в своем Париже, все они там умрут, никто не останется в русской литературе. Горький хочет остаться, хочет памятников на родине. Можно понять. И памятники свои он получит. И собрания сочинений получит. И гонорар в иностранной валюте тоже. Он сам сейчас валюта, его уважают и западные писатели, и наши, даже бывшие «Серапионовы братья» — Федин, Тихонов, это настоящие писатели, талантливые, опытные, они должны в первую очередь служить делу социализма. А РАПП оттесняет их от литературы, выдвигает на первый план «пролетарских» рифмоплетов. Чего с этими рифмоплетами достигнешь? Какой литературный памятник оставят они ЕГО эпохе? Демьян Бедный? От Демьяна останется только его библиотека, хорошая, говорят, библиотека. Маяковский — способный человек, его стихами надо пользоваться, но это уже скорее политика.

Когда-то и ОН грешил стихами. Семинаристом принес Илье Чавчавадзе, редактору «Иверии», свое стихотворение «Дила» — «Утро», подписал его Сосело, подписывать стихи настоящим именем в семинарии запрещалось. Чавчавадзе опубликовал тогда пять или шесть его стихотворений, воспоминания о Гори, об отце, о дороге в Атени, об отцовских застольях с друзьями. И больше ОН не писал — стихи не его удел. Хороши ли были те стихи? Он их никогда не перечитывал. И все же, помнится, Илья Чавчавадзе хвалил его «Утро»...

> У розы раскрылся бутон и нежно обнял фиалку.
> И жаворонок высоко в облаках заливался трелью.

А через двадцать лет, в 1916 году, в грузинском учебнике Якоба Гогебашвили для начальных школ появилось «Утро» за той же подписью Сосело. Если через двадцать лет после первой публикации Якоб Гогебашвили отобрал его для учебника, значит, что-то было, чего-то оно стоит! И все равно он рожден не для поэзии, поэт не может быть борцом — поэзия размягчает душу. Журналистика — это для борьбы, его перо хорошо служило Революции. Он писал много, писал под разными псевдонимами: Давид, Намерадзе, Чижиков, Иванович, Бесошвили, Като, Коба... Коба и стало его партийной кличкой, она нравилась ему. Коба — благородный герой романа Казбеги «Отцеубийца». Но под этой кличкой он стал известен полиции, подписывать ею статьи было уже нельзя, и он снова вернулся к разным псевдонимам — К. Стефин, К. Сталин, К. Солин,— пока наконец в январе 1913 года, кажется, в газете «Социал-демократ» подписался: И. Сталин. Это и стало фамилией, под которой его знает теперь весь мир.

Писать стихи он бросил, писателем не стал, но читать любил, много читал. Он уже не помнит своих юношеских увлечений, они перемешались с более поздними — читал и в тюрьмах, и в ссылках, профессия революционера оставляет достаточно времени для чтения, более того, обязывает читать.

Духовная семинария давала образование в объеме классической гимназии. Изучались латынь, греческий, древнееврейский, французский, английский, немецкий. Но иностранные языки ЕМУ никогда не давались, он и в ссылке ими не занимался, только время терять! Однако русским овладел хорошо, преподавание в семинарии велось на русском, а проучился он там пять лет. Только грузинский акцент остался с детства, он и не пытался от него избавиться. Не в акценте дело. Видел он русских: ни запятой, ни ударения не умеют правильно поставить.

Второстепенных, второразрядных писателей не читал — кому они нужны? Читал классиков, это необходимо русскому революционеру... Гоголь, Салтыков-Щедрин, Чехов, Горький — ими можно было пользоваться в борьбе с властью, ими пользовались в дискуссиях и оппоненты — надо знать! Крестьянских писателей, всех этих Златовратских, Левитовых, Карониных, да и Некрасова с Никитиным и Суриковым, не любил и не читал, жалели они мужика, а мужик сам никого не жалеет — ОН это хорошо знает, на себе испытал.

Толстой — крупный художник, но не понимал сущности власти, идеализировал человека, поучал, наставлял и тем снижал свое художество. «Зеркало русской революции» — чего не скажешь в угоду интеллигентным либералам! Достоевский тоже никакой не философ, как и Толстой, не разбирался в механике общественного и государственного устройства. Но в отличие от Толстого не идеализировал человека, понимал его ничтожество, его подлую сущность, проповедовал идею страдания, а идея страдания — могучее средство воздействия на людей, им умело пользуется церковь. Только писал Достоевский скучно, плохо писал, не художественно.

Величайший русский писатель — Пушкин! Все понимал, обо всем догадывался, все умел. Одно проникновение в образ Петра чего стоит! «Уздой железной Россию поднял на дыбы»! Вершина его творчества — «Борис Годунов»: «Глупый наш народ легковерен; рад дивиться чудесам и новизне; а бояре в Годунове помнят равного себе... Если ты хитер и тверд...» Точно сказано! «Глуп и легковерен» — сущность народа. «Хитрость и твердость» — сущность ЕГО власти. «Помнят равного себе» — сущность ЕГО противников. «Борис Годунов» поразил его еще в юности, поразил образ Отрепьева... «Расстрига, беглый инок, а лет ему от роду 20... А ростом он мал, грудь широкая, одна рука короче другой, волосы рыжие». Возможно, он читал Пушкина в семинарии, Пушкин входил в программу, но по-настоящему он прочитал «Бориса Годунова» позже, в физической обсерватории, где после исключения из семинарии работал статистиком. Сейчас пишут, будто бы его исключили из семинарии за пропаганду марксизма, он сам написал в свое время в анкете: «Вышиблен из Тифлисской духовной семинарии за пропаганду марксизма». Исключили за другое — за невзнос платы за учение, хотя мать и переводила ему каждый месяц деньги, получаемые от Эгнаташвили. Но он не хотел кончать духовную семинарию, не собирался стать священником, к тому времени был уже связан с марксистским кружком. Но версия об исключении за пропаганду марксизма — правильная версия, она работает на образ вождя и, следовательно, служит делу революции.

В физической обсерватории он и перечитал «Бориса Годунова»... «Расстрига... Беглый инок... А лет ему от роду 20... А ростом он мал, грудь широкая, одна рука короче другой, волосы рыжие...» И ему тогда было 20 лет, и он за год до окончания семинарии отказался от духовной карьеры, и он мал ростом, широк грудью, и волосы рыжеватые, одна рука малоподвижна. Он был уже не мальчик, не бесплодный мечтатель, конечно, никакой аналогии между собой и Отрепьевым не проводил, да его и не привлекал этот неудачник. И все же внешнее сходство поразило. Поразило и проникновение Пушкина в причину неудач Отрепьева: болтлив — свою великую тайну выдал ветреной полячке, прекраснодушен и совестлив, мучился из-за средств, к которым должен прибегать каждый политик. «Я в красную Москву кажу врагам заветную дорогу». Авантюрист-романтик, но не политик! Все было: воля, честолюбие, отвага, риск, стремление к победе и полное неумение закрепить ее, воспользоваться ее плодами. Достичь высшей власти и не удержать ее — такова судьба незадачливых политиков, удержать власть труднее, чем взять ее. Отрепьев не удержал. Этого бы не случилось, повтори Дмитрий после воцарения в Москве хоть одну десятую того, что делал царь, чьим сыном он себя объявил.

Впрочем, так он думает сейчас, а как он думал тогда, не помнит. Только помнит отчетливо поразившее его их внешнее сходство. Поразила судьба беглого инока, вознесенного на вершины светской власти. Со временем этот образ потускнел в памяти, вытесненный другими историческими фигурами, овладевавшими его воображением. И все же где-то в глубинных клетках мозга этот образ существовал. Не выплыл ли неосознанно, когда он встретился в Баку с Софьей Леонардовной Петровской, потомственной польской аристократкой? Он ей нравился — пролетарский революционер-подпольщик, карбонарий, в брюках с бахромой, небритый, угрюмый, замкнутый, волевой и сильный. Однажды он пришел к ней, не застал, и, когда пришел в следующий раз, она сказала, смеясь:

— Соседская девочка мне говорит: Софья Леонардовна, к вам приходил какой-то страшный дядя.

Он усмехнулся тогда, но характеристикой был доволен: хотел, чтобы его боялись.

Софья мягкая, чуткая, заботилась о нем, в сущности, это была самая большая в его жизни любовь. Она примыкала к эсерам, но никогда не спорила с ним, в ней не было непримиримости партийных функционерок, своих мнений она ему не навязывала, наоборот, уклонялась от политических споров, видела, что всякое несогласие раздражает его. Но она не раздражала его, единственная женщина, которая не раздражала его. Однако их отношения оборвались... Она умерла от туберкулеза.

Конечно, он не Отрепьев, она не Марина Мнишек. И все же он допускает теперь, что первые его побудительные мотивы были вызваны именно этими образами, дремавшими где-то в дальних уголках мозга: польская аристократка и безвестный, несостоявшийся священник, подпольщик, с еще неясными, но далеко идущими планами.

В сентябре на Шихановском кладбище хоронили Ханлара Сафаралиева, рабочего-нефтяника, убитого черносотенцами. Была грандиозная демонстрация, ревели заводские гудки, в колонне шел ОН, шли Шаумян, Енукидзе, Азизбеков, Орджоникидзе, Джапаридзе, Фиолетов. ОН выступал с речью, была там и Соня. А через полгода и ее похоронили на том же кладбище. Не было демонстрации, не ревели заводские гудки. Шли за гробом соседки по дому, знакомые поляки. Опустили в яму, засыпали землей и ушли. А он остался, не хотел возвращаться с незнакомыми людьми, не о чем ему с ними разговаривать. Остался, присел возле свежего холмика.

Скалистый мыс Шихово далеко вдавался в море, возвышался над Биби-Эйбатом, уставленным бесчисленными нефтяными вышками. Возле них не было видно рабочих, но коромысла ходили вверх и вниз, качали нефть. Весна только начиналась, но солнце грело уже сильно, ОН сидел один на горе, на скалистом мысу Шихово, на берегу Каспийского моря, смотрел на залив, на бесчисленные нефтяные вышки. Он похоронил Соню, единственную женщину, которую ценил, но горе его не было всепоглощающим. ОН прошел тюрьмы — и Батумскую, и Кутаисскую — и ссылку в Восточную Сибирь, и побег из ссылки, уже ушли его соратники по «Месами-Даси», погиб в тюрьме Кецховели, умер Цулукидзе. Все уходят, и все уйдут, жизнь человеческая — только миг в этом круговороте. Есть только СЕГОДНЯ — тоже миг, но для революционера миг истинной жизни. Только революционер и только властитель понимают малость и ничтожность человеческой жизни, но только властитель имеет право щадить себя.

Собственная жизнь ничего не стоит, пока борешься за власть, но, когда овладеешь властью, тогда жизнь — награда победителю. Сейчас ОН победитель, он сумеет сберечь жизнь, потому что сумеет сберечь власть.

Все революционеры рискуют жизнью. И он рисковал, но был осторожен. Приезжая в Баку, сходил в Баладжарах и шел в город пешком берегом моря, вдоль нефтяных вышек. А когда уставал, присаживался на тропинке и, как вот сейчас, подставлял лицо солнцу, смотрел вниз на дорогу, на вышки, на море.

Что руководит революционером, что ведет его по тернистому пути? Идея? Идеи овладевают многими, но разве все становятся революционерами? Человеколюбие? Человеколюбие — удел слюнтяев, баптистов и толстовцев. Нет! Идея — лишь повод для революционера. Всеобщее счастье, равенство и братство, новое общество, социализм, коммунизм — лозунги, поднимающие массу на борьбу. Революционер — это характер, протест против собственного унижения, утверждение собственной личности. Его пять раз арестовывали, ссылали, он бежал из ссылки, скрывался, недоедал, недосыпал — ради чего? Ради крестьян, которые ничего, кроме своего навоза, не желают знать? Ради «пролетариата», этих работяг? В Баку он часто ночевал в рабочих казармах Ротшильда на Баилове, навидался «рабочего класса». В тот бакинский период он был уже видным партийным деятелем, был лидером большевизма в Баку. Любые попытки оспорить это — негодные попытки. Эти попытки он сумеет пресечь.

Сталин встал с кресла; где-то над головой летала пчела, гудела и гудела над самым ухом. Сталин отмахнулся от нее, она отлетела, села на стол, поползла к пепельнице, он прихлопнул ее томом Ключевского.

— Подлость,— сказал по-грузински,— подлость! — снова усаживаясь в кресло и возвращаясь к мыслям о тех временах, о подлой брошюре Авеля Енукидзе.

В этой брошюре Енукидзе вздумал вдруг рассказывать о подпольной типографии, которая существовала в Баку под кличкой «Нина».

Типография подчинялась Ленину, переписка шла через Крупскую, руководили типографией Красин, Енукидзе и Кецховели. Больше ни один человек, как пишет Авель, о ней не знал, следовательно, не знал и ОН, Сталин, ЕМУ, Сталину, о ней даже не говорили.

Красина, этого инженера-электрика на службе у Ротшильдов и Манташевых, можно понять: Ленин приказал ему соблюдать максимальную конспирацию. На него ОН не в обиде: Красин давно умер. И Кецховели умер. И не эта маленькая типография решала судьбы революции. Так обстояло дело тогда.

По-другому обстоит дело сейчас. ОН не нуждается в бакинских, тифлисских, закавказских лаврах. ЕМУ нужна истинная история партии, а истинная история партии только та, которая служит интересам и авторитету ее руководства.

Если ОН не знал о существовании в Баку, рядом с ним, подпольной типографии, то как можно теперь утверждать, что ОН руководил партией в России? Если ОН руководил партией, значит, ОН не мог не знать о существовании типографии. Отрицать это — значит отрицать его роль как первого помощника Ленина. Неужели этого не понимает товарищ Авель Енукидзе? Не может не понимать. Зачем же выпустил брошюру, из которой явствует, что товарищ Сталин не имел никакого отношения к типографии «Нина»? Зачем это понадобилось товарищу Енукидзе? С чего вдруг потянуло на историю? И этому человеку он доверил Кремль, доверил свою жизнь! Зачем в комендатуре Кремля столько старых членов партии? Разве по такому принципу подбирают охрану? Если для охранника охрана — задача политическая, то такой охранник ненадежен: политические взгляды могут меняться. Даже личная симпатия ненадежна: от симпатии до антипатии один шаг. Охранник должен быть предан своему хозяину, как волкодав,— вот что такое настоящий охранник. Он знает только одно: за малейшую провинность, за ничтожный недосмотр он лишится жизни вместе со всеми благами и привилегиями. Вот как должна подбираться его охрана. А товарищ Енукидзе комендантом Кремля держит Петерсона, бывшего начальника поезда Троцкого, человека Троцкого. Замышляют дворцовый переворот?! Енукидзе с ними, это видно из его ничтожной брошюрки, на ней он разоблачил себя!

Эту подлую провокационную брошюру надо разнести в пух и прах. Авель, конечно, начнет отрекаться, плакаться, каяться, а кающийся человек — политически конченый человек. Существует ли он после этого физически, уже никого не интересует, кроме родных и близких. Родные и близкие переживут.

Кому поручить написать об этой брошюре? Лучше кому-нибудь из старых бакинцев. Но кто остался из старых бакинцев?

Орджоникидзе бывал в Баку, работал в Балахнинском районе на нефтяных промыслах Шамси Асадулаева — фельдшером в приемном покое, небольшом домике на окраине Раманов. ОН хорошо помнит этот домик: две комнаты, в одной Серго жил, в другой вел прием. Хорошая была явочная квартира, удобная, мало ли кто ходит к фельдшеру. Проработал там Серго, наверно, с год, потом бывал в Баку наездами. Настоящий свидетель, хороший свидетель, но отговорится занятостью, к тому же друг Авеля Енукидзе, разве станет свидетельствовать против друга.

Вышинский? Законченный негодяй. Всю жизнь был меньшевиком, понятно, в меньшевиках можно дела не делать, только краснобайствовать. В 1908 году на Балаханах в Народном доме организовали суд над бакинскими зубатовцами — Шендриковыми. Кто выступил в их защиту? Вышинский. За одну ночь пять раз выступал, так упивался своим ораторским искусством, демагог, крючкотвор! Летом семнадцатого был в Москве начальником Арбатской милиции, вывесил на стенах приказ о розыске и аресте Ленина и подпись свою, дурак, поставил: «А. Вышинский». После Октябрьского переворота добился у НЕГО приема, каялся, плакал. Но ни единым словом не обмолвился о том, что делился с ним передачами в Баиловской тюрьме, где они сидели в одной камере. Понимал, с КЕМ разговаривал, понимал, что такого напоминания ОН бы ему не простил, понимал, что в обмен на эти жалкие передачи получает жизнь. В 1920 году ОН помог ему вступить в партию, в 1925-м — стать ректором Московского университета, в 1931-м — прокурором РСФСР, теперь Вышинский заместитель Генерального прокурора СССР, но свидетель по бакинским делам негодный — в партии его презирают.

Остается Киров. До революции он в Баку не бывал, но после революции пять лет был хозяином Азербайджана, имел доступ ко всем архивам, хорошо изучил историю Бакинской партийной организации, человек грамотный, дотошный. Вот ему бы ответить на брошюрку Енукидзе, ему бы своим авторитетом опровергнуть ненужную партии версию и, наоборот, поддержать версию, укрепляющую авторитет партийного руководства. На словах он превозносит товарища Сталина — слов мало. Именно поэтому он и вызвал Кирова в Сочи, пусть поработает рядом, пусть покажет, каков он сейчас. Втроем они составят хорошую компанию. Например, все трое любят музыку: ОН просто любит, Жданов даже играет на рояле, Киров чуть ли не меломан, ходит в оперу, сидит не в правительственной ложе, а в партере — демократ к тому же! Всегда хотел походить на интеллигента, в молодости участвовал в студенческих любительских спектаклях, хотя учился всего лишь в Промышленном училище. Где-то он видел его юношескую фотографию, не то у Серго, не то у самого Кирова дома, жена его, Маркус, как ее, Марья Львовна, показывала: паренек в форменной тужурке с пуговицами, в форменной фуражке с кокардой, на кокарде скрещенные молоток и разводной ключ — знак Промышленного училища. Но для несведущих выглядит как гимназическая, даже студенческая форма.

А ведь не хочет приезжать! Отговаривался болезнью, врачи рекомендуют Минеральные воды. Что у тебя? Изжоги... У кого изжог не бывает, разве это болезнь — изжоги, приезжай, мы тебя здесь вылечим, поработаешь с нами. «Что я понимаю в истории...» — «А мы что понимаем? Но вот работаем, поработай и ты с нами».

Пусть поживет, пусть побудет перед глазами, в сущности, они никогда не бывали вместе. До революции вообще не встречались, два-три раза виделись во время гражданской войны. Более тесная связь возникла; когда Киров возглавил Азербайджанскую партийную организацию, приезжал в Москву на партийные съезды, на Пленумы ЦК, просто по делам. Впечатление производил благоприятное, Орджоникидзе отзывался о нем хорошо, за границей не бывал, не из эмигрантов, кадровый партийный работник, непримиримый противник Троцкого, Зиновьева, Каменева, Бухарина, хотя с последним и поддерживал дружеские отношения. ОН его продвигал. На Десятом съезде — кандидат в члены ЦК, на Двенадцатом — член ЦК, в тридцатом году ввел в Политбюро. Его ОН направил в Ленинград, ему доверил сокрушить этот вечный оплот фрондерства, чванства и оппозиции. Не оправдал надежд. Не сокрушил город, а, наоборот, возглавил, завоевал дешевую популярность, теперь стремится к популярности всесоюзной, в противовес товарищу Сталину хочет выглядеть умеренным, добрым, великодушным. Выступал на Политбюро против казни Рютина, затем против казни Смирнова, Толмачева, Эйсмонта. И других членов Политбюро потащил за собой. Даже Молотов и Ворошилов колебались. Только Лазарь был безоговорочно за расстрел.

Великодушие к побежденным опасно: враг никогда не поверит в твое великодушие, будет считать его политическим маневром и при первой возможности нападет сам. Только наивный человек может рассуждать иначе. Киров — опасный идеалист, требует для рабочего класса материальных благ, не понимает, что человек, материально обеспеченный, не способен на жертвы, на энтузиазм, превращается в обывателя, в мещанина. Только страдания вызывают величайшую народную энергию, ее можно направить и на разрушение, и на созидание. Страдание человеческое ведет к богу — на этом главном постулате христианской религии народ воспитывался столетиями, это вошло в его плоть и кровь, это должно быть использовано и нами. Социализм — земной рай, более привлекателен, чем мифический рай на небесах, хотя для этого тоже надо пройти сквозь страдания. Но народ, конечно, должен быть убежден, что страдания его временны, служат достижению великой цели, верховная власть знает его нужды, заботится о нем, защищает его от бюрократов, какие бы посты они ни занимали. Верховная власть ВСЕЗНАЮЩА, ВСЕВЕДУЩА и ВСЕМОГУЩА.

О чем он думал вчера в связи с этим? О снабжении населения? Об отмене продовольственных карточек? Но это вопрос решенный, с первого января карточки отменяются. Так о чем он все-таки думал? Да! Он думал вчера о разговоре с садовником-эстонцем Арво Ивановичем. На правительственную дачу Арво Ивановича взяли из санатория имени Ворошилова, человек он из местных и, как ему доложили, человек абсолютно проверенный, женат на русской, всю жизнь живет в Сочи, слывет лучшим садоводом. Сталину эстонцы на Кавказе не попадались, хотя он и знал, что в начале века из Прибалтики в Сухумский округ переселились несколько сот эстонцев и на Черноморском побережье появились три или четыре эстонские деревни, эстонцы занимаются тем же, чем и местные жители: садоводством, скотоводством, только скот у них крупнее местного. Однако о том, что эстонцы поселились и в Сочи, не знал. Арво Ивановичу на вид было лет пятьдесят, коренастый, скуластый, со светло-коричневыми волосами и светлыми глазами, он ходил, как и все эстонцы, в жилетке и куртке, но шаровары по-кавказски заправлял в чувяки. По-русски говорил с акцентом, иногда смешно коверкая слова. Вчера он подрезал цветы. Сталин следил за его работой, сам любил цветы. Арво Иванович что-то хмуро бормотал, и Сталин спросил, чем он недоволен. Арво Иванович ответил, что жену обвесили в магазине и вдобавок обсчитали. Сталин вечером сказал начальнику охраны: жену Арво Ивановича обвесили в магазине и обсчитали. Передайте секретарю горкома: виновных строго наказать.

Русский купец всегда был мошенником, мошенником остался и нынешний продавец. После закона от 7 августа у государства боятся воровать, воруют у населения. Народ это видит, но ничего сделать не может. Значит, за народ это должен сделать ОН. ОН не ходит по магазинам, но ОН хорошо знает нужды и обиды СВОЕГО народа. Сталин поднялся и с веранды прошел в комнату. Там за большим секретарским столом сидел Товстуха. Его ОН взял в Сочи. Здесь работают ученые-историки, для них нужен интеллигент Товстуха, заместитель директора ИМЭЛ, знает историю и понимает, в какой истории нуждается сейчас партия. Что касается текущих дел, то Товстуха и в них разбирается — много лет работал у него секретарем. К тому же болеет туберкулезом, пусть погреется на солнце, вон он какой худой, сутулый, покашливает, смотрит исподлобья, врачи доложили — долго не протянет. Жалко, верный человек!

— Приготовьте проект решения ЦК,— сказал Сталин.— О борьбе с обвешиванием, обмериванием покупателей... Нет... потребителей... И об обсчетах... Вернее, так: нарушении розничных цен в торговле. Нужно подобрать факты, указать, что это противоречит заботам партии о широком потребителе. За эти факты наложить взыскания на наркома торговли Микояна, на председателя Центросоюза Зеленского, на председателя ВЦСПС Шверника — профсоюзы тоже должны следить, чтобы не обманывали, не обижали трудящихся. Постановление должно быть жестким. Пусть ЦИК издаст указ: за обвешивание и обсчет — десять лет!

— Подбор фактов займет некоторое время.

— Тогда напишите просто: в ЦК поступили... Нет! В распоряжении ЦК имеются факты. Так напишите.

Сталин вернулся на веранду и снова уселся в кресле, подставив лицо солнцу, снова задумался о Кирове. Его называют наследником. А ведь ОН старше Кирова всего на семь лет, о каком наследовании может идти речь? Неизвестно, кто раньше умрет, кавказские люди живут долго. Значит, имеется в виду наследование не после смерти, а до смерти. Не дождутся. Конвент, пославший на гильотину Робеспьера, ему не нужен. Робеспьер совершил роковую ошибку, сохранив конвент. Наполеон разогнал конвент и правильно поступил, поэтому Наполеон — великий человек, а Робеспьер, несмотря на всю свою жестокость, не более как болтун-адвокат.

Как-то в один из приездов Кирова в Москву собрались у Орджоникидзе. Были ОН, Серго, Киров, Ворошилов, Микоян, Каганович тоже был, хотя Серго его не приглашал. Не выносил. Но ОН сказал: пойдем, Лазарь, Серго на ужин приглашает. Не помнится, по какому поводу Киров рассказывал, что любил математику, физику, химию, окончил Промышленное училище с наградой, потом поступил на подготовительные курсы при Томском технологическом институте, готовился стать инженером. Кстати, не там ли он и познакомился с Иваном Будягиным? Будягин тоже учился на этих курсах, оттуда, наверно, и тянется их дружба.

Киров — человек хоть с малым, но техническим образованием, со склонностью к технике, вот и прекрасно, ему и ведать промышленностью. И пусть разукрупнит промышленность на машиностроение, химию, строительство и так далее. Надо все время разбивать эти сложившиеся аппараты, эти обоймы спевшихся людей, тасовать, тасовать, тасовать. Вот такой промышленностью пусть и управляет товарищ Киров как член Политбюро и секретарь ЦК. Ничего зазорного тут нет: в период индустриализации страны руководить главным звеном экономики — промышленностью — не зазорно. А вот если товарищ Киров не согласится, не захочет переехать в Москву, значит, он хочет остаться независимым, автономным, хочет продолжать свою особую линию.

6

Такой тоски Саша не испытывал ни в Бутырке, ни на пересылке, ни на этапе. В Бутырке была надежда — разберутся, выпустят, на этапе была цель —

дойти до места, обосноваться, терпеливо переждать свой срок. Надежда делала его человеком, цель помогала жить. Здесь нет ни надежды, ни цели. Он хотел помочь людям пользоваться сепаратором, его обвинили во вредительстве. Алферов с железной логикой ему это доказал. И Алферов в любую минуту может раздавить его, пустив в ход заявление Ивана Парфеновича. Разве можно так жить? К чему учебники французского языка, которые он ждет из Москвы, книги по политэкономии и философии? Кому он будет их излагать, с кем говорить по-французски? С медведями в тайге? Даже если Алферов его не тронет, то как и на что ему тут жить? Подшивать валенки — этому он может научиться. Вот его удел. Забыть, все забыть! Идеей, на которой он вырос, овладели баулины, лозгачевы, столперы, они попирают эту идею и топчут людей, ей преданных. Раньше он думал, что в этом мире надо иметь сильные руки и несгибаемую волю, иначе погибнешь, теперь он понял: погибнешь именно с сильными руками и несгибаемой волей, ибо твоя воля столкнется с волей еще более несгибаемой, твои руки с руками еще более сильными — в них власть. Для того чтобы выжить, надо подчиниться чужой воле, чужой силе, оберегаться, приспосабляться, жить, как заяц, боясь высунуться из-за куста, только такой ценой он сможет сохранить себя физически. Стоит ли так жить?

Саша сидел дома, пытался читать. Старик что-то чинил во дворе, тюкал топором, однообразный, монотонный стук навевал еще большую тоску. Старик ушел со двора, но читать Саша все равно уже не мог, бросил книгу. Он не вынесет такой жизни, не вынесет. Потом он лег на кровать, заснул, но и во сне его не покидало ощущение беды, проснулся в испуге, сердце колотилось.

Что хочет от него Алферов? Его доброжелательность не случайна, оставил он его тут не без причины. По логике вещей должен был пришить ему дело, оправдать свое здесь существование. А он отпустил его обратно в Мозгову, намекнул на перевод в Кежму, на работу в МТС, ничего не потребовал взамен. Пытается расположить к себе или, наоборот, деморализовать? Хочет довести до точки, держать в неведении, в напряжении, в вечном страхе, мол, материал на тебя лежит, жди, когда опять вызовут, спокойной жизни тебе не будет. Тоска, тоска...

Старуха крикнула ему через дверь:

— Ись будешь?

— Зубы болят, не буду,— ответил Саша.

Два дня он не выходил из дома, сидел во дворе, помогал старику что-то делать. Знал, что Зида ждет его, беспокоится, но и ее видеть не хотел, она была свидетельницей его позора, станет утешать, будет еще унизительнее. Да и безразличны ему все и всё. Надо кончать! Из этого круга он уже не вырвется... Но как же тогда мама? Мама этого не перенесет, такого удара он ей нанести не может, придется тянуть лямку, только бы мама знала, что он жив, только бы мама не теряла надежду.

На третий день к нему зашел Всеволод Сергеевич.

— Что с вами? Почему не появляетесь? Больны?

— Здоров.

— Алферов допек?

— Доказал, что я вредитель и ниспровергатель колхозной власти. Логично доказал, убедительно.

Всеволод Сергеевич засмеялся.

— Чему вы удивляетесь? Он по образованию философ. Пусть вас не обманывает его должность. Он фигура, величина, три, а то и все четыре ромба, больше, чем его начальники в Канске, потому и форму не надевает. Был, между прочим, за границей, а попал сюда. Боюсь, он наш будущий, так сказать, коллега или сотоварищ. А может, и обратно выскочит, все зависит от каких-то высших, нам с вами неизвестных обстоятельств. Во всяком случае, он логически доказал вам, что по заявлению председателя колхоза может стереть вас в порошок. Испортили сепаратор и обозвали председателя дураком. Это он вам инкриминировал?

— Это.

— Вот видите. Хочу вас успокоить. В тот же день сепаратор отвезли в Кежму, сделали все, что вы сказали, привезли обратно, и он прекрасно работает. Можете выйти и убедиться в этом.

— Не имею ни малейшего желания.

— Вот это правильно, Саша. Мой вам совет: больше к нему не прикасайтесь. Так что, я думаю, тема вредительства отпадает. Не волнуйтесь.

— Я не волнуюсь. Просто противно.

— Понимаю. И, если позволите мне быть с вами откровенным, я вам кое-что скажу. Позволите?

— Конечно.

— Вы, Саша, безусловно, человек. Настоящий человек! Советский человек! Это не комплимент, а констатация. Это прекрасно — быть настоящим, идейным, советским человеком. Но вы хотите таковым оставаться даже в вашем особом положении, хотите поступать так, как должен поступать советский человек. А этого нельзя, Саша: для окружающих вы не советский человек, вы антисоветский. И только с этой точки зрения здесь рассматривают и вас, и ваши действия. Вы идете по улице и видите — сепаратор не работает, вы, зная устройство сепаратора, немедленно подходите и чините его. А председатель колхоза, а уполномоченный, я имею в виду не Алферова, а другого, обычного, они думают иначе: зачем он полез в сепаратор? Ясно, чтобы сломать его. Враг вредит и пакостит, где только может — надеюсь, знаете, чьи это слова?

— Знаю.

— Вы не хотите быть изгоем, но вы должны считаться со своим положением. Вы назвали председателя дураком — это ваша главная ошибка. Если бы вы обложили его матом, ничего бы не было. Но д у р а к — слово оскорбительное, унизительное, в нем превосходство, выходит, вы умный, а он дурак. Алферов не предлагал вам переехать в другую деревню?

— Предлагал.

— Ну и что? Вы отказались? Из-за Нурзиды Газизовны?

— Я и не отказывался, и не соглашался. Я ему сказал, решайте сами, я не хочу быть ему обязанным, не хочу быть в долгу.

Всеволод Сергеевич подумал, потом сказал:

— Ну что ж, возможно, вы правильно поступили. Хотя в другой деревне вам было бы спокойнее. Здесь уже был инцидент с сыном вашей бывшей хозяйки, теперь вот с председателем, репутация у вас здесь неважная. Но будем надеяться, что все обойдется. Сейчас у вас, Саша, нервный срыв. Ваши нервы были сжаты, как пружина: арест, тюрьма, пересылка, этап, наша Мозгова, квартира, хлопоты. А как все устроилось, пружина лопнула от первой же новой натяжки. Мы все через это прошли. Главное, чтобы не перешло в хронику. Но вы парень сильный, волевой, вы должны с этим справиться. Единственный вывод: не конфликтуйте с ними и будьте аккуратны с учительницей, теперь за вами будут поглядывать, имеют на вас зуб, могут и это припаять.

Он подошел к Сашиной кровати, похлопал его по плечу.

— Хватит! Вставайте! Пойдемте поиграем в преферанс.

— Я плохо играю.

— Неважно. Карты наше утешение: уголовники — в очко, мы — в преферанс. Побрейтесь, а то вон как заросли, оденьтесь, и пойдем. Пора вам познакомиться с местной интеллигенцией.

Идти не хотелось, но Всеволод Сергеевич настаивал, и Саша подумал, что полезно посмотреть, как справляются здесь с жизнью другие люди.

Михаил Михайлович Маслов, человек лет сорока пяти с хмурым, измученным лицом, приехал сюда год назад из Соловков. По выправке в нем можно было предполагать бывшего офицера.

— А мы уже думали, вы не придете,— желчно заметил он Всеволоду Сергеевичу, когда тот вместе с Сашей явился к нему.

— Успеете нас обыграть,— добродушно ответил Всеволод Сергеевич.

Во время игры Михаил Михайлович не давал долго думать, торопил, выговаривал за неудачные ходы. Только Саше не выговаривал — человек из другого, враждебного мира, и он отделял Сашу своей сдержанностью.

И Саше Михаил Михайлович тоже был антипатичен, не любил таких раздражительных, придирчивых, на примере своего отца знал, что это не судьба, а характер.

Четвертым партнером по пульке был Петр Кузьмич, бывший торговец из города Старый Оскол Воронежской области. Начал срок в Нарыме, заканчивал здесь, на Ангаре. Лет за шестьдесят, коренастый, широкоплечий, широкогрудый, с короткой, черной с проседью бородой, в сапогах с заправленными в них брюками и в старом пиджаке, с заплатами на локтях. Единственный здесь, он охотно рассказывал о своих злоключениях.

— Не разрешали — не торговал,— говорил Петр Кузьмич,— позволили торговать — продавал, что мужику требуется: косы, серпы, вилы, москатель всякую, к чему, в общем, с детства приучен. В селе кооперация, а мужик ко мне, все у меня ко времени, знаю, что крестьянину нужно. А потом известно: фининспектор, за ним другой, принесут то налог, то обложение, то самообложение. В тюрьме золото требовали, а где взять? Мое золото — железо: полосовое, сортовое, шинное, кровельное. Золото я раньше только на царских десятках и пятирублевках видел.

Петр Кузьмич рассказывал добродушно — со следователя тоже спрашивают.

— Ладно, торговец я, лишенец, а дети при чем? Разве выбирали они себе отца-мать? Тоже ведь жить хотят, тянутся за другими и в пионеры, и в комсомол, а их гонят отовсюду. Младший, Алешка, мозговитый, уехал в Москву, устроился на завод, присылает газету: «Я, такой-то, порвал с отцом, связи с ним не имею». Обидно. Растил, поил, кормил, а тут — «отрекаюсь». А что делать, не мог иначе. Да и верил он, что торговать вредно, чужим, говорит, трудом живешь... Поворочай в лавке бочки с олифой, или лемеха, или ящики с гвоздями, узнаешь, какой он, наш труд... Ладно! Поступил Алешка в институт, на агронома решил учиться, была у него склонность к земле. Живет в Москве, в общежитии, а жена ночи не спит — голодует мальчишка. Послал я ему тридцатку, он ее обратно — идейный... Ладно, раз идейный, сиди голодный! А у матери все равно сердце рвется, послала ему с земляками сала шматок, пирогов домашних, наказала не говорить, что от нее. Земляки пришли в общежитие, Алешки нет, оставили посылку на тумбочке, у них возле каждой кровати тумбочка, вчетвером жили. Приходит Алешка, видит посылку — кто принес? Земляки принесли, объясняют. Нет, отвечает, родителева посылка, обратно отошлю. А ребята ему: зачем обратно, поедим кулацкого сала — молодые, здоровые, голодные. Умяли они и сало, и пироги. А потом свой же, что пироги эти уминал, написал в ячейку, будто Алексей мой получает посылки от родителей и, выходит, наврал, будто порвал с ними связь. Исключили Алешку из комсомола, из института, на заводе обратно работает. От своих отрекся, а те, к кому прибился, сами от него отреклись...

— Сто раз слышали,— оборвал его Михаил Михайлович,— в карты смотрите.

— Почему не рассказать молодому человеку,— кротко возразил Петр Кузьмич,— может, и ему интересно. Живы ваши родители?

— Живы,— ответил Саша.

— Не тронули их?

— За что их трогать?

— Захотят, найдут за что. Да и так разве им легко: сын в ссылке. Уж лучше самим в Сибири маяться.

— Не с той стороны вы своих детей жалеете,— с упреком проговорил Михаил Михайлович,— послали посылку, испортили жизнь. Не умер бы без вашей посылки, другие студенты обходятся. И правильно они от нас отрекаются — мы люди конченые. «Революция — локомотив истории», попали под него, смиритесь!

— Выходит, сын не сын, отец не отец.

— Именно так,— со все большим раздражением продолжал Михаил Михайлович.— «Чти отца своего и мать свою» — это от бога, а бог никому не нужен. Их религия — равенство. И так будет всюду, сделают мировую революцию и уравняют всех.

— Хватили вы с мировой революцией,— вмешался в разговор Всеволод Сергеевич,— большевики сами от нее отказались. Государство — вот религия русского человека, он и чтит бога в государе. И повинуется. И не хочет никакой свободы. Свобода вылилась бы во всеобщую резню, а народ требует порядка. Предпочитаю не Степана Разина, не Емельяна Пугачева, а Ленина, даже Сталина.

— Потому-то мы с вами здесь.

— Да. А при Степке или Емельке висели бы на осине. Большевики спасли Россию, сохранили великую державу. При так называемой свободе Россия развалилась бы на части. Новый самодержец укрепляет Россию — честь ему и хвала, а там что бог даст!

— Государство должно защищать своих граждан, ваше государство с ними воюет,— сказал Михаил Михайлович,— со мной, с вами, с Петром Кузьмичом, воюет с мужиком, на котором государство стоит, даже вот,— он кивнул на Сашу,— со своими и то воюет. Я русский, я тоже за Россию, но не за такую.

— Другой не будет,— засмеялся Всеволод Сергеевич.

Посещение Михаила Михайловича не отвлекло Сашу от мрачных мыслей, не сняло тяжести и отчаяния.

Эти сменовеховские и антисменовеховские рассуждения ему знакомы и неинтересны. Человечен только рассказ Петра Кузьмича, неужели нельзя было ликвидировать нэп без эксцессов... И сломать жизнь парню потому, что товарищи уговорили его умять присланный матерью кусок сала! Тоска...

К этой тоске прибавилась тревога за мать — до сих пор он не получил из дома ни одного письма.

По средам ссыльные собирались на берегу Ангары, ждали почтовую лодку — главное событие в их монотонной жизни. Бабы полоскали белье, ребятишки купались, вылезали из воды, дрожа от холода, ссыльные ходили по берегу, вглядывались в туманную даль реки. Наконец внизу показывалась крошечная точка, волнение усиливалось — почта или нет. Почтальон в брезентовом плаще с откинутым на спину капюшоном выбрасывал на берег мешок с фанерной биркой «Мозгова», раздавал почту, принимал письма для отправки.

Саша тоже выходил на берег, вместе со всеми ждал почту, но письма получал только от Соловейчика — «Наполеону в ссылке», так и было написано на конверте, он все еще шутил, бедняга Соловейчик, опять был исполнен оптимизма, послал ходатайство о переводе его к Фриде или Фриды к нему. Из Москвы от мамы Саша ничего не получал. Он телеграфировал ей из Канска в мае, тогда же послал первое письмо. Допустим, неделю ответ шел в Канск, предположим, в Канск письмо пришло, когда почта на Богучаны уже ушла, значит, лежало в Канске еще неделю. Еще неделю валялось в Богучанах в ожидании переадресовки в Кежму. Итого три недели, а он здесь уже больше месяца. Всеволод Сергеевич его успокаивал:

— Первого письма всегда ждут подолгу. Вы считаете по-своему, а почтовое ведомство по-своему. Иногда письма из Москвы идут три недели, иногда три месяца, почему, никто не знает. Бросили по ошибке не в тот мешок, сломалась телега, скинули почту в сельсовете, половину растеряли. Уронит почтарь мешок в Ангару — всю жизнь прождете. А наш дорогой товарищ Алферов погибает от скуки, потому с удовольствием читает наши письма, а если какое-нибудь особенно ему понравится, скажем, по своим литературным достоинствам, он продержит его месячишко, может вообще оставить у себя. Ваш расчет времени неточен, вашу телеграмму из Канска могли переврать, ваше первое письмо почему-либо до вашей матушки не дошло, значит, она получила только второе письмо и ответ ждите еще через месяц-полтора. Наберитесь терпения, мой друг.

Всеволод Сергеевич прав, и все же, видя, что другие получают письма, газеты и посылки, а он нет, Саша нервничал. С каждой почтой отправлял маме два-три письма, писал, что устроился хорошо, квартира у него прекрасная, люди кругом тоже прекрасные, ничего присылать ему не надо, он ни в чем не нуждается.

Грустный возвращался он с берега домой, шел деревенской улицей, с ним здоровались, будто ничего не произошло, будто не его обвиняли во вредительстве, не его вызывали в Кежму. И он понимал, что для деревни действительно ничего не произошло, никому до него нет дела, как пригнали сюда, так и угонят, таких, как он, тут перевидали сотни. Привыкли к мертвым, убитым, пропавшим, детей спецпереселенцев и тех не приютили.

И председатель колхоза Иван Парфенович не обращал внимания на Сашу, глядел равнодушно, сообщил куда надо, там пусть и разбираются, у него своих забот хватает.

Встречал несколько раз Зиду, она смотрела на него вопросительно, он кивал ей головой в знак приветствия, но не останавливался, видел по вечерам огонек в ее окне, но не заходил. Жалел ее, но ничего с собой поделать не мог, не до нее ему теперь, ни до кого, ни до чего.

Общался только с Федей, заходил в лавку за тем, за другим. Федя относился к нему по-прежнему дружески, попросил как-то починить велосипед.

— Ну уж нет,— ответил Саша,— ничего я вам теперь чинить не буду, сами делайте!

— Из-за сепаратора, что ли? — догадался Федя.

— А хотя бы!

— Может, еще и обойдется,— неуверенно проговорил Федя.

Саша вздрогнул. Значит, в деревне понимают, что дело вовсе не кончено. Может, обойдется... А может, и «не обойдется». Знают, если пришивают вредительство, не отвертишься...

— Я думаю, обойдется,— несколько более уверенным тоном продолжал размышлять Федя,— сепаратор работает, его в МТС свезли, а там сказали, резьба сошла, выходит по-твоему. Да он мужик невредный.

— Кто?

— Иван Парфенович, председатель наш, невредный мужик, хозяин, тоже понимать надо. Белка ушла, коровы пали, хлеб не везут, мужики на стройки вербуются, управься тут с бабами. А бабы за сепаратор глотки перервут, требуют. Ну, сказал он слово, тебе бы стерпеть, а ты гоноришься.

— Ладно,— оборвал его Саша,— давай папирос, спичек, керосину налей — пойду!

— Ну, Сашка, будь человеком, там цепь соскочила, натянуть не могу, потом выпьем по рюмке, харюз копченый есть, я-то тебе что плохого сделал? Я и Ивану Парфеновичу сказал: зря, говорю, вы, Иван Парфенович, парень он городской, московский, хотел по-хорошему, говорил бабам, а бабы что, чурки! Сладится все, Саша...

— Ладно,— согласился Саша,— показывай свой велосипед.

Через лавку Федя провел его во двор, вынес из избы велосипед. Разбирая его, перебирая втулку, шестерни, звенья цепи, гайки, Саша вспомнил велосипед, который у него был в детстве, старый дамский велосипед, собранный из частей разных марок. Он хорошо ездил тогда, стоял на седле, ехал спиной к рулю, соскакивал назад, пропуская велосипед под собой. Максим Костин бегал за ним по двору, по улице, Саша давал ему прокатиться, а иногда и возил: Макс сидел в седле, а Саша, стоя, вертел педали — на дамских велосипедах нет продольной рамы.

Велосипед напомнил Саше дачу на Клязьме. У многих мальчиков и девочек были велосипеды, и не сборные, как у него, а «Дукс», «Эйнфильд». Стоили они дорого, но люди здесь жили не бедные — «спецы», врачи, адвокаты. Ребята ездили купаться на Клязьму, чаще на Учу — она шире. Тропинка вилась вдоль железной дороги, то спускаясь в овраг, то поднимаясь к самому полотну, щебенка брызгала из-под колес, ветер бил в лицо.

К вечеру дачники собирались на платформе, прогуливались, дожидаясь московского поезда, холеные женщины в легких летних платьях с низким вырезом на груди встречали мужей, солидных мужчин в чесучовых костюмах, с тяжелыми портфелями.

Саша появлялся на платформе, ведя в руках велосипед, черноволосый, обнаженный до пояса, широкоплечий, загорелый ровным молодым загаром. Женщины смотрели на него, улыбались, спрашивали: «Чей этот шоколадный мальчик?» Саше это было приятно, сладостно, тревожно. Задевало только слово «мальчик».

Вечерами играли в прятки на опушке леса. Девочка, он не помнит ее имени, худенькая, высокая, голенастая, пряталась вместе с ним, прижималась к нему как бы нечаянно. Саша чувствовал ее сухое горячее тело, хотелось теснее прижать к себе, но он не осмеливался, грубо говорил: «Не ерзай, места тебе мало?»

Желание проснулось в нем рано, но он подавлял его — эта слабость недостойна мужчины, так он думал тогда, в свои тринадцать лет. Мальчишки во дворе цинично говорили о девчонках, врали, хвастались, эти разговоры были Саше противны, он не играл в фанты с поцелуями — пошлость, мещанство, у человека должны быть другие, более высокие интересы. Он был гордый мальчик, не хотел выглядеть слабым, трусливым. В школе, во дворе его считали сильным, отважным, никто не знал, чего это ему стоит, что он преодолевает в себе.

Он отверг голенастую девчонку, и она прилипла к Яше Рашковскому, Саша до сих пор помнит его имя, стройный мальчик из знаменитой московской балетной семьи. Он тоже учился в балетной школе Большого театра, был на год или два старше Саши, обладал гоночным «Дуксом», им выделялся в их велосипедной компании и как-то предложил поехать купаться не на Учу, а на Клязьму, там он нашел место, с которого хорошо прыгать в воду.

Они подъехали к Клязьме, сошли с велосипедов, разделись, мальчики остались в плавках, девочки в купальниках, но прыгнул один только Яшка — обрыв действительно был удобный, крутой, нависал над водой, но очень высокий, метров двенадцать, девочки даже боялись там стоять, заглядывали в воду, лежа на краю обрыва. Мальчики прыгать не решались, уж больно высоко. Яшка прыгнул «солдатиком», ушел в воду, затем вынырнул, размашистыми саженками подплыл к берегу там, где он был отлог, и по косой тропинке поднялся на обрыв. Девчонки с восхищением смотрели на него, и голенастая тоже смотрела с восхищением. Яшка Рашковский был воспитанный мальчик, не хвастал своим прыжком, не задавался, никого не подначивал прыгнуть, лег на песок, подставил спину солнцу.

Саша прыгал в воду с мостков, с лодки, а с вышки или с высокого обрыва никогда. Но ведь Яшка прыгнул, почему не может он? Надо прыгнуть, надо преодолеть страх. Он хорошо плавает, хорошо ныряет, главное — держаться прямо, вытянуться в струнку, не упасть на живот или спину, войти в воду носками. В нем говорил не дух соперничества, а стремление преодолеть свою робость. Если он не прыгнет, то будет мучиться и рано или поздно придет сюда, прыгнет. Так уж лучше сейчас.

Он встал, потянулся...

— Надо окунуться...

Шагнул к обрыву и прыгнул, глубоко вошел в воду, сделал несколько быстрых, торопливых движений, чтобы вынырнуть, очутился на поверхности, лег на спину, отдышался... Сверху, с обрыва на него смотрели, и Яшка смотрел, и голенастая...

Эти детские воспоминания еще больше травили душу: для чего воспитывал волю, для чего ковал характер?

Его окликнули, он сразу узнал голос Зиды, оглянулся, она стояла на крыльце.

— Заходила к Фединой матери, привезла ей лекарство.

Саша знал, что Зида лекарства привозит из Кежмы, подлечивает деревенских, помогает, чем может, знал также, что ученики пропускают занятия или вовсе бросают школу, а в самой школе не хватает учебников, тетрадей, даже карандашей. Зида пыталась чего-то добиться в Кежме, а если не добивалась, обходилась тем, что есть, ходила к родителям, уговаривала вернуть ребенка в школу, иногда ей это удавалось, иногда нет. Конечно, молодец, стойкая, безропотная, но к чему это ей все, для чего мается добровольно в этой глуши?

— Почему не приходишь? — тихо спросила Зида.

— Настроение хреновое.

— Зайди, Сашенька, я соскучилась...

— Увидят — несдобровать тебе. Думаешь, не понимают, для кого ты керосин ночью жжешь?

— Я не буду зажигать света. Как стемнеет, приходи. Я рыбы свежей нажарю, шаньги испеку.

Ее близость, ее голос, знакомый запах ее дешевых духов волновали Сашу.

— Выпью с Федей, как я пьяный приду?

— Какой будешь, такой и приходи.

— Не думай об этой глупой истории, не трави себя,— говорила Зида,— в МТС приходил Алферов, сказал, чтобы сепаратор отремонтировали, они в тот же день и сделали. Он сам не хочет никакого дела.

— Откуда ты знаешь?

— Мне рассказал директор МТС, я дружу с его женой.

Придумала для его утешения. Возможно, Алферов и заходил в МТС, интересовался сепаратором, но побыстрее отремонтировать просила директора, наверно, она сама. Зиде он сказал:

— Кончится эта история, придумают другую. Найдут.

— Все, что с тобой произошло, случайность, такого здесь никогда не бывало.

— Слушай,— сказал вдруг Саша,— а твой знакомый директор не может затребовать меня в МТС? Люди-то им, наверно, нужны.

Она поднялась на локте, посмотрела на него, лицо ее было совсем близко, в свете луны, доходившем через маленькие окошки, оно казалось неестественно белым.

— Ты хочешь перевестись в Кежму?

— Миленькая моя,— сказал Саша,— мне ведь надо что-то делать, на что-то жить.

Она опустилась на подушку, молчала. Не хочет, чтобы он переехал в Кежму, боится потерять его. Глупенькая, все равно потеряет. Даже если он благополучно отбудет срок, то и там, на свободе, он не имеет права ни с кем связывать свое будущее. На нем будет висеть судимость, он навсегда останется в поле зрения дьяковых, может ли он взять на себя ответственность еще за одну судьбу, еще за одну жизнь, обречь Зиду на мытарства и скитания. Ему придется затеряться, раствориться, скрыться бесследно, порвать все связи, он меченый. Он должен быть один. Не знает, удастся ли ему отстоять собственную жизнь, но две жизни он не сможет отстоять наверняка.

— Я пошутил,— сказал Саша,— не надо просить за меня. На работу все равно не возьмут. Да и в Кежме у меня больше шансов влипнуть в какую-нибудь историю. Там на меня все будут валить.

В темноте Зида протянула руку, нащупала его голову, погладила.

— Не огорчайся, ты молодой, все у тебя впереди. Сколько тебе осталось? Два года.

— Два года четыре месяца,— уточнил Саша.

— Они пролетят быстро, Сашенька. Освободишься, уедешь.

— Куда? — спросил Саша.— В Москву меня не пустят. Значит, опять скитаться, да еще с пятьдесят восьмой за плечами.

— Может быть, тебе уехать куда-нибудь, например, к нам в Томскую область...

Он почувствовал в ее словах что-то недосказанное.

— И что это даст?

— Там тебя не знают...— ответила Зида, и опять он почувствовал недосказанность: не решается сразу сказать то, что хочет.

— Видишь ли, в паспорте моя фамилия будет обозначена четко и будет проставлена отметка о судимости. Делается это так: в паспорте в графе «На основании каких документов выдан» пишется: «На основании пункта II Постановления СНК СССР от такого-то числа...» — а это постановление о паспортной системе и ее ограничениях. Таким образом, куда бы я ни поехал, в Томск или Омск, я уже судимый, тебе это понятно?

— Понятно, но паспорт можно потерять.

Он рассмеялся.

— Если бы это было так просто, все судимые давно избавились бы и от паспортов, и от судимостей. Пока, я думаю, этого никому не удавалось. При выдаче нового паспорта делают запрос куда следует и все выясняется.

— У меня там знакомые, все могут сделать.

— Жить по незаконному, подложному паспорту я не намерен.

— Все будет по закону, но придется изменить фамилию.

— Как это? Интересно?

Зида снова приподнялась на локте, наклонилась к нему.

— Если после ссылки мы с тобой отсюда уедем и там зарегистрируемся, то ты по закону можешь взять мою фамилию и тебе выдадут новый паспорт. И в графе, о которой ты говоришь, будет написано: «Выдан на основании свидетельства о браке». Будешь не Панкратовым, а Исхаковым, тоже неплохо.

— Значит, стану мусульманином,— засмеялся Саша,— а обрезание меня не заставят делать?

— Я тебе говорю серьезно. У меня там надежные люди.

— Ты сейчас это придумала?

— Я всю жизнь прожила в Сибири, и я знаю, так делают. Я тебе не навязываюсь, просто думаю, как лучше выйти из положения. А потом, если хочешь, можем разойтись, ты останешься Исхаковым, но с чистым паспортом. Сделаешь мне т а л а к.

— Что значит т а л а к?

— По-татарски — развод. Когда муж выгоняет жену, он три раза произносит слово т а л а к.

Бедная Зида, думает, ее ждет счастье, но счастья не будет ни ей, ни ему. Она предлагает ему вариант з а я ч ь е й жизни, под чужой фамилией, с чужим паспортом. И если он где-нибудь когда-нибудь встретит знакомого, то должен будет объяснять ему, что он уже не Панкратов, а Исхаков, он, видите ли, в ы ш е л з а м у ж. И если дьяковы все же доберутся до него, то будут злорадствовать и торжествовать: попытался укрыться за жениной спиной, нет, дружок, от нас ни за чьей спиной не спрячешься. И не случайно ты живешь с фальшивым паспортом, честному советскому человеку не нужен фальшивый паспорт, честный советский человек не меняет фамилию.

Но объяснять все это Зиде он не хотел. Зачем обижать ее.

— Видишь ли, Зида,— сказал Саша,— при поступлении на работу надо заполнять анкету, писать автобиографию, где родился, где учился, кто родители и кто родители родителей. Скрыть Панкратова не удастся никак. Пойдут запросы, и все выяснится.

Она настаивала:

— Уедем в какой-нибудь дальний район, поработаешь шофером или механиком, на них анкет не заводят, запросов не делают.

— Хватит,— сказал Саша,— разговор становится бессмысленным. С этой фамилией я родился, с ней и умру. Перемен не будет.

7

Фининспектор обвинил Костю в сокрытии доходов и обложил громадным налогом, неуплата грозила тюрьмой. А пока у Кости описали имущество — по месту жительства, в Сокольниках, хотя имущество, как он утверждал, принадлежало не ему, а его бывшей жене Клавдии Лукьяновне. Так Варя узнала, что он не разведен.

Если бы с самого начала Костя сказал ей, что он с кем-то расписан, но не успел оформить развод, Варя не придала бы этому значения. Но он скрыл, потому и не показывал своего паспорта, такие уловки унизительны. Первый сигнал из другой, неизвестной ей Костиной жизни.

— Ляленька,— убеждал ее Костя,— иначе я поступить не мог. С Клавдией Лукьяновной я зарегистрировался только ради прописки в Москве и за большие деньги. Я тебе об этом не говорил, боялся, что ты не поймешь. Но таких сделок тысячи, иначе люди не смогли бы прописаться в Москве. Чтобы выписаться от Клавдии Лукьяновны, я должен где-то прописаться. Где? У кого? Кто меня пропишет? Софья Александровна? Кто ей разрешит? Прописаться у тебя? Нина этого не допустит, она меня не признает.

— Какой же выход? — спросила Варя.— Клавдия Лукьяновна останется твоей официальной женой, а я фактической?

Он с достоинством ответил:

— Я оборудую сложную электрику в одном научно-исследовательском институте при Академии наук. Они строят для сотрудников жилой дом и обещали мне комнату.

Как всегда, у Кости прозвучало внушительно: институт, Академия наук, сложная техника... Но Варе достоверным не показалось.

— Если хотят дать комнату, должны зачислить в штат.

Растягивая губы и медленно выговаривая слова, Костя ответил:

— Хорошо... Не хотел говорить, но приходится... Ты как думаешь: мне заказы дают за красивые глаза? Нет, Ляленька! Половину я отдаю тому, кто заказывает. И, чтобы получить свою долю, они должны держать меня на договоре, на крупном договоре, но он крупный только на бумаге — половину я отдаю им. А налог плачу со всей суммы — что же остается мне? Ни-че-го! Ни копейки! А ведь нам с тобой надо на что-то жить. Вот я и не записал в декларации две мелкие суммы по каким-то больницам. «Фин» к этому придрался. Поверь мне! Я давно послал бы все эти дела к чертовой матери! Тянул только из-за этого института, надеялся на комнату. И слава богу, что мы с тобой не расписались, не то описывать имущество пришли бы к тебе.

— А Клавдия Лукьяновна?

— Что Клавдия Лукьяновна?

— У нее за что описали имущество?

— За Клавдию Лукьяновну не беспокойся. Она себя в обиду не даст, бывала и не в таких переплетах. Ни о чем и ни о ком не беспокойся, все уладится, все пройдет. Если я что-то не договариваю, то лишь для твоего спокойствия, твое спокойствие для меня главное!

Он говорил долго, когда ему надо было кого-нибудь в чем-нибудь убедить, у него находились тысячи слов, сотни доводов.

Верила ли ему Варя? Она хотела верить, иначе как же жить с ним. Но она с горечью думала о том, что независимости нет ни у кого, нет ее и у Кости, и, может быть, он лишен ее в большей степени, чем другие. Левочка зависит от своей службы, пусть ничтожной, но легальной, от своей зарплаты, пусть мизерной, но законной. Костя зависит от сотни обстоятельств, опасность подстерегает его на каждом шагу. Сегодня он богат, завтра станет беднее всех, сегодня на гребне жизни, завтра может быть низринут на самое ее дно.

Каким образом выкрутился Костя из этой истории, Варя не знала. Но, по-видимому, выкрутился. Две недели он почти не бывал дома, не бывал в ресторанах, в бильярдных, две недели лихорадочной, неведомой Варе деятельности, пока наконец он сказал ей, что выплатил весь налог. Однако с артелью кончено навсегда. Каковы теперь Костины планы, Варя не знала, он ее в них не посвящал, а она не спрашивала.

Костя сказал лишь, что поступил на работу в мастерскую по ремонту пишущих машин на улице Герцена, в пишущих машинах он разбирался. Дал ей телефон мастерской, но предупредил, что застать его там трудно: в десять утра он уезжает в разные учреждения ремонтировать пишущие машины, а иногда, если получает наряды накануне, то уезжает по заказчикам прямо из дома. Очень быстро Варя догадалась, а потом и убедилась в том, что в мастерской Костя только числился, его наряды выполняли другие мастера, они и получали за него зарплату. Косте это давало официальное положение — сотрудник мастерской по ремонту пишущих машин. Единственным же его занятием и единственным источником дохода стал бильярд, один только бильярд.

И тогда Варя твердо решила: все! Хватит! Пора идти работать!

Левочка и Рина обещали Варе помочь. Они работали в Бюро по проектированию гостиницы «Москва», там же, где и Зоя. Вообще говоря, Варя могла устроиться без чьей-либо помощи: чертежники-копировщики требуются всюду, объявления висят на всех досках. Но лучше работать со своими. Левочка и Рина говорят, что гостиница «Москва» — самое крупное и важное строительство столицы, подчиняется непосредственно Моссовету, ставки повышенные, столовая очень хорошая. Новое здание соединят с «Гранд-отелем», и тогда это будет одна из самых больших гостиниц в Европе. В Бюро собрались лучшие архитекторы, художники, инженеры и техники. В частности, Левочка и Рина очень хвалили своего руководителя, они называли его странным именем Игóр — молодой талантливый архитектор, один из авторов проекта, внимательный, добрый, отзывчивый. И если Варя хорошо себя покажет, то во власти Игóра продвинуть ее, как он продвинул Левочку — тот уже техник. И Рине предстоит такое же назначение. Бюро помещается на пятом этаже гостиницы «Гранд-отель», в Охотном ряду, от их дома на Арбате это всего лишь седьмая остановка, и трамваев два: четвертый и семнадцатый. Это обстоятельство особенно подчеркивала Зоя. Она работала в том же Бюро, но в другом отделе.

В назначенный Левочкой день Варя приехала в «Гранд-отель».

Лабазы Охотного ряда, церквушку и другие строения между «Гранд-отелем» и Манежем снесли, стройку обнесли забором. Варя вошла в подъезд гостиницы. Швейцар в ливрее проводил ее взглядом, но, куда идет, не спросил. Ничего не спросил и лифтер, поднявший ее на пятый этаж.

Выйдя из лифта, Варя, как ей объяснил Левочка, повернула налево и пошла длинным коридором, разглядывая номера, оставшиеся на дверях с того времени, когда этаж еще принадлежал гостинице. Увидев номер 526, открыла дверь.

В точно такой же комнате они жили с Костей в Ялте в гостинице «Ореанда» — высокие потолки, высокие узковатые окна. Только вместо гостиничной мебели здесь стояли три простых стола, на них на скошенных подставках — чертежные доски.

У окна работал Левочка, оглянулся на Варю, приветливо улыбнулся, обнажив косой зуб, положил рейсфедер.

— Пришла? Молодец!

— А где Рина?

— Вышла. Скоро вернется. Диплом принесла?

Он пробежал глазами Варино свидетельство об окончании школы.

— Порядок! Пойдем!

Открыл дверь в соседнюю комнату.

— Можно, Игорь Владимирович?

И, не дожидаясь ответа, вошел, ведя за собой Варю.

Как только Варя услышала это имя, она мгновенно все сообразила. Как она не догадалась раньше? Игóр — так они переиначили имя «Игорь». Даже не подумала, что это тот самый Игорь Владимирович, с которым Вика познакомила ее в «Национале». Сообрази она это раньше, она бы сюда не пришла. Но поздно. Игорь Владимирович увидел ее, сразу узнал, брови его удивленно приподнялись, он встал, вышел из-за стола, приветливо и в то же время вопросительно, даже немного растерянно улыбаясь.

— Вот, Игорь Владимирович,— сказал Левочка,— это та самая девочка, о которой я вам говорил, так сказать, гражданка Иванова, у нее диплом. Варя, покажи диплом.

Варя снова вынула из сумочки удостоверение об окончании школы, положила на стол.

— Садитесь, пожалуйста,— пригласил Игорь Владимирович Варю, усаживаясь на свое место.

— Я пойду? — спросил Левочка.

— Да, да, идите, спасибо...

Левочка вышел.

Игорь Владимирович прочитал Варино свидетельство.

— Вы работали где-нибудь?

— Нет.

— Да, да, конечно, этому свидетельству всего три месяца,— он улыбнулся,— какая неожиданная встреча. Мне Лева говорил о вас, очень рекомендовал, но я никак не ожидал, что это вы.

— Я тоже не ожидала вас увидеть,— сказала Варя.

Первое смущение прошло, но стало почему-то грустно. Она видела Игоря Владимировича только один раз, месяца три или четыре назад, а казалось, что с того времени прошла вечность... Прогулка по Александровскому саду, разговор о Бове, убегание от сторожа, порванный чулок — из какого далека все это явилось.

— Вы немного изменились,— сказал Игорь Владимирович,— вернее, чуть повзрослели.

— Я вышла замуж,— объяснила Варя. Ей казалось, что таким заявлением она вносит полную ясность в их отношения.

— Эти сведения до меня дошли,— улыбнулся Игорь Владимирович.

«От Вики»,— подумала Варя.

— Ну, хорошо,— сказал Игорь Владимирович деловито,— приступим. Стажа работы у вас нет, придется начать копировщиком.

— Я это знаю.

— Вы любите чертить?

— Люблю.

— Прекрасно. Возможны два варианта: или вы будете работать в общей чертежной мастерской, или в моей группе вместе с Левочкой и Риной. Что вас больше устраивает?

Варе хотелось работать не в общей чертежной, где она никого, кроме Зои, не знает, а здесь, с Левой и Риной. Но это значит работать рядом и под руководством Игоря Владимировича. Конечно, он ей никто, посидели часок в «Национале», прошвырнулись по Александровскому саду, поболтали... Она теперь замужем, но все равно и теперь нравится ему, она это чувствовала, видела его смущение, и работать вместе им будет неудобно.

И потому Варя ответила:

— Не знаю. Мне все равно.

— Начните у нас,— предложил Игорь Владимирович,— вам первое время будет легче рядом с друзьями, с Левой, Риной. А освоитесь, осмотритесь, решите, где вам лучше. Договорились?

В знак согласия она кивнула головой.

Он протянул ей лист бумаги и ручку, продиктовал заявление о приеме на работу. Прочитал, скрепкой прикрепил к нему Варино свидетельство, встал, держа все это в руке, открыл дверь в соседнюю комнату, пропустил вперед Варю. Там кроме Левочки была уже и Рина, ободряюще подмигнула Варе.

— Лева,— сказал Игорь Владимирович,— я скоро вернусь, а ты пока введи Варю в курс дела.

Он вышел, Рина рассмеялась.

— Видишь, какая тебе честь, сам пошел оформлять.

— Боится, что кадровик ее напугает,— заметил Левочка.— Все будет в порядке. Рина переходит на должность техника, а ты будешь трудиться на ее месте под моим верховным руководством.

А ведь Рина видела ее с Игорем Владимировичем в «Национале», не на это ли намекает?

— Он мне предлагал общую чертежную,— ответила Варя, отвергая тем самым намек Рины.

— Странно,— сказал Лева,— ведь мы с ним договорились, что будешь работать у нас. Я и Косте обещал.

— Что ты обещал Косте? Присматривать за мной?

— Ну что ты, Варя, зачем? Просто обещал тебе помогать на первых порах... Ладно! Вот твой стол, смотри: доска, рейсшина, инструмент будешь брать у кладовщика.

— Пока не обзаведешься своим,— заметила Рина.

— Это будет позже, когда она заработает много денег,— возразил рассудительный Левочка.— Нашим казенным инструментом вполне можно работать.

Он открыл шкаф, показал чертежи, где что лежит, где что брать, Рина вставляла забавные замечания, в общем, все было мило, приятно, весело.

За этим занятием и застал их Игорь Владимирович.

— Знакомитесь?

— Конечно.

— Варя, зайдите ко мне на минутку.

Они вернулись в его кабинет. Сев сам и снова пригласив сесть Варю, Игорь Владимирович сказал:

— Резолюция начальства на вашем заявлении есть, завтра с утра приступайте к работе. Вот вам ваш диплом. И еще...

Вместе со свидетельством об окончании школы он протянул ей громадную, на четыре страницы анкету, усмехнулся.

— Это вы заполните дома, завтра принесете, передадим в отдел кадров. Вы впервые поступаете на службу и с такими анкетами не сталкивались — глупее этого ничего не придумаешь, но такова формальность, приходится ее соблюдать. Ваши родители живы?

— Нет.

— Ах, так. Значит, просто напишите дату их смерти, никаких сведений на них не заполняйте. И еще один вопрос... Только поймите меня правильно, он продиктован чисто деловыми соображениями: вы с мужем зарегистрированы?

— Нет.

— Спрашиваю я вот почему: в анкете много вопросов о муже, о его родственниках, дедушках, бабушках, все это очень сложно заполнять, многого ни вы, ни ваш муж можете не знать, надо будет куда-то писать, запрашивать... Но если вы не зарегистрированы и у вас нет детей, то можете про свой брак не писать и на все эти бесчисленные вопросы не отвечать.

Варя молчала, не могла сразу понять, что стоит за его словами. Вероятнее всего, он говорит серьезно и никакой двусмысленности за этим нет. Но чем-то оскорбительно. Вика наговорила: мол, вышла замуж за бильярдиста, не то кустаря, не то частника, в общем, темная личность. И вот Игорь Владимирович опасается, что это осложнит ее прием на работу. Ну и плевать! Подумаешь! Можно устроиться и в другое место, не в такое важное, без таких анкет.

Точно угадав ее мысли, Игорь Владимирович сказал:

— Поступайте, как сочтете нужным. Мы вас возьмем на работу при всех обстоятельствах. Просто я хотел облегчить вам выполнение этой неприятной обязанности, хлопотливой и канительной.

— Я посмотрю,— сдержанно ответила Варя.

— Советую вам сначала записать ответы на бумажке, все хорошо проверить, а затем перенести в анкету, чтобы не было помарок и исправлений, а то заставят снова заполнять.

— Хорошо, я так и сделаю.

— Ну и прекрасно,— Игорь Владимирович встал,— ждем вас завтра. Начинаем мы в девять, кончаем в четыре. Надеюсь, вам будет у нас хорошо.

Домой Варя пошла пешком, мимо Университета, потом по Воздвиженке и по Арбату.

Неприятный осадок, который остался после разговора с Игорем Владимировичем об анкете, не мог омрачить общего радостного настроения, вызванного прикосновением к настоящей жизни. Левочка и Рина — молодцы! Для них рестораны, сад Эрмитаж — второстепенное, главное — работа на громадной стройке в центре Москвы. Чертежные доски, рейсшины, линейки, лекала, рейсфедеры, запахи туши и тонко очиненных карандашей напомнили ей школу, уроки черчения, она их никогда не пропускала. Все это предвещало ей новую, интересную жизнь.

Что касается Игоря Владимировича, то ее смущение было напрасным, ни в чем она перед ним не провинилась, наоборот, поступила честно, отказалась идти с ним и Викой в «Канатик», он и тогда показался ей человеком из подлинной, не Викиной жизни, морочить ему голову она не могла. И еще он показался ей тогда старым. А ведь, наверно, ровесник Косте.

Советует ей не указывать мужа — не хочет, чтобы она испортила себе анкету. Знаменитый архитектор и тот боится. Но она никого не боится. Каков бы ни был Костя, она не собирается его скрывать. Какое им дело до ее мужа, до его родных, не они, а она поступает на работу, пусть ее проверяют.

Дома Варя уселась за стол, развернула анкету, просмотрела.

Анкета оказалась не на четырех, а на восьми страницах, вопросы привели ее сначала в недоумение, потом в негодование, в ярость и, наконец, в полную растерянность.

Как советовал ей Игорь Владимирович, она положила рядом с собой лист бумаги, черновик, в который сначала и записывала ответы.

1. «Фамилия, имя, отчество. При перемене укажите, какую фамилию или имя носили ранее». Так, это ясно: Иванова Варвара Сергеевна, фамилии не меняла.

2. «Год, месяц, число и место рождения». Тоже ясно: пятое апреля 1917 года, Москва.

3. «Национальность и гражданство (если состояли в иноподданстве — укажите)». Тоже ясно: русская, подданная СССР.

4. «Сословие или социальное происхождение до революции (из крестьян, мещан, купцов, дворян, почетных граждан, духовного звания, военного сословия и т. д.)». Ее родители были учителями, какое же это сословие? Надо спросить у Нины. Но каково тем несчастным ребятам, у которых родители духовного звания — «поповна» или воинского сословия — «офицерский сынок».

5. «Образование». Здесь просто: окончила среднюю школу с чертежно-конструкторским уклоном.

6. «Какими иностранными языками владеете?» Ответ: немецкий — могу кое-как объясниться.

7. «Партийность и партстаж». Беспартийная.

8. «Время вступления в ВЛКСМ». В ВЛКСМ не вступала.

9. «Если состояли в ВКП(б) или ВЛКСМ ранее, укажите, какой период, причину выбытия. Состояли ли в других партиях?» Варя написала: ни в ВКП(б), ни в ВЛКСМ, ни в каких партиях не состояла.

10. «Налагались ли за время пребывания в ВКП(б) или ВЛКСМ взыскания (где, когда, кем, какие, за что и сняты ли они, если сняты, то кем)». Ответ: поскольку нигде не состояла, то никакие взыскания на меня не налагались, поскольку не налагались, то и не снимались.

11. «Были ли колебания в проведении линии ВКП(б), участвовали ли в оппозициях и антипартийных группировках (где, когда, каких)». Здесь она ответит так: поскольку в ВКП(б) не состояла, то ее линию нигде не проводила, а потому и не колебалась, в оппозициях и в антипартийных группировках не состояла.

12. «Привлекались ли Вы или Ваши родственники к суду и следствию, подвергались ли арестам и наказаниям в судебном и административном порядках, лишались ли избирательных прав, не состоят ли под судом и следствием и не отбывают ли наказание в настоящее время».

У нее никого нет ни в тюрьме, ни под судом, ни под следствием. И родственников нет, кроме тетки в Козлове, а может быть, у этой тетки кого-нибудь посадили или лишили избирательных прав? Она, конечно, напишет «нет», но у нее ощущение, будто она что-то скрывает и там, в том таинственном отделе кадров, предъявят ей какого-нибудь арестованного родственника, о существовании которого она понятия не имеет. Неужели Софья Александровна, поступая на работу, заполняла такую же анкету? И пришлось написать о Саше?

13. «Были ли за границей, в какой стране, с какого по какое время, чем занимались...» Не была.

14. «Имеете ли Вы и Ваша жена (муж) в данное время или имели в прошлом родственников за границей (кого, где). Поддерживаете ли (поддерживали в прошлом) с ними связь, укажите, состоял ли кто-нибудь из Ваших родственников в иноподданстве».

В ее школе учились дети бывших дворян из арбатских переулков, у всех у них, безусловно, родственники за границей, многие потомки Пушкина и Толстого за границей. Интересно, как эти бедняги отвечают на вопрос, ведь надо написать «где», а кто знает «где», если все боятся переписываться с заграницей.

15. «Были ли Вы или Ваши родственники в плену или интернированы во время империалистической или гражданской войны?» Ну вот, уже до империалистической войны добрались!

16, 17, 18, 19, 20, 21. Служба в Красной Армии, в партизанах, в подполье, ранения, контузии. Все это — нет!

22. «Укажите, кто из родственников (перечисленных в п. 27) состоял в других партиях, работал до революции в полиции, жандармерии, прокуратуре, суде, тюремном ведомстве, пограничной или конвойной охране».

Так, посмотрим, кто перечислен в п. 27? «Жена, муж, дети, мать, отец, братья, сестры. Муж указывает как своих родственников, так и всех родственников жены, жена указывает как своих родственников, так и родственников мужа...» Боже мой! Значит, она должна указать не только всех своих, но и всех Костиных родственников, не служили ли они до революции в пограничной или конвойной охране? Знает ли это сам Костя? Почему человек должен отвечать за родственников жены или мужа?

23. «Семейное положение (женат, холост, вдов), перечислите членов семьи и укажите их возраст. Если вдов, разведен или женат вторично, укажите фамилию, имя и отчество прежней жены (мужа)...» Ну, какое дело проектному бюро до жены, умершей двадцать лет назад? Какое отношение это может иметь к проекту гостиницы?

24. «Адрес нынешний». Понятно...

25. «Все прежние домашние адреса со дня рождения...» У нее ясно — нигде, кроме этого дома на Арбате, она не жила. А если эту анкету заполняет человек пожилой, сколько адресов он должен помнить? Тем более со дня рождения! А если его родители умерли, как он может знать свои адреса в детстве?

26. Вот самый каверзный вопрос, о котором предупреждал Игорь Владимирович: «Сведения о Ваших близких родственниках (укажите сведения на жену, детей, мать, отца, братьев, сестер. Жена в своей анкете указывает сведения на мужа и своих близких родственников). Фамилия, имя, отчество, степень родства, год, месяц, число рождения, место рождения, национальность, партийность, место и адрес работы и должность, адрес местожительства. Те же сведения на родственников жены, мужа». Значит, все эти сведения она должна заполнить не только на Нину и на покойных папу и маму, но и на всех Костиных родственников, а у него пять братьев и две сестры, и все они раскинуты по Союзу, а отец и мать вовсе раскулачены.

Теперь она понимает: предупреждение Игоря Владимировича вызвано самыми лучшими побуждениями. Но она на такое соглашательство не пойдет, она приспосабливаться не будет, не на такую напали!

Ну ладно, что тут еще?

«Приметы: рост, волосы, глаза, другие приметы».

Не хватает только отпечатков пальцев. Нет, уж это чересчур! К чертовой матери! На этот унизительный допрос она отвечать не будет. Найдет место, где не требуются такие анкеты, в простых, рядовых конторах тоже нужны чертежники-копировщики. В крайнем случае, вообще не пойдет на работу, будет готовиться в вуз, в следующем году подаст в Архитектурный. Пусть ей не дадут стипендию, скажет Косте: «Не покупай мне дорогих вещей, на эти деньги я буду учиться». Меховая накидка из чернобурки, которую он недавно ей подарил, стоит, наверно, две или три годовые стипендии. Если она продаст свои тряпки, то ей хватит на несколько лет. Зато будет студенткой, будет учиться, ее не будут проверять вдоль и поперек. И, когда она станет дипломированным архитектором, ей не посмеют тыкать в нос такие анкеты.

Варя сложила анкету, кинула на стол — покажет ее Косте завтра, пусть посмеется.

Она переоделась в домашний халат и повесила платье в шкаф. Но, когда уже закрывала его дверку, ей вдруг показалось, что чего-то в шкафу не хватает... Да, точно! Не хватает той самой накидки из чернобурки, которую недавно подарил ей Костя. Накидка стоит громадных денег, на нее ушло шесть или восемь чернобурок. Варя надевала ее всего один раз, когда они ездили на Старо-Пименовский.

Варя вытащила из шкафа платья, пальто, жакет, все обшарила, накидки не было. Ничего не тронуто, нет только накидки. Первой, о ком подумала Варя, была соседка Галя. Или ее сынок Петька — пятнадцатилетний дворовый хулиган.

Софья Александровна уже пришла с работы, Варя постучалась к ней, вошла, плотно прикрыла за собой дверь.

— Софья Александровна, пропала моя накидка из чернобурок.

— Как пропала? — растерялась Софья Александровна.

— Сегодня утром висела в шкафу, а сейчас ее нет.

— Ты хорошо искала?

— Весь шкаф перерыла. Ее украли!

— Украли? Кто?

— Не знаю кто. Может быть, Галя или ее сынок Петька.

— Но ведь у них нет ключа от твоей комнаты... Я столько лет живу с ними. Такого никогда не бывало.

— Раньше Петька был маленький, а теперь подрос и начал воровать, ничего нет странного.

— Надо звонить в милицию,— сказала Софья Александровна.

Но Варе не хотелось звонить в милицию без Кости. Почему? Она сама не знала почему. Но чувствовала: надо сказать раньше Косте, а потом связываться с милицией.

— Нужно подождать Костю.

— Что ты, Варенька?! Константин Федорович придет поздно. В милицию надо сообщить немедленно. Иначе они потом спросят: почему сразу не сообщили?

— Откуда они знают, когда я открыла шкаф. Приду к ним завтра и скажу: только что открыла шкаф и увидела пропажу.

— Завтра им будет труднее искать,— настаивала Софья Александровна,— искать надо по горячим следам, не откладывая. Я понимаю, все это очень неприятно, но другого выхода нет. Эта накидка стоит целое состояние. И, если ее украл Петька, тем более нельзя спускать, иначе он будет обкрадывать нас и дальше. Во что тогда превратится жизнь!

— Я сейчас разыщу Костю и посоветуюсь с ним,— сказала Варя.

Она переоделась, накинула плащ, вышла из дома.

Что удержало ее от звонка в милицию, чего остерегалась, почему побежала к Косте? Может быть, из-за фининспектора? Ведь он описал Костино имущество. В милиции могут спросить, откуда у нее такая дорогая накидка, она должна будет сказать, что подарил Костя, значит... Что значит? Она сама не знала, что именно значит. Только отчетливо сознавала, что обращаться в милицию без Кости нельзя. Она ведь даже не знает, откуда эта накидка. Костя ее принес, развернул.

— Примерь!

Накидка сидела прекрасно.

— Мой тебе подарок.

— Спасибо. Сколько она стоит?

— Какая тебе разница? Стоит. Недешево.

Накидка новая, куплена, видимо, с рук или пошита каким-нибудь подпольным скорняком, а может быть, из торгсина. Во всяком случае, не ворованная, будь она ворованная, Костя не позволил бы пойти в ней в актерский клуб. И все же он не сказал ей, где купил. Все, что касается Кости, всегда связано с опасением подвести его в чем-то.

Она нашла Костю в бильярдной «Метрополя». Варя терпеть не могла бильярдные — женщине там не место. Одни мужчины: трезвые, пьяные, полупьяные, смотрят кто с любопытством, кто насмешливо, как на докучливую жену, пришедшую вызволять отсюда мужа. Накурено, душно, бледные лица, испитые морды.

Костя не заметил Варю, ничего не видел, кроме шаров, луз и своего кия, следил за ударом противника, что-то записывая на грифельной доске, тут же поворачивался обратно к столу — напряженный, сосредоточенно азартный.

Чьей победой кончилась партия, Варя не поняла. Костя что-то сказал маркеру, тот начал устанавливать новую пирамиду, Костя снова мелил кий и только в эту минуту окинул бильярдную цепким настороженным взглядом и увидел стоящую у дверей Варю. Но не удивился, казалось, ждал ее прихода, только еще сильнее нахмурился и, не выпуская из рук кия, подошел к ней.

— Выйдем!

Они вышли в коридорчик перед бильярдной, там стояли два маленьких дивана, кресло, и, как подумала Варя, здесь-то, наверно, и полагалось курить. Она вдруг успокоилась: по лицу Кости поняла, что звонить в милицию не придется...

— Чего тебе? — спросил Костя, не глядя на Варю.

— Пропала накидка.

— Какая накидка?

— Из чернобурок, которую ты мне подарил.

Несколько мгновений он молчал, глядел в сторону, точно не понимая, что она ему говорит. И она подумала, что перед ней человек, которого она совсем не знает.

Наконец он сказал:

— Я тебе куплю другую, лучшую. Так получилось, я проигрался, не мог достать денег и рассчитался твоей накидкой, иначе они бы меня убили. Поезжай домой, я тоже скоро приду.

Варя вернулась домой.

— Ну что? — спросила Софья Александровна.

— Константин Федорович отвез накидку к скорняку, там надо кое-что сделать. Хорошо, что мы не позвонили в милицию.

Варя прошла в свою комнату, сняла плащ, сбросила туфли, уселась на диван, задумалась.

Итак, накидку он проиграл. И, где ее достал, тоже неизвестно. Может быть, выиграл у такого же игрока, а тот, в свою очередь, проиграл накидку своей жены.

Ей не жаль накидки, плевать! Но сегодня накидка, завтра пальто, послезавтра туфли. Пьяница вещи своей жены пропивает, игрок — проигрывает. Вика, Ноэми, Нина Шереметева — девки, но они не рискуют увидеть свои вещи на чужих плечах. Сегодня он проигрывает ее тряпки, завтра может проиграть ее саму. Какая она была дура! Польстилась на его мнимую независимость.

Теперь узнала цену этой независимости. Теперь она зависит от того, как покатятся шары на бильярдном столе.

Такая судьба ее не прельщает, она не может зависеть от него, не желает, подарки, которые он потом проигрывает, ей не нужны, с его помощью вуз она не кончит.

Она может рассчитывать только на себя. Черт с ней, с анкетой! Всюду анкеты, всюду эта процедура, так уж лучше пройти через нее там, где у нее есть друзья, чем в другом месте, среди чужих и незнакомых людей. Игорь Владимирович прав — про Костю она не напишет, достаточно того, что напишет о себе. Да и зачем писать о Косте? Все теперь ясно, ее никогда не покидало ощущение случайности и недолговечности этого брака.

А про себя ей легко написать. На все каверзные вопросы у нее один ответ — нет! Что касается покойных папы и мамы, то придется спросить у Нинки, Нинка все знает.

Нинка, правда, бойкотирует ее из-за Кости, не приходит, не звонит, встречаясь во дворе, не останавливается, сухо кивает головой. Дело ее! Но сведения о папе и маме она обязана дать, это ведь не только ее родители. Но дома ли сейчас Нина?

Она набрала телефон, Нина оказалась дома.

— Это Варя, я сейчас зайду к тебе, у меня есть дело.

— Есть дело, заходи,— сухо ответила Нина.

Зря позвонила, получилось, что спросила разрешения. Надо было просто пойти.

8

Выйди Варя замуж неудачно, Нина приняла бы участие в судьбе сестры, защитила бы, утешила. Но то, что произошло, не просто неудача — это измена всему тому чистому, бескорыстному, в чем они росли, в чем воспитывали их, пока были живы родители.

Как-то, встретив Нину во дворе, Юра Шарок сказал:

— Твоя Варя спуталась с вором.

Нина не любила Шарока. Но Лена Будягина снова с ним, ради Лены Нина не хотела ссориться с Шароком. И все же Юркины предупреждения ей не нужны.

— Почему же вор на свободе?

— Сядет в свое время,— пообещал Шарок.

Правду или неправду сказал Юра, но этот так называемый Варин муж — человек, безусловно, сомнительный, из другого мира, глубоко Нине отвратительного, мира ресторанов, игроков, спекулянтов и жуликов. Они с Варей по разные стороны баррикады. И не случайно ее приютила Софья Александровна, она тоже по другую сторону баррикады — не может простить Советской власти высылки Саши. Но если даже это ошибка, то Советская власть здесь ни при чем, от ошибок не избавлена никакая власть. И, когда в стране идет ожесточенная классовая борьба, когда партия вынуждена ликвидировать остатки враждебных партий, фракции и оппозиции, отдельные ошибки тем более неизбежны.

А с Сашей — какая же это ошибка? Лена Будягина со слов Юры Шарока под большим секретом сказала ей, что в институте, где учился Саша, существовала антисоветская организация, они использовали Сашу, он их защищал, и его арестовали вместе с ними. Правда, дали всего три года ссылки, разобрались в том, что он не главарь, но он не мог не понести ответственности, тем более, намекал Шарок, вел себя на следствии вызывающе, не признавал своих ошибок, надеясь на могущественного дядю — Рязанова. Но вмешательство Рязанова, как и вмешательство Ивана Григорьевича Будягина, не помогло.

Софье Александровне следовало бы примириться, взрослый человек, должна понимать. Но она всех возненавидела, хочет, чтобы и другим было плохо, приняв Варю с ее аферистом, она бросила вызов не только Нине, но и всем Сашиным друзьям.

Впрочем, если говорить честно, Варя выбрала этот путь еще в школе: мальчишки, губная помада, тряпки. Нина и тогда ничего не могла с ней поделать, ничего не может сделать и сейчас. Значит, так тому и быть! Теперь, что ни случись, выкручивайся сама. На прописку своего муженька пусть не рассчитывает, здесь площадь ровно на двоих. Для вора, для афериста, для бильярдного игрока она не пожертвует и сантиметром. Пусть живут как хотят и где хотят. Безусловно, насчет жилплощади Варя сейчас и пожалует.

Но Варя пожаловала совсем за другим. Ей нужны сведения для заполнения анкеты, а анкета нужна для поступления на работу.

Варя на работу?! Неожиданно! Странно! Не вяжется с ее нынешним образом жизни.

— Куда же ты идешь на работу, если не секрет?

— Секрета нет. В Бюро по проектированию гостиницы «Москва».

Нина все поняла: не от хорошей жизни идет, неважные, видно, дела у муженька. Но расспрашивать не стала. Надо будет, сама расскажет.

— Какие сведения тебе нужны?

Варя протянула ей анкету, указала пункт 27: «Сведения о ваших близких родственниках...»

— Ты напиши мне на бумажке, а я потом впишу в анкету.

Она села, обвела взглядом комнату.

Новой была только висевшая на стене фотография Максима Костина. Военная гимнастерка, кубики в петлицах, доброе, простое, хорошее лицо. Значит, Нина переписывается с Максом. Выходила бы за него замуж, они ведь подходят друг другу. Стала бы со временем матерью-командиршей, это тоже ей подходит.

Все остальное в комнате, как и было раньше. На книжной полке рядом с детской энциклопедией в рамочке фотография — папа и мама в молодости; стол под облупившейся клеенкой; стоптанные домашние туфли под Нининой кроватью, а на ее, Вариной, кровати яркая косынка на подушке, рядом бронзовый атлет с лампочкой в вытянутой мускулистой руке. К Софье Александровне Варя не взяла даже постельного белья и патефон свой не забрала — он ей там не нужен. И, хотя вскоре обнаружилось, что ей многого не хватает, предпочитала покупать заново. Зашла только один раз — за свидетельством об окончании школы, Нинки тогда дома не было, и слава богу, что не было.

Но сейчас, когда она сидела и осматривала комнату, привычные вещи, вдыхала привычные запахи, она снова ощутила себя прежней девочкой, ей сделалось тоскливо и она отчетливо поняла, что, несмотря на Нинкино занудство, спокойной она может быть только здесь, здесь ее дом, другого дома у нее нет и не скоро будет.

Нина протянула ей свои записи.

Варя сверила их с анкетой, все в порядке, Нина ответила на все вопросы.

— Да, хорошо, спасибо... Ну ладно, до свидания.

— Будь здорова.

Правильно ли вела она себя с сестрой? А как еще она могла себя вести? Прыгать от счастья? Оттого, что Варя поступает на работу? Все работают. Элементарная вещь. Никого Варя не осчастливила. Могла бы поступить в вуз, хочет работать копировщицей, каждый выбирает свой путь. Говорим о женском достоинстве, но забываем о нем, как только появляется мужчина. Варя — ладно, девчонка, воспитанная двором, улицей... Но Лена Будягина, Лена, взрослая женщина, выросшая в такой семье! Тогда, зимой, Нина это теперь знает, Ленка делала от Юры подпольный аборт, чуть не умерла, а он, негодяй, ни разу не пришел в больницу, явился через полгода, и Ленка опять сошлась с ним. Не видит, что он такое? В НКВД работают не только настоящие чекисты, и там хватает примазавшихся — Юрка один из них. Ленка не может этого не знать. И вот новая история, новая «трагедия» — Юрка, оказывается, живет еще с кем-то. И Ленка вместо того, чтобы забыть об этом ничтожестве, опять мучается, страдает. Нина ненавидела в женщинах зависимость от мужчин, видела это в собственной сестре, и от того, что она пойдет работать, сущность ее не изменится. Так что никакого праздника, никакого торжества пока нет.

О том, что Юра изменяет ей, Лена призналась Нине в минуту отчаяния. Но никаких подробностей. «Он мне изменяет» — единственная фраза, которую она произнесла.

Подробности же, вернее, единственная подробность заключалась в том, что Юра изменяет ей с Викой Марасевич. Они столкнулись лицом к лицу на Маросейке, в Старосадском переулке, на лестничной площадке. Лена вышла из лифта, и в эту минуту Вика закрыла за собой дверь той самой квартиры, куда шла Лена. Несколько секунд они растерянно смотрели друг на друга, потом Вика сказала «Здравствуй», то же в ответ пролепетала Лена. Вика вошла в еще открытый лифт, закрыла двери.

Первым побуждением было бежать, Лена сбежала по лестнице, этажом ниже остановилась, переводя дыхание и прислушиваясь... Внизу хлопнула дверь лифта, значит, Вика ушла. Пусть уйдет подальше... Лена медленно спустилась еще на этаж... Боже мой! Значит, тогда, на встрече Нового года, все было не случайно, у них это давно тянется, все это видели, она одна была слепа. И Нина тогда устроила Юре скандал, и Саша прямо при Юре спросил: «Большего дерьма ты себе не нашла?» Юра ее не щадил, ее и сейчас еще тошнит от запаха горчицы. В больнице ей сказали: «Вы чудом выжили»,— а он трусил, скрывался, ни разу не пришел. И сегодня ждал ее в постели, с которой только что встала Вика. В этой постели бывает, наверно, не она одна. Он даже не побоялся назначить ей свидание в один день с Викой, почти в один час.

И тут только Лена сообразила, что пришла к четырем, а Юра просил к пяти, но она забыла об этом, пришла, как обычно, к четырем. Час он отдыхает! Сукин сын, развратник! Еще потребует, чтобы они обе легли к нему в постель. С ним кончено, кончено навсегда! И без объяснений. Она не желает выслушивать его лживые оправдания.

Вечером Юра позвонил ей, капризным голосом спросил, почему она не пришла сегодня.

— Задержалась на работе.

— Во вторник сумеешь приехать?

— Нет.

— Когда же?

— Не знаю. Если сумею, сама позвоню. А ты мне больше не звони. До свидания, Юра.

Чем она недовольна? Шарок недоумевал. Все шло как будто хорошо, они встречались не слишком часто, такая у него работа, бывали в театре, в кино, в клубе актеров, на выставках... На что она дуется? Странно!

Причину ее недовольства Шарок узнал очень скоро.

Столкнувшись с Леной, Вика растерялась только в первую минуту. Она понимала, что Лена явилась сюда совсем не в том качестве, в каком являлась она,— от Вадима знала, что отношения Юры и Лены возобновились. И он допустил, чтобы Лена увидела ее здесь, на тайной квартире! Выдал ее! Лена, конечно, потребует от Юры объяснений, и тогда Шарок признается, что комната эта не только для интимных встреч. Но секретных сотрудников не выдают, он ответит за то, что допустил их встречу.

Эта мысль сразу успокоила, Вика сообразила, какой получила шанс: теперь уж Юрочке придется отпустить ее, теперь уж он не выкрутится. Сегодня он поиздевался над ней, теперь поплатится за этот унизительный разговор.

Разговор был такой.

— Юра,— сказала Вика,— я выхожу замуж.

— Да? — весело ответил он.— Интересно, за кого?

Она назвала имя и фамилию Архитектора. Шарок это имя и фамилию знал. Однако особенного удивления не выразил.

— Поздравляю. Человек знаменитый.

— Сталину понравился его проект.

— Я этот проект видел на выставке,— сдержанно ответил Шарок, как бы не смея даже рассуждать о проекте, одобренном самим Сталиным.

— Нам придется с тобой расстаться, Юра.

Он сделал вид, что не понял ее.

— В каком смысле?

— Теперь я жена, чья жена, ты знаешь. У меня изменился образ жизни, рестораны кончились, старый круг знакомых отпал.

— С другими будешь встречаться.

— Нет, муж ведет очень замкнутый образ жизни. С 9 утра до 11 вечера в мастерской, а я жду его дома. Одна. Но даже не в этом дело. Я не могу, не имею права ничего от него скрывать.

— И не скрывай,— спокойно сказал Шарок.

— То есть как... Рассказать ему о наших встречах?

— Расскажи, если считаешь нужным.

— Но я дала подписку о неразглашении.

— В интересах твоего семейного очага я тебе разрешаю разгласить,— усмехнулся Шарок.

— Но он тут же меня бросит.

Шарок пожал плечами.

— За что? За то, что ты исполняешь свой долг?

Она во все глаза смотрела на Шарока. Ведь прекрасно понимает, что она никогда никому об этом не скажет. Но он не хочет выпустить ее из своих когтей, хочет, чтобы она доносила на собственного мужа, и ни на минуту не сомневается, что заставит ее это делать. Все же она ответила так:

— Хорошо, я ему все расскажу.

Он скривил губы.

— Расскажи, расскажи... А мы добавим. Всех твоих иностранцев перечислим,— он усмехнулся.— А ты ему расскажешь, как у них, у иностранцев, устроено... С ними, наверно, слаще спать?..

— Юра, что ты говоришь?

Он ударил кулаком по столу, заорал:

— Я знаю, что я говорю!.. Ты, блядь, спишь с ними, таскаешься по номерам, ты по рукам и ногам связала себя с иностранными разведчиками. По уши в дерьме. Вот и расскажешь своему муженьку, что в них привлекательного, а он пусть послушает.

— Юра, как ты можешь? Я этих людей видела только за столом.

— Врешь! Ты спала с ними. Последний раз со шведом. Мы его знаем и всех, кто был до него, всех до единого. Тебе что, наших, русских не хватает! Чем они хуже, отвечай!

Он мог бы быть вежливее, она с ним, русским, тоже спала. Но молчала, подавленная его осведомленностью.

А он, с ненавистью глядя на Вику, продолжал:

— Ах, ах, это просто папины знакомые, знаменитости... Профессор Крамер, Россолини, Курт Зандерлинг,— в его голосе слышалась брезгливость.— «Талантливые скрипачи», ах, ах, Фриц, Ганс, Михель... Совсем по-родственному. Котики! А эти котики — активные деятели нацистской партии, фашисты, разведчики! И японцы, с которыми ты бражничаешь, все как один тоже разведчики, и крупные, есть в звании полковников. Не знаешь, зачем они к нам ездят, как они нас любят? Ты с ними путалась, а теперь приходишь: отпустите меня, не то я все расскажу мужу. Нет, милая, не расскажешь, мы сами расскажем, посмотрим, женится ли он на тебе?!

Она замолчала тогда, бессильная, обреченная.

Но сейчас, идя по Маросейке, Вика не чувствовала ни бессилия, ни обреченности. Просчитался портновский сынок! По его вине она разоблачена. Не убедил довод насчет мужа, придется посчитаться с другими доводами. Придется, Юрочка, придется.

В воскресенье Вика позвонила ему домой.

— Юра, здравствуй, говорит Вика, нам надо срочно увидеться.

— Что случилось?

— Разговор не для телефона. Хочешь, я зайду к тебе, хочешь, встретимся на улице, прогуляемся.

Ехать на Маросейку она боялась. Боялась остаться с Шароком один на один. Но и Шарок не мог предложить ей Маросейку, сегодня там не его день. Он понимал, что Вика опять начнет волынку с мужем, так что торопиться особенно нечего. Но в настойчивости Вики было что-то тревожное. Все же он недовольно пробормотал:

— Что за спешка? Увидимся в свое время, поговорим.

— Это не терпит отлагательства,— настаивала Вика.— И не в твоих интересах откладывать.

— Ничего, ничего, потерпишь.

— Ну что ж,— холодно проговорила Вика,— я тебя предупредила, потом пеняй на себя.

— Это что, угроза?

— Рассматривай как хочешь. Я тебя спрашиваю в последний раз: можешь ты сейчас выйти на Арбат?

— Прямо сейчас?

— Можешь через час, можешь через два, назначь удобное время.

— Ладно, через час мы встретимся на Собачьей площадке, мне нужно в ту сторону.

— Посидим,— предложила Вика, показывая на пустую скамейку в сквере.

— Нет,— возразил Шарок,— пройдемся по этому переулку, мне нужно на Воровского.

Они пошли по Трубниковскому переулку.

— Так что случилось?

— Что случилось? — повторила Вика с усмешкой.— А то, что квартиру, Юрочка, где мы с тобой встречаемся, не следует превращать в дом своих любовных свиданий.

Шарок сразу все понял: она там встретилась с Леной.

Однако, выигрывая время, переспросил:

— Что, что?

— На лестничной площадке мы встретились с Леной Будягиной. Даже поздоровались, школьные подруги все-таки. Она, конечно, догадалась, зачем я к тебе хожу, она ведь знает, где ты работаешь. Значит, я расшифрована, я как сотрудник больше тебе не гожусь, Юрочка. Расстанемся друзьями.

Он шел, молча слушал ее, обдумывал ситуацию. Все ясно: Лена пришла на час раньше, перепутала, курица! Нарвалась на Вику, обиделась, потому и не хочет с ним встречаться, ну и черт с ней! От нее одни неприятности. Но и Викин номер не пройдет, вздумала его шантажировать, дура!

Вика вдруг взяла его под руку, улыбнулась, ласково заглянула в глаза.

— Не сердись, Юрочка! У тебя получилась маленькая накладка, но ты умница, ты все уладишь, и никто об этой накладке не узнает. Мне-то ведь хуже: теперь я не смогу нигде появиться, все будут меня избегать, придется дома сидеть.

Он не отнял своей руки. Ловкая баба все-таки, ничего не скажешь, настырная, беспощадная. В сущности, такая именно баба ему и нужна, а не та мокрая курица! С этой он бы далеко пошел. Та хоть и дочь Будягина, но по этому Будягину уже скучает камера в Бутырке, а эта из нейтральной, профессорской семьи...

Но поздно думать об этом.

— А тебе не пришла в голову другая мысль: Лена тебя увидела и решила, что ты моя любовница?

Вика остановилась, вынужден был остановиться и Шарок. Она больше не улыбалась, на него смотрели серые беспощадные глаза.

— Не считай меня дурочкой! Я поддалась Дьякову, потому что растерялась и подписала бумагу, которую он мне подсунул. Но ведь ты не Дьяков, все же мы знаем друг друга с детства, ты товарищ моего брата, бываешь в нашем доме и, ко всему, спал со мной... Мог бы пощадить — не пощадил. Теперь я тебя не пощажу, имей это в виду. Я отправлю письмо Ягоде о том, что ты в Старосадском переулке устроил бардак и расшифровал меня перед одной из своих любовниц, а эта любовница — дочь замнаркома и моя подруга с детства. Это письмо готово, написано. Если ты меня сейчас арестуешь, увезешь, то письмо уйдет. Имей это в виду.

— Арестовать тебя, увезти,— презрительно пробормотал Шарок.— Кому ты нужна?

И пошел вперед. Она пошла рядом, но под руку его уже не брала.

— Не нужна, тем лучше, расстанемся. Я пойду до конца, ни перед чем не остановлюсь, не отступлю.

— Ах, как страшно!

Не обращая внимания на его слова, она продолжала:

— Я честно все делала. Встречалась с отвратительными людьми, с этим Либерманом, но ты меня выдал из-за своих любовных делишек. Посмотрим, как это понравится твоим начальникам.

— Не угрожай, не угрожай,— усмехнулся Шарок,— это тебе не поможет, только навредит.

— И ты мне не угрожай, я ничего не боюсь. Я вышла замуж, устроила свою жизнь и буду ее защищать. Пусть я погибну, но и твоя карьера будет кончена, такого тебе не простят. А если ты поступишь благоразумно, то все останется между нами. Можешь мне верить.

— Так вот,— теперь остановился Шарок.— Лена тебя действительно видела, устроила мне сцену, я ей признался, что у нас с тобой был роман, ведь он был, правда?.. Я ей дал слово больше не встречаться с тобой. И можешь быть спокойна: ни одному человеку Лена об этом не скажет. С этой стороны никакая опасность тебе не угрожает. Что же касается твоего письма, то оно не достигнет цели. Лена — фактически моя жена, ты на нее натолкнулась, это случается, возьмем с жены подписку о неразглашении, и дело с концом. Своим письмом ты добьешься только одного: тебя передадут другому человеку, не уверен, что это будет для тебя лучше.

Вика напряженно слушала его, смотрела ему прямо в глаза своими большими серыми бесстыдными глазами.

Потом твердо, решительно и злобно сказала:

— Ну что ж, каждый из нас пойдет своим путем. Будь здоров.

Но он удержал ее.

— Подожди, есть еще одна сторона дела. Прошлый раз ты просила освободить тебя от сотрудничества.

Такую просьбу я был обязан доложить своему начальнику, в тот же день подал рапорт. Каков будет результат, не знаю. Потерпи.

— Сколько времени я должна ждать? — спросила Вика, понимая, что все это Шарок придумал сейчас, никакого рапорта он не подавал, но, может быть, подаст, значит, боится ее заявления.

— На нашем следующем свидании ты получишь ответ.

Ждать десять дней! Опять тащиться на эту квартиру?

— Хорошо,— сказала Вика,— я подожду десять дней.

9

Вика не отступится. Став женой Архитектора, она вообразила, что сила на ее стороне. Сила, конечно, на другой стороне, но Вика нахальна, решительна, способна на все, и, надо признаться, он дал ей некий козырь.

Поэтому Шарок счел разумным сказать Дьякову:

— Марасевич Виктория Андреевна вышла замуж за Архитектора, хочет выглядеть перед мужем пай-девочкой.

— Канючит?

— С компанией Либермана порвала, со старыми друзьями не встречается, в рестораны не ходит, сидит дома. А новых знакомств еще нет. Может быть, отпустить на время, пусть освоится с новым положением, войдет в новый круг, обзаведется новыми знакомыми, вокруг Архитектора народа много, и народ интересный.

— Это разумно,— согласился Дьяков,— пусть погуляет. Теперь вот что, Шарок...

Дьяков перебрал бумаги на столе, это движение означало, что он собирается с мыслями, обдумывает слова, которые произнесет.

— Да, так вот,— продолжал Дьяков,— разговор между нами,— он внушительно посмотрел на Шарока,— из Ленинграда приехал товарищ Запорожец, хочет взять к себе в Ленинград из центрального аппарата трех-четырех надежных ребят. Конечно, на более высокие должности, с повышением оклада. Среди намеченных есть и твоя кандидатура. Как ты относишься к этому?

Шарок пожал плечами.

— Как я могу относиться? Куда прикажут, туда поеду. Московская квартира, надеюсь, останется за мной?

— Конечно, в ней живут твои родители. Поработаешь пару лет на периферии, впрочем, какая это периферия? Вторая столица. Обратно вернешься на бо́льшую должность. Подумай! Это не в порядке приказа, а добровольно. С Запорожцем многие хотят работать, человек хороший, веселый, своих ребят в обиду не дает. Разговор предварительный. Он сам будет беседовать с тобой, может быть, остановится на другой кандидатуре. Ты подумай, дело, по-моему, перспективное.

Предложение неожиданное, но интересное. Просидеть всю жизнь в центральном аппарате нельзя, не принято, надо какое-то время поработать на периферии и вернуться в Москву с опытом практической работы на местах. Ленинград — наилучший вариант, не какая-нибудь провинциальная дыра, да и ночь езды до Москвы. И Запорожец, наверно, скоро заменит старика Медведя. Значит, вместе с ним пойдет наверх и он, Шарок. Ему вообще надо иметь здесь опору. Дьяков не опора, маленький человек. Березин? Да, крупная фигура, но не ладит с Ягодой, и его, вероятно, переведут на Дальний Восток. А ехать на Дальний Восток — нет уж, лучше Ленинград.

В общем, предложение понравилось Шароку. И с Леной разрубается само собой. И с братом. Брат кончает срок, вернется, пусть устраивается сам, он ему не подмога.

Вику Шарок встретил на Маросейке в хорошем настроении.

— Ну, мать, радуйся, отпускаем тебя на все четыре стороны. Не из-за Лены. Я доложил, что ты столкнулась с моей женой, и этот вопрос отрегулирован. Отменяем же мы наши встречи потому, что руководство сочло мои доводы разумными: сидишь дома, примерная жена, что от тебя толку? Справляй медовый месяц.

— Спасибо,— ответила Вика сдержанно.— А как же... Мое обязательство?

— Обязательство? Сдано в архив. Хочешь получить его обратно?

— Да.

— Ну, ты даешь! Кто позволит из дела вырвать

документ? Пронумеровано, сдано в архив, мыши его там читают.

Вика понимала — этой бумагой они все равно будут держать ее за горло. Но пока она свободна, а там будет видно.

— Спасибо, Юра,— сказала она, вставая,— надеюсь, что в такой обстановке,— она обвела рукой комнату,— и в такой роли я с тобой больше никогда не встречусь.

— Никогда,— подтвердил Шарок, улыбаясь.

Его ответ был искренним. Никогда больше Викой Марасевич он заниматься не будет. Когда возникнет необходимость, а она, безусловно, возникнет, ею будет заниматься другой.

Сам же он мысленно уже готовился к отъезду в Ленинград. Он никогда не был в Ленинграде. Многие его школьные товарищи ездили туда на каникулы, это считалось особенным шиком — провести каникулы в Ленинграде, у них там родственники, знакомые, у него в Ленинграде никого. Он завидовал арбатским интеллигентам в этом, как, впрочем, и во многом другом. Теперь и он едет в Ленинград, не ютиться у родственников, а на ответственную работу, будет первое время жить в гостинице, а потом дадут квартиру.

В тот же день Шарок был на докладе у Березина, приносил на подпись бумаги.

Подписав бумаги, Березин сказал:

— Предстоит набор в высшую школу НКВД. Хотите учиться?

Шарок замялся. Высшая школа — это тоже заманчиво, готовит работников высшего ранга. Но как же Ленинград?

— Не знаю,— неуверенно ответил Шарок,— ведь товарищ Запорожец хочет забрать меня к себе в Ленинград.

Березин внимательно посмотрел на него, потом опустил голову, спрятал взгляд.

— Тогда другое дело, вопрос отпадает.

Его лицо было непроницаемо.

Шарок вышел из кабинета. Березин запер за ним дверь на ключ. В той же связке нашел ключ от сейфа, стоящего в углу комнаты, открыл его, поставил рядом стул и стал складывать на него вынутые из сейфа папки, просматривая их одну за другой.

Наконец он нашел папку, которую искал, отложил ее отдельно, остальные отправил обратно в сейф, сложив в том же порядке, в каком они лежали раньше, а вместо отложенной папки положил лист бумаги, чтобы вернуть ее потом на прежнее место.

Он внимательно перелистал папку, остановился на нужной ему странице... Закурил.

Информация, случайно полученная Березиным от Шарока, подтвердила его подозрения: в Ленинграде готовится какая-то акция.

Первым толчком к такому подозрению была засылка Алферова в Восточную Сибирь. А ведь Алферова просил к себе Киров. Однако вместо Ленинграда Алферова заслали на Ангару на должность районного уполномоченного: надо якобы уточнить некоторые аспекты его деятельности в Китае, а пока пусть поживет в Сибири. Алферова даже не допустили в Москву, приказали остановиться в Канске, а оттуда отправили в район.

Вместо Алферова в Ленинград уехал Иван Запорожец. Высокий, широкий в плечах, «видный мужчина», остряк и балагур, ценитель вина и женщин, хорошо поет. Жил на Палихе, жаловался как-то, что в квартире нет ванны, жена допекала его на этот счет, она у него красавица, Роза Проскуровская...

Березин снова наклонился к столу, просмотрел досье Запорожца. Бывший левый эсер, однако сохранился в центральном аппарате ЧК. Уберег, конечно, Ягода, они все время рядом. В списке проведенных Запорожцем операций крупнейшая — засылка его в штаб Махно. Удачливый авантюрист. Теперь готовит новую авантюру. Его, Березина, человек из окружения Запорожца передал ему в копии перехваченное письмо некоего Николаева. Письмо странное и настораживающее... Березин перечитал его.

Леонид Николаев. Вступил в партию в 1920 году, на фронте, в шестнадцатилетнем возрасте. Из рабочей семьи и сам в прошлом рабочий. До 1934 года работал в Ленинградской РКИ в должности инспектора по ценам. Из РКИ, как писал Николаев, его убрали по проискам окопавшихся в аппарате обкома троцкистов и перевели на завод. Однако секретарь заводской партячейки, тоже троцкист, направил его по партийной мобилизации на транспорт. Он готов работать всюду, куда пошлет его партия, но посылает не партия, а троцкисты, выживающие его из Ленинграда. Выехать он отказался. За это его исключили из партии, с марта месяца он безработный. Послал товарищу Кирову двадцать писем с просьбой разобраться в его деле, писал товарищу Кирову о засилии в ленинградском аппарате троцкистов. Ни на одно письмо он ответа не получил. Или товарищ Киров не считает нужным отвечать, или письма до товарища Кирова не доходят. Виной тому троцкистское окружение, которому товарищ Киров слепо доверяет. Из тридцати лет своей жизни четырнадцать он, Николаев, провел в партии, без партии не мыслит дальнейшего существования, доведен до крайности и способен на все...

«Способен на все...» Что это означает?

Самоубийство? Человек четырнадцать лет в партии и понимает, что такой угрозой он никого не запугает. Террористический акт? Об этом не пишут, не предупреждают, за подобную угрозу расстреливают. А ведь написал, угрожает. Психически ненормальный?

В чей адрес направлены его угрозы? И главное: с этим человеком Запорожец работает. Для чего он нужен?

В качестве кого берет новых людей Запорожец в Ленинград? Кого они должны заменить? С какой целью? Почему такая секретность? Даже он, Березин, член коллегии, случайно узнал об этом.

Сталин недоволен положением в Ленинграде — это общеизвестно. Требует от Кирова репрессий против так называемых участников зиновьевской оппозиции, хочет развязать в Ленинграде террор. Для чего? Как детонатор для террора по всей стране? Киров отказывается, и, видимо, задача Запорожца спровоцировать инцидент, который помог бы преодолеть сопротивление Кирова. Но, что бы ни организовал Запорожец, следствие будет проходить в Ленинграде. Киров следствия из рук не выпустит, в таком деле он не отступит, перенесет вопрос в Политбюро.

Значит, Запорожец должен организовать такое, что оглушит всех и перед чем Киров будет вынужден отступить.

Но что это? Диверсия, взрыв, железнодорожная катастрофа? Кирова на этом не проведешь! Убийство одного из его соратников? Чудова, Кодацкого, Позерна?.. Для этого сохраняют Николаева? Это позвончее, но все равно Кирова от следствия не устранишь.

Что же тогда?

Березин хорошо помнил слова, сказанные ему Сталиным в 1918 году в Царицыне. Сталин потребовал расстрела нескольких военных специалистов из бывших офицеров царской армии. Березин, тогда начальник особого отдела, доказывал ему, что обвинения неубедительны и расстрел вызовет много осложнений и проблем.

На это Сталин поучительно ответил:

— Смерть решает все проблемы. Нет человека и нет проблем.

И Сталин оказался прав. Пришла телеграмма об отмене расстрела, но люди уже были расстреляны. Никаких проблем не возникло.

Такова философия этого человека. Применит ли он ее сейчас? Да, безусловно, да! Он, Березин, не может выступить открыто, одно его неосторожное слово — и он будет уничтожен. Но возможность предупредить у него есть.

Вечером Березин зашел к Будягину. Они жили в разных подъездах Пятого дома Советов и, хотя были мало знакомы и редко встречались, относились друг к другу с симпатией: оба принадлежали к железной фаланге старых большевиков, прошедших одинаковый жизненный путь и далеких от честолюбивых амбиций.

Березин не высказал Будягину никаких подозрений. Будягину было достаточно того, что Березин пришел к нему домой, пришел первый раз в жизни якобы за книгой по экономике Дальнего Востока, которую мог затребовать в любой библиотеке. В полной мере оценил Будягин и мелькнувшее в их разговоре сообщение Березина о том, что Иван Запорожец подбирает в Ленинград группу своих людей и что это держится в строжайшем секрете.

Проводив Березина, Будягин прошел на кухню, заварил себе крепкий чай. Жаль, что Ашхен Степановна в отъезде, ему хотелось с ней обсудить сообщение Березина, сообщение тревожное.

Утром, минуя свой кабинет, Будягин зашел к Семушкину, кивнул на дверь кабинета Орджоникидзе:

— У себя?

— У себя,— ответил Семушкин.

Рассказывая Орджоникидзе о назначении в Ленинград к Запорожцу новых людей, Будягин не называл Березина. В таких делах источник информации не упоминается.

Орджоникидзе задумался. Если новые назначения — обычная ведомственная интрига в аппарате НКВД, то информацию о ней Медведь доложил бы Кирову. Однако заинтересованные люди через Будягина сообщают об этом ему, члену Политбюро, личному другу Кирова. Значит, информация носит характер не внутриведомственный, а общеполитический.

— Что ты об этом думаешь? — спросил Орджоникидзе.

— В Ленинграде что-то затевается. Цель — скомпрометировать Сергея Мироновича.

— Каким образом?

— Трудно сказать. Хотят вынудить на репрессии, хотят поставить его перед такой необходимостью. А если опять откажется, убрать из Ленинграда.

— По-видимому, это так,— согласился Орджоникидзе.

Им и в голову не пришло то, о чем сразу догадался кадровый чекист Березин.

10

Заболел зуб. Он давно уже шатался, однако под крючком бюгельного протеза держался устойчиво. Но вчера вечером, когда Сталин снимал протез, он ощутил боль. Он снова надел протез, крючок зафиксировал зуб. Но, когда трогал зуб языком, зуб шатался и, как ему казалось, десна побаливала.

Сталин лег спать, не сняв протеза, и провел ночь спокойно. Утром осторожно снял протез, потрогал зуб языком, потом пальцами — зуб шатался, хотелось его выдернуть, вытолкнуть изо рта языком. Сталин приказал вызвать из Москвы зубного врача. К концу дня ему доложили, что доктор Липман и зубной техник прибыли самолетом и помещены на дачу номер три.

— Как устроится, пусть придет,— распорядился Сталин.

Через полчаса доктор явился — красивый добродушный еврей лет под сорок. Он уже лечил Сталина, Сталин был им доволен, даже сказал как-то: «У вас руки более ласковые, чем у Шапиро».

Шапиро был предшественником Липмана. Тоже хороший специалист. Но Сталин не любил врачей, которые расспрашивают, ощупывают, выслушивают, назначают лекарства, но ничего не объясняют, не говорят, чем ты болен, чему служат их назначения, держатся чересчур многозначительно, свою профессию превращают в таинство, в загадку. В маленьком молчаливом Шапиро эти черты были особенно неприятны.

Липман, наоборот, рассказывал, что делает, говорил, каковы у Сталина зубы, как содержать протез, а когда первый раз вырвал у Сталина зуб, не бросил его в полоскательницу, как это делал Шапиро, а показал Сталину, показал, во что превратился корень и почему этот зуб надо было обязательно удалить. Спокойный, общительный человек, Сталин про него говорил, посмеиваясь: «И зубы рвет, и зубы заговаривает».

Он видел, что Липман его боится, ничего в этом особенного нет — его все боятся. Но, если у зубного врача от страха дрожат руки, он может натворить что-нибудь не то. И потому обращался с Липманом приветливо. Сегодня, как обычно, спросил:

— Как живете, как дома — все хорошо?

Хотя про дом и семью Липмана не знал ровно ничего.

— Все хорошо, Иосиф Виссарионович, спасибо,— Липман открыл чемодан, довольно большой, почти как дорожный, вынул инструменты и подголовник, который прикрепил к креслу. То, что он заранее устанавливает подголовник, тоже нравилось Сталину. Шапиро это проделывал, когда Сталин уже сидел в кресле, а Сталину всегда было неприятно, когда возятся за его спиной.

Установив подголовник и проверив, хорошо ли он держится, Липман пригласил Сталина сесть. Сталин сел. Липман повязал ему салфетку, мягким движением рук опустил его голову на подголовник.

— Удобно?

— Хорошо.

— На что жалуетесь?

— Зуб шатается, особенно когда снят протез.

— Сейчас посмотрим,— Липман подал Сталину стакан с водой,— прополощите, пожалуйста... Так, хорошо... Теперь откиньте, пожалуйста, голову... Так, прекрасно...

Осторожным движением Липман снял протез, потрогал зуб. Пальцы у него мягкие, пахли чем-то приятным — аккуратный врач... Потом перебрал разложенные на столе инструменты, вынул ручное зеркало, снова осмотрел зубы, сказал:

— Этот зуб придется удалить, другого выхода нет, ничего, кроме неприятностей, вы от этого зуба не будете иметь, протез на нем не держится. Совсем плохой зуб.

— Сколько времени это займет?

— Ну, ранка, я надеюсь, заживет за два-три дня, протез сделаем за сутки. Думаю, на все уйдет дней пять, не больше.

— И я пять дней буду ходить без зубов,— нахмурился Сталин.

— Почему же без зубов,— улыбнулся Липман,— у вас не будет пока только верхних коренных. Можно, конечно, временно приспособить и этот протез,— Липман повертел в руках старый бюгель,— тогда у вас не будет только одного зуба. Но при любом перекосе вы можете повредить здоровый зуб — слишком большая на нем нагрузка. Зачем рисковать? Потерпите несколько дней?

— Хорошо,— согласился Сталин.— Когда надо рвать?

— Когда угодно, могу сейчас.

— А если завтра утром?

— Можно и завтра утром.

— У меня сегодня гости, неудобно принимать гостей без зубов, как вы считаете?

— Гостям,— улыбнулся Липман,— если они хотят поесть, нужно прежде всего самим иметь зубы.

Сталин встал. Липман поспешно развязал на его шее салфетку.

— Отдыхайте,— сказал Сталин,— завтра утром, после завтрака, вас пригласят.

Киров приехал днем. Сталин велел Жданову ввести его в курс их работы по учебнику истории и пригласить вечером на ужин.

Ужинали втроем: Сталин, Киров и Жданов.

— Хорошо, что ты приехал, Сергей Миронович,— говорил Сталин, усаживаясь по праву хозяина во главе стола,— а то вот Андрей Александрович,— он кивнул на Жданова,— не пьет, не ест, сидит за столом, как Иисус Христос, и меня хочет с голоду уморить. А я на этот счет согласен с Чеховым: все эти болезни доктора выдумали. Есть надо все, понемногу, конечно, в разумных пределах. Травка полезна кавказская: киндза, тархун, джон-джоли... Фрукты полезны, вино сухое, грузинское вино — хорошее вино. Пей, ешь — все на пользу будет. Что на столе — сам видишь, ты человек кавказский. Или, может быть, в Ленинграде забыл, что такое хачапури, что такое лобио, что такое сациви?

— Не забыл,— ответил Киров, смеясь и накладывая себе в тарелку понемногу от каждого блюда,— все помню и все люблю.

— Не знаю, какая теперь в Ленинграде кухня в моде,— задумчиво проговорил Сталин,— раньше у дворян французская кухня была в моде, у народа — немецкая: сосиски, колбасы. А сейчас?

— Сейчас в моде пролетарская кухня,— сказал Киров,— щи, борщ, котлеты, макароны. Что по карточкам даем, то народ и ест.

— Да, карточки,— по-прежнему задумчиво проговорил Сталин,— отменять будем карточки.

На это Киров никак не реагировал: отмена продуктовых карточек с первого января — вопрос решенный.

— Урожай в этом году ожидается хороший,— продолжал Сталин,— хлеба должно хватить. Получили мы сведения по Казахстану, урожай, пишут, небывалый, десятки лет такого не было, надеются получить по двадцать пять центнеров с гектара. Боюсь, твой друг Мирзоян не справится с таким урожаем.

— Мирзоян — энергичный человек, не подведет.

Как бы не слыша реплики Кирова, Сталин задумчиво продолжал:

— Богатый урожай — это, конечно, хорошо, но таит в себе и опасность: застает людей врасплох, приносит с собой настроения самоуспокоенности, благодушия, беспечности. Богатый урожай тогда хорош, когда он собран, вывезен, не расхищен, не растерян.

Киров знал, Сталин ничего не говорит зря, разговор о Казахстане затеял не случайно. За столом Сталин обычно не вел деловых разговоров, сегодня завел. Начинает издалека, говорит банальные вещи — такая у него манера преподносить самые неожиданные решения. И опять о сельском хозяйстве. Месяц назад, на июньском Пленуме ЦК, Киров получил нахлобучку за невыполнение и без того сниженных планов заготовки хлеба и мясопродуктов. Никаких сниженных планов не было. Произвели обычное уточнение по отдельным культурам — по одним план снизили, по другим повысили, Сталин в этих делах разбирается плохо, сельского хозяйства не знает. И никакого отставания тоже не было, для Ленинградской области июнь — еще не решающий месяц заготовок. Однако Киров против постановления не возражал: партия готовится к отмене карточной системы, надо сосредоточить все силы на обеспечении страны хлебом, надо всех подтянуть, и если делать выволочку, то, конечно, на примере парторганизации ведущей — будет хорошим предупреждением всем. Дело обычное, никакого подвоха против себя лично Киров не увидел, хотя с большей пользой можно было сослаться на московскую, столичную организацию. Недостатки те же, а заготовки начинаются раньше. Но московскую организацию возглавляет Каганович, а его-то Сталин задевать не хочет — характерное для него политиканство: обидеть одного, вознаградить другого и стравить их между собой. Когда-то Степан Шаумян говорил: «У Кобы змеиный ум и нрав». Но Киров был выше этого: когда решаются партийные дела, нет места личным обидам. К тому же Киров презирал Кагановича. Во всяком случае, июньское решение ЦК об отставании Ленинграда было понятно Кирову, разговор о заготовках в Казахстане непонятен. Участие его в работе над учебником истории — фикция, какой он историк! Сталин тоже не историк, но он таковым себя считает. Зачем же его вызвали?

— Ладно,— неожиданно сказал Сталин,— с чего это мы вдруг заговорили об урожае, о Казахстане, о Мирзояне? У нас здесь одно дело — вопросы истории.— Он повернулся к Жданову:— Вы ввели Сергея Мироновича в курс дела?

— Ознакомил. Предварительно,— ответил Жданов.

— Историческую науку надо взять в свои руки,— хмуро проговорил Сталин,— иначе она попадет в чужие руки, в руки буржуазных историков. Впрочем, наши историки не лучше. Я уже не говорю о Покровском, он, в сущности, тоже буржуазный историк.

— У Покровского, безусловно, были ошибки,— возразил Киров,— но Ленин оценивал его по-другому...

Сталин не сводил с Кирова испытующего взгляда.

— А как оценивал его Ленин?

— Вам, наверно, известно его письмо Покровскому

по поводу «Российской истории в самом сжатом очерке»?

— А что он писал Покровскому?

Знает ведь, что писал Ленин Покровскому, хорошо знает, но думает поймать его на неточности.

— Я не помню дословно текста... Можно посмотреть, письмо много раз публиковалось. Но Ленин поздравлял его с успехом, писал, что ему чрезвычайно понравилась книга, что ее надо перевести на иностранные языки.

— Да,— согласился Сталин,— такие комплименты Ленин отпускал, это было. Но тут же предложил дополнить книгу хронологическим указателем, чтобы не было верхоглядства... Вот в этом замечании и суть оценки Ленина...

— Я не историк,— сказал Киров,— но я так не думаю. Общая оценка была ясная, точная и похвальная. Предложение составить хронологический указатель есть не более как частное добавление, не исключающее общей положительной оценки. Покровский написал свою книгу в 1920 году, в сущности, его книга — первая попытка осветить историю России с позиций марксизма-ленинизма. И книгу эту, рассчитанную на широкие массы, он написал по заданию Ленина. При всех своих недостатках эта работа имела большие достоинства — мы по ней учились. Конечно, наука ушла вперед, и сейчас, вероятно, нужен новый учебник, но охаивать работу Покровского, как это делают некоторые историки, неправильно, травить его, как травили последние годы, недопустимо, Покровский, безусловно, был честным человеком...

— Вот видишь,— усмехнулся Сталин,— а говоришь, что плохо разбираешься в истории... Ты в истории всех нас перещеголяешь. И ты прав, надо создать новый учебник истории. Для этого я тебя и пригласил сюда, ты не хотел ехать, а, оказывается, ты-то как раз здесь и нужен. Но сейчас речь не о Покровском. Я говорю о некоторых членах партии, старых членах партии. Вот товарищ Надежда Константиновна тоже занялась историей. Ты читал ее воспоминания о Ленине?

— Читал,— кивнул головой Киров.

— А статью Поспелова в «Правде» по поводу этих воспоминаний?

— Тоже читал.

— Хорошая статья, дельная,— Сталин обернулся, взял с журнального столика папку, перебрал, достал вырезку из «Правды», проглядел отчеркнутые красным карандашом места,— вот... Поспелов пишет: «Крупская некритически преувеличивает роль Плеханова в истории нашей партии, а Ленина изображает как почтительного ученика Плеханова». Правильная мысль. Почему правильная? Потому что Крупская смотрит на эти фигуры из далекого прошлого, а Поспелов смотрит из сегодняшнего дня. И, исходя из опыта сегодняшнего дня, мы при всем нашем уважении к Плеханову, при всей высокой оценке его деятельности *теперь* даже не можем поставить эти фигуры рядом.

Киров по-прежнему внимательно слушал Сталина. Он хорошо помнил статью Поспелова. Дело, конечно, не в Плеханове. Криминал заключен в следующем высказывании Крупской: «После Октября на первое место стали выдвигаться люди, которым условия старого подполья не давали развернуться... К числу таких людей принадлежал товарищ Сталин». Киров отлично представлял себе, в какую ярость приведут Сталина эти строки, и понимал, что ответ не замедлит. Так и оказалось. Ответил Поспелов в «Правде» длинной статьей, в которой критиковал разные аспекты мемуаров для того, чтобы высказать следующее главное положение: «И в период подполья *ведущая* роль таких авторитетных организаторов — вождей партии, как Сталин и Свердлов, была совершенно очевидна основным большевистским кадрам, работавшим не за границей, а непосредственно в России». Это, конечно, не так. Однако Сталин не переносит малейшего покушения на версию о том, что еще до революции он был вторым человеком в партии, что Ленин руководил партией из-за рубежа, а он, Сталин, руководил ею в России. Это не соответствовало истине, но способствовало сплочению партии вокруг нового руководства, и Киров эту версию принимал. Но одно дело принимать версию как политическую необходимость, другое — искренне верить в нее.

Сталин усмехнулся.

— Всех потянуло на мемуары. Вот и Авель Енукидзе туда же.

Из той же папки, снова обернувшись к журнальному столику, Сталин достал брошюру Енукидзе, показал ее Кирову.

— Читал?

Киров читал брошюру Енукидзе и понимал, что в ней не устраивает Сталина. На минуту у него шевельнулось желание сказать, что не читал, и тем уйти от разговора. Но тогда Сталин предложит прочитать и от разговора все равно не уйти.

— Да... Просматривал... Она мне попадалась...

Сталин уловил уклончивость ответа.

— «Попадалась», «просматривал»,— повторил он.— Так вот, из этой брошюры получается, что о существовании типографии «Нина» знали только три человека: Красин, Енукидзе и Кецховели. Откуда Авелю Енукидзе это известно?

— Он был одним из руководителей типографии.

— Вот именно, «одним из»... Были еще Красин, Кецховели. И Кецховели не скрывал от меня ее деятельности. Но Красина и Кецховели нет в живых. В живых только Авель Енукидзе, однако тот факт, что он живой, еще не дает ему права представлять историю типографии так, как ему хочется, а не так, как оно было в действительности.

— По-видимому, Енукидзе не знал о том, что вы были в курсе дела,— сказал Киров,— вероятно, он был убежден, что ленинская директива выполняется точно.

— Какая директива? — насторожился Сталин.

— Директива о том, что никто, кроме Красина, Енукидзе, Кецховели и наборщиков, не должен знать о типографии.

— Откуда ты знаешь об этой директиве?

— Это факт общеизвестный.

— Что значит «общеизвестный»? Это выдумал Енукидзе, и все поверили. Типография действительно подчинялась заграничному центру. Но из чего следует, что я ничего не знал о ней? Да, ею руководил лично Ленин, но это вовсе не значит, что, как пишет Енукидзе, ни один человек, кроме них, ничего о ней не знал. И если товарищ Енукидзе действительно так думает, почему он не проверил эти факты у бакинцев того периода? И почему выступил с этим именно сейчас? Почему подчеркивает именно это обстоятельство? Зачем все это понадобилось? Это понадобилось для того, чтобы опровергнуть тезис о преемственности руководства, чтобы доказать, что нынешнее руководство ЦК не является прямым наследником Ленина, что до революции Ленин опирался не на нынешних руководителей партии, а на других людей, более того, он этим людям доверял, а нынешним руководителям не доверял. На чью мельницу льет воду товарищ Енукидзе?

— Я не думаю, чтобы товарищ Енукидзе ставил перед собой такую задачу,— возразил Киров,— я думаю, он просто рассказал о том, что знал. Того обстоятельства, что Кецховели вас информировал, он мог и не знать. Я убежден в этом.

— Не вижу оснований для такого убеждения,— холодно ответил Сталин,— не вижу оснований для такой уверенности. Товарищ Енукидзе не первый день в партии, товарищ Енукидзе — член Центрального Комитета партии, товарищ Енукидзе не может не обдумывать политических последствий своих поступков, товарищ Енукидзе не может не понимать, чьим интересам сегодня служит его брошюра. Если бы эту брошюру написал рядовой историк, то можно было бы пройти мимо: историки могут ошибаться, историки часто в плену голых исторических фактов, историки, как правило, плохие диалектики и никудышные политики. Но ведь эту брошюру написал не рядовой историк, а один из руководителей партии и государства. С какой целью написал? Потянуло на мемуары? Рано потянуло. Товарищ Енукидзе еще молодой человек, мы с ним почти ровесники, а я себя еще стариком не считаю и мемуары писать не собираюсь. Это не мемуары, это политическая акция. Акция, направленная на извращение истории нашей партии, акция направленная на дискредитацию нынешнего руководства партии. Вот какую цель ставил перед собой товарищ Енукидзе.

— Я думаю, вы несколько сгущаете краски,— нахмурился Киров,— просто не дело Енукидзе писать такие брошюры, он не историк и не писатель. Я сомневаюсь, что он хочет дискредитировать партийное руководство. Он честный, искренний человек и любит вас.

Сталин исподлобья, в упор смотрел на Кирова, глаза его были желтые, тигриные. Все больше раздражаясь, а потому говоря с сильным акцентом, он сказал:

— Честность, искренность, любовь — это не политические категории. В политике есть только одно: политический расчет.

Разговор становился тягостным. Со Сталиным в последнее время вообще стало трудно разговаривать, а когда он раздражался, особенно.

— Можно поправить товарища Енукидзе,— примирительно сказал Киров,— указать на его некомпетентность в вопросах истории.

— Да,— подхватил Сталин,— если бы это написал какой-нибудь историк, его мог бы поправить другой историк. Но это написал член ЦК, один из виднейших руководителей страны. Поправить его следует на том же уровне,— он в упор смотрел на Кирова,— ты пять лет возглавлял Бакинскую партийную организацию, твое выступление было бы наиболее авторитетным.

Киров был поражен. Такого еще не бывало. Он, член Политбюро, должен публично засвидетельствовать, что Сталин был руководителем типографии «Нина», о существовании которой даже не знал, тут Енукидзе прав. Почему такое предложение делается ему? Проверяется лояльность? Она достаточно проверена, и если надо проверить еще раз, то не на таком примере.

— Я никогда не занимался историей,— сказал Киров,— и не в курсе данного конкретного вопроса. Кроме того, в тот период, о котором идет речь, я не был в Баку.

— Ну что ж,— спокойно ответил Сталин,— как говорится: на нет и суда нет. Я надеюсь, что в партии найдутся товарищи, способные ответить Авелю Енукидзе,— он повернулся к Жданову.— Центральному Комитету партии не следует заниматься этим вопросом. Это вопрос не всей партии, а только одной из ее организаций, закавказской организации. Пусть закавказская партийная организация и занимается своей историей. Вызовите товарища Берия, изложите ему точку зрения Центрального Комитета. Он секретарь Закавказского крайкома — это в его компетенции.

11

На следующее утро, после завтрака, Сталин приказал позвать врача.

Липман явился со своим чемоданом, разложил инструменты, приготовил тазик, усадил Сталина в кресло, повязал салфетку.

— Как спали? — осведомился Сталин.

— Прекрасно,— Липман набирал шприц,— лучше быть не может, тихо, спокойно,— мягким движением руки он положил голову Сталина на подголовник, попросил открыть рот,— не знаю, как на кого, но на меня всегда хорошо действует шум морского прибоя...

Сталин как будто почувствовал легкий укол в десну, может быть, ему это показалось — по лицу Липмана ничего не было заметно, он смотрел ему в рот и по-прежнему улыбался. Потом откинулся назад, опустил руки на колени и, все так же улыбаясь, сказал:

— Посидим немного, пусть наркоз подействует, можете закрыть рот, можете разговаривать, можете походить, но лучше посидеть.

Десна немела, тяжелела, будто наливалась чем-то. Сталину и раньше удаляли зубы под местным наркозом, но он не помнил, сколько времени надо ждать, пока подействует наркоз.

— Долго придется ждать? — спросил он.

— Минут десять, я думаю. Откройте еще раз рот, я посмотрю.

Он снова осмотрел рот, провел по деснам каким-то металлическим инструментом.

— Скоро заморозится, потерпите.

Он смотрел на Сталина, спокойный, благожелательный, удачно сделал укол, не причинил боли, товарищ Сталин должен быть им доволен.

Сталин действительно ценил людей, знающих свое дело и умеющих хорошо его делать. Этот врач проживет, наверно, сто лет: удовлетворен своей работой, своей жизнью, своим положением. Работает в Кремле, лечит членов Политбюро, получает, наверное, хороший паек — найдутся завистники, они всегда найдутся. Но этот врач, по-видимому, не придает им значения: человек без честолюбия, каких подавляющее большинство на земле. Когда-то, совсем еще молодой, ОН из-за них начинал борьбу, пока не понял других, истинных ее мотивов. Но теперь ОН управляет этими людьми, они верят в него, как в бога, а верить в бога можно только слепо и безоглядно, они называют ЕГО отцом, люди уважают только тяжелую, строгую, но крепкую и надежную отцовскую руку. И этот предан ему из-за одного лишь чувства соприкосновения с НИМ, такие люди тоже должны быть в его окружении. Не только охранники-волкодавы, не только помощники-честолюбцы, но и простые, скромные, любящие ЕГО и преданные ЕМУ люди.

Липман сидел рядом, посматривал на часы, улыбался Сталину, иногда просил открыть рот, водил по деснам каким-то инструментом и после одного такого осмотра показал Сталину вырванный у него и зажатый в клещах зуб.

— Когда вы успели?! Я даже ничего не почувствовал.

— Ведь я его рвал под наркозом. И зуб едва держался, его можно было вытащить, как у нас говорят, пальцами.

— Что же не вытащили?

— Вот тогда бы вы и почувствовали.

В подставленный тазик Сталин сплюнул длинную окровавленную слюну, прополоскал рот, еще раз сплюнул.

— Попрошу вас два часа ничего не есть,— Липман подал ему чистую салфетку. Сталин вытер губы,— и вообще сегодня не есть горячего.

Он взял со стола бюгель, повертел в руках.

— Хороший бюгель, сделано хорошо, материал отличный: сплав золота, платины и палладия. Теперь он вам уже не понадобится — сделаем новый. Только, знаете, Иосиф Виссарионович, может быть, лучше сделать простой протез?

— Что значит простой?

— Здесь, видите, зубы соединяет металлическая пластинка, а мы сделаем сплошную пластинчатую.

— Зачем это нужно?

— Видите ли, Иосиф Виссарионович, металлический бюгель держится на зубах вот этими двумя крючками, мы их называем кламмеры. Пока бюгель легкий — зубам тоже легко. Но на вашем бюгеле уже семь искусственных зубов, это тяжело, слишком тяжело. А на новом протезе мы прибавим еще зуб, бюгель еще больше утяжелится, нагрузка увеличится. А пластинчатый протез присасывается к нёбу и может выдержать любое количество зубов.

— Вы хотите сделать мне стариковский протез.

— Почему стариковский? У стариков нет зубов, а у вас свои зубы. И, дай бог, еще долго будут.

Несколько лет назад, когда Сталину вырвали коренные зубы и впервые предложили сделать протез, он расстроился: все! Старик со вставными челюстями!

Он видел, как старики снимают их на ночь и кладут в стакан с водой. Так снимал свой протез еще не старый тогда Сольц, они жили вместе в Петербурге на конспиративной квартире, именно у Сольца он впервые увидел вставную челюсть. Когда Сольц разговаривал, а говорил он всегда волнуясь, то челюсть у него выпадала, он подхватывал ее языком, шепелявил, неясно произносил слова — зрелище было неприятное.

Но врачи объяснили ему, что предлагают не вставную челюсть, а золотую пластинку, на которой будут держаться искусственные коренные зубы и ему будет чем пережевывать пищу. Пластинку сделали, он к ней привык, она ему не мешала, ощущение беззубости не было. Потом, когда вырвали еще два зуба, предложили сделать пластинчатый протез, какой предлагает сейчас Липман, и доводы те же самые приводили, но он отказался, сделали золотой бюгель, который Липман держит сейчас в руках, и вопреки всем предупреждениям этот бюгель служит ему хорошо.

Теперь Липман опять предлагает сделать стариковский протез. Липман — недалекий человек, видит в НЕМ пациента и забывает, что на ЭТОГО пациента смотрят миллионы и он не может предстать перед ними с выпадающей челюстью, не может шепелявить, говорить так, будто у него каша во рту.

— Сделайте золотой,— сказал Сталин.

Липман не посмел больше возражать.

— Хорошо, слушаюсь. Если ранка будет побаливать, примите таблетку пирамидона, понадобится, вызовите меня. А завтра разрешите посмотреть, как идет заживление.

— Завтра в это время вас пригласят.

Липман ушел. Сталин подошел к зеркалу, открыл рот, оскалил зубы... Неприглядная картина, всего пять зубов наверху, зубы желтые, прокуренные... Ничего, Жданов потерпит его несколько дней с пятью зубами. И Киров потерпит.

При мысли о Кирове Сталин поморщился. Не хочет включаться в борьбу, не хочет укреплять руководство партии!

В этот день Сталин никого не принимал, пусть пройдет наркоз, заживет ранка. Как велел доктор, он два часа ничего не ел, на обед ему подали холодный свекольный борщ и тепловатые котлеты — правильно подали, жевать нечем. Ранка не болела, десна тоже, принимать пирамидон не пришлось.

Утром пришел Липман, осмотрел рот, удовлетворенно сказал:

— Все идет прекрасно, через два дня приступим.

— Как отдыхаете? — спросил Сталин.— Не скучаете?

— Что вы, Иосиф Виссарионович, разве есть время скучать? Рядом море, пляж, к тому же, смотрю, на письменном столе бумага, отточенные карандаши, сел писать.

— Что же вы пишете?

— Специальную работу по протезированию.

— Желаю успеха.

Обедал и ужинал Сталин один: выходить к общему столу без зубов не хотелось. Но работать надо. Вечером к нему пришли Жданов и Киров. Они сидели на веранде, просматривали газеты.

— Итак, Гитлер — пожизненный фюрер германского народа и рейхсканцлер империи.

— Глядишь, императором себя объявит,— засмеялся Киров.

— Этой глупости он не совершит,— заметил Жданов.

— Да,— согласился Сталин,— нет смысла: императоров было много, а пожизненный фюрер только он один. К тому же детей у него нет, династии не создаст...— Глаза его скользили по газетной полосе.— Вот Зиновьев опять статьей разразился, каждый день пишет. Какую газету ни откроешь, обязательно попадешь на Зиновьева, на Каменева, на Радека. Пишут, пишут, пишут...

— Делать нечего, потому и пишут,—сказал Жданов.

— Но вот что интересно,— продолжал Сталин,— в каждой статье восхваления товарищу Сталину — и такой он, и сякой, и великий, и гениальный, и мудрый, чуть ли не выше Маркса, Энгельса, Ленина. Зачем восхваляет? Разве может Зиновьев искренне восхвалять товарища Сталина? Не может! Он ненавидит товарища Сталина. Значит, врет, пишет не то, что думает. Зачем врет? Ведь хорошо понимает, что никто, в том числе и товарищ Сталин, ему не верит. Боится? Кого боится, ведь его никто не трогает.

— Хочет доказать, что разоружился, ни на что не претендует,— сказал Киров.

— Допустим,— согласился Сталин,— сомнительно, но допустим. Однако он унижается. А собственного унижения никто и никогда не забывает. Все можно забыть: оскорбления, обиды, несправедливости, но унижения не забывает ни один человек, это в человеческой натуре. Звери преследуют друг друга, дерутся, убивают, поедают, но не унижают. Только люди унижают друг друга. И ни один человек своего унижения не забудет и тому, перед кем унижался, никогда не простит. Наоборот, всегда будет его ненавидеть. И чем больше Зиновьев восхваляет Сталина, чем больше унижается перед ним, тем больше будет ненавидеть товарища Сталина. Радек тоже распинается, тоже восхваляет, но Радек болтун, несерьезный человек, вчера восхвалял Троцкого, сегодня Сталина, завтра, если понадобится, будет восхвалять Гитлера. Такому дай бутерброд с горчицей — слопает, оближется, еще спасибо скажет. Но Зиновьев и Каменев — нет, другие амбиции, всю жизнь в вожди метили и сейчас метят. Тем более их полку прибыло, прибавились Бухарин и Рыков с компанией.

Киров пожал плечами.

— Зиновьев и Бухарин — какая связь?

— Сергей Миронович,— мягко проговорил Жданов,— а ведь Бухарин бегал к Каменеву с заднего двора, искал с ним союза.

Жданов нравился Кирову, и все же есть вопросы, которые члены Политбюро обсуждают только между собой. Жданов не член Политбюро. Разговор Сталин затеял при Жданове нарочно, чтобы показать, что не видит разницы между Кировым и Ждановым.

— Видите ли, товарищ Жданов,— сухо возразил Киров,— это было восемь лет назад, когда руководство партии еще не стабилизировалось, когда Зиновьев и Каменев претендовали на власть. Сейчас они хорошо понимают, что шансов у них больше нет, примирились со своим положением, со своим поражением хотя бы потому, что много лет каялись, скомпрометированы и ни на что, я думаю, уже не рассчитывают.

Жданов хотел ответить. Сталин движением руки остановил его:

— Политики всегда претендуют на власть. И чем больше они унижаются, тем больше надеются отомстить за свои унижения. Своих унижений они никому не простят, нам с тобой в первую очередь. Зиновьев считал Ленинград своей вотчиной, накануне Четырнадцатого съезда ленинградская организация голосовала за Зиновьева, против партии. А сейчас уже восемь лет ленинградскую организацию возглавляет товарищ Киров и ленинградская организация идет за товарищем Кировым. Ленинградская организация уже не знает Зиновьева, она знает только Кирова. Простит это тебе Зиновьев? Нет, не простит. И при первой возможности отомстит.

— Вы говорите о непонятных вещах,— Киров пожал плечами.— Я не понимаю, не вижу, не догадываюсь, как, каким путем, чьими руками они собираются мне мстить.

— Руки всегда найдутся,— ответил Сталин,— для такого дела всегда находятся руки. Тем более найдутся они в Ленинграде, там много зиновьевских корешков, ты не хочешь их выдернуть, веришь всем этим якобы раскаявшимся и якобы разоружившимся.

Сталин в упор смотрел на Кирова. Чужие глаза, лицо в оспинках. Оспинки все же портят лицо. И стало неприятно. Казалось бы: какое дело — оспинки! А вот неприятно! Оспинки Кирова напомнили ему, что и у него они тоже есть.

— Товарищ Сталин,— твердо сказал Киров,— в двадцать пятом году ленинградская организация голосовала за Зиновьева. Но ведь уже в двадцать шестом она голосовала за нас, за Центральный Комитет. Это рядовые члены партии. В двадцать пятом партийные руководители сверху донизу уговаривали их, а если говорить прямо, приказывали голосовать за ленинградское руководство, не голосовать — значило нарушить партийную дисциплину. Таковы, к сожалению, издержки демократического централизма: любая партийная организация может временно пойти за своим руководством по ошибочному пути. Рядовые члены партии в этом не виноваты, и наказывать их за это мы не имеем права.

— «Рядовые члены партии»,— усмехнулся Сталин,— плохие они члены партии, если секретарь райкома может восстановить их против партии, против ее Центрального Комитета. Ленинградские коммунисты вовсе не так просты, как это ты хочешь здесь нам представить. Они ведь до сих пор почитают свой город колыбелью революции, а себя авангардом российского рабочего класса. И еще: в Ленинграде остались не только те, кто голосовал в порядке партийной дисциплины, но и те, кто заставлял голосовать. Они тоже ходят в раскаявшихся, но их раскаяние ничем не отличается от раскаяния Зиновьева и Каменева, они ждут своего часа, понимают, что этот час может прийти при малейшей сумятице в партии, в стране, в государстве. Достаточно убрать меня, тебя, пару-тройку членов Политбюро, как такая сумятица начнется, и они не замедлят ею воспользоваться — опытные политики. И уж нам с тобой от них пощады не видать. Если они дорвутся до власти, то всех нас перебьют до третьего колена. А ты им доверяешь, либеральничаешь с ними. Думаешь, они тебе спасибо скажут? Нет, дорогой! Ты ведь по улицам разгуливаешь, в театре сидишь в партере. Неосторожно, очень неосторожно. Неужели сам не понимаешь? Неужели Политбюро должно вынести специальное решение о твоей охране?

— Я прошу не принимать никаких решений,— поспешно сказал Киров,— моя охрана достаточна и надежна.

— Это ты так считаешь,— возразил Сталин,— а у Политбюро на этот счет может быть другое суждение. Есть определенный порядок охраны членов Политбюро, ты единственный его нарушаешь.

— Я восемь лет в Ленинграде,— сказал Киров,— за эти восемь лет ничего не случилось. Даже намека не было ни на что.

— Вчера не было, сегодня не было, завтра может случиться,— возразил Сталин,— ничто не вечно, ничто не бесконечно. Приход Гитлера к власти кардинально меняет обстановку. Теперь оппозиционные силы в нашей стране получают поддержку в милитаристских устремлениях Германии. Безусловно, эти милитаристские устремления направлены прежде всего на Запад. Но Запад стремится переключить их на нас. Такой поворот событий может создать у нас кризисную обстановку. Кто прежде всего ею воспользуется? Оппозиционные силы... Какие оппозиционные силы мы имеем в нашей стране? Монархисты? Кадеты? Эсеры? Меньшевики? Их нет, они сметены навсегда, они неспособны возродиться, народ навсегда связал себя с советской системой. Значит, единственную опасность представляют оппозиционные силы внутри советской системы, внутри партии. Кто они? Троцкисты, зиновьевцы, бухаринцы. Понимают ли они это сами? Безусловно, понимают. А пока маневрируют. Главная их задача — сохранить себя, свои кадры. Их мало? Несколько тысяч человек? А сколько было нас, большевиков, в семнадцатом году? Тоже несколько тысяч человек. Но мы правильно воспользовались ситуацией и победили. Какие же у нас основания предполагать, что такие, как Зиновьев, Каменев, Бухарин, не сумеют воспользоваться подходящей ситуацией, имея за собой не тысячи, а десятки тысяч притаившихся сторонников? Разве не поддержат Зиновьева все бывшие меньшевики? Разве не поддержат Бухарина раскулаченные крестьяне, эсеры, кадеты? Они будут рассматривать Зиновьева и Бухарина как трамплин, как фигуры временные, но в данной кризисной ситуации единственно приемлемые: народ их знает, партия их знает. А то, что они каялись и признавали ошибки, этого никто не вспомнит. Уж какие ошибки совершили Зиновьев и Каменев в семнадцатом году, и ничего, все простили, все забыли. Пятнадцать лет Троцкий боролся против Ленина, а как перешел к большевикам, тут же ему все простили, все забыли. Народ интересуется не прошлым политического деятеля, а тем, что он собой представляет сейчас, в данную минуту. Все это Зиновьев, Каменев, Бухарин отлично понимают — стратегия элементарная. Главное для них — сохраниться, дождаться своего часа. В этом они похитрее Троцкого. Троцкий — плохой политик, шел напролом, и кадры его шли напролом, всех их мы знаем, все под присмотром. Зиновьев и Бухарин похитрее, вовремя капитулировали, кадры свои не раскрыли, эти кадры притаились и готовы выступить в любую минуту. Их много, очень много: все обиженные в партии, все обиженные в стране. Большой и опасный потенциал. А вот «мы» этот потенциал бережем, сохраняем, не даем в обиду.

— Вы имеете в виду Ленинград? — спросил Киров.

— Да,— жестко ответил Сталин,— я имею в виду Ленинград, как несокрушенный оплот оппозиции, и товарища Кирова, как человека, не желающего сокрушить этот бастион.

— Это не так,— возразил Киров спокойно,— история партии учит нас и другому. В партии всегда были разногласия по вопросам стратегии и тактики, были споры и дискуссии. Но, когда партия принимала решение, дискуссии кончались, никаких оппозиций больше не существовало и никто из бывших оппозиционеров от партии не отсекался. Наоборот, Ленин учил нас бережному, товарищескому отношению к тем, кто заблуждался в тех или иных вопросах. Я с полной ответственностью утверждаю: никаких троцкистов, зиновьевцев, бухаринцев в ленинградской организации нет. Безусловно, мы сталкиваемся с отдельными антипартийными, антисоветскими настроениями, но исходят они в основном из среды буржуазных классов и никакого отношения к бывшей оппозиции не имеют. И ленинградские рабочие-коммунисты, которые в двадцать пятом году голосовали за Зиновьева, давно с Зиновьевым порвали, давно о нем забыли. И репрессировать их спустя восемь лет за то, что они в порядке партийной дисциплины голосовали за свое руководство, я не могу и не буду. Если вы считаете мою политику неправильной, можете отозвать меня из Ленинграда, но, пока я в Ленинграде, я этой политики не изменю.

Напряжение, которое все время ощущалось в Сталине, вдруг спало, и он спокойно, даже равнодушно сказал:

— У партии не может быть в каждом городе своей отдельной политики, у партии единая политика для всей страны, и каждый секретарь обкома должен этой политике подчиняться. Линию по отношению к бывшим зиновьевцам мы обсудим на Политбюро. Но, пока мы ее обсудим, я хочу, чтобы ты был осторожен, чтобы учел мои предупреждения: зиновьевцы активизируются. Я располагаю более широкой информацией, чем ты. Ты слишком доверчив, Сергей Миронович. Смотри, чтобы излишняя доверчивость не подвела тебя.

— В каком смысле?

— Ты видел Зиновьева и Каменева только на трибунах съездов, я с ними пуд соли съел, я с Каменевым был вместе в ссылке. Они лгуны, лжецы, обманщики и фарисеи. И те, кто стоит за ними, тоже подлецы, лжецы и фарисеи. Не верь им, они на все способны. Они ненавидят тебя. И чем больше будешь ты им потакать, тем больше будут тебя ненавидеть. Между прочим, это одна из причин, почему хотелось бы твоего переезда в Москву. Если вместо тебя придет другой человек и так же хорошо будет справляться с Ленинградом, то они поймут, что дело не только в товарище

Кирове, а дело в партии, ленинградские коммунисты не просто идут за товарищем Кировым, они идут за партией. И на твоего преемника уже не будут точить зубы. Ведь ты секретарь ЦК, тебе давно следовало переехать в Москву, секретарь ЦК должен жить в Москве. Проведешь в Ленинграде отмену карточек, пусть ленинградцы тебя на этом запомнят, пусть это будет твоим, так сказать, прощальным актом, и переезжай в Москву.

Сдерживая вспыхнувшую ярость, Киров опустил глаза. Намек на то, что он алчет популярности, был груб. Все ясно: Сталин хочет забрать его из Ленинграда, хочет иметь его под боком, в Москве, хочет полного подчинения.

— Товарищ Сталин,— сказал Киров,— из Ленинграда прошу меня не отзывать, пока не завершится реконструкция города. Я ее начал, я хочу ее закончить.

Киров произнес это тоном, показывающим, что это его окончательное решение.

Сталин все понял и спокойно спросил:

— А когда должна закончиться реконструкция?

— Надеюсь, к концу этой пятилетки.

— Ну что ж,— пошутил Сталин,— постараемся закончить пятилетку в четыре года, чтобы поскорее заполучить тебя в Москву.

12

Варя приходила на работу ровно к девяти, накладывала на доску ватман с чертежом, который ей предстояло копировать, на него голубоватую полотняную пленку, закалывала все это кнопками, чуть протирала машинным маслом, как учил ее Левочка, от этого калька становилась прозрачной, как стекло, чертеж виднелся отчетливо, тушь не расплывалась. Чертеж готовил Левочка, став техником, он перешел на карандашную работу, таким словом определял свое довольно высокое положение. Славный парень, но без технического образования и своим званием техника-конструктора очень гордился. Игорь Владимирович набрасывал эскиз, по нему Левочка делал чертеж на ватмане, а Варя копировала. Кальку отправляли на светокопию, где с нее снималась и печаталась синька — рабочие чертежи, их выдавали на стройку, гостиница возводилась рядом. По Левочкиным чертежам работать было легко, он обладал, как здесь говорили, «высокой графикой» — четким, качественным изображением. Передавая Варе чертеж, Левочка в общей форме объяснял его назначение: окна, двери, деталь вестибюля гостиницы, холла этажа, банкетного зала ресторана. В подробности не вдавался. В подробности вдавался Игорь Владимирович, выходил из кабинета, становился рядом с Варей, наклонялся к чертежу: эта линия обозначает то-то, а та линия — другое... Дружелюбно говорил:

— О непонятном спрашивайте, не стесняйтесь...

По словам Левочки и Рины, то же самое Игорь Владимирович объяснял и им, когда они были рядовыми копировщиками, хотел, чтобы копировали не механически, а понимали свою работу. Есть начальники-формалисты, подойдет, посмотрит, скажет: «Э, милый, напорол... Давай снимай, делай сначала». Игорь Владимирович никогда так не говорил, вел себя не только как начальник, но и как педагог. Получалось, что Игорь Владимирович относится к Варе, как ко всем, никак ее не выделяет. Но Варя видела, что он относится к ней не так, как ко всем, и, чтобы не поощрять его, спрашивала у Левочки или Рины.

С работой она освоилась быстро, не испытывала ни волнения, ни страха, ни неуверенности. Инструменты — рейсшину, линейки, треугольники, лекала, циркуль, рейсфедер — она знала по школе, умела хорошо натягивать кальку, тушь набирала в сторонке, чтобы не капнуть на чертеж, а если и попадала капля, то очень ловко снимала ее бритвочкой, не оставляя ни следа, даже Левочка с Риной удивлялись. И еще, к их удивлению, умела обходиться без лекала, наносила кривые тонким перышком.

В двенадцать часов большой веселой компанией они шли обедать в закрытую столовую на углу Тверской и улицы Белинского. Обед — винегрет, щи или суп, каша с кусочком мяса или котлетой, жидкий компот — стоит всего сорок копеек, и не отрывался талон в продуктовой карточке. Вдобавок в буфете можно было купить и взять с собой пару бутербродов с колбасой, сыром, селедкой, тоже без карточек. В Бюро работало человек сорок, из них половина девушки — молоденькие, хорошенькие, кое-кого Варя встречала в саду «Эрмитаж», «Национале», «Метрополе». Тот, кто приходил раньше, занимал очередь в кассу, все держались дружно, шутили, и начальники этих девочек — архитекторы, инженеры, техники — тоже вели себя просто, по-товарищески.

Обратно возвращались по двое, по трое, кто когда кончал обедать. Зоя показывала на огороженную забором стройку гостиницы, там шла кладка фундамента и другие работы под землей — нулевой цикл. Округляя глаза, Зоя рассказывала:

— В прошлом году снесли Охотный ряд, все эти лавки, лабазы, а в них полчища крыс, ведь в Охотном ряду торговали мясом и рыбой. И вот, представляешь, все эти крысы бросились в «Гранд-отель», расселились по этажам, шныряли по комнатам, жирные, громадные, размером с кошку. Ужас! Мы умирали со страху, девчонки залезали на столы. Крыс истребляли специальные команды, даже на некоторое время пришлось закрыть гостиницу.

Зоя совсем не менялась. Возбужденная, экзальтированная, привязчивая, многословная. Никто с ней в Бюро не дружил, никого Зоя здесь не интересовала. Варе она тоже была неинтересна, но отталкивать подругу она не могла, терпеливо выслушивала ее болтовню — Зоя была напичкана слухами.

— Проект гостиницы Игоря Владимировича и еще одного архитектора,— говорила Зоя,— они получили первую премию на конкурсе, а им назначили в соавторы академика Щусева, мало того, назначили Щусева главным руководителем. Конечно, им обидно. Щусев даже сидит не здесь, а в своей мастерской в Брюсовском переулке, знаешь, в доме, где живут Качалов и другие знаменитые актеры. Знаешь?

— Я не знаю, а откуда ты знаешь: бываешь у Качалова в гостях? — насмешливо спрашивала Варя.

— В гостях у него я не бываю, но, где этот дом, знаю. Я носила Щусеву чертежи.

Варя видела Щусева, он каждый день почти бывал в Бюро, приятный старичок лет шестидесяти. Как-то зашел в их комнату. Левочка в это время делал перспективу гостиницы для какого-то высокого начальства. Работа срочная, работал день и ночь.

Щусев посмотрел чертеж, одобрительно кивнул головой:

— Очень хорошо, только надо показать окна поуже.

И вышел.

Левочка в растерянности опустился на стул.

— Ты что? — спросила Рина.

— У меня между окнами кирпичная кладка. Если утончить окна, придется перерисовывать все камни. Еще ночь.

— Хочешь, я тебе помогу,— предложила Варя.

Помогать Левочке не пришлось. Игорь Владимирович сказал:

— Не трогайте. Завтра скажете ему, что сделали.

На следующий день Щусев опять зашел.

— Сделали?

— Да.

— Вот видите, совсем другое дело.

Над этим потом долго смеялись. Над Щусевым вообще подтрунивали. Он спроектировал боковой фасад гостиницы, выходящий в сторону Манежа, в виде столбов, поддерживающих коробку, где будет ресторан. Эту коробку в Бюро называли «сундук», насмешливо, но любовно. Все здесь были энтузиасты стройки, огорчались поправками, радовались успеху, небольшой, но дружный и сплоченный коллектив.

Игорь Владимирович никогда не критиковал Щусева и в своем присутствии не позволял этого делать, никогда не оспаривал его указания, хотя и делал все по-своему, как в случае с окнами. Это нравилось Варе, все же Щусев! Если бы Игорь Владимирович иронизировал над ним, это унизило бы его самого. А Игорь Владимирович — личность! Просматривая эскизы и наброски своих подчиненных, он черным углем, здесь его называли «соус», наносил несколько штрихов — это и были его указания, они выполнялись беспрекословно. Корректный, сдержанный, элегантный. Многие девчонки в него влюблены, но репутация его в этом смысле была здесь безукоризненна.

Как-то возвращались из столовой вчетвером: она, Игорь Владимирович, Рина и Левочка. Рина и Левочка ушли чуть вперед. Игорь Владимирович и Варя шли рядом. Показав глазами на окна «Националя», Игорь Владимирович сказал:

— Вам это ничего не напоминает?

Варя проходила мимо «Националя» два раза в день, когда шла в столовую и когда возвращалась из нее, и ничего он ей, в общем, не напоминал. Была здесь один раз с Викой, давно, весной, и впечатление от этого посещения вытеснили впечатления от других ресторанов, где она бывала с Костей.

— Помню,— спокойно ответила Варя,— мы тут с вами познакомились, я была тогда с Викой Марасевич.

— А Александровский сад помните? Вход, загороженный скамейкой, свисток сторожа... Наше бегство... Ваш порванный чулок...

Видно, эти воспоминания ему дороги. Варе они тоже щемили сердце — другое время, другая жизнь, другие надежды... Но в тоне Игоря Владимировича она уловила ожидание... Зачем? У нее есть муж! Надолго ли? Теперь уже, наверно, ненадолго. И все же...

— Да,— равнодушно ответила Варя,— было дело...

Игорь Владимирович ей, безусловно, нравится. Но только как человек. И тогда, в «Национале», она сразу поняла, что он не таков, как Вика и ее приятели. И сейчас увидела его в работе, среди выдающихся людей. Приходил Щусев, приходил известный художник Лансере, расписавший залы Казанского вокзала, теперь он будет расписывать потолок в главном ресторане новой гостиницы, приходил американец—консультант по холодильникам и другой новейшей кухонной технике, приходили архитекторы и инженеры, согласовывавшие детали проекта. Потом Левочка называл имена этих людей, сплошь знаменитости.

Варе не хотелось вечером уходить с работы, не хотелось возвращаться домой, жить жизнью Кости она не может, она не любит его, просто жалеет. Он говорил ей тогда: «Может быть, рядом с тобой и я стану человеком». Пустые слова, он не стал человеком и не станет.

После истории с накидкой он вел себя так, будто ничего не случилось: такова жизнь игрока, сегодня в выигрыше, завтра в проигрыше, сегодня при деньгах, завтра зубы на полку, что же, надо потерпеть, преодолеть временные неудачи. Варя молчала, он понимал, что она не принимает его доводов, видел ее отчужденность, замкнутость. И все же упорно хотел подчинить своему образу жизни. Как-то принес золотой браслет, надел ей на руку, небрежно бросил:

— Носи!

Она сняла браслет, положила на стол.

— Я его носить не буду.

— Почему?

— Я никогда не носила золотых вещей и не собираюсь носить.

Он метнул на нее бешеный взгляд, но сдержал себя.

— Можешь не носить, браслет твой.

Он положил браслет в коробочку, аккуратно завернул в бумагу, засунул в стол, запер ящик, пошутил:

— Даме полагается иметь шкатулку для драгоценностей. Но, пока у тебя шкатулки нет, пусть полежит здесь.

Она ничего не ответила, знала — этот браслет исчезнет так же внезапно, как внезапно появился.

В тот же день он оставил в ящике стола и деньги. Варя к ним не притрагивалась, даже не знала, сколько он туда положил.

— Почему не берешь денег? — спросил он как-то.

— Зачем? Ты дома не ешь, а я обедаю на работе.

— За обед тоже надо платить.

— На это хватает моей зарплаты.

Вскоре деньги исчезли, исчез и золотой браслет. Деньги ей не нужны, браслет тоже не нужен, но о пропаже она должна ему сказать, чтобы не было недоразумений.

— Ляленька,— ответил Костя ласково,— прости меня и на этот раз, отыграюсь, все будет на месте, не расстраивайся.

— Я не расстраиваюсь и ничего возвращать не надо. Мне не нужны ни деньги, ни браслет. Они исчезли, и я сочла нужным поставить тебя об этом в известность. Хотя понимала, что их взял ты.

Он повысил голос:

— А если понимала, что взял, зачем мне же и сообщать?

— Тебе неприятно получать такие сообщения? Не приноси больше дорогих вещей и денег, храни их в другом месте.

— Что ты хочешь этим сказать?

— Здесь не ломбард и не сберкасса. Там это будет сохраннее, а здесь мне и Софье Александровне приходится за них отвечать.

— Ты не хочешь понять условий моей жизни.

— Да, не хочу. Такой жизни я ни понять, ни принять не могу.

— Ты говоришь со мной, как с чужим человеком.

Она повернулась к нему, посмотрела прямо в глаза:

— Да, мы чужие люди, и самое правильное нам — разойтись.

— Ах, так! — Он скривил рот, медленно выговаривая слова: — Когда я в удаче, я хорош, а пришла неудача, стал не нужен.

— Ты хорошо знаешь, что это не так. Я тебе не набивалась с Крымом, не просила чернобурок и золотых браслетов. Просто я убедилась: у нас нет общей жизни и не может ее быть.

Он по-прежнему презрительно цедил:

— Начинаешь роман с архитектором?!

— Дурак ты! — пренебрежительно ответила Варя. Но про себя отметила: кто-то насплетничал. Кто же? Левочка или Рина?

— Конечно, дурак,— он растягивал слова, сдерживая бешенство,— рестораны, видите ли, тебе не нравятся, а где я с тобой познакомился, не в ресторане разве?

— Ты хочешь сказать, что подобрал меня в ресторане, что я ресторанная шлюха?

Он взял себя в руки.

— Я хочу сказать только одно: мы познакомились в ресторане, и не надо искажать фактов.

— Мне нечего искажать, и нам нечего обсуждать. Мы должны разойтись. Немедленно! Сегодня же освободить эту комнату.

Он удивленно, даже насмешливо поднял брови.

— Сегодня?.. Интересно... Куда же мы переедем?

— Я домой. А у тебя есть квартира, где ты прописан.

Он опять скривил губы, на этот раз в усмешке.

— Я же тебе говорил: прописка эта формальная, жить там я не могу. И никуда отсюда не выеду. Мне здесь нравится.

Он улыбался широко, победоносно, понимал, какой удар наносит Варе, торжествовал, видя ее растерянность. Варя действительно растерялась. Оставить Костю у Софьи Александровны она не может. Софья Александровна с ним не справится, выселять его через милицию побоится, побоится скандала, побоится, что отберут комнату. Господи, как легкомысленно она поступила, в какую историю втянула Софью Александровну.

— Софья Александровна сдала эту комнату мне.

Он перебил ее:

— Нам! Не «мне», а нам. И я, кстати, ее оплачиваю.

— Я тебе верну эти деньги.

— Так вот, слушай меня внимательно,— внушительно проговорил Костя,— когда мы познакомились, еще тогда, в «Савое», ты мне сказала об этой комнате, обещала поговорить с хозяйкой, значит, для меня ее снимала. А теперь, видите ли, я должен выметаться отсюда. Куда? На улицу? Нет, на улице я жить не могу, я буду жить здесь. А ты можешь жить, где хочешь...

Варя сидела, опустив голову... Беспощадный, неразборчивый в средствах человек, ни к кому не знающий снисхождения. И его она называла своим мужем. И самое ужасное: вынуждена все терпеть, оставить его Софье Александровне она не имеет права.

Костя наслаждался ее унижением, ее бессилием.

— Не хочешь со мной жить — дело твое, мы не расписаны, разойдемся в разные стороны. Я тебе не навязываюсь.— В его голосе опять звучали гордые нотки.— Я вообще никому не навязываюсь, в том числе и Софье Александровне. Я уеду отсюда, освобожу комнату. Но не раньше, чем найду другую — в центре, с телефоном, со всеми удобствами. Для этого нужно два-три месяца. Один я тут останусь или останемся мы оба, мне безразлично, мы друг другу не помешаем. Таковы мои условия: два-три месяца. Впрочем, если комната найдется раньше, то я выеду раньше,— он опять усмехнулся,— если ты в этом очень-очень заинтересована, помоги мне найти новую комнату.

Хочет выиграть время, надеется наладить отношения, надеется, что она в конце концов примирится с его жизнью. Напрасно надеется. Но у него мертвая хватка, она в капкане, и деваться ей некуда. Софью Александровну она никогда не подведет.

— С комнатой я тебе помочь не могу,— сказала Варя,— но я согласна подождать два месяца.

Он перебил ее:

— Я сказал, два-три месяца.

— Хорошо, пусть два-три месяца. Но ты обещаешь мне, что через два-три месяца мы комнату освободим.

Он улыбнулся своей прежней широкой обаятельной улыбкой.

— Вот и договорились. Зачем ссориться, трепать друг другу нервы?! Итак, мир! Ура! Может быть, обмоем, посидим где-нибудь?

— Нигде больше мы с тобой сидеть не будем. Я остаюсь здесь только ради Софьи Александровны, для ее спокойствия. Обо всем остальном забудь. Спать я буду на этом диванчике.

— На этом диванчике,— он рассмеялся,— а поместишься?

— Умещусь, не беспокойся.

— Твое дело.

Как же она так обманулась? Не разглядела, не угадала, что кроется за его показной широтой и независимостью. Как поддалась на дешевые слова «рядом с тобой и я стану человеком», ведь именно себя он и считает настоящим человеком. В своем классе она была самая красивая, самая способная, самая успевающая, все остальные девчонки были на голову ниже ее, но ни одна из них не попала в такую историю, ни одну из них, из этих интеллигентных арбатских девочек, не обольстил бы бильярдный игрок.

Ей обязательно надо разобраться в себе, понять наконец, что она из себя представляет.

Варя вновь перечитала графологическое исследование Зуева-Инсарова, хранила его в том же конверте, в котором получила, на конверте марка — три профиля: рабочий в кепке, красноармеец в буденовке, бородатый крестьянин в картузе.

«Незаурядный, очень одаренный человек. Ум критический. Сила воли есть, но волевые акты носят импульсивный характер. В поведении проявляет самостоятельность и решает все без советов и помощи других. Развитие высокое, умеет самостоятельно разбираться в вопросах науки. Склонность к творчеству в области науки, возможно, и невыявленная вследствие слабой целеустремленности. Человек сердечный, способен на большие жертвы, но резко меняет отношение к людям после размолвок. Самолюбивый и чуткий к обидам человек, не дающий себя отговорить от того, на что уже решился. Вспыльчивость и умение говорить колкости. Смелый и не всегда осторожный человек. В глубоких переживаниях замкнутый. По отношению к близким людям несколько деспотичный. Широкий размах, не умеет отказывать себе в удовольствиях. Любит людей, уверенных в себе, мягкотелости не терпит. В денежных делах безупречная честность, часто в ущерб себе. Злопамятность есть, но не мстит, а подавляет своих врагов презрением. Обостренность нервной чувствительности. Глубокие потрясения скрывает и переживает один. Характер раздвоенный и непостоянный, жизнерадостность сменяется меланхолией. В интимных отношениях не терпит фамильярности и однообразия. Из гордости может порвать все даже по незначительному поводу. Графолог Зуев-Инсаров».

Насчет одаренности и способностей она не знает, вероятно, он всем отпускает такие комплименты. Впрочем, Зое он этого не написал. Но эта характеристика многое объясняет в ее замужестве... Любит людей, уверенных в себе, решает все сама, не выносит, когда ей противоречат, не осторожна, не умеет отказывать себе в удовольствиях — на всем этом она и попалась. Характеристика положительная, она ее никому не показывает только потому, что в ней чересчур много о ней хорошего. Самое правильное — это то, что глубокие потрясения скрывает и переживает одна. И то, что с ней произошло, она тоже переживает одна.

Теперь с Костей они почти не виделись. Как обычно, он приходил за полночь, Варя спала на диванчике, утром уходила на работу, когда он еще спал. Он к ней не приставал, держался дружественно, как бы снисходил к ее женским капризам, в ящике стола опять появились деньги, как-то в шкафу она увидела меховые ботинки ее размера. Костя терпеливо ждал. Тягостными могли бы стать выходные дни, но Варя выходных не использовала, в Бюро, как и во всех учреждениях, непрерывная рабочая неделя, скользящий график выходных, работы много, и начальство радовалось, когда сотрудники не брали выходного дня. Этот день потом прибавят к ее отпуску. На дом она брала «халтурку», старалась побольше заработать, чтобы не зависеть от Кости, даже в кино с Зоей почти не бывала.

В свободные вечера Варя заходила к Михаилу Юрьевичу, в комнату, тесно уставленную шкафами, полками и этажерками с книгами, с альбомами, папками. В нише, образованной книжными полками, стояла узкая кровать, в другой нише — письменный стол, заставленный баночками, тюбиками с клеем и красками, стаканами с кисточками, ручками, карандашами, тут же ножницы, бритвочки и другие инструменты, которыми работал Михаил Юрьевич. Рядом со столом старое кресло с высокой спинкой и провисшим сиденьем. На это кресло Варя забиралась с ногами.

Уютно пахло красками, клеем, уютно выглядел Михаил Юрьевич — старомодный холостяк в пенсне. Он где-то служил, уходил рано, возвращался со службы ровно в шесть, а если задерживался, то являлся со вновь приобретенной книгой, гравюрой или репродукцией — в этом была его жизнь. Он сам переплетал книги, подклеивал страницы, вел сложный каталог, по которому быстро находил на бесчисленных полках все нужное. Варя брала в руки книгу, он ревнивым, настороженным взглядом следил, как она ее держит, как перелистывает страницы, ставит ли обратно на то место, откуда взяла.

Книги Михаил Юрьевич приобретал на свое грошовое жалованье, отказывал себе во всем, зимой и летом ходил в одном и том же костюме, лоснящемся на локтях и лацканах.

— Изо всех изобретений человека,— говорил Михаил Юрьевич, подклеивая к тонкому прозрачному листу бумаги полуистлевшую страницу,— книга — самое великое, изо всех людей на земле писатель — явление самое удивительное. Мы знаем Николая Первого и Бенкендорфа только потому, что они имели честь жить в одно время с Александром Сергеевичем Пушкиным. Что бы знали об истории человечества без Библии? О Франции без Бальзака, Стендаля, Мопассана? Слово — единственное, что живет вечно.

— А пирамиды, храмы,— возражала Варя,— а памятники архитектуры, великие живописцы Возрождения?

— Чтобы насладиться произведениями Микеланджело и Рафаэля, надо ехать в Рим, Флоренцию, Дрезден, посетить Лувр или наш Эрмитаж. Но к Данте или Гете ездить не надо, они всегда со мной,— Михаил Юрьевич обводил глазами полки и шкафы.

— Эта библиотека — ваша крепость, вы укрываетесь в ней,— улыбнулась Варя и сказала, что купила Пильняка.

— Говорят, хороший писатель,— сдержанно ответил Михаил Юрьевич,— сейчас много интересных писателей! Зощенко, Бабель, Тынянов... Но в моем возрасте, Варенька, предпочитают поддерживать старые знакомства. Со знакомым мне автором я себя чувствую, как с испытанным другом, перечитывая его, возвращаюсь в юность, детство, путешествую по своей жизни.

Иногда Михаил Юрьевич вытаскивал из-под кровати или выдвигал из-за стола корзины, закрытые мешковиной, развязывал, вынимал пачки журналов: «Мир искусства», «Весы», «Аполлон», «Золотое руно», отпечатанные на роскошной бумаге, украшенные виньетками и заставками крупнейших мастеров.

— Это, по-видимому, уже никогда не вернется,— говорил он с грустью,— расцвет символизма, расцвет русского искусства... Бенуа, Сомов, Добужинский, Бакст...

— А я люблю «передвижников»,— сказала Варя,— это великие художники, их работы живут столько лет, а «мирискусников» почти никто уже не знает.

Михаил Юрьевич покосился на нее из-за стекол пенсне.

— Их сейчас не признают, не пропагандируют, но у них есть безусловные заслуги: высокохудожественная графика, изящная орнаментальность, утонченность.

Зря она сказала, что никто не знает сейчас «мирискусников». Михаил Юрьевич огорчился.

— Михаил Юрьевич, я готова сидеть у вас часами, вы не устаете от меня?

— Что вы, Варя, нисколько! Я рад, что вы приходите.

Он часто вспоминал Сашу.

— Саша — натура художественная. Он простодушен, созерцателен, очень наблюдателен, его суждения о прочитанном свидетельствуют о тонком вкусе. Однако время стимулировало активные стороны его натуры и он не пошел по пути, предназначенному ему природой. Но моей библиотекой он пользовался широко, много читал.

— Какие книги он любил?

— Он прекрасно знал русскую классику, особенно Пушкина. Пушкина мог читать страницами наизусть, хорошо знал Толстого, Гоголя, Чехова, Салтыкова-Щедрина. Не любил Достоевского.

— Я тоже не люблю Достоевского,— сказала Варя,— кишки рвет.

— Со временем, может, и полюбите... Да, так о Саше. Он любил французов, особенно Бальзака и Стендаля, он ведь читает по-французски.

— Да? — удивилась Варя.— В нашей школе был немецкий.

— Саша кончил школу раньше вас лет, наверно, на пять, а тогда были и французский, и немецкий.

Позже остался только немецкий. У меня неплохая библиотека на французском, и Саша читал в подлиннике. К сожалению, он не пошел на филологический, считал, что стране нужны инженеры. Впрочем, ситуация, в которую он попал, может изменить его жизненный путь: страдание обостряет душевную наблюдательность, развивает художественное дарование, да и после ссылки вряд ли он сумеет вернуться к общественной работе.

— Может быть, его дело пересмотрят, может быть, его освободят, ведь он ни в чем не виноват.

Михаил Юрьевич с сомнением покачал головой.

— Освободят? Про такое мне не приходилось слышать. Хорошо еще, если освободят, когда он кончит срок.

— То есть как? — изумилась Варя.

— Я этого не утверждаю, но допускаю: могут и не освободить, я знаю такие случаи — политическим добавляют срок. В нашем подъезде живет Травкина, знаете ее?

— Видела. Я ее дочь знаю.

— Вы знаете младшую дочь, а старшая в ссылке, думаю, года с двадцать второго, то Соловки, то Нарым. Впрочем, она эсерка, не хочет отрекаться от своих взглядов, может быть, поэтому. Возможно, с Сашей такого не произойдет.

Он смотрел на Варю своим косым взглядом из-за пенсне.

— Софье Александровне этого говорить не следует. Будем надеяться, что с Сашей все будет в порядке.

— Конечно, я ничего ей не скажу, это ее убьет, она живет только одним: снова увидеть Сашу, в этом вся ее жизнь.

— Вот и хорошо. Будем и мы ждать. Саша вернется и со временем разовьет талант, данный ему природой. Для политики Саша слишком простодушен, доверчив, там нужны другие качества. Когда его исключили из института, я советовал ему уехать к отцу, к дяде, это бы его спасло, о нем бы забыли. Он меня не послушался, свято верил в справедливость — вот вам еще одно доказательство его простодушия.

Сашу могут не освободить?! Это поразило Варю. У нее и в мыслях не было, что она его больше не увидит. Живет в его комнате, среди его вещей, рядом с его матерью, то, что его здесь нет, воспринимается как временное, случайное. Он никогда не вернется? Какая нелепость! Нечестно, несправедливо, незаконно!

Что тогда будет с Софьей Александровной? Она отсчитывает дни до его возвращения, главные события в ее жизни — Сашины письма. Она читала их Варе, немногословные, остроумные, исполненные нежности к матери, стремления ободрить ее, утешить. Ни на что не жаловался, ничего не просил, писал часто, но письма приходили нерегулярно. Саша нумеровал письма, случалось, что поздние номера приходили раньше. Софья Александровна волновалась: в недополученных письмах содержится нечто важное, потому и не пришли. Варя ее успокаивала, ссылаясь на сложность сибирского почтового пути. И оказывалась права — письма приходили.

Варя помогала Софье Александровне собирать посылку с зимними вещами, он должен получить их до осенней распутицы. Пальто, шапка-ушанка у него есть, в них его и отправили в ссылку. Софья Александровна послала ему валенки, две пары шерстяного белья, шерстяные носки, шарф, свитер. Все это Варя уложила в фанерный ящик, обшила мешковиной, написала адрес чернильным карандашом, чтобы не возиться с этим на почте. Когда собирала и сдавала посылку, снова вспомнила, как ходила с Софьей Александровной, искала Сашу, видела страдания и мучения людей в тюремных очередях.

Она вспоминала, как в «Арбатском подвальчике» он осуждал проститутку, но вступился за нее, как за женщину. В этом весь Саша. И на Новый год он выдал этому сукину сыну Юре Шароку, не позволил оскорблять Нину, все смолчали, а он нет. Он и в Сибири оказался потому, что не хотел подличать. Выпускали газету несколько человек, а он все взял на себя. Покорно шел между конвоирами? А что он мог сделать? Один, безоружный, а их трое с винтовками. Тогда он показался ей жалким. Какие глупости! Крест, выпавший на Сашину долю, не принижал его, а только возвышал. Теперь, повидав других людей, она это поняла.

В ящиках стола лежали Сашины институтские тетради, карандаши, ручки, какие-то винты и гайки, наверное, от велосипеда, под столом гантели, в шкафу книги, может быть, не только его, а книги отца и матери, библиотека, которая десятилетиями накапливается в семье. И все же Варя находила именно его, Сашины книги... Жюль Верн, Фенимор Купер, «Капитан Сорвиголова», «Серебряные коньки» — книги его детства, шеститомник Пушкина издания Девриена 1912 года, однотомник Гоголя, Лермонтов, «Война и мир» Толстого, «Тиль Уленшпигель», «Калевала», «Песнь о Гайавате», «Кровь и песок» Бласко Ибаньеса, «Кира Киралина» Панаита Истрати, книги Ильфа и Петрова, Зощенко, Бабеля, Шолохова, десять томов Малой Советской Энциклопедии.

Она вспомнила, как в «Арбатском подвальчике», танцуя, прижималась к нему и на встрече Нового года тоже прижималась, вспоминая об этом, даже сейчас испытывала волнение. Конечно, он нравился ей, может быть, даже была влюблена в него, но не понимала этого, привыкла считать его взрослым. Нет, понимала, потому позвала на каток, хотела кататься с ним, держать его за руку...

В каждом письме Саша передавал ей приветы. Два слова в конце письма: «Привет Варе». Может быть, из вежливости, ради хороших отношений ее с Софьей Александровной. Но, передавая приветы, он называл по имени только Варю, других не называл: «Привет родне и всем знакомым». Что-то значительное казалось Варе в этом, что-то недоговоренное, но понятное им обоим. Она также просила Софью Александровну передавать приветы и от нее.

— Черкни ему сама пару слов,— предложила как-то Софья Александровна.

Но Варя еще не была готова к этому, писать пустое стыдно, написать «приезжай скорее» — глупо, не от него это зависит. Написать что-то значительное, дать ему понять, что думает о нем, что скучает, не решалась.

И она сказала:

— Что я ему напишу? Про нашу контору? Разве ему это интересно?

13

К Михаилу Михайловичу Маслову приехала жена— Ольга Степановна. Из Калинина до Красноярска поездом, по Енисею пароходом, затем попутными лодками вверх по Ангаре через шивера и пороги. И все это ради трех дней свидания с мужем.

Приятная женщина с неторопливыми движениями, приветливым взглядом. Семь лет они не виделись. У них двое детей. Где, когда, при каких обстоятельствах поженились? Он бывший офицер, она бухгалтер.

Глядя на нее, Саша вдруг отчетливо и ясно увидел Михаила Михайловича молодым, красивым, увидел рядом с ним Ольгу Степановну, юную, полную надежд и радости, их стройные фигуры, лица, озаренные счастьем. И так же отчетливо и ясно, до мельчайших подробностей увидел их истинную жизнь, спрессованную в семь страшных лет.

Ольга Степановна приехала утром, с почтой, а вечером Михаил Михайлович пригласил всех на преферанс. Это удивило Сашу, казалось, что эти три дня Михаил Михайлович и Ольга Степановна пробудут вдвоем. Конечно, новый человек здесь, особенно с воли,— событие, но все же... Столько лет не виделись и, может быть, еще столько же не увидятся, а он зовет на преферанс.

Еще больше поразился Саша раздражительности, с какой Михаил Михайлович разговаривал с женой. Это была даже не его обычная желчность, а нарочитая, подчеркнутая грубость, холодные глаза становились бешеными.

Она не играла, сидела рядом с мужем, заглядывала в его карты, молчала, но было видно, что умеет играть. И только раз после того, как Михаил Михайлович сыграл неудачно, сказала:

— Лучше было бы играть бескозырную.

Михаил Михайлович дернулся.

— Па-пра-шу не подсказывать! Я сам знаю, как играть.

— Я не подсказываю, партия кончена,— ответила она, кротко улыбаясь, прощая мужа и призывая всех извинить этот исковерканный жизнью характер.

Всем стало неудобно. Петр Кузьмич крякнул, Всеволод Сергеевич перевел разговор на другое, и только Саша, закипая гневом, но сдерживая себя, встал и попросил расписать пульку.

Вместе с Сашей ушел и Всеволод Сергеевич. По дороге Саша ему сказал:

— Маслов — скотина! Женщина ради него проделала такой путь, верна ему, а он с ней так разговаривает.

— Да, она самоотверженная женщина,— согласился Всеволод Сергеевич. И со своей двусмысленной улыбкой добавил: — Но верна ли она ему, мы не знаем.

— У блудливой свекрови невестка всегда...

— Это про меня? — ухмыльнулся Всеволод Сергеевич.

— Про вас.

— Вы меня плохо знаете,— возразил Всеволод Сергеевич,— я высоко ценю поступок Ольги Степановны. Но подумайте о ее жизни там, в Калинине. Молодая, красивая, одинокая...

— Гадости вы говорите.

— Вы романтик, Саша,— беззлобно возразил Всеволод Сергеевич,— за это я вас, впрочем, и люблю. В вашей наивности что-то от бескорыстия тех, первых... Ольга Степановна, безусловно, женщина жертвенного склада, а это высший тип женщины. Но не забывайте, она мать двоих детей, она должна работать, а наш работодатель не жалует контриков, их жен и их детей. Вот и задумаешься, дорогой Саша! Особенно когда дети хотят есть, причем, заметьте, не раз в день, а три. Вы еще, дорогой мой, не знаете истинной жизни, все еще витаете в облаках.

— Есть вещи,— сказал Саша,— на которые нельзя идти ни при каких обстоятельствах. И у вас нет оснований утверждать, что Ольга Степановна чем-то поступилась.

— Я этого не утверждаю, но возможность допускаю.

— И для этого у вас нет оснований. Мы знаем одно: Маслова она не бросила, не отреклась от него, не вышла за другого, преодолела такой путь, чтобы увидеть его, а он ее обхамил.

— Да,— согласился Всеволод Сергеевич,— он вел себя, как человек невоспитанный. Я и пытаюсь понять почему.

— Чего тут понимать,— усмехнулся Саша,— хам, и все тут. Вы говорите, будто наши условия заставляют женщину быть аморальной. Но, позвольте, какие условия вынуждают Маслова быть хамом? Не валите все на Советскую власть, она здесь ни при чем. Маслов пользуется слабостью своей жены, она слабее его, как слаб любой деликатный человек перед хамом и грубияном.

— Я вам удивляюсь, Саша,— сказал Всеволод Сергеевич,— вы сохранили несвойственные вашему поколению понятия. Не потому ли и попали сюда? Вы всегда были таким или стали таким здесь?

— Во мне нет ничего отличного от моих товарищей,— возразил Саша,— просто вы нас не знаете. Ленин тоже не отрицал вечных истин, он сам на них вырос. Его слова об особой классовой нравственности были вызваны требованиями момента, революция — это война, а война жестока. Но в своей сути наши идеи человечны и гуманны. То, что для Ленина было временным, вызванным жестокой необходимостью, Сталин возвел в постоянное, вечное, возвел в догму.

— О Сталине вы не говорили, я не слышал,— снова засмеялся Всеволод Сергеевич,— что же касается Маслова, боюсь, вы многое упрощаете. Жизнь сложна и не вмещается ни в какие схемы, особенно жизнь таких людей, как Маслов. При всем вашем благородстве, Саша, у вас есть одна слабинка: из осколков своей веры вы пытаетесь слепить другой сосуд. Но не получится: осколки соединяются только в своей прежней форме. Или вернетесь к своей вере, или отвергнете ее навсегда.

Возле дома Всеволода Сергеевича они распрощались.

Саша увидел огонек в окне, Зида ждала его. Он спустился к реке, оттуда обычно поднимался к ее дому. Но не хотелось идти. Любовь приносит радость, скрашивает жизнь... Но если нет жизни, никакая любовь ее не скрасит.

Ладно, посидит на берегу, потом, может быть, пойдет. Он часто сиживал теперь на берегу в лодке, глядя на реку, на проложенную луной серебряную дорожку на воде.

То, что Зида предлагает ему, не выход. Она довольствуется малым, это ее достоинство, но почему живет она в этой глуши? Кто она такая? Забилась в дальний угол, скрывается от кого-то или от чего-то и хочет, чтобы он тоже, как таракан, забился в угол. Нет, тараканьей жизнью он жить не намерен. Тараканом его не сделают.

Он услышал шаги. Неужели Зида?

Луна редко пробивалась сквозь низко висящие

облака. Саша едва различал фигуры шедших по берегу людей и, только когда они прошли совсем близко, узнал Маслова и Ольгу Степановну. Они не видели Сашу и остановились за развешанными на кольях сетями.

— Ольга, умоляю, выслушай меня...

Саша не знал, как ему быть. Не поднялся сразу, думал, Масловы пройдут дальше, но они остановились невдалеке и уже неудобно обнаруживать, что он слышит их разговор.

— Пойми меня, умоляю,— продолжал Михаил Михайлович,— иначе поступить я не могу. Оставь меня, вычеркни из жизни, отрекись ради детей, ради себя. Выходи замуж, смени фамилию себе, детям, избавься от моего имени. Зачем вам гибнуть со мной? Я не сплю ночами, думаю о тебе, о детях, тебя выгонят с работы, вышлют. Избавь меня от этих мук! Мне недолго осталось, но я хочу умереть спокойно, должен знать, что ты и дети в безопасности.

— Боже, боже, как ты можешь это говорить?!

— Я все могу говорить — я вне жизни. Зачем ты приехала? Как ты это там объяснишь? Я тебе дам письменное согласие на развод, ты скажешь, что ехала только за ним. Для развода с осужденным оно не требуется, но ты не знала, думала, нужно, поехала.

— Не я тебя мучаю, а ты меня,— сказала Ольга Степановна,— пойдем, мне холодно.

Наконец пришли письма из дома. И, как правильно предсказал Всеволод Сергеевич, сразу пачка — восемь штук, мама писала их каждый день, и все на Богучаны. Саша разложил письма по обозначенным на конвертах датам отправки и в таком порядке прочитал.

О себе мама почти не писала: «Все у меня хорошо, работаю, на работе тоже все хорошо»,— об отце не писала вовсе, значит, совсем забросил мать, ничего о Марке, наверно, не приезжал в Москву, не писала о Нине и других Сашиных друзьях, значит, не заходят, упоминала о сестрах, у них тоже все хорошо. Главное в письмах — это ее вопросы: «Как ты себя чувствуешь, как устроился, как питаешься, что нужно, пиши обязательно, не стесняйся, мы все тебе достанем, все пришлем». И было ясно, что мама живет только мыслями о нем, своей тоской и страданием. Но мама выстояла, не сломилась, живет ради него, и он обязан жить ради нее, пока жив он, будет жива она. И мама не одинока, в каждом письме упоминает Варю. «Мы ходили к тебе вместе с Варей»,— это означало, что по тюрьмам они его искали вместе. «Когда мы с Варей стояли в очередях»,— Саша понимал, в каких очередях они стояли.

Все товарищи его покинули. И только Варя, маленькая Варя не оставила его мать. Саша вспоминал ее тонкое прозрачное лицо, малайские глаза, волосы, аккуратной челкой свисающие на крутой лоб, взгляд, каким красивые девочки смущают мальчиков, голые коленки, на которых она в школе писала шпаргалки, маленькая женщина, грациозная, изящная... Вспоминал, как стояла она в воротах с такими же, как она, подростками, в темном пальто с небрежно приподнятым воротником. Вспоминал, как радовалась тому, что сидит в «Арбатском подвальчике», вспоминал, как танцевал с ней... «Где б ни скитался я цветущею весной, мне снился дивный сон, что ты была со мной...» И как она прижималась к нему, пуская в ход свой незамысловатый набор обольщения...

Варя одна не бросила его мать, была рядом с ней в самые тяжелые дни. Именно такой человек, стойкий и бесстрашный, и нужен маме. Кто послал ей эту опору? Нежность к этой мужественной девочке пронзила Сашу. А он читал ей нотации, смотрел на нее глазами Нины. До чего же узок был его взгляд тогда!

В его подъезде жила старуха Травкина с младшей дочерью. Старшая была на Соловках, не то эсерка, не то меньшевичка. С Травкиными никто не знался. Старуха молча пересекала двор, худая, прямая, в черном пальто и черной старомодной шляпе. И младшая дочь ее тоже молча проходила по двору. В ее живых глазах было что-то жалко-искательное, но в ответных взглядах она встречала равнодушие или злорадство. И Саша смотрел на нее неприязненно — семья врагов.

Под такими же взглядами проходит теперь по двору его мама, мать врага. Но она не одинока, у нее есть Варя, она делит с ней невзгоды, облегчает ее страдания.

Почта приходила каждую неделю. Саша приносил домой письма, иногда посылку, обшитую белой холстиной, меченную коричневыми сургучными лепешками, приносил бандероли, туго затянутые оберточной бумагой с желтыми полосами засохшего клея. На бандеролях четким, чертежным шрифтом, писала, конечно, Варя, было выведено: «Канский округ, Кежемский район, деревня Мозговая». Таков же был адрес и на письмах. Саша поправлял мать: «Не Мозговая, а Мозгова»,— но она продолжала писать так, как считала правильнее.

Растягивая удовольствие, Саша просматривал письма, перелистывал газеты, прочитывал наиболее интересное, откладывал, вскрывал посылку. Печенье, конфеты, какао, сушеные или консервированные фрукты, все это стоит больших денег. Саша запрещал матери присылать продукты, но она посылала.

Когда все было просмотрено и Саша представлял, какое получит удовольствие, начиналось само удовольствие, праздник, которого он ожидал неделю. Снова, теперь уже медленно и внимательно, он перечитывал письма. Мама писала каждый день, с продолжениями, помечая даты и нумеруя письма — не все доходили. В каждом письме был привет от Вари, только привет, сама она ему не писала. Почему? Он тоже передавал ей приветы, а однажды в письме к маме приписал: «Милая Варя, спасибо тебе за все»,— может быть, после этого напишет.

Прочитав письма, Саша принимался за газеты, растягивая это удовольствие дня на два, а если были и журналы, то и на всю неделю. Газеты были читанные, не пахли свежей типографской краской, как пахли они в Москве, ранним утром в киоске на углу Арбата и Плотникова переулка. Иногда не хватало газеты за какое-нибудь число, Саша подавлял в себе досаду, на маму нельзя обижаться, она делает для него все, его досада — от нетерпимости, в которой он вырос. Мамина рассеянность напоминает дом, детство — это дороже недостающей газеты.

На Арбате прекращено трамвайное движение, улица заасфальтирована, Саша с трудом представлял себе Арбат без трамвая. На Арбатской площади воздвигнута станция метро, хотелось бы увидеть ее своими глазами... Шел второй год пятилетки, сходили с конвейера автомобили и тракторы, домны выдавали чугун, мартены — сталь, люди показывали образцы трудового энтузиазма, и рядом бесчисленные судебные процессы, усиление репрессивных органов, установлено наказание за побег за границу — расстрел, а семье бежавшего десять лет заключения, они отвечали за преступление, которого не совершали. Все это для утверждения власти одного человека. И этот человек — символ новой жизни, символ всего, во что народ верит, за что борется, ради чего страдает. Значит, все, что делается его именем, справедливо?

Пришло письмо от отца. «Извини, что долго не писал, не мог добиться твоего адреса»,— обычный намек на мамину бестолковость — точного адреса сына и то не могла сообщить. Он не допускал мысли, что мама не знает, где находится Саша, воспринимал это как попытку отдалить его от сына — один из бесчисленных упреков, которые Саша слышал с тех пор, как помнил себя.

Отец писал, что понимает степень несчастья, обрушившегося на Сашу, но Саша молод, все у него впереди, все образуется, не надо падать духом. Какие бы отношения ни сложились в их семье, а такими они сложились не по его вине, он ему не только отец, но истинный и верный друг, Саша должен это знать.

Саша отложил письмо. Его охватило тягостное чувство, которое он всегда испытывал, сталкиваясь с отцом. Сашиной жизнью он не интересовался никогда, его заботила только одна жизнь — своя. И если он переживает несчастье, обрушившееся на Сашу, то потому только, что оно внесло в его жизнь неудобство, нарушило привычный порядок, а *порядок* был сущностью и философией его жизни.

В детстве он приходил в Сашину комнату, зажигал свет, будил Сашу, переворачивал на правый бок — спать на левом боку вредно, с детства надо приучаться спать правильно. Перебирал на столе Сашины книги и тетради, складывал их аккуратной стопкой, всему должно быть свое место. И все надо готовить с вечера, утром человек торопится на работу, и ко всему этому тоже надо приучаться с детства. Саша хотел спать, чтобы не затягивать отцовского пребывания в комнате, он не возражал, да и возражать было бесполезно, отец плохо слышал, переспрашивал, раздражался, был уверен, что Саша нарочно говорит тихо.

Порядок, порядок, порядок! Он соблюдал его сам и требовал того же от других: дома, на улице, на службе, негодующий, раздраженный и агрессивный педант. «Борьба с потерями на производстве» — была главной темой его рационализаторской и изобретательской деятельности. Залог успешного производства (он был технолог-пищевик) — чистота. Она же, чистота, залог здоровья физического, здоровья нравственного, залог порядочности и долголетия. Неряха не может быть порядочным человеком! Порядок, чистота, гигиена! Фрукты, как и овощи, надо мыть в нескольких водах, затем очищать от кожуры, хотя в ней и есть полезные питательные вещества. Кожуру с яблока он снимал медленно, тонким-тонким слоем, ел тоже медленно, сосредоточенно, тщательно пережевывал пищу, съедал все до крошки и маленького Сашу заставлял все съедать до крошки. Ничто не должно пропадать, ничего не должно оставаться на тарелке!

Одежду и обувь он носил десятилетиями. Каждую ночь выставлял ботинки на подоконник, чтобы проветривались, а до этого чистил их в коридоре, коридор узкий, отец со своими ботинками, щетками, коробками с ваксой, с расстеленной на полу газетой всем мешал, понимал это и заранее готовился к отпору. Никто его не задевал, не хотели с ним связываться. Зато он сам не оставлял незамеченным малейший непорядок. Громко, на всю квартиру возмущался тем, что не погасили свет в уборной или неплотно закрыли кран в ванной, все затихали в своих комнатах, наконец кто-нибудь терял терпение, выскакивал в коридор, требовал назвать, кого именно он имеет в виду, возникала перепалка со взаимными попреками и обвинениями.

Этот воинствующий педантизм, нелепый и невыносимый в домашнем обиходе, был обратной стороной его уважения к труду. Он был хороший работник, высококвалифицированный специалист, любил свое дело, обладал удивительной работоспособностью, но с начальством не ладил, с сослуживцами конфликтовал — все бездельники, лодыри, негодяи! Ничто, кроме работы, изобретений и рационализаторских предложений, его не интересовало, ни о чем другом он не говорил. Саша жалел его, искал контакта и не находил — общение с отцом было невыносимо. Рассказывая о своих служебных неприятностях, он требовал, чтобы Саша разделял ненависть к его врагам. Сашина голова пухла от бесчисленных, неизвестных ему имен и фамилий, он спрашивал «кто это такой?», отец сердился: «Ведь я тебе о нем рассказывал еще в прошлом году, но дела отца тебя не интересуют!»

Он давал Саше для литературной обработки свои статьи, хотя техническая терминология пищевой промышленности была Саше незнакома. Вместо того чтобы объяснить, отец брюзжал: «Неужели трудно запомнить такие элементарные вещи». Саша уклонялся от чтения его работ, это вызывало между ними еще большую отчужденность.

У каждого обитателя квартиры была своя манера входить в дом. Галя хлопала дверью, мчалась по коридору, Михаил Юрьевич входил тихо, деликатно, почти неслышно. А отец раздраженно крутил ключом в замке, что-нибудь обязательно вызывало его недовольство: неплотно прикрыта вторая дверь и тепло из квартиры уходит на лестницу, коврик для ног лежит не там, где положено. Неужели коврик кому-то мешает! Что за люди!

В комнате он появлялся с мрачным видом, не здоровался — ведь утром, слава богу, уже виделись, хмуро осматривался, искал беспорядок, но ничего не находил, к его приходу мать тщательно убиралась. Молча раздевался, вешал пальто в шкафу на распялке, снимал пиджак, облачался в домашнюю куртку, отправлялся мыть руки, из ванной доносилось его недовольное бурчание, и, наконец, садился за стол, хмурым взглядом провожал каждое мамино движение, брезгливо осматривал тарелку, вилку, нож, тщательно протирал их салфеткой, потом молча и сосредоточенно ел, единственный момент, когда он не делал замечаний — ничто не должно отвлекать от приема пищи. Если съедал свою тарелку раньше мамы, хмуро спрашивал: «Второе будет? Ах, будет, спасибо!» Так он разговаривал.

И все же отец! Хороший ли, плохой, а отец — часть твоей жизни, кусок твоего детства, всего того, о чем Саша вспоминал теперь с тоской и нежностью. Он не считал отца жестоким, жестоким был его эгоизм. Только свое дело, свое здоровье, свои удобства. За это он и наказан одиночеством, но не понимает его истинных причин, относит это к людской злобе. И оттого становится еще более одиноким. Саша жалел его, особенно сейчас, когда сам узнал, что такое одиночество.

Кончался август, наступала короткая осень, тайга начала желтеть. Днем было тепло, безветренно, ночью холодно, даже морозно, земля подсыхала, твердела, местами, к удивлению Саши, становилась почему-то красной, тонкая наледь тянулась вдоль берегов неглубокой Мозговы, похрустывала под ногами в колеях и выбоинах дороги. Вечерами по берегу Ангары бегали зайцы, из тайги слышалось трубное гудение — у сохатых начался гон. А еще через неделю тайга сбросила листву, стояла голой и мертвой. Горланили на озерах гуси, огромные их стаи, вытянутые треугольником, улетали на юг. Солнце появлялось ненадолго, вечера становились по-зимнему длинными.

Потом по Ангаре пошла шуга, почта прекратилась теперь уже до зимы, до санного пути. Оборвалась единственная связь с миром, с домом, с мамой, с Варей, она не написала ему ни разу, но Саша чувствовал ее присутствие в каждом письме. Без писем, без газет, без милого Вариного почерка на бандеролях стало еще тоскливее. Зида доставала ему кое-что в кежемской библиотеке, старое, читанное, но изредка попадались новинки: «Педагогическая поэма» Макаренко, «Человек меняет кожу» Бруно Ясенского, «Энергия» Гладкова. Зида привозила книги на попутной подводе, чаще приносила. Саша сердился: зачем тащит на себе? Она смеялась: кто-то помог, да и не тяжело — две-три книги.

Он заходил за ними днем не потому, что потерял осторожность. Их отношения по-прежнему оставались тайными, открытым сделалось только знакомство. Он и вел себя, как знакомый: заглядывал днем, иногда со Всеволодом Сергеевичем, сидел вечером. Но когда оставался ночевать, то, как и раньше, уходил на рассвете, шел задами, возвращался домой с другого конца деревни.

Зида чувствовала его отчуждение, его охлаждение, как-то сказала:

— Не думай, что я хочу тебя женить на себе. У тебя, наверно, кто-то есть в Москве, а я так, от тоски, от скуки. И все равно я рада своему счастью.

Он ласково погладил ее по щеке, но возражать не стал: в сущности, так оно и есть, хорошо, что она это понимает. И насчет того, что у него кто-то есть в Москве, тоже права, в Москве у него есть Варя, эта девочка не выходит у него из сердца.

Саша не мог представить себе, как доживет без почты до зимы. А ведь другие живут, лето ли, зима ли, свыклись со своим положением, почему не может свыкнуться он? Всех одинаково постигла эта участь, почему же он не может, не хочет нести свою долю, как несут ее остальные? Почему не может терпеть, как терпят они?

Он не хочет смириться, не может терпеть, потому что все эти понятия — смирение, терпение — были всегда ему чужды, как признак слабости. А силой, по его прежним понятиям, обладали совсем другие люди, на них он держал равнение, к ним причислял и себя. Здесь же все получилось наоборот: те, на которых он смотрел свысока, оказались сильнее его именно потому, что умеют страдать и терпеть. Он был сильным среди сильных, вырвали его из привычной обстановки, лишили среды, в которой существовал, и сразу выяснилось, что ему не на что опереться, сам по себе он ничто. А эти опираются только на себя, на собственные силы, пусть мизерные, но их хватает на то, чтобы безропотно сносить все невзгоды, жить надеждой.

К таким безжалостным для себя выводам приходил Саша. И все же не мог преодолеть отчаяния — еще одно доказательство ничтожности его воли. Ни о чем, кроме своего отчаяния, он не думал. Деревенские новости, неразбериха в районо, нерадивые ученики — какое ему до этого дело? Неинтересно, чуждо, скучно...

Рано утром со старым хозяйским дробовиком и с хозяйской лайкой Жучком он уходил в лес на рябчика, возвращался в полдень, а часа за два, за три до заката, уходил опять, даже не из-за того, что это время считалось лучшим для охоты. Хотелось загнать себя ходьбой, чтобы хоть как-то отвязаться от проклятых мыслей. Дробовик был старый, но дробь хорошая, номер шесть — самая подходящая. И Жучок — тоже хорошая собака, волчьей масти: заостренная морда, косой разрез глаз, в темноте они отливали красноватым огоньком, острые стоячие уши, крепкая мускулистая шея, пушистый хвост загнут кольцом и закинут на спину. Сметливая собака, быстро вспугивала рябчика, он взлетал на дерево, прижимался к стволу, становился почти незаметным, особенно если садился на ель, обросшую лишаями, Жучок лаял на него, отвлекал на себя внимание птицы, Саша стрелял шагов с двенадцати, рябчик падал, Жучок кидался к нему и возвращался с птицей в зубах. С каждой охоты Саша приносил

Зиде пять-шесть рябчиков, она их жарила в сметане, получалось очень вкусно, и Саша ел с удовольствием, особенно если удавалось достать у Феди немного спирта, а это обычно удавалось, Саша и ему приносил рябчиков.

Как-то Федя сказал Саше:

— Много рябчиков добываешь, далеко, однако, в лес ходишь, смотри, медведь задерет.

Саша пожал плечами.

— Что-то не попадался мне медведь, забыл, наверно, ваши места.

— Попадет, который вспомнит,— ответил Федя загадочно. Но Саша не придал этому значения: местные жители любят подшучивать над ссыльными, не признают их за охотников.

На следующий день Саша опять собрался в лес. Но Жучка не было ни во дворе, ни на улице, а ведь собака привыкла каждое утро ходить с ним на охоту, ждала, прыгала с нетерпением. Саша свистнул, но не услышал ответного лая. Может быть, хозяйка взяла его на ферму или хозяин в Кежму? Саша решил идти без собаки, охота будет не такой добычливой, но глаз у него наметанный, успеет заметить, куда взлетит потревоженный рябчик.

Знакомой тропинкой он вышел на полянку, тоже знакомую, здесь водились рябчики... Шелестела под ногами листва, желтоватая, сухая, потрескивали тонкие ветки. Вспорхнул рябчик и сел на дерево. Саше послышалось, будто рядом вспорхнул еще один, но он не оглянулся, боялся потерять из виду первого. Саша его отчетливо видел, даже казалось, что рябчик с любопытством смотрит на него, смотрит, как он поднимает ружье, как целится... Саша выстрелил, и в ту же секунду раздался другой выстрел, совсем близко просвистела пуля... Саша метнулся за дерево... Стреляли по нему, это пулевой выстрел, а не дробь, и то, что принял он за взлет второго рябчика, были шаги человека.

Эти мысли пронеслись в голове в одно мгновение, он стоял, прижавшись к дереву, затаив дыхание, прислушиваясь к лесу... Все было тихо. Саша хотел выстрелить по тому месту, откуда стреляли, но у него заряжен только один ствол, выстрелив, он останется безоружным. Опустив ружье к земле, он осторожно начал заряжать второй ствол, патроны лежали у него в кармане... Но, как только он шевельнулся, раздался второй выстрел, пуля попала в дерево...

Саша быстро загнал второй патрон, взвел курки и снова затих в ожидании. Потом услышал шорох, хруст ветвей и наконец топот ног — стрелявший убегал... Все стихло.

Саша обождал еще некоторое время, прислушиваясь к лесу, не решаясь выйти из своего убежища. Потом, пригибаясь к земле, пошел в сторону, противоположную той, куда убежал стрелявший, шел не по тропинке, а лесом, продираясь сквозь низко свисающие ветви деревьев, и вышел к Ангаре. Однако к берегу не спустился, а дошел до деревни краем леса.

Кто же стрелял? Случайный бродяга, чтобы завладеть его ружьем? Вряд ли. У стрелявшего у самого есть ружье. Стрелял кто-то из их деревни, Тимофей стрелял, вот кто! Не зря Федя его предостерегал, вот какого медведя он имел в виду. Видно, Тимофей похвалялся, что отомстит Саше, а здесь мстят — пулей из засады, жеребием, куском свинца, с которым на медведя ходят. А ведь мог бы Федя предупредить, мол, грозится Тимофей тебя убить — не предупредил, не хотел ввязываться, опасался, что, узнав об угрозах Тимофея, Саша обратится к властям и выставит его свидетелем. Убей Тимофей Сашу, все бы промолчали. Что им Саша? Сегодня он есть, завтра его нет, а с Тимофеем и родными Тимофея им тут жить. И Федя промолчал бы. И никто бы этим не занимался, списали бы его, как умершего, кому охота вести следствие здесь, на краю света.

Только придя домой и упав на койку, Саша понял, над какой пропастью он только что стоял. Жизнь, которая кажется нескончаемой, может оборваться в одно мгновение: от пули, в перевернутой лодке, на изнурительном этапе, от случайной болезни, и никто не придет ему на помощь, никого не тронет его смерть, никому он не нужен, никто его не защитит, пожаловаться некому! Алферову? Тот спросит: почему именно Тимофея подозреваете? Ах, избили его когда-то? Не надо задираться с местным населением, они тоже люди, у них свое достоинство, тут свои нравы, с ними надо считаться. И еще: имеете вы право так далеко уходить от места своего поселения? Имеете право пользоваться огнестрельным оружием? И оттого, что его жалоба останется без последствий, он станет еще беззащитнее, его враги сочтут себя совсем безнаказанными.

Огласка ничего не даст. Он должен защищаться сам. Но как? Не ходить в лес? Тимофей может подстеречь его на берегу Ангары или просто убить дома, выстрелом через окно. И как жить под вечным страхом пули в спину? Ко всему еще и это! Какая нелепость! Сам виноват! Зачем сблизился с Тимофеем? Зачем поехал с ним на сенокос? От них надо подальше, а он раскис, держался на равных, и Тимофей решил, что он ищет его покровительства, боится его, вздумал поизгаляться! А отпора не стерпел, решил отомстить. Не надо быть высокомерным, но и не следует подыгрывать людям, люди бывают разные.

К вечеру Саша зашел к Феде в лавку, подождал, пока разойдутся люди, сказал:

— Прав ты был, водятся медведи в вашем лесу.

Федя отвел глаза.

— Вишь как...

Не расспрашивает, понимает, о каком медведе идет речь.

Саша вышел из лавки, проходя мимо Тимофеева дома, замедлил шаг. Зайти, что ли? Посмотреть на этого сукиного сына? Нет, надо держать себя в руках, никаких опрометчивых поступков.

Только одному Всеволоду Сергеевичу Саша рассказал об этой истории и предупредил: Зида ничего не знает.

Всеволод Сергеевич нахмурился.

— Это серьезнее, чем вы думаете.

— Я все хорошо понимаю. И то, что, убив меня, он останется безнаказанным, тоже понимаю.

— Будьте осторожны,— посоветовал Всеволод Сергеевич,— не ходите один в лес, хотите, разделю с вами компанию?

— Ладно, посмотрим,— уклонился от ответа Саша.

Дома он спросил хозяев, где утром был Жучок. Оказалось, они никуда его с собой не брали.

— Думала, однако, он с вами в лес пошел,— ответила хозяйка.

Ясно, дело рук Тимофея, спрятал, сволочь, где-то Жучка.

А Жучок лежал на крыльце, переводил взгляд с хозяйки на Сашу, чувствовал, что о нем говорят. Саша потрепал его по морде.

— Завтра с тобой на медведя пойдем, Жучок, готовься!

В кладовке у хозяина Саша нашел свинцовый брусок, нарубил из него жеребьев. Один ствол зарядил дробью, другой свинцом, пусть Тимофей подступится.

Однако идти в лес Саше не пришлось.

Рано утром, когда он еще был в постели, пришел мужик из сельсовета, вручил ему записку:

«Адм-ссыльному Панкратову А. П. С получением сего предлагается вам явиться в село Кежма, к уполномоченному НКВД по Кежемскому району Алферову В. Г.»,— и подпись Алферова, уже знакомая подпись, без завитушек.

14

Левочка сказал Варе, что ей пора вступать в профсоюз. Пустая формальность, но надо. Варя подала заявление.

Оказалось, не пустая формальность. В профсоюз принимали на общем собрании, задавали те же вопросы, что и в анкете. Варя злилась и на вопрос «замужем ли» хотела ответить «да, замужем», но в анкете она ответила по-другому, начнутся вопросы, это еще больше ее унизит, и она сказала «нет, не замужем», увидела удивление на лице Зои и у некоторых других девочек, но никто не переспросил. Задавали вопросы о политике: кто председатель ЦИКа, Совнаркома СССР и Совнаркома РСФСР, какая разница между построением социалистического общества и построением фундамента социалистического общества и что именно у нас построено. Варя была поражена: хорошо знакомые люди, с которыми она виделась каждый день, с которыми у нее установились самые дружеские отношения, вдруг сделались подозрительными, готовыми уличить ее во лжи, точно выполняют бог весть какое ответственное государственное дело. Даже у Рины, у Левочки, даже у Игоря Владимировича лица стали сосредоточенными. Глупо, ведь ее все равно примут в профсоюз, по анкете уже проверили, у нее все в порядке. Исполняется какой-то ритуал, видимость обсуждения, видимость дела, к которым все привыкли.

Вопросы кончились. Поднялся Игорь Владимирович и сказал, что Иванова работает в его мастерской, к своим обязанностям относится добросовестно и вполне заслуживает быть членом профсоюза. Варю поразил казенный язык, которым Игорь Владимирович изъяснялся.

Проголосовали единогласно — за. На том все и кончилось.

И, как только люди поднялись со своих мест, лица преобразились: формальное выражение уступило место умиротворенному — исполнили общественный долг, поздравляли Варю, торопились домой.

Игорь Владимирович предложил спуститься на второй этаж в ресторан, отметить принятие Вари в профсоюз. Рина заявила, что для «Гранд-отеля» она не одета, и предложила «Канатик» — попроще и обслужат быстрее. Левочка ее поддержал — платить придется Игорю Владимировичу, неудобно вводить его в большие расходы. Варе никуда не хотелось идти. Ну, Рина, Левочка — ладно, мелкие служащие, дрожат за свое место. А Игорь Владимирович?! Неужели не мог чем-то отличиться от остальных? Ему-то чего бояться, ему, знаменитому архитектору?! Но и он говорит теми же словами, хотя понимает банальность этих слов, нелепость этой процедуры. И она вдруг подумала, что Саша Панкратов, который, может быть, и придавал значение таким собраниям, все же оставался бы самим собой. Наверняка встал бы и сказал, зачем задавать вопросы, когда все написано в автобиографии, нечего терять время, так бы он, конечно, сказал, он личность, а Игорь Владимирович — нет!.. И потому Варе никуда не хотелось идти, но пирушка затевалась в ее честь, отказываться неудобно.

«Канатиком» назывался второразрядный ресторан на углу Рождественки и Театрального проезда, против памятника первопечатнику Ивану Федорову. Он помещался в подвале, его стены были перетянуты не слишком толстым канатом, отсюда и пошло название. Варя в «Канатике» не была ни разу. Здесь нет бильярда, Костя сюда не ходит. Помнится, Вика как-то звала ее, кстати, вместе с Игорем Владимировичем, но она тогда не пошла, предпочла Левочкину компанию, и вот она здесь с Игорем Владимировичем.

Никого из знакомых в «Канатике» не оказалось. Рина сказала, что все собираются здесь только по пятницам, на «жареного каплуна». Под словом в с е Рина имела в виду ресторанных завсегдатаев.

— Публики все же порядочно,— заметил Игорь Владимирович, обводя взглядом низкий сводчатый зал.

— Центр, после рабочего дня посетителей хватает,— пояснил Левочка.

— У служащих рабочий день кончается, у шлюх начинается,— подхватила Рина, не стесняясь Игоря Владимировича. Здесь он не начальник, а участник застолья.

Публика входила и выходила, вошли три девушки, уселись недалеко от их столика. Варя обратила на них внимание только потому, что от нее не ускользнули мгновенные и, как ей показалось, тревожные взгляды, которыми обменялись Рина и Левочка.

Девушки были ресторанные, из тех, о ком Рина заметила, что их рабочий день только начинается. Для них самый большой праздник — перед делом посидеть вот так в ресторане без мужчин, перекусить на свои деньги, переговорить о своих бабских делах, самим метнуть чаевые официанту, ощутить себя обычными женщинами.

Одна девушка сидела к ним спиной. Соседка, наклонясь, что-то сказала ей, она обернулась к Вариному столику, небрежно кивнула Рине и Левочке. Те в ответ тоже кивнули, изобразили на лицах радостные улыбки. Но смотрела она не на них, а на Варю, усмехнулась, отвернулась к своим девицам, что-то им сказала, они громко рассмеялись. Это была худощавая блондинка с узко поставленными глазами, лет, наверно, двадцати пяти, с бледным, когда-то, видно, смазливым лицом, одетая прилично, но без шика, без вызова.

Варя опять уловила встревоженный взгляд, которым обменялись Левочка и Рина, и сама почувствовала неудобство: слишком упорно, насмешливо, даже издевательски смотрела на нее девица.

— Что за мамзель? — спросила Варя.

— Так, виделись где-то, не помню где,— ответила Рина беззаботно, но беззаботность была искусственной. Да и Левочку эта девица знает, значит, виделись где-то не случайно.

Игорь Владимирович, видимо, тоже почувствовал неловкость, посмотрел на часы, давая понять, что засиживаться у него нет времени, поднял рюмку.

— Поздравляю вас, Варя, вы теперь полноправный трудящийся, желаю успеха.

Все выпили.

За своим столиком девицы опять громко рассмеялись чему-то сказанному блондинкой.

Игорь Владимирович снова посмотрел на часы.

— Вы торопитесь? — спросила Рина, тоже готовая уйти отсюда.

— Да, уж, пожалуй, пора...

— Конечно,— подхватил Левочка.

Блондинка обернулась.

— Левушка!!

Левочка подошел к их столику, наклонился к блондинке, о чем-то они говорили. Левочка мило улыбался, ласково потрепал блондинку по плечу и вернулся к своим. И опять за соседним столом раздался взрыв хохота — блондинка сказала что-то смешное.

Вернувшись, Левочка все так же мило заговорил о джазе Скоморовского, начинающего гастроли в Москве. Рина слушала его болтовню, но Варя видела ее тревогу.

Блондинка встала, подошла к их столику, скользнула взглядом по Варе, по Игорю Владимировичу. В пальцах она держала папиросу.

— Не найдется спички?

В каждом ее движении сквозила нарочито-сдержанная развязность, затаенный, но ощутимый вызов. Игорь Владимирович протянул ей коробок. Она чиркнула спичкой, закурила, потом вдруг обратилась к Варе:

— Как тебе живется с Костей?

— Клава, Клава,— Левочка тронул ее за локоть.

— А что такого? Интересуюсь. Она новая жена, я старая, я номер двести, она — двести один. Ну, так как живется-то? Ничем еще тебя не наградил?

Варя сначала не поняла вопроса, подумала, что намекает на беременность.

— Клава, прекрати сейчас же! — сурово проговорила Рина.

— Ладно! Ты! — грубо ответила блондинка.— Заткнись.

Смысл сказанного наконец дошел до Вари, и она спокойно, отчетливо сказала:

— Гражданка проститутка, а ну-ка вон отсюда!

Все опешили, онемели в ожидании скандала.

Игорь Владимирович неожиданно высоким, визгливым голосом закричал:

— Отойдите сейчас же от нашего стола. Не приставайте! Давно в милиции не ночевали? Я вам это быстро устрою.

— Ах, ах, напугал...— истерично захохотала блондинка.

Подруги, вскочив со своих мест, уже тащили ее к своему столику. Она отбивалась, кричала:

— Я с ней как с порядочной, а она меня обзывает, дрянь! Школу не успела кончить, уже на панель пошла, а меня обзывает!

Игорь Владимирович подозвал официанта, расплатился.

— Думает, она ему жена, он ей муж,— бушевала блондинка,— у него таких жен вагон и маленькая тележка, все с трипперами ходят... Пусть у Рины спросит, та эту штуку тоже таскала, а теперь молоденькую ему подложила, потаскухи!

Наконец вышли из ресторана.

— Мне налево,— сказал Левочка, он жил на Сретенке,— ладно, плюньте, сумасшедшая баба, ну, пока!

Варя, Рина и Игорь Владимирович пошли вниз к Театральной площади.

— Какая гадина! Чего наговорила! Чего навыдумывала! — возмущалась Рина.

— Не надо посещать такие заведения,— заметил Игорь Владимирович.

— На эту психопатку мы могли нарваться в любом месте.

— Не огорчайтесь,— сказал Игорь Владимирович, обращаясь к Варе,— не придавайте значения, мелочи жизни.

— Я не огорчаюсь,— хмуро ответила Варя.

Она пришла домой. Десять вечера, работать поздно, пора ложиться спать, да и, будь время, она не могла бы работать, была потрясена, оглушена тем, что произошло в «Канатике». Не в Рине и Левочке дело, это Костины друзья, а Рина, по-видимому, была больше, чем другом, она в его «списке», это нравы Костиного мира. Для Игоря Владимировича т а к а я правда о ее замужестве, конечно, неожиданна. Но и для нее неожиданны поведение Игоря Владимировича на собрании и этот его визгливый от испуга голос в ресторане. Если бы к ней пристали хулиганы, он, наверно, стал бы звать на помощь этим своим визгливым голосом. Овца и трус к тому же, Саша защитил бы ее по-другому. Так что с Игорем Владимировичем они квиты. Ей было стыдно перед самой собой, ресторанная шлюха разговаривала с ней как равная, потому что раньше Костиной девкой была она, а теперь его девкой стала Варя. Такого унижения она еще не испытывала. Как она завтра пойдет на работу, как будет смотреть людям в глаза?

Что же делать, господи, куда деться от всего этого?! Плюнуть, вернуться к Нине, но она не может, не имеет права подвести бедную Софью Александровну. Костя с его нахальством окончательно испортит ей жизнь. Привести в дом авантюриста, а самой сбежать — такого она себе не простит. Закатить ему скандал? Ничего она не добьется, кроме шума в квартире и еще больших неприятностей Софье Александровне.

В дверь постучали.

— Войдите.

Это была Софья Александровна.

— Добрый вечер, Варя.

— Добрый вечер, Софья Александровна, садитесь, как ваши дела?

Софья Александровна села, внимательно посмотрела на Варю.

— Ты чем-то расстроена?

— Просто устала, было собрание, принимали в профсоюз.

— Формальность, но когда-то надо пройти.

Софья Александровна снова посмотрела на Варю.

— Варенька, я вот о чем... Сегодня Константин Федорович пришел с каким-то человеком, даже дверь за собой не прикрыл, разбирали ружья, щелкали затворами. Ведь мы же условились, Варенька, как же так можно?

Варя открыла шкаф. За одеждой стояло два охотничьих ружья.

Она села на кровать, бессильно опустила руки.

— Я перед вами очень виновата, Софья Александровна. Я не имела права приводить его к вам в дом.

— Но ведь ты его жена.

— Жена... Какая я ему жена, какой он мне муж?! Не понимаю, как это на меня нашло. У меня нет с ним никакой жизни, я его почти не вижу, мы давно уже не муж и жена.

Софья Александровна молчала.

— Но я ничего не могу сделать, я в западне,— с отчаянием сказала Варя.

— В западне? — удивилась Софья Александровна.— Я тебя не понимаю, в какой западне? Вы не расписаны, ты свободный человек, сама себе зарабатываешь на жизнь.

— Да, это так. Но я не могу уйти отсюда.

— Почему?

— Потому что тогда он не уйдет от вас. Он так и сказал: можешь уходить, мне и здесь хорошо. Он, правда, обещал найти себе другую комнату, но он врет, он не будет ее искать. А я не могу оставить его здесь, вы с ним не справитесь. Видите, он и при мне приносит эти ружья, а без меня и вовсе не будет церемониться, даже не впустит вас в комнату.

Софья Александровна погладила ее по голове, улыбнулась.

И Варя вдруг увидела, что улыбка у нее точно Сашина, Саша тоже так улыбался. И глаза у них одинаковые.

— Варенька, Варенька,— ласково заговорила Софья Александровна,— обо мне беспокоишься, добрая ты душа. Обо мне беспокоиться не надо. Если ты действительно решила разойтись...

— Но мы уже разошлись давным-давно!

— Девочка, бывают размолвки, молодые люди принимают их слишком близко к сердцу, расходятся, потом снова сходятся.

— Размолвки...— голос у Вари дрогнул.— Он проигрывает мои вещи. Помните накидку? Я вам неправду тогда сказала, он проиграл ее на бильярде. Он и меня проиграет, когда ему надо будет. Все его дела темные, лампочки, электроприборы — все это афера, у него описано имущество, я боялась, что сюда придут, слава богу, не пришли, его девки оскорбляют меня. Я видеть его не могу, а вы говорите, размолвки...— она расплакалась.

Софья Александровна снова погладила ее по голове.

— Девочка моя, успокойся, разве можно так отчаиваться, катастрофы нет, поверь! Почему ты мне все раньше не рассказала?

— Мне было стыдно,— глотая слезы, ответила Варя.

— И напрасно, дурочка ты, я ведь старая, опытная женщина, мы бы с тобой быстро нашли выход, давным-давно нашли бы. Скажи, ты хочешь вернуться домой или остаться у меня?

— Конечно, я бы хотела жить у вас. Но это невозможно, Софья Александровна, невозможно. Если я здесь останусь, он не уйдет, а если уйдет, то будет звонить, скандалить, он отравит вам жизнь. Мне важно избавить вас от него.

— Не беспокойся,— хладнокровно ответила Софья Александровна,— от него я избавлюсь сама. Если ты твердо решила...

— Софья Александровна!

— Хорошо, хорошо... Тогда собирай сейчас свои вещи и возвращайся к Нине. Остальное я беру на себя.

Ее твердость и хладнокровие поразили Варю. Таким же был и Саша. Господи, она совсем ее не знает, она видела до сих пор убитую горем мать, и этот образ заслонил истинный характер Софьи Александровны.

— Я ничего не возьму из того, что он мне покупал.

— Дело твое, только собирайся скорее, а то он может прийти.

Костя никогда так рано не приходил. Но Варя понимала, что Левочка или Рина наверняка сообщат ему о скандале в «Канатике» и он может явиться домой в любую минуту. Собирая вещи в чемодан, Варя сказала:

— Все сразу не унесу, надо взять еще чертежную доску и рейсшину. Можно, я кое-что оставлю в вашей комнате, потом заберу?

— О чем ты спрашиваешь?!

Варя надела пальто, в одной руке чемодан, в другой чертежная доска с рейсшиной.

— Выйди черным ходом, вдруг он тебе встретится.

— Плевать! Я ведь только за вас боюсь.

— Я тебе уже говорила, за меня не беспокойся,— внушительно произнесла Софья Александровна,— но все же выйди черным ходом, не надо скандала на лестнице.

— Хорошо.

Варя поцеловала Софью Александровну.

— Спасибо вам за все и простите меня.

— Детка, за что тебя прощать, это тебе спасибо за то, что не бросаешь меня. Когда все утрясется, возвращайся, я буду рада.

Варя отперла дверь своей квартиры, комната была не заперта, Нина за столом правила тетради.

Увидела Варю в пальто, с чемоданом, с чертежной доской.

— Кончилось семейное счастье?

Варя поставила на пол чемодан, положила на кровать доску.

— Кончилось.

15

Варя нервничала, ждала, что Костя вернется рано и начнет ей звонить. Не позвонил. Значит, как всегда, явился поздно.

На следующий день в Бюро часа за два до конца рабочего дня Игорь Владимирович из своего кабинета позвал Левочку к телефону. Такой вызов был необычен.

Через несколько минут Левочка вернулся и сказал Варе, что к телефону вызывают ее.

— Костя?

— Да.

— Откуда он знает этот телефон?

Вместо ответа Левочка пожал плечами.

— Разговаривать по телефону Игоря Владимировича у нас не положено. Есть общий телефон, он знает его номер.

Левочка опять пожал плечами.

— Говорит: срочно, немедленно. Я спросил у Игоря Владимировича, можно ли тебя позвать, он сказал — можно.

— Пойди и скажи, чтобы позвонил по общему телефону.

— Пойди сама и скажи, я не передаточная инстанция.

— Не передаточная? А кто ему доложил о «Канатике»? Не ты?!

Варя сказала наугад, но попала в точку.

Левочка вернулся в кабинет, потом вышел, хмуро сказал:

— Сегодня в пять он ждет у входа в Парк культуры и отдыха.

— На качелях хочет покачаться? — насмешливо спросила Варя.

— Передаю, что сказал.

— Вы поссорились? — Рина не отрывала глаз от чертежа.

— А тебе какое дело?!

— Я просто так...

— Ну и помалкивай!

Придя домой, Варя первым делом позвонила Софье Александровне, беспокоилась за нее.

— Как дела, Софья Александровна?

— Все в порядке.

— Он выехал?

— Да.

— И забрал свои вещи?

— Да.

— Как вам это удалось?

— Удалось... Придешь, расскажу.

Не хочет говорить по телефону, правильно. Варе не терпелось узнать, как Софье Александровне удалось выселить Костю, но надо дождаться Нину, договориться, как они будут жить, нехорошо каждой вести отдельное хозяйство, стыдно перед соседями.

Варя разобрала чемодан, повесила платья в шкаф на старые, привычные места, просмотрела ящики своего стола, все, как прежде, ничто не тронуто, не сдвинуто, будто Нина знала, что она вернется. Сестра все-таки, и свой дом все-таки, родной дом. Она пристроила к столу чертежную доску и начала работать.

За этим занятием и застала ее Нина. Варя улыбнулась ей, спросила, не хочет ли она есть, показала бутерброды, принесенные с работы. Нина тоже вела себя миролюбиво, подошла к доске, спросила, что Варя чертит, со вниманием выслушала Варины объяснения. О хозяйстве Нина сказала, что поскольку они обе обедают на работе, то нет проблем. Варя возразила: есть квартплата, телефон, газ, электричество, завтраки, ужины, во всех этих тратах она будет участвовать наравне с сестрой. Договорились, что общие расходы будут записывать, а в конце месяца делить сумму поровну.

Потом пили чай с принесенными Варей бутербродами, болтали, Варя рассказывала о строительстве гостиницы, о сослуживцах, ее увлеченность нравилась

Нине. Но о Косте ни слова. И Нина не спрашивала, придет время, сама расскажет.

Часов уже, наверное, в десять в коридоре раздался телефонный звонок. Подошла Нина.

— Варя, тебя.

Нина тревожно-вопросительно смотрела на нее. И Варя почувствовала — Костя.

Это был он.

— Тебе Лева передал мою просьбу?

— Передал.

— Почему не приехала?

— На качелях больше не качаюсь, выросла уже.

— Нам надо поговорить.

— Я слушаю.

— Это не для телефона. Нам надо встретиться.

— Нам не о чем говорить и незачем встречаться.

— Это очень важно. Для меня, для тебя, для Софьи Александровны.

Врет, конечно, шантажирует. И все же тревога овладела ею.

— Хорошо, завтра в четыре подойди к «Гранд-отелю». Поговорим.

— Нет, надо поговорить сейчас, немедленно, ты даже не представляешь, как это важно, завтра уже будет поздно. Выйди на Арбат на несколько минут.

— Хорошо,— сказала Варя,— я сейчас выйду.

Она вернулась в комнату, накинула плащ.

— Я скоро приду.

— Он? — коротко спросила Нина.

— Да.

— Хочешь, я пойду с тобой?

— Зачем?

— Мало ли...

Варя засмеялась.

— Ни о чем не беспокойся.

Костя прохаживался возле их дома в пальто с приподнятым воротником, в низко надвинутой на лоб кепке, похожий не то на сыщика, не то на гангстера из американского фильма, в таком виде Варя его еще не видела. Дурацкий маскарад.

Они пошли по Арбату.

— Кто подходил к телефону?

— Сестра.

— Она знает, что ты пошла ко мне?

— Конечно.

Они свернули в Плотников, затем в Кривоарбатский переулок, дошли до пустыря против школы, присели на скамеечке. Было уже темно, светились мутные фонари, в окнах домов горел свет, по переулку проходили редкие прохожие.

— Не надо без мужа ходить по ресторанам,— начал Костя,— можно нарваться на неприятности. Будь ты со мной, к тебе бы никто не пристал, пошла без меня, вот и нарвалась.

— До тебя,— ответила Варя,— когда у меня не было, так сказать, мужа, ко мне никто не приставал, никто меня не оскорблял. Эта особа оскорбила меня именно потому, что я была твоей женой, и посчитала меня тоже шлюхой.

— Она психопатка,— возразил Костя,— она больная...

— Чем?

— Я тебе говорю: психически больная. Психопатки могут нести что угодно.

— Мне некогда, Костя,— перебила его Варя,— меня ждет сестра. Меня эта психопатка не интересует и то, что произошло в «Канатике», тоже. Мы с тобой разошлись.

Он молчал, потом вдруг улыбнулся, попытался взять Варю за руку.

— Подожди, Ляленька, не горячись. Я понимаю, ты сердита, но ведь мы с тобой не так уж и плохо жили. Ты делала все, что хотела: работать — пошла работать, хочешь поступить в институт, я тебе помогу, ты за мной, как за каменной стеной.

Она отняла руку.

— Не строй, Костя, иллюзий. Все кончено.

У него злобно дернулись губы.

— Нет! Ты обещала подождать, пока я найду комнату. А теперь я остался на улице, мне ночевать негде.

— Неправда. Ты сам сказал: тебе безразлично, где я буду жить, у сестры или у Софьи Александровны. Вещи, что ты мне купил, я оставила, забирай, можешь их проиграть на бильярде, можешь раздарить своим девкам. Так что мы с тобой в расчете.

— Нет,— он скривил губы,— нет, не в расчете, далеко не в расчете. Что ты обо мне сказала Софье Александровне?

— Я? Ничего.

— Врешь!

— Я не вру. Я ей рассказала только про накидку, обязана была рассказать, иначе она обратилась бы в милицию и у тебя были бы неприятности. Ей и рассказывать нечего, она все хорошо видит. Ты обещал не приносить домой ружья, а вчера принес. Мне все надоело, и я ушла. А ты поступай, как хочешь.

— Я знаю, как мне поступать, за меня не беспокойся,— мрачно проговорил Костя,— с этой *мадамой* я рассчитаюсь, она у меня свое получит, кровью будет харкать...

— О ком ты говоришь? — не поняла Варя.

— О твоей Софье Александровне, старой стерве, я ей припомню кое-что, она у меня попляшет. «У нас нет закона, одно беззаконие...» И насчет товарища Сталина... У нее, видите ли, сыночка посадили, так она уже поносит наше правительство...

Варя ожидала всего, только не этого.

— Костя, что ты говоришь?! Опомнись!

— Как вы со мной, так и я с вами. Тряпки мне вернула, думаешь тряпками откупиться. Не пройдет!

— Ах ты негодяй! — задыхаясь, крикнула Варя.— Доносчик, вот ты кем оказался. Только попробуй! Ничего ты Софье Александровне не сделаешь, запомни это! Скажешь о ней хоть слово, я подтвержу, что не она, а ты все это говорил, ты, понимаешь, ты. Я единственный свидетель, и поверят мне, а не тебе. Я скажу, что ты оговорил ее из мести, она не позволяла тебе держать в доме оружие, а ты держал на режимной улице. Только шевельни пальцем, только тронь Софью Александровну, я тебя в порошок сотру. И тебе никто не поможет — все эти Рины, Левочки, все тебя продадут.

Она не могла говорить. Гнев, злоба, возмущение душили ее.

— Говори, говори, в последний раз говоришь, в последний,— голос Кости перешел на шепот,— в последний, потому что я сейчас тебя застрелю!

И, как только он это сказал, Варя мгновенно успокоилась. Он держал руку в кармане, у него был револьвер, «Смит и Вессон», он как-то показывал ей, сказал, что револьвер какого-то знаменитого приятеля, он его взял для починки, врал, конечно, всегда врал. Но Варя его не боялась ни чуточки, не застрелит, побоится. И на Софью Александровну не донесет, тоже побоится. Ею овладели лихость, бесшабашность — пусть попробует, пусть!

— Да? — усмехнулась она.— Ты меня застрелишь? Понятно, поэтому спрашивал, знает ли моя сестра, к кому я пошла. Знает, знает, что к тебе, так что стреляй, получишь за меня вышку, об этом позаботятся. Трус! — голос ее переходил на крик.— Стреляй, трус, трус, стреляй!

В окнах раздвигались занавески, люди вглядывались в темноту...

Варя продолжала кричать:

— Ну, стреляй, что же ты не стреляешь, трус, дерьмо!

— Эй, что там происходит? — раздался из окна громкий мужской голос.

В переулке начали останавливаться прохожие.

— Не ори, психопатка. Все равно ты от моей руки не уйдешь.

Повернулся и быстро пошел по переулку.

— Я собиралась идти искать тебя,— сказала Нина, когда Варя вернулась домой.— Что произошло, если не секрет?

Варя засмеялась.

— Ничего особенного, грозился застрелить.

— Это еще что за новости?! — возмутилась Нина.— Он забыл, где живет?!

— Он просто дурак, ничтожество.

На следующий день сразу после работы Варя зашла к Софье Александровне.

Та, сидя за столом, писала, видимо, письмо Саше.

— Ну, Софья Александровна, расскажите, как все было?

Софья Александровна отложила в сторону перо, сняла очки.

— Велела ему уйти. Он поартачился, потом ушел.

— Нет, расскажите подробнее, прошу вас.

— Я ему сказала, что запретила приносить в дом ружья, а он приносит, я сделала тебе выговор, и ты ушла к сестре, и его я прошу уйти, тем более соседи возражают против того, что дверь из-за него не берется на цепочку. Он начал грубить, грозиться, болтать всякую чепуху, что я спекулирую этой комнатой...

— Негодяй!

— Я ему объявила, что сегодня же возьму дверь на цепочку и никто ему не откроет, а если будет ломиться, вызовем милицию, заявим, что он спекулирует ружьями, человек без определенных занятий, все соседи против него, и в домоуправлении несколько раз спрашивали, и участковый им интересовался. Он опять начал меня пугать, я ему сказала: «У меня сын арестован и выслан, я уже знаю дорогу и к прокурору, и к следователю, и к адвокату, вы меня ничем не запугаете, вы лучше о себе подумайте, и если вы завтра утром не выедете, то пеняйте на себя, я ни перед чем не остановлюсь». С этим и вышла. А утром он выехал со своими вещами.

— Как со своими? А мои?

— Твои он оставил.

— Чтобы иметь повод явиться за ними.

— Может быть, надеется, что помиритесь?

— Этого он не дождется.

— Чего я никак не думала,— сказала Софья Александровна,— это то, что он оставит ключи, думала, придется врезать новые замки.

— Предусмотрительный,— усмехнулась Варя.— Если в квартире случится кража, то на подозрении будут те, кто имел ключи, вот он вам их и вернул.

— Возможно,— согласилась Софья Александровна.

— А насчет вещей не беспокойтесь, я их заберу к себе, и, если он явится за ними или позвонит, скажите: Варя вещи забрала, обращайтесь к ней.

— Это правильно, твои вещи, ты их и носи.

— Там будет видно,— неопределенно ответила Варя, твердо решив завтра же передать вещи Косте через Левочку.

Она нежно обняла Софью Александровну.

— Я так перед вами виновата, вы столько натерпелись из-за меня.

— Что ты, деточка, выбрось из головы, не бойся его, такие, как он, сильны только со слабыми, храбры только с робкими.

— Это я знаю,— усмехнулась Варя,— вчера вечером он вызвал меня на улицу, грозился убить.

— Неужели?

— Да, да, я посмеялась над ним и ушла.

— Молодец, так и надо!

Варя и сама чувствовала себя молодцом, чувствовала свою силу, свою независимость. Да, да, наконец независимость! Она не подчинилась чужой воле, сумела переступить через всю эту грязь, пусть она оступилась, пусть ошиблась, но ведь на ошибках, в конце концов, и учатся. Во всем мире люди бьются за кусок хлеба, за место под солнцем, всюду приспосабливаются к обстоятельствам, важно остаться человеком, не позволять никому попирать свое достоинство. Этого она добилась и может этим гордиться.

— Вы пишете письмо Саше?

— Да, детка, Саше. Надо завтра же отправить, боюсь, не дойдет до распутицы. В октябре-ноябре, пока не встанет Ангара, там нет никакого сообщения. Я хочу, чтобы он обязательно получил письмо с последней почтой.

Варя представила себе Сашу, одиноко стоящего на берегу далекой сибирской реки, и ей тоже захотелось написать ему хотя бы два слова, доставить эту малую радость. Теперь, после всех испытаний, через которые она прошла и в которых выстояла, у нее снова стало легко на душе, поэтому и легко было написать Саше — самому лучшему человеку, которого она знает.

— Можно, я напишу ему пару слов?

— Ну, конечно, Варенька,— обрадовалась Софья Александровна,— он будет счастлив, ведь ему никто, кроме меня, не пишет.

Варя взяла листок почтовой бумаги, подумала, обмакнула перо в чернильницу и написала:

«Здравствуй, Саша! Я сейчас у твоей мамы, пишем тебе письмо. У нас все хорошо, мама твоя здорова, я работаю в Моспроекте...»

Она подумала и дописала:

«...Как бы я хотела знать, что ты сейчас делаешь...»

16

Киров тяготился пребыванием в Сочи. Участие его в работе над учебником формальное: читал написанное референтами, одобрял одобренное Сталиным. Он понимал, что Сталин перекраивает историю не только для возвеличивания собственной личности, но и для оправдания своих прошлых, настоящих и будущих жестокостей. Однако возражать Киров не мог, давать бой по теоретическим вопросам бессмысленно, он не теоретик, не историк, у Сталина в распоряжении легион историков и теоретиков, способных доказать что угодго. В это лезть не надо. Но писать статьи о роли Сталина на Кавказе тоже не следует.

Пять лет Киров возглавлял Азербайджанскую партийную организацию, досконально познакомился с ее историей, роль Сталина в Баку была ему хорошо известна, это была роль рядового профессионального революционера. Его особенная роль в Баку придумывается теперь, задним числом, как, впрочем, и многое другое. Он, Киров, тоже принимал в этом участие. Но то были общие, глобальные вопросы истории, утверждение о том, что Сталин — преемник Ленина, было необходимо партии, он, Киров, это утверждение принимал, на некоторые отступления от истины пришлось идти. Но все уже свершилось, борьба окончена, зачем Сталину лавры руководителя типографии «Нина»? Его, Кирова, руками хочет свести счеты с Енукидзе? В этом он участвовать не будет.

В Баку он знает каждую улицу, каждый дом, предприятие, буровую вышку; ничто в его представлении не связывалось тогда со Сталиным. Теперь весь Баку превращается в мемориал Сталину, живому Сталину. Улицы, районы, нефтепромыслы, институты, школы носят его имя. Даже открыт музей в Баиловской тюрьме, хотя никто не знает, в какой камере сидел Сталин. Спросить у него побоялись, мог в таком вопросе усмотреть намек на незначительность самого этого факта, мог подумать, что бакинцы вообще не уверены, нужен ли такой мемориал. Решили все сами, подобрали камеру, в которую легко было прорубить дверь снаружи, чтобы экскурсанты, осматривая ее, не заходили внутрь тюрьмы. Музей создали, водят экскурсии, хотя Сталин знает, что это фикция. Впрочем, Киров уже неоднократно замечал, они даже говорили об этом с Орджоникидзе: у Сталина стерлись грани между реальностью и легендой, когда дело касалось его прошлого.

Но для Кирова эти грани не стерлись и создавать новые легенды он не намерен. Сталин требует его присутствия в Сочи — обидная потеря времени. Его место в Ленинграде, предстоит отмена продуктовых карточек. Через четыре месяца граждане СССР смогут свободно покупать хлеб. Это событие доказывает жизнеспособность колхозного строя, созданного с неисчислимыми потерями, страданиями и жертвами. Такое мероприятие провалить нельзя, к нему надо тщательно готовиться, особенно в районах, не обеспеченных собственным хлебом, к ним принадлежит Ленинград. Вместо этого он бездельничает в Сочи.

Замечания по конспекту к учебнику истории Киров читал на пляже, не читал даже, а просматривал, откладывал листки и прижимал их камнем, чтобы не сдул ветер.

Огороженный двойной густой металлической сеткой, пляж был пустынен. За сеткой вправо и влево — запретная зона. У входа на пляж в будке с телефоном — часовой, другой расхаживал по асфальтированной дорожке вдоль наружной ограды. Пляжем пользовались только гости. Сталин в море не купался и на пляж не ходил. Персонал дач, обслуга, охрана купались в другом месте.

Только одного человека встречал здесь Киров — зубного врача, приехавшего из Москвы. С Кировым он держался почтительно, но без искательности, спокойно, доброжелательно. Этот человек с мягким голосом и сдержанными манерами отлично плавал, и видно было, что все здесь — море, солнце, песок на пляже — доставляет ему наслаждение. Киров всегда испытывал удовольствие, глядя, как радуются люди. Конечно, люди умели радоваться и тысячу лет назад и будут радоваться, пока на земле существует жизнь. Но все же радость, которую видел Киров в советских людях, он не мог не связывать с государством, которое он, Киров, представляет, со строем, который утверждал и утверждает, с новым обществом, которое строит. Улыбка, которую он видел, смех, который слышал, были наградой ему и его партии, оправдывали твердые, подчас суровые решения, которые приходилось принимать. Как марксист, он мыслил масштабно, и все же за тысячами и миллионами для него всегда существовал отдельный человек. Аудитория не была для него безликой. Поднимаясь на трибуну, он стремился ко взаимопониманию с каждым слушателем, может быть, в этом заключался секрет его ораторского искусства.

Он никогда не пренебрегал и личным общением, охотно вступал в любой разговор. И зубной врач тоже был ему интересен. Они говорили о вещах самых обыденных — о температуре воды, о сероводородных источниках, бьющих на дне моря, о воздействии мацестинских вод на человеческий организм. Кирову нравилось, что обо всем Липман говорил не как врач, а просто как собеседник, даже о зубах, предмете своей специальности, говорил простейшие вещи: какая зубная щетка лучше — большая или маленькая, чем предпочтительно полоскать зубы. Но ни разу Липман не сказал, к о г о он лечит, имя Сталина не упомянул ни разу.

— Мацеста делает чудеса,— говорил Липман,— наш сосед по квартире был совершенным инвалидом, ходить не мог, а после Мацесты бегает, как восемнадцатилетний.

— У вас хорошая квартира?

— Как вам сказать... Приличная комната в коммунальной квартире, девятнадцать метров, на Второй Мещанской — недалеко от центра, собственный телефон в комнате. Соседи, правда, недовольны, требуют перенести телефон в коридор, я не против — пусть люди пользуются, но возражает Санупр Кремля. Санупр этот телефон поставил, по нему Санупр вызывает меня к пациенту.

Киров знал, что кремлевских врачей не вызывают, а привозят к их высоким пациентам. И о том, к кому именно везут, не говорят. Орджоникидзе смеялся: «Понимаешь, везут ко мне моего врача, но моей фамилии не называют. А врач все равно знает: приехал за ним Иванов, значит, ко мне. Приехал Петров, значит, к Куйбышеву. Вот в такие игры играем...»

Подул ветер, на море появились барашки.

— Медуз много у берега, значит, к шторму,— сказал Киров.

Так они перебрасывались фразами, лежа на песке, плывя в море или обтираясь после купания. Врач видел листки, лежавшие рядом с Кировым, не хотел мешать, держался деликатно.

Но Киров читал «Замечания», почти не вникая в их смысл. В какую сторону совершается пересмотр истории, ясно и так, подробности уже не имели значения. Он думал о Сталине. В последние годы он вообще много о нем думал. Но в Ленинграде мысли эти заслонялись работой. Здесь работы не было, был Сталин. Киров встречался с ним каждый день и думал о нем неотступно.

Все эти годы он поддерживал Сталина, его линию, боролся с его врагами, подымал его авторитет, делал это искренне, убежденно, хотя ему были неприятны многие личные черты Сталина. Но надо уметь отделять личные качества от политических. Он не слишком верил в обещание Сталина учесть критику Ленина и исправиться. Киров верил в другое: плохие стороны характера Сталина обострила внутрипартийная борьба. С ее окончанием отпадет необходимость в крайностях. И тогда отрицательные черты характера Сталина уступят место тому хорошему, что должно быть в руководителе великой страны, если он хочет заслужить благодарную память потомков. А Сталин этого хочет.

Но надежды Кирова не оправдались. Наоборот, по мере укрепления своего положения Сталин становился все более нетерпимым, капризным, злобным, плел закулисные интриги, стравливал между собой руководителей партии, главным орудием руководства сделал органы безопасности. У Кирова в Ленинграде начальник НКВД Филипп Медведь подчиняется обкому, но другие секретари обкомов рассказывают, что органы на местах все более становятся независимыми от местного партийного руководства, подчиняются только центру, проникают во все звенья государства, главное их орудие — осведомительство, даже коммунистов заставляют следить друг за другом. О том, что за ним следят, ему несколько раз с тревогой говорила Мария. Ладно, Мария — жена, ей положено беспокоиться, но и Софья, сестра Марии, человек хладнокровный, выдержанный, член партии с 1911 года, тоже подтверждает это. Киров этих тревог не разделял, в Ленинграде такого не позволят, по-видимому, Борисов, начальник его охраны, слишком часто меняет расстановку людей, отчего и создается впечатление слежки. Другое дело в Москве, там контролируют каждый его шаг, там следят за всеми членами Политбюро, кто с кем встречается, кто к кому ходит, все это отвратительно, никогда в партии такого не бывало, а вот сейчас есть, и ничего с этим не поделаешь. Подозрительность Сталина растет, он никому не доверяет, с ним невозможно быть откровенным, твою искренность он в любой момент использует против тебя. Все это создает ощущение неуверенности, тревоги, даже беспомощности. И вместе с тем выступить против Сталина нельзя. В этом вся трагедия. Его методы неприемлемы, но линия правильная. Он превратил Россию в могучую индустриальную державу. Выступить против Сталина — значит выступить против страны и партии. Никто не поддержит. А если кто и поддержит, то кем заменить? Многие хотели бы видеть его, Кирова, на посту Генсека — ему это не нужно, не по плечу, он не теоретик, он практик революции. Самое, может быть, яркое воспоминание его революционной юности — это изготовленный его собственными руками гектограф, на нем студенты печатали листовки. Этим гектографом он очень тогда гордился — первый вещественный, материальный вклад в дело партии. Его всегда влекли и радовали именно такие весомые, наглядные результаты его труда и труда людей, которыми он руководит. С него достаточно того, что он коммунист, член партии и партия облекла его высоким доверием. Но Сталин не считается с руководством партии, исторически сложившимся после смерти Ленина, руководством, которое отстояло ленинское наследство от покушений Троцкого и Зиновьева. Это руководство уже больше не называется коллективным, и это так: руководитель партии — Сталин. Но ведь ядро-то осталось. Ленин тоже был руководителем партии и государства, но он считался с ядром, которое его окружало. Считался, несмотря на разногласия, которые там бывали. Политбюро Сталин обходит, теперь такие люди, как Жданов, Маленков, Берия, Ежов, Мехлис, Поскребышев, Шкирятов, Вышинский, значат больше, чем члены Политбюро. Он отчетливо понимает, какую цель преследует Сталин, требуя от него репрессий против бывших зиновьевцев: он нагнетает обстановку террора, в то время как никакого повода для террора нет. Однако Сталин хочет управлять с помощью страха, и только страха — это нужно для укрепления его единоличной власти. И к чему это приведет, неизвестно. Киров с горечью сознавал теперь, какую ошибку совершила партия, не последовав совету Ленина, не освободив Сталина от поста Генсека. Это надо было сделать. Троцкий все равно не взял бы верх — он чужак в партии. Зиновьев и Каменев тоже не пришли бы к руководству — партия им не доверяла. Партию возглавило бы истинное большевистское ее ядро, ее нынешнее Политбюро, в котором нашлось бы место и Бухарину, и Рыкову, и даже Сталину, но как равноправному члену руководства. Да, ошибка непоправимая. Сталина устранить невозможно. Убедить в чем-либо тоже невозможно. Он соглашается с тобой только для вида, для манера, свои политические ходы рассчитывает надолго. За его невинными на первый взгляд предложениями написать статью против Енукидзе, переехать в Москву стоят какие-то дальние политические соображения. Ленин правильно писал: Сталин капризен. Но вместе с тем он терпелив, настойчив и задуманное в с е г д а доводит до конца. Он знает секрет власти. Его упрощенная семинаристская логика, его семинаристский догматизм понятны и импонируют людям. Он сумел внушить народу убежденность в своем всеведении и всемогуществе. Народу нравится его величие, нравится, что после стольких лет разрухи, гражданской войны, внутрипартийной борьбы наступил порядок, этот порядок он отождествляет со Сталиным. Изменить что-либо уже невозможно. От сознания собственного бессилия Кирова охватывало отчаяние.

Переехав в 1926 году в Ленинград, Киров понимал сложность своей задачи. Коммунисты Ленинграда голосовали за Зиновьева. Пустив в ход все свои организационные и пропагандистские средства, Центральный Комитет в короткий срок убедил их проголосовать против зиновьевской оппозиции, за решения Четырнадцатого съезда, за линию ЦК. Это была первая в истории партии акция, когда десятки тысяч коммунистов отказались от взглядов, которые они разделяли вчера, и проголосовали за другие, которые они вчера осуждали. И эту акцию проводил он, Киров. Победа его была горькой. И все его усилия на протяжении этих лет сводились к тому, чтобы восстановить в ленинградских коммунистах чувство внутреннего достоинства, снять нанесенную им душевную травму. Да, он за железную дисциплину в партии, но партии не нужна бессловесная, покорно голосующая масса — такой партийной организацией он руководить не желает. Революционный Питер должен оставаться колыбелью Октябрьской революции, питерские рабочие — авангардом российского рабочего класса, Ленинград — городом передовой европейской науки, передового искусства и культуры. Именно поэтому он возражал против перевода Академии наук в Москву. Он не встретил поддержки в Политбюро, там руководствовались простым соображением: наука служит социалистическому строительству и должна, следовательно, находиться рядом с центром, руководящим этим строительством, рядом с наркоматами и директивными органами. Киров был с этим не согласен. Но его не поддержали, посмеялись: Киров не хочет отдавать из Ленинграда даже престарелых академиков. И Сталин посмеялся. Но Сталин хорошо понимал — Киров против всего, что ущемляет самолюбие ленинградцев.

Во всяком случае, его, Кирова, политика дала плоды В течение ряда лет он тактично, настойчиво убеждал ленинградских коммунистов в том, что их голосование накануне Четырнадцатого съезда партии считает случайным эпизодом, не имеющим никаких последствий, что их недоверие к Сталину безосновательно, политика Сталина единственно правильная. А убедить в этом ленинградских коммунистов было непросто. Политический уровень ленинградских коммунистов высок За эти годы прошла коллективизация с перехлестываниями раскулачивания, с неубедительными маневрами Сталина по поводу «головокружения от успехов» За эти годы страна прошла сквозь голод, жесткое нормирование продуктов и товаров, Киров сделал все чтобы ленинградцы были сыты, часто вступая по этому поводу в конфликт с московскими наркоматами. Но и Ленинград выполнял свои обязанности перед партией. Десятки тысяч коммунистов послал Ленинград за эти годы в деревню в счет двадцатипятитысячников в политотделы МТС и совхозов, на транспорт и на ведущие стройки пятилетки. На это ушла партийная рабочая гвардия Ленинграда. Требуя и принимая эти жертвы, партия как бы возвращала красному Питеру его роль. Значит, инцидент с голосованием перед Четырнадцатым съездом и связанные с этим недоверие к ленинградским коммунистам забыты прочно и навсегда.

И вот, когда рана затянулась и перестала болеть, Сталин решил разбередить ее вновь, через восемь лет решил напомнить ленинградцам тот эпизод, покарать, отомстить, ибо за сталинским требованием «ликвидировать притаившихся и неразоружившихся» стоит стремление разгромить костяк Ленинградской партийной организации. Этого Киров не допустит. Политбюро его поддержит. Да и сам Сталин не пойдет на открытый конфликт по такому вопросу, понимает что Политбюро его не поддержит. Сталину не удастся превратить Центральный Комитет партии и его Политбюро в послушных исполнителей своей воли. И это гарантия того, что Сталину никогда не удастся стать над партией.

Сталин много сделал для реконструкции страны и, как всякий великий исторический деятель, наложил на эпоху отпечаток своей личности. Ленин осуществил бы эту реконструкцию более приемлемыми средствами. Но Ленина нет, есть Сталин. Ленин ходил в ботинках, Сталин ходит в сапогах. Бесспорно, однако, что Россия становится одной из могущественных индустриальных стран мира, страной передовой науки, мощной техники, высокой культуры. Управлять ею террором нельзя. Наука, культура, техника требуют свободного обмена мыслями. Насилие станет преградой на пути развития страны. Марксизм учит, что объективные законы истории выше и могущественнее отдельной личности. Логика исторических процессов неумолима. Сталину придется подчиниться этой логике. Нужно дать дорогу истории, работать, развивать промышленность, науку, культуру, противодействуя, конечно, всяким крайностям.

Главное... Киров встал, лежать надоело, главное — это сохранять, беречь партийные кадры. Пока живы и сильны основные большевистские кадры, партия несокрушима.

— Вы немножко обгорели,— сказал Липман Кирову,— наденьте рубашку, а потом надо будет...

Он не успел договорить, в будке дежурного зазвонил телефон. Киров и Липман обернулись на звонок. Дежурный подошел к Липману, сказал, что доктора просят подняться на первую дачу.

— Потом кожу надо будет смазать спиртом, тогда не будет болеть,— торопливо одеваясь, сказал Липман Кирову.

17

Липман осмотрел десну, сообщил Сталину, что заживление идет хорошо и дня через два он приступит к протезированию.

— Может быть, завтра? — спросил Сталин.

— Можно и завтра,— улыбнулся Липман,— но лучше послезавтра.

— Делайте как знаете,— нахмурился Сталин,— как подвигается ваша работа?

— Работать начнем, когда сделаем слепок.

— Я имею в виду вашу книгу,— раздраженно пояснил Сталин.

— Извините, не сразу сообразил... Спасибо, работаю.

Сталин встал.

— Всего хорошего.

Не врач раздражал Сталина, раздражало поведение Кирова. Столкновений больше не было, Киров аккуратно появлялся на обсуждении замечаний по конспекту истории, молча со всем соглашался, но вел себя как человек, которого заставляют заниматься неинтересным и ненужным ему делом. Эти свидания становились тягостными. Сталин мог бы отослать Кирова, но не хотел открытого разрыва. Надо терпеть, и Сталин терпел. Но нервы его были напряжены. Только он один знал, чего ему стоит внешнее спокойствие, хладнокровие и невозмутимость. Он умел держаться наедине с собой, иначе он не сумел бы держаться на людях. И если все-таки срывался, то не на том, кто был предметом его раздражения. На этот раз он сорвался на враче.

Липман явился в назначенное время и начал делать гипсовый слепок. Сталин не любил эту процедуру, не любил, когда врач выламывает гипс изо рта и кажется, что вместе с гипсом он выломает оставшиеся зубы, не любил ощущения гипсовых крошек во рту...

— Все как будто хорошо,— сказал Липман наконец,— получилось как будто неплохо. Только, Иосиф Виссарионович, может быть, нам все же сделать простой протез?

Сталин ударил кулаком по подлокотнику кресла.

— Вам русским языком было сказано: я хочу золотой!

— Хорошо, хорошо,— поспешно проговорил Липман,— сделаем, как вы сказали, к утру будет готово.

Сталин молча наблюдал, как Липман дрожащими руками складывал инструменты. Испугался, болван! Что за народ?!

Липман вдруг перестал собирать инструменты, попросил робко:

— Иосиф Виссарионович, мне нужно подобрать цвет зуба, пожалуйста, присядьте еще на минутку.

Сталин снова откинул голову на подголовник, открыл рот. Липман долго примерял зубы, один, другой, третий, вид у него был озабоченный, даже испуганный, возился долго, Сталину надоело сидеть с открытым ртом.

— Скоро вы с этим управитесь?

— Сейчас, сейчас,— тянул Липман, снова прикладывая разные образцы зубов. Потом, видимо, принял какое-то решение.— Можете встать, Иосиф Виссарионович. Я постараюсь к утру все сделать,— озабоченно говорил Липман, закрывая свой чемодан.

На следующее утро Сталин приказал вызвать врача.

— Товарищ Сталин,— сказал Товстуха,— он еще не кончил, сказал, будет готово завтра.

Сталин помрачнел.

— Вызовите его ко мне.

Через несколько минут явился запыхавшийся Липман.

— Вы мне обещали сделать сегодня протез. Почему не выполнили обещания?

— Не получилось, Иосиф Виссарионович.

— Что задерживает? — Сталин смотрел на врача своим особенным, тяжелым взглядом, которого все боялись.

Липман развел руками.

— Говорите правду.

— Видите ли,— робко начал Липман,— изо всех искусственных зубов, что я привез с собой, ни один не подходит по цвету к вашим.

— Почему не взяли тех, что подходят?

— Я взял все, что у нас есть, в том числе и того цвета, который для вас уже использовали раньше.

— Ну и что?

— У людей, особенно курящих, меняется цвет зубов. Те зубы, что я привез, близко подходят по цвету к вашим, очень близко, но все же некоторая разница в оттенке есть.

— Очень заметная?

— Не очень. Но специалист заметит.

— Какое мне дело до специалистов?

— Мне не хотелось бы, чтобы кто-то сказал, что я плохо сделал вашу работу.

Сталин усмехнулся:

— Из-за вашего самолюбия я должен ходить без зубов. И сколько я еще буду ходить без зубов?

— Я попросил позвонить в Москву и прислать мне еще зубы — номера по каталогу указал.

Сталин пристально смотрел на Липмана.

— Но ведь вы привезли все, что есть в Москве?!

— Достанут...

— Где достанут?

Липман, не поднимая глаз, проговорил:

— В Берлине.

— В Берлине?!

— Я их выписал по немецкому каталогу.

— Почему вы мне сразу не сказали?

Липман молчал.

— Запретили говорить? — усмехнулся Сталин.

Липман молчал.

— Кто запретил?

Липман молчал.

— Товстуха?

Липман едва заметно кивнул головой.

— Так вот,— внушительно сказал Сталин,— имейте в виду: товарищу Сталину все МОЖНО говорить, товарищу Сталину все НУЖНО говорить, от товарища Сталина ничего НЕЛЬЗЯ скрывать. И еще: от товарища Сталина НИЧЕГО НЕВОЗМОЖНО СКРЫТЬ. Рано или поздно товарищ Сталин будет знать правду.

Задержка с протезом, конечно, неприятна, но это в конце концов образуется. Однако тот факт, что врача заставили врать, возмутителен. Никто из его окружения не имеет права произносить даже слово неправды. Малая ложь влечет за собой большую ложь. Если его окружение врет ему по мелочам, это ненадежное окружение. Все, начиная с членов Политбюро и кончая поваром на кухне, должны знать, что товарищу Сталину надо говорить правду, только правду, одну правду.

Отпустив доктора, он вызвал Товстуху.

— Зачем вы заставили доктора обманывать меня?

— Дело в следующем,— сказал Товстуха.— Вчера доктор доложил, что зубов нужного цвета у него нет, такие зубы можно достать только в Берлине. Я тут же позвонил Литвинову, передал ему все данные по каталогу, Литвинов позвонил Хинчуку...

— Разве Хинчук еще в Берлине?

— Да, Суриц только сегодня выезжает туда.

— Так... Дальше?

— Литвинов мне сообщил, что все уже куплено и сегодня доставят в Москву. Надеюсь, к вечеру материал будет здесь, доктор сказал, что за ночь они сделают.

— Ночью пусть спят, ночью они ничего толком не сделают. Но вопрос такой: зачем вы заставили врача обманывать меня?

Ответ был неожиданный:

— Я боялся, что вы запретите выписывать материал из Берлина.

Товстуха опасался его скромности. Тонкая лесть! А может быть, и в самом деле так думал, решил все взять на себя, принять все на свой страх и риск? Человек проверенный, преданный. И все равно лжи во спасение быть не может!

— Вы все сделали вчера без моего ведома,— сказал Сталин,— и, следовательно, поставили меня перед совершившимся фактом. Если я даже недоволен вашими действиями, то отменять сегодня их поздно. Но зачем вы заставили врача говорить неправду?

— Опасался, что он вам все расскажет и вы запретите.

Сталин прошелся по веранде, остановился, подумал вдруг, что неплохо бы снова попринимать бром. После этой подлой статьи Енукидзе он стал хуже спать, Киров не оправдал его надежд, устранился от отповеди Енукидзе, пребывание Кирова в Сочи не укрепляет нервную систему. Но надо отделять серьезное от мелочей. Не надо выходить из себя из-за пустяков. Зубы, выписанные в Берлине,— пустяк, мелочь! Товстуха искренне говорит, даже убедительно. И все же ложь надо пресечь в самом зародыше, раз и навсегда!

Сталин снова помрачнел, подошел к Товстухе почти вплотную, просверлил его взглядом. Товстуха покраснел, отступил на шаг.

— Я не желаю, чтобы меня окружали лжецы и обманщики, я должен а б с о л ю т н о верить людям, меня окружающим! Люди, меня окружающие, не могут соврать даже в мелочи, у них не может даже возникнуть мысли об этом.

Товстухе показалось, что последнюю фразу Сталин произнес уже более миролюбивым тоном.

— Извините меня, я поступил необдуманно.

Но Товстуха ошибся. Сталин снова смерил его грозным взглядом.

— За малейшую ложь я буду строго наказывать. Особенно строго тех, кто вынуждает ко лжи обслуживающий персонал. Вы поняли, надеюсь?

— Да, товарищ Сталин, больше это не повторится.

На следующий день после обеда Товстуха доложил, что у врача все готово.

— Пусть придет.

Липман явился, виновато улыбаясь, поздоровался, открыл чемодан.

Прохаживаясь по кабинету и наблюдая за действиями врача, Сталин сказал:

— Вы продумали наш вчерашний разговор?

— Да, конечно, Иосиф Виссарионович.

— Я беседовал по этому поводу с товарищем Товстухой, это, оказывается, он вынудил вас говорить неправду.

Липман приложил руку к сердцу.

— Товарищ Сталин, мы не хотели говорить вам неправду! Товарищ Товстуха просил меня не беспокоить вас, не хотел огорчать вас таким мелким осложнением. Боже упаси говорить неправду.

— Беспокоить, огорчать — какой-то детский разговор, а мы с вами взрослые люди.

Сталин сел в кресло, откинул голову на подголовник, Липман ополоснул новый бюгель в стакане, стряхнул с него капли, осторожно, мягким движением поставил на место. Бюгель был на золотой дужке.

Потом началась обычная процедура подгонки протеза карандашом, синей бумажкой... Сомкните зубы. Разомкните зубы... Впрочем, продолжалась она недолго, бюгель сидел хорошо.

— Как будто все в порядке,— сказал Сталин.

Уходя, Липман попросил не снимать протез до завтрашнего утра, а если что-то будет мешать, вызвать его.

Вызывать не пришлось, протез сидел хорошо. Сталин был доволен и, когда через два дня Липман явился, сказал ему:

— Бюгель очень удобный, нигде не жмет, не беспокоит. Ощущение такое, будто я ношу его уже давно.

Липман все же попросил его сесть, снял протез, осмотрел десну, снова надел протез.

— Да,— подтвердил он,— получилось как будто хорошо.

— Ну вот,— сказал Сталин,— а возражали против золотого.

Липман молчал, потом после некоторого колебания сказал:

— Товарищ Сталин, раз вы довольны моей работой, хочу обратиться к вам с маленькой просьбой.

— Пожалуйста,— нахмурился Сталин, не любил, когда к нему непосредственно обращаются с просьбами. Для этого существует определенный порядок, есть люди, они готовят вопрос, знают, какие просьбы нужно ему докладывать, какие нет. Обращаться с просьбами к нему лично нескромно.

Просьба оказалась неожиданной.

Липман вынул из чемодана пакет, развернул, там лежал пластинчатый протез.

— Я вас прошу, товарищ Сталин, походить в этом протезе только один день. Посмотрите, какой удобнее, и сами все решите.

Сталин в изумлении поднял брови. Ведь он ему ясно сказал, что предпочитает золотой, даже ударил кулаком по креслу, и у врача душа ушла в пятки. И все же упорно настаивает на своем. Черт его знает, может быть, так и надо.

— Хорошо,— нехотя согласился Сталин.

Липман сменил протезы. Процедура подгонки, как и в прошлый раз, прошла быстро. Все как будто было хорошо.

— Завтра вы меня, пожалуйста, вызовите,— сказал Липман,— и скажите, какой вам удобнее. Какой будет удобнее, тот оставим.

На следующий день перед обедом Сталин вызвал Липмана.

— В порядке самокритики должен признаться, вы оказались правы. С этим протезом мне легче и удобнее. Но ведь он может сломаться. Сделайте мне запасной.

Липман радостно заулыбался.

— Пожалуйста, хоть десять.

— Завтракали?

— Да, конечно.

— Ну, ничего, перекусите еще раз со мной.

Он провел его в соседнюю комнату. На столе стояли вина и закуски.

— Водки и коньяка у меня нет, не пью и другим

не советую. Вот вино — это совсем другое дело. Какое предпочитаете?

— Я в винах плохо разбираюсь,— смутился Липман.

— Напрасно,— сказал Сталин,— в винах надо разбираться. Кофе я совсем не пью, чай пью, но редко. Предпочитаю вино. Две, три рюмки вина и взбодрят, и голову не затуманят.

Он налил вино в две маленькие, почти ликерные рюмочки.

— Пусть протез, который вы сделали, долго живет. Закусывайте.

Липман взял бутерброд с паштетом.

— Хотите еще немного отдохнуть в Сочи? — спросил Сталин.

— Здесь прекрасно, но мне надо возвращаться в Москву, на работу, если я, конечно, вам больше не нужен.

— Я скажу вашему начальству, что задержал вас. Живите, купайтесь, пишите свою книгу.

— В Москве меня ждут мои больные. Некоторых я уже начал лечить, снял протезы, вырвал зубы, они сидят с открытым ртом и ждут меня. Как быть?

— Это резонно,— согласился Сталин,— когда вы хотите лететь?

— Как можно скорее. Хорошо бы завтра.

Сталин открыл дверь в кабинет, позвал Товстуху.

— Отправьте завтра доктора самолетом в Москву, снабдите всем необходимым,— он показал на бутылки,— вот это вино, например...

Он куда-то вышел и вернулся с большим решетом, наполненным виноградом, передал Липману.

— Донесете? А не донесете, люди помогут,— он повернулся к Товстухе,— в Москве пусть встретят, доставят домой. До свидания, доктор! Будьте здоровы!

Проводив врача, Сталин распорядился пригласить к нему Кирова и Жданова.

Жданов доложил замечания, разработанные референтами по очередной главе курса истории. Сталин слушал его, прохаживаясь по комнате, Киров сидел за журнальным столиком, что-то рисовал на листе бумаги. Это раздражало Сталина, хотя у него самого была такая же привычка, слушая, чертить или рисовать. Но у него это был способ сосредоточиться, у Кирова, наоборот, способ отвлечься, показать, что все это его мало интересует, чуждо ему.

Своего раздражения Сталин ничем не выказывал, наоборот, когда Жданов кончил докладывать, сказал:

— Замечания мне кажутся дельными, думаю, можно принять. Твое мнение, Сергей Миронович?

— У меня нет возражений,— не отрывая глаз от рисунка, ответил Киров.

Сталин взял со стола сводку хлебозаготовок, протянул ее Кирову.

— Посмотри!

В сводке красным карандашом был подчеркнут Казахстан — семьдесят процентов выполнения плана, в общем, средний показатель.

— Отстает Мирзоян,— сказал Сталин,— наши опасения оказались правильными.

— У него не самое худшее положение,— ответил Киров,— семьдесят процентов... Но, конечно, надо подтянуть.

— За этими средними процентами скрывается глубокий прорыв в отдельных областях,— возразил Сталин, доставая со стола еще один листок и просматривая его,— например Восточно-Казахстанская область выполнила план заготовок всего на тридцать восемь процентов. И это в условиях прекрасного урожая. Но этот прекрасный урожай застал руководителей края врасплох, внес, как мы и предполагали, настроение самоуспокоенности и благодушия. В донесении из Казахстана отмечается плохое использование машин, антимеханизаторские настроения, разбазаривание и расхищение государственных средств, проникновение в аппарат земельных органов чуждых, преступных элементов и жуликов с партбилетами в кармане. Положение необходимо срочно исправить, иначе потом будет поздно. Казахстан провалит заготовки, это может тяжело сказаться на хлебном балансе страны, особенно сейчас, когда мы отменяем нормирование хлеба. Я думаю, следует кого-то послать в помощь товарищу Мирзояну.

— А не обидится? — усомнился Киров.— Выходит, не верим в его силы. Может, написать ему, пусть подтянет кадры, предложить помощь людьми, транспортом?

— Зачем обижаться? — усмехнулся Сталин.— На партию нельзя обижаться. Если каждый из нас будет обижаться на партию, то что от партии останется? Конечно, такт нужно соблюдать, не инструктора пошлем, секретаря ЦК пошлем... Слушай, Сергей Миронович, может быть, тебе самому к нему съездить. Отношения у вас дружеские, к тому же член Политбюро приехал — почетно!

Такого поворота Киров никак не ожидал. Уехать в Казахстан, оторваться от Ленинграда, самое меньшее на месяц... Впрочем, здесь, в Сочи, Сталин может продержать его весь сентябрь. Но здесь Сталин держать его не хочет, отношения у них натянутые, и самое лучшее, конечно, разъехаться. Не пользуется ли Сталин Казахстаном для отправки его отсюда? Просто вернуть в Ленинград означало бы, что их совместная работа не состоялась, не получилась. А так есть благовидный предлог — нужно срочно вытаскивать Казахстан и по целому ряду соображений лучше всего послать Кирова, в том числе и из соображений его личной дружбы с Мирзояном. В этом случае его внезапный отъезд из Сочи не вызовет никаких кривотолков. Настораживает только одно: Сталин заговорил о Казахстане в первый же день его, Кирова, приезда сюда. Почему? Заранее предвидел, что их совместная работа не сложится? Заранее готовил его отъезд? Возможно, и так, Сталин предусмотрителен. Во всяком случае, это предложение дает ему возможность поскорее уехать отсюда. Конечно, можно было бы найти другой предлог, еще проще отпустить его на Минводы — тут и предлога искать не надо, врачи потребовали. Но он уже отказался писать о Енукидзе, отказался переехать в Москву, его третий отказ окончательно обострит их отношения.

— Ну что ж,— сказал Киров,— если есть необходимость, поеду.

— Необходимость есть, ты сам это хорошо понимаешь, да и потом,— Сталин показал на листки конспекта по истории,— эта работа, я вижу, тебя не слишком увлекает, так ведь?

— Да, это так,— подтвердил Киров,— какой я историк...

— Вот видишь! А там живое дело. Больше месяца оно у тебя не займет, зато вытянем Казахстан, будем с хлебом. Чем сложен Казахстан? Во-первых, далеко от центра, окраина. Во-вторых, пестрое и фактически новое земледельческое население. Много там осело бывших раскулаченных. Среди них встречаются и хорошие, прилежные работники,— он повернулся к Жданову,— если вам нетрудно, Андрей Александрович, проверьте, я уже просил подготовить указ о восстановлении в правах бывших кулаков, особенно молодежи, которые в течение трех или пяти лет хорошо показали себя на новых местах... Да, есть среди них и трудолюбивые, но много и озлобленных, они вредят нам. С другой стороны, мы еще не привили нашим людям, рядовым работникам, рядовым труженикам элементарной трудовой морали, стремления сделать свое дело возможно лучше, не развили в них чувство гордости за качество своей работы, за свою профессию, за свою личную рабочую репутацию. Вот приехал ко мне из Москвы зубной врач, зубы мне лечил, предложил свой вариант, я отказался. Он начал настаивать, мне пришлось даже несколько повысить голос, не сдержался... Однако интересно другое: он сделал и мой вариант и свой и предложил мне испробовать оба — сначала мой, потом свой. Я испробовал — его вариант оказался лучше, что я в порядке самокритики и признал. Таким образом, он доказал свою правоту, настоял на своем варианте. Зачем? Мог спокойно сделать, как я хотел, и спокойно уехать. Нет, настоял на своем, не побоялся настоять, не побоялся нарушить мой прямой запрет. Почему не побоялся? Профессиональное достоинство пересилило. Значит, это настоящий работник, у него высокое чувство профессиональной гордости, такое чувство мы и должны воспитывать в наших людях. И, когда мы это чувство воспитаем, исчезнет необходимость в принудительных мерах. Но пока этого нет, пока мы много болтаем о преданности делу, клянемся, принимаем обязательства, а обязательство должно быть одно — перед своей рабочей совестью, перед своей рабочей гордостью, вот как у грузинских виноделов, например, или, скажем, как у этого зубного врача.

— Этот врач — приятный человек,— улыбнулся Киров.

Сталин остановился.

— Разве он и тебя лечил?

— Нет, мы с ним виделись на пляже. Хорошо плавает!

Сталин молча прошелся по кабинету, потом сказал:

— Выходит, ты здесь совсем не скучал, а я-то думал, заскучал наш Сергей Миронович за этими конспектами.

В голосе Сталина Киров уловил хорошо ему знакомые ревнивые, подозрительные нотки.

— Пляж пустой, никто, кроме меня и доктора, не купался. Впрочем, я его видел два раза, он на меня произвел хорошее впечатление.

— Да, разговорчивый,— равнодушно подтвердил Сталин.

Это равнодушие тоже было хорошо знакомо Кирову.

Сталин снова молча прошелся по кабинету, затем остановился против Кирова, спросил:

— Завтра можешь вылететь в Алма-Ату?

— Конечно.

— Вот и прекрасно.

Вечером, подписывая бумаги, Сталин сказал Товстухе:

— Зубного врача Липмана заменить другим.

И, подумав, добавил:

— Из кремлевской больницы его уволить, но не трогать.

18

Как и в прошлый раз, Алферов был в штатском, как и в прошлый раз, принял Сашу в горнице, придвинул стул к обеденному столу. Стол простой, рубленный из досок, а стулья городские, с мягкими сиденьями.

— Садитесь, Панкратов, чаю хотите?

Ничего хорошего подобное гостеприимство не предвещало.

— Спасибо, я уже завтракал.

— Стакан чая не помешает, ведь вы с дороги. На чем приехали?

— Пешком пришел.

— Тем более...

Алферов открыл дверь кухни.

— Анфиса Степановна, соорудите нам самоварчик.

Вернулся к столу, дружелюбно посмотрел на Сашу.

— Ну как, Панкратов, сепаратор работает?

— Не знаю, не интересуюсь.

— Напрасно. Так вот, работает. И скажите спасибо мне... Я попросил МТС обязательно его исправить. Исправили в тот же день.

Значит, Зида сказала правду.

Алферов покосился на Сашу.

— Как вы понимаете, я сделал это вовсе не из альтруизма. А потому, что если наш подопечный испортил аппарат, то наша обязанность его исправить.

— Ваш «подопечный» не портил аппарата.

— В деревне об этом думают иначе. Во всяком случае, сепаратор исправлен, инцидент исчерпан. Впрочем, выразимся более точно: приглушен. Заявление на вас лежит у меня,— он показал на ящик стола,— я не собираюсь вас им шантажировать, но о нем может вспомнить председатель колхоза. Впрочем, к этому мы еще вернемся. А вот и чай!

Средних лет женщина, дородная, вальяжная, в длинной юбке и короткой кофточке, внесла самовар, поставила на стол тарелку с брусникой, с рыбой, запеченной в яйцах, с пирожками, начиненными опять же рыбой, брусникой, черникой.

— Чай завариваю сам,— говорил Алферов, засыпая чай,— большое, знаете, искусство, я ему выучился в Китае.

Он поставил чайник на самоварную конфорку, прикрыл сложенным полотенцем.

— Пока чай дойдет, закусите,— Алферов обвел рукой стол.

— Спасибо, чай попью, а есть не хочу, завтракал.

— Ну, ну, смотрите, а захотите — ешьте, аппетит приходит во время еды. Как вам живется в Мозгове, скучаете?

— Веселого мало.

— Не сахар, конечно,— согласился Алферов,— впрочем, у вас там довольно интересные люди. Жилинский Всеволод Сергеевич, философ, ученик Бердяева. Мог в свое время уехать за границу — отказался, как говорит, из-за любви к России. Сейчас бы, конечно, уехал, да поздно. Уж если любишь Россию, то работай для нее, а не против нее. Так ведь?

Саша пожал плечами.

— В принципе так, но я не знаю, что он делал против России.

— И Жилинский, и все другие будут вас уверять, что попали сюда зря. Но, поверьте, зря сюда никто не попадает.

Саша усмехнулся.

Его усмешка не ускользнула от Алферова.

— Вы имеете в виду себя, но вы совсем другое дело. Ваша ссылка — это наши внутрипартийные дела, как говорил Пушкин: «Старинный братский спор...» Вы попали в определенную ситуацию, вели себя в ней не слишком осторожно. Думаете, я приехал в эту дыру по собственному желанию? Видели вы богучанского уполномоченного? Здесь можно и таким обойтись. Я, как вы, надеюсь, понимаете, несколько иное. Но я в своей ситуации тоже оказался не на высоте и вот попал сюда. Ну и что? Я коммунист, и я выполняю свой долг. Да, так о Жилинском... Умный человек, эрудит, но с ним будьте начеку.

— Я с ним почти не общаюсь, так, шапочное знакомство.

— Общаться вам придется волей-неволей,— возразил Алферов,— три года в молчанку не проиграешь, общение неизбежно. Есть у вас еще Маслов Михаил Михайлович, бывший полковник Генерального штаба.

— Вот уж кто меня совсем не интересует,— сказал Саша, начиная, как ему казалось, догадываться, какую цель преследует Алферов.

— Безусловно,— подхватил Алферов,— другое поколение, другая формация. Те, с кем вы этапировались, вам ближе хотя бы по возрасту. Тот же Квачадзе... Переписываетесь с ним?

— Нет, даже не знаю, где он.

— Что же вы так забросили своих попутчиков?— полюбопытствовал Алферов.— Впрочем, я вас понимаю: Квачадзе — троцкист, и заядлый. Но вот Соловейчик...

— С Соловейчиком я изредка переписываюсь.

Конечно, он бы мог ему этого не говорить. Мог бы спросить: для чего вы меня вызвали? Для допроса? Тогда ведите его по всей форме, а такого рода беседы меня не устраивают. Но Саша этого не сказал. Ничего плохого Алферов ему не сделал, хочет говорить по-человечески, пожалуйста, он примет такой разговор.

— Давно вы получили от него последнее письмо?

— Разве вы не знаете? — ответил Саша.— Мне казалось, что вы в курсе всей моей переписки.

— Да, иногда приходится просматривать почту административно-ссыльных, это входит в наши обязанности,— подтвердил Алферов,— но я делаю это нерегулярно, выборочно.

— Мои конверты всегда вскрыты.

— А какой смысл их снова заклеивать,— засмеялся Алферов,— все равно увидите, что они вскрывались. Но, повторяю, делаю это выборочно, мог и пропустить последнее письмо Соловейчика.

— С ним что-нибудь случилось? — спросил Саша.

— Особенного ничего. Просит перевести в Гольтявино, утверждает, что там у него невеста. Это правда?

— Да,— подтвердил Саша,— у него там невеста. Я ее сам видел, когда мы проходили через Гольтявино.

— Допускаю, что в Гольтявино у него невеста. Но это не дает ему права самовольно покидать назначенное место жительства. А он без разрешения ездил в Гольтявино. Возможно, я посмотрел бы на это сквозь пальцы, дело молодое, любовь и так далее. Но Гольтявино в ведении Дворцовской комендатуры, а они на это сквозь пальцы смотреть не желают.

— Я об этом ничего не знал,— сказал Саша.— Но его можно понять. Уж если кто случайно попал сюда, то именно Соловейчик, далекий от политики человек. К тому же человек легкий, контактный, все эти ограничения для него очень обременительны. Конечно, странно, что он решился на такое, но любовь не знает границ.

— Лирика, Панкратов, сантименты, на официальном языке это называется п о б е г! И за побег наказывают не только бежавшего, а и тех, кто способствовал побегу. В Рожкове есть еще ссыльные, он их всех подвел.

— Если кто-нибудь убежит из Мозговы, я буду за это отвечать?

— Да, представьте себе: один убежит — все отвечают. И надо оберегать невинных людей от эгоистов, думающих только о себе. О любом готовящемся побеге надо сообщать властям, таков порядок. И надо в этом нам помогать. Вот вы утверждаете, что вы честный советский человек. Помогайте!

— Вот кем вы хотите меня сделать?!

— Александр Павлович, ну зачем так? За провокаторство у нас положено строжайшее наказание. Мы не просим вас сообщать о настроениях, о разговорах.

Мы хотим предотвратить побеги, спасти легкомысленных людей, которые бегут, и доверчивых людей, которые тому способствуют. Переведем вас в Кежму, разъездным механиком в МТС, будете свободно передвигаться по району, встречаться с ссыльными, в том числ и с теми, кто хочет бежать. А вы их отговаривайте В крайнем случае, сообщайте нам, чтобы мы могл предотвратить побег. Будете материально обеспечены жить будете в районе, а не в деревне и людей спасет от безрассудных поступков.

— Вы напрасно тратите время,— сказал Саша,— то, чего вы хотите, я делать не буду. Считаю аморальным.

— Мою работу вы тоже считаете аморальной?

— Вы служите и выполняете свои служебные обязанности. А я ссыльный и тоже буду выполнять сво обязанности.

— Какие?

— Отбывать свой срок.

Алферов помолчал, потом улыбнулся и сказал

— Александр Павлович, вы ставите меня в очен затруднительное положение.

— Я вас не понимаю.

— Вы сказали «любовь не знает границ», вы правы допустим. Но ваша жена — учительница. Можем мы доверить воспитание подрастающего поколения жен человека, политически нелояльного?

— У меня нет жены, с чего вы взяли? Учительница Я захожу к ней иногда за книгами, только и всего

— Александр Павлович, мы с вами мужчины и хорошо понимаем друг друга. Я и не рассчитывал н другой ответ. Но учительница — ваша жена. И есл вы будете благоразумны, то мы не только вас, но и е переведем в Кежму, и тут нужны учителя.

— Никакой жены у меня нет,— нахмурился Саша,— с таким же успехом вы можете объявить моей женой любую женщину в Мозгове. Если вы тронете учительницу, то совершите величайшую несправедливость

— Никто не собирается ее трогать. Но оградит ее от чуждых влияний мы обязаны. Скажем, переведя вас в другое место.

— Вы хозяева! — Саша вздохнул с облегчением Черт с ним! Переедет в другую деревню, лишь бы Зиду не тронули.

Алферов встал, прошелся по комнате...

— Скажите, Панкратов, каким вы мыслите свой путь в жизни?

— После ссылки вернусь домой, буду хлопотать о пересмотре дела.

— В Москву вы не вернетесь, получите минус.

— Работать можно не только в Москве.

— Пересмотр дела? — продолжал Алферов.— Вряд ли вы его добьетесь. Судимость на вас будет висеть.

— Бывает, что судимость снимают.

— Бывает,— согласился Алферов,— но за заслуги перед государством. А я не вижу у вас особого стремления совершить нечто особенное. Ведь вы обижены.

— Я не обижен. Но, как билась моя мать в коридоре, когда меня уводили, не забуду. И, как шил мне дело следователь, тоже не забуду.

— Ну, хорошо,— Алферов снова уселся против Саши,— перейдем к делу. Соловейчик убежал!

Он пытливо смотрел на Сашу. Саша ошеломленно смотрел на него.

— Этого не может быть. Соловейчик не так глуп, он хорошо понимает, что убежать некуда.

— И все же он сбежал, он писал вам что-либо?

Саша усмехнулся.

— Сбежать глупо, писать об этом еще глупее.

— Безусловно,— согласился Алферов,— и все же вы здесь его единственный друг, единственный товарищ.

— Вы хотите меня обвинить в пособничестве побегу?

— Панкратов,— внушительно сказал Алферов,— я к вам отношусь гораздо лучше, чем вы думаете. Никто вас в этом не обвиняет. Но Соловейчик хорошо продумал маршрут побега. Этих маршрутов два: первый — по Ангаре к Енисею, второй — через тайгу в Канск. И по тому и по другому пути он далеко не уйдет, в первой же деревне его задержат. Идти в обход селений — нужен большой запас продовольствия, которого у него нет. Но возможен и третий путь — вверх по Ангаре, на Иркутск. Эта дорога длиннее, но на пути есть Мозгова, где живете вы, и дальше вверх еще два селения, где живут единомышленники его невесты. Не исключено, что он выбрал именно этот путь, не исключено, что он явится к вам.

— Как же он ко мне явится? На глазах у всей деревни?

— Этого я не знаю. Может, и не явится. Но может и явиться. В этом случае вам следует продумать свое поведение.

— Задержать его? — засмеялся Саша.— А если я с ним не справлюсь?

— Задерживать его не надо, мы сами его задержим. Хорошо бы уговорить вернуться. В этом случае обвинение в побеге отпадет, просто самовольная отлучка, можно ограничиться мерами административного характера. Я говорю честно, Панкратов, я не хочу побега, мне не нужно чрезвычайное происшествие.

Саша чувствовал, Алферов говорит искренне. Но Саша не верил в побег Соловейчика, может быть, охотился в тайге и заблудился.

— Вот так, Панкратов,— заключил Алферов,— уговорите его вернуться, это самое простое. А если не вернется, сообщите в сельсовет или в правление колхоза, они знают, что делать.

Он помолчал, потом добавил:

— Отнеситесь к этому серьезно, Панкратов, укрывательство беглого или оказание ему помощи могут иметь для вас серьезные последствия. Считайте себя предупрежденным!

Соловейчик убежал? Саша не мог в это поверить. Он мог допустить, что Соловейчик повесился, утопился — жизнь растоптана. Разве сам он не был близок к самоубийству? Но бежать?! Практичный, рассудительный Соловейчик отлично понимает нелепость такого поступка.

С гораздо большим успехом он мог убежать из Канска — сел на поезд и уехал. Здесь он мог надеяться на соединение с Фридой, убежав, он эту надежду терял навсегда. И Фриду затаскают. А уж ее он не стал бы подводить.

Какую же сеть плетет Алферов? Твой товарищ бежал из ссылки, как бы тебе не пришлось отвечать, спрячься-ка лучше за нашей широкой спиной! Живешь с учительницей, она может от этого пострадать, опять же спрячься за нашей широкой спиной! В Мозгове ты без работы, кто тебя будет кормить три года? А я тебе дам работу, тебе не придется обременять родных. И не забудь, на тебе еще висит сепаратор, бумажка — вот она, в столе. Примитивно.

Но вместе с тем Саша чувствовал в Алферове некую необычность, нестандартность, не Дьяков, птица совсем другого полета, был в Китае, Дьякова в Китай не пошлешь. Однако Дьяков в Москве, в центральном аппарате, а Алферов здесь, в глуши. Проштрафился, наверно. В глазах настороженность, признак собственного неустойчивого положения. И нет в нем грубого дьяковского напора. Может быть, не особенно старается?..

Всеволоду Сергеевичу Саша сказал, что его вызывали из-за Зиды. О побеге не говорил — не верил в этот побег.

Всеволод Сергеевич отнесся к разговору спокойно.

— Поедете, в крайнем случае, в Савино или Фролово — небольшая плата за два месяца счастья. А Нурзиде Газизовне ничего не будет, здесь она ценнее Алферова. Другого уполномоченного сюда найдут, другую учительницу — нет.

Зиде Саша рассказал о Соловейчике, ожидал, что Зида, как и он, не поверит. Но Зида поверила.

— Бегут от тоски,— сказала она,— даже очень рассудительные люди. Теряют рассудок и бегут. Обычная вещь.

Как ни странно, разговор с Алферовым успокоил Сашу, прекратил его муки: Алферов подтвердил то, о чем он сам думал,— Москвы ему не видать, на пересмотр дела надеяться нечего. Его списали. Что же, придется перестраиваться и ему. Наконец он принял свою судьбу, почувствовал, что умеет управлять собой. Никаких иллюзий. Его случай не особый, таких, как он, великое множество. И нужно найти в себе силы выстоять.

Как-то он встретил на улице Тимофея. Тот опасливо посмотрел на него, хотел пройти мимо, но Саша преградил ему дорогу.

— Плохо стреляешь, Тимофей, или ружье у тебя дерьмовое?

— Ты чего, чего? — забормотал Тимофей, отступая назад, как и тогда, на лугу, боялся, наверно, что Саша его ударит.

— Не бойся,— усмехнулся Саша,— здесь не трону, а попадешься еще раз в лесу — пристрелю, как собаку. У тебя жеребий, а у меня пуля и ствол нарезной — достану! Я не достану, другие достанут. У нас своя расправа. Запомни, падло!

Сказал и пошел дальше. С такими только так и надо. Как расправились в тюрьме с парнями, убившими ссыльных на Канской дороге, знает вся Ангара. И Тимофей знает. Не сунется больше, трус! Отправляясь в лес, Саша стволы заряжал дробью, но в карман клал жеребий. И не один. И без Жучка уже не ходил. И не стоял на открытом месте. И тропинки всякий раз менял.

На второй или третий день после разговора с Тимофеем Саша опять пошел в лес. Жучок вдруг остановился, что-то почуяв, бросился в чащу. Его неистовый лай слышался совсем близко, лай был не призывный, а злобный, задыхающийся, видно, лаял на человека, а может, и на медведя. Саша притаился за деревом, перезарядил ружье, вогнал в оба ствола по жеребию.

Лай нарастал с неистовой силой, то отдаляясь, то приближаясь, видно, Жучок отбегал, потом опять набрасывался на кого-то. Это, конечно, не Тимофей, собака знает всех деревенских, так она может лаять только на незнакомого или на медведя.

Саше почудился за деревьями человек, почудилось шевеление, может быть, движение воздуха или хруст веток... Жучок выскочил на полянку и кидался на незнакомца, а тот отгонял его длинной толстой палкой. Саша сразу узнал его. Это был Соловейчик, в стеганых брюках и стеганой телогрейке, шапке-ушанке, в болотных сапогах, с небольшой бородой, худой. Узнать его было трудно, но Саша узнал по фигуре, по тому, как отмахивался он от собаки, а может, где-то в глубине души допускал возможность того, что Борис действительно убежал и предположения Алферова правильны: убежал именно в эту сторону.

Он прикрикнул на собаку, подошел к Соловейчику. Они обнялись.

— Зайдем обратно в лес,— сказал Саша.

Они углубились в чащу и присели под деревом, где было относительно сухо. Соловейчик снял заплечный мешок, положил его рядом с собой, прислонился головой к дереву, закрыл глаза.

— Злая у тебя собачонка.

— Увидела незнакомого... Есть хочешь?

— Пока нет, поел,— Борис кивнул на мешок,— ты что, обо мне уже знаешь?

— Меня Алферов вызывал, спрашивал о тебе.

Борис полулежал с закрытыми глазами.

— Зачем ты это сделал? — спросил Саша.

Соловейчик закашлялся, долго и мучительно отхаркивался.

— Я просил перевести меня к Фриде или ее ко мне. Отказали. Я поехал к ней. В дороге задержали. Я убежал. Возвращаться в Рожково? Посадят, припишут побег. Вот и пошел в эту сторону. Искать меня будут внизу или на Канской дороге, а я, может быть, успею добраться до Братска.

— Алферов предполагал, что ты пойдешь в эту сторону.

— Он тебе это говорил?

— Да.

Борис молчал.

— До Братска месяц дороги. Не сегодня-завтра станет зима. Замерзнешь в лесу,— сказал Саша.

— У меня нет другого выхода,— устало ответил Борис,— дойду — дойду, не дойду — не дойду.

— А что будет с Фридой?

— Ей ничего не будет. Она ничего не знает. Я ее после этапа не видел. Переписывался? Я со многими переписывался.

— Это не совсем так,— возразил Саша,— ты объявил ее своей невестой, значит, она близкий тебе человек, ее вызовут.

— Тебя тоже вызывали, что ты мог сказать? И она ничего не может сказать.

— Слушай, может быть, тебе лучше явиться в Кежму, к Алферову? Заявишь, что шел к нему, просить перевести тебя к Фриде или Фриду к тебе. Тогда получится совсем по-другому: из района ты не ушел, сам явился в Кежму.

— Шито белыми нитками,— поморщился Борис.— «Шел в Кежму» — меня задержали не по дороге в Кежму, а, наоборот, по дороге вниз. Нет, к Алферову я не пойду — отошлет в Канск.

— Дороги на Канск нет,— сказал Саша,— будет

только через месяц, не раньше. Тюрьмы в Кежме тоже нет, где тебя держать-то? Алферову выгоднее принять твою версию: пришел хлопотать за себя и за Фриду. Он сам мне говорил: не хочу чрезвычайного происшествия. А то, что тебя взяли внизу, не имеет значения. Скажешь, в Рожкове не было лодки, а где-то в Коде или Пашине ты надеялся подрядить лодку.

— Алферов уже наверняка объявил мой побег,— возразил Борис.— Уж если он тебя вызывал, значит, принял меры.

— И все же,— настаивал Саша,— это единственный шанс. До Братска ты не дойдешь, перехватят в первой же деревне и тогда наверняка припаяют побег.

— Не буду заходить в деревни.

— А что будешь есть?

— Дашь мне немного жратвы, сала, сухарей, сахара, если есть...

— Конечно, дам! Но на сколько тебе этого хватит, сколько ты можешь унести?! В лесу сейчас не прокормишься — зима. Ружья у тебя нет. С голоду сдашься в первой же деревне. Пойми, дело идет о твоей жизни. Явишься к Алферову, ты ее сохранишь. И будет шанс выкрутиться. Пойдешь дальше — погибнешь в лесу или поймают тебя, и тогда уже никаких шансов.

Борис молчал, полулежал с закрытыми глазами, точно не слушал Сашу. Может быть, задремал.

— Переночуешь у меня?

Не открывая глаз, Соловейчик отрицательно мотнул головой.

— Усекут. И ты попадешься.

— За меня не беспокойся.

Борис открыл глаза, с неожиданной энергией заговорил:

— Если меня здесь увидят, то Алферов пойдет по этому следу. А мне надо пройти километров семьдесят — там мне помогут. И подводить тебя тоже не могу. Ты даже не сможешь сказать, будто не знал, что я беглый, Алферов тебя предупреждал. Условимся: ты меня не видел, я тебя не видел! Что бы ни случилось и когда бы ни случилось, хотя через год, через два, через десять лет: я тебя не видел, ты меня не видел.

— Ну, смотри,— сказал Саша,— все же, думаю, ты совершаешь ошибку. Через пару часов ты мог бы быть в Кежме. Алферов тебя потреплет немного, и на этом все кончится. Гарантии дать нельзя, но я думаю, так оно и было бы. Повторяю, это единственный шанс.

— Все решено,— твердо сказал Соловейчик,— можешь достать мне сало, сухарей, сахар?

— Сало могу, сахар постараюсь, сухари надо сушить, если подождешь, будут и сухари.

— Ждать я не могу. Принеси хлеба вместо сухарей.

— Борис! — сказал Саша.— Подумай, прошу тебя. Я не могу понять, на что ты рассчитываешь. Допустим, тебе удастся добраться до Братска... Это исключено, но допустим. А потом?

— Там меня переправят в Иркутск, сяду на поезд и поеду в Москву.

— Зачем?

— Искать правду.

Саше он казался сумасшедшим. Какую правду он собирается искать? А может, чего-то не договаривает? Может, у него есть верные люди на дороге? Фридины друзья? Ему нужно пройти еще семьдесят километров, значит, Фролово, или Савино, или Усольцево. Но все они на островах, как он переберется через Ангару? Ангара еще не встала и встанет не скоро — течение тут быстрое. И все же на что-то рассчитывает. Видимо, и здесь, в ссылке, есть какие-то свои связи, свои возможности, о которых Саша не подозревает. Государство всегда казалось ему всесильным, всезнающим, всепроникающим. На самом деле это не так, его можно обойти. Зида предлагала ему д р у г и е пути. У Соловейчика, возможно, тоже есть свои пути, только Саша их не знает.

— Сколько времени тебе нужно, чтобы сбегать в деревню?

Это была просьба поторопиться. Саша встал.

— Часа через три вернусь.

— Я тебя буду ждать.

Борис снова привалился к дереву, закрыл глаза.

Все, что было раньше — арест, тюрьма, ссылка,— было несравнимо с тем, что совершается сейчас. Тогда он был ни в чем не виновен, теперь он впервые переступает закон. Помогает, будучи предупрежденным. Борис его, конечно, не выдаст, и все же «пособничество побегу» будет на нем висеть. И расплачиваться за это вдвойне обидно: побег Бориса — нелепость, пропадет в дороге или поймают.

Но все равно он обязан помочь Борису. Важно только, чтобы в деревне никто ничего не заподозрил. Просить сало и хлеб у хозяев? Для кого? Явная улика. Единственный, кто может помочь ему, Зида. Если у самой нет, пойдет к соседям. Она всегда покупает продукты, подозрения не вызовет. Шматок сала, хлеба или лепешек, пару десятков яиц вкрутую, сахар у нее есть, есть и конфеты, присланные мамой из Москвы, соль...

Зиде он скажет: достань! Мне это нужно, зачем, не спрашивай и забудь об этом.

Зида ни о чем не спросила. Сходила к соседям, принесла сало, вяленое мясо, лепешек, сварила яйца, достала сахар, конфеты, все хорошо завернула, сложила в холщовую сумку, с какими местные охотники отправляются в лес.

И по тому, что она все сложила в такую сумку, было ясно — догадывается.

В дверях Саша обернулся.

— Я у тебя ничего не брал.

Что бы ни случилось, как бы ни повернулось, Зида ни при чем.

Зида кивнула головой.

— Хорошо.

Услышав Сашины шаги, Борис открыл глаза, приподнялся, помотал головой, как бы стряхивая с себя сон, переложил продукты в заплечный мешок, только соль не взял.

— Есть у меня.

Потом встал. Саша помог ему продеть руки в лямки мешка.

— Ну, друг, прощай!

Борис неловко — мешал мешок — обнял Сашу. Они расцеловались.

— Завтра с утра я буду на этом месте,— сказал Саша,— если передумаешь и вернешься, встретимся.

— Не передумаю,— ответил Борис,— ты все сделал аккуратно?

— Об этом не волнуйся.

19

Орджоникидзе остался недоволен инцидентом с комиссией Пятакова, недоволен тем, что Рязанов фактически выдворил комиссию с завода, недоволен нахлобучкой, полученной от Сталина по вине Марка Александровича. Сталин поддержал тогда Марка Александровича, однако никакого документа, который бы узаконил затеянное Марком Александровичем жилищное, коммунальное и бытовое строительство, нет. Есть слова, а слова забываются. Пока нет официального одобрения, Рязанов остается под ударом.

И потому Марк Александрович охотно согласился на предложение редакции журнала «Большевик» написать статью о положении дел на заводе и проблемах, стоящих перед отечественной черной металлургией. «Большевик» — главный партийный журнал, статья поможет заводу: поставщики и смежники воспримут ее как директиву. И главное: статья даст возможность публично зафиксировать и, следовательно, узаконить затеянное им строительство.

Статью Марк Александрович написал за два вечера. Основные ее положения сводились к следующему.

Американцы разрабатывали проект завода с большой поспешностью, он нуждается в поправках. Марк Александрович перечислил основные. Но одновременно он призывал широко знакомить наших металлургов с лучшими образцами работы американцев и подробно указал, в чем именно мы от них отстаем.

Главная же задача черной металлургии на Востоке — закрепление высококвалифицированных, устойчивых рабочих и инженерно-технических кадров. Отсюда необходимость широкого жилищного, коммунального, культурного и бытового строительства. Марк Александрович перечислил уже произведенные работы (из-за которых и приезжала комиссия), отметил их как достижения, одобренные Центральным Комитетом партии (он имел в виду слова Сталина), и указал, что завод эту работу будет продолжать.

В заключение Марк Александрович в резкой форме критиковал неисправных поставщиков. В середине ноября статья появилась на страницах журнала, а в конце ноября Марк Александрович приехал в Москву на Пленум ЦК партии.

Пленум обсуждал только один вопрос — отмену с первого января 1935 года карточной системы на хлеб и другие продукты.

Озабоченность звучала во всех речах: карточки существовали с 1928 года, обеспечивали хотя и недостаточный, но все же твердый уровень снабжения. Сейчас будет введена свободная продажа, появится рынок, управлять которым разучились.

Сталин не выступал, молча сидел в президиуме.

В последний день Пленума в перерыве в коридоре к Марку Александровичу подошли Орджоникидзе и Киров.

— Вот,— улыбаясь, сказал Орджоникидзе,— с тобой хочет познакомиться Сергей Миронович, твоя статья ему понравилась.

Киров пожал Рязанову руку.

— Да, дельная и умная статья. То, о чем вы пишете, касается не только новых районов, но и старых. Проблема устойчивых кадров становится сейчас первостепенной повсюду. Нравится мне и ваш призыв учиться хорошему у американцев, учиться не зазорно даже у капиталистов. Что касается вашей критики некоторых ленинградских предприятий, то я обещаю исправить положение.

— Спасибо, это будет для нас самой высокой наградой,— ответил Марк Александрович.

Орджоникидзе добродушно сказал:

— Он у нас большой дипломат. В статье официально узаконил свои незаконные расходы.

— Что вы, Григорий Константинович,— возразил Марк Александрович,— просто я зафиксировал то, что сделано и одобрено...

Орджоникидзе не успел ответить. Возле них остановился Сталин. Они даже не заметили, с какой стороны он подошел.

— О чем спор?

— Говорили о статье товарища Рязанова,— ответил Орджоникидзе.

— Что за статья? — спросил Сталин, холодно взглянув на Орджоникидзе, на Марка Александровича, но обойдя взглядом Кирова.

— В последнем номере «Большевика»,— ответил Киров.

— Не читал,— по-прежнему не глядя на Кирова, сказал Сталин.

И пошел дальше.

Марк Александрович смотрел ему вслед, видел его узкую, чуть сутулую спину во френче защитного, почти коричневого цвета, и сердце Марка Александровича наполнялось гордостью. Только что, минуту назад он стоял рядом с НИМ, рядом с Кировым и Орджоникидзе, они разговаривали на глазах всего пленума. Сталин не читал его статьи в «Большевике», это естественно, готовя пленум, готовя отмену карточной системы, он не имел времени даже перелистать журнал. Достаточно того, что ее прочитал и похвалил Киров. И дружеское обращение Орджоникидзе показывает, что больше он не сердится, действия Марка Александровича на заводе узаконены, статья сыграла свою роль. Все правильно, его тревоги были напрасны. В эпоху великих свершений все истинное, полезное неизбежно побеждает, ибо направляется ЕГО мудрой мыслью, ЕГО могучей рукой. Вот ОН идет по заполненному людьми фойе, никто как будто бы и не уступает ему дороги, не делает даже шага в сторону, и все же дорога свободна, перед НИМ дорога свободна, ОН идет спокойно, неторопливо, легко ступая в своих мягких сапогах, никто как будто и не смотрит на него, не оглядывается, но все знают, что идет Сталин. Сталин скрылся за дверью, ведущей в комнату президиума, и только тут Марк Александрович увидел, что Орджоникидзе стоит, прислонившись к стене, дрожащими руками достает из трубочки таблетку нитроглицерина, кладет ее под язык.

— Что с тобой? — спросил Киров встревоженно.

Орджоникидзе перевел дыхание.

— Ничего.

Рязанов взял его под руку.

Орджоникидзе мягко отвел его руку.

— Григорий Константинович, зайдем на медпункт, рядом...

— Ничего не надо, все прошло.

— Нет,— решительно сказал Киров,— отправляйся домой. Пойдем, я тебя провожу.

Для Кирова неприветливость Сталина не была неожиданной. Их отношения испортились уже в Сочи, оттуда Сталин, по существу, услал его в Казахстан. Киров был в Казахстане с шестого по двадцать девятое сентября, а когда вернулся в Ленинград, Медведь, начальник управления НКВД, доложил ему, что его заместитель Иван Запорожец, даже не согласовав с ним, Медведем, привез из Москвы, из центрального аппарата, своих людей, которых самовольно расставил на ключевых постах в секретно-политическом отделе и вообще демонстрирует, что он автономен и подчиняется Москве. Такое положение нетерпимо, в НКВД не могут быть два начальника, из которых один подчиняется обкому, другой — Москве. И потому Медведь просит потребовать немедленного отзыва Запорожца, а также его людей, назначенных без согласования с местными органами.

Вопрос был щекотливым. Безусловно, эти назначения санкционированы. Вероятно, сделаны даже по прямому указанию Сталина для «выкорчевывания остатков оппозиции», в пику ему, Кирову — не хочешь делать сам, сделаем без тебя, потому-то Запорожец всячески заявляет свою автономность. Потребовать отзыва Запорожца — значит вступить в прямой конфликт со Сталиным, причем по деликатному *кадровому* вопросу, где Сталин не терпит ничьего вмешательства.

И все же допустить в Ленинграде существование такого автономного, не подчиненного обкому органа — значит потерять со временем всякую власть.

Киров собрал у себя в кабинете членов бюро обком, только членов бюро, без секретарей, без технических работников, без протокола, и предложил Медведю повторить свою информацию, а членам бюро — высказать свое мнение. Мнение было единодушным: потребовать немедленного отзыва Запорожца и его людей.

Киров поднял трубку и связался с Москвой.

— Сейчас доложу,— ответил Поскребышев.

Ждать пришлось долго. В кабинете Кирова было тихо, все молчали, понимали, что Сталин не случайно не берет трубку.

Наконец он взял ее.

— Слушаю.

— Товарищ Сталин,— сказал Киров,— Запорожец самовольничает, не подчиняется начальнику НКВД Медведю. Бюро обкома просит отозвать Запорожца из Ленинграда.

Сталин молчал, потом спросил:

— В чем конкретно самовольство?

— Вот последний случай,— сказал Киров,— привез из Москвы, от Ягоды, пять человек, без ведома Медведя расставил их на ответственные посты в секретно-политическом отделе...

— Видишь ли,— ответил Сталин,— это внутренние перемещения внутри аппарата НКВД.

— Но я секретарь обкома или нет? — с гневом произнес Киров и ребром ладони ударил по столу.

— К чему такие ребяческие вопросы? — возразил Сталин.— НКВД — новый наркомат, и, как во всяком новом наркомате, в нем неизбежна перестановка кадров. Согласовать каждую кандидатуру со всеми местными организациями практически невозможно.

— Бюро обкома и я лично решительно настаиваем на отзыве Запорожца,— заявил Киров.

— Я объяснил все как мог, лучше не умею,— холодно проговорил Сталин.

И положил трубку.

Некоторое время все молчали. Потом Киров повернулся к Медведю.

— Ну что ж, Филипп, в управлении ты хозяин, бюро обкома знает только тебя. Любые сепаратные действия Запорожца пресекай в корне, мы тебя поддержим.

Проводив Серго на квартиру, Киров вернулся на Пленум. Прозвенел звонок, перерыв кончился, участники Пленума входили в зал. Но Марк Александрович дожидался Кирова.

— Простите, Сергей Миронович, как Григорий Константинович?

— Все пока как будто в порядке, лег в постель, Зинаида Гавриловна вызывает врача.

Но вызывать врача Орджоникидзе запретил. Он чувствовал себя лучше, встал с постели, однако на Пленум решил не возвращаться, проект решения ему известен, проголосуют и без него.

Пересел в кресло, задумался...

Сегодня во время их двухминутного разговора со Сталиным в фойе он совершенно отчетливо понял истинное отношение Сталина к Кирову. Орджоникидзе хорошо знал Сталина, знал, что означает, когда Сталин, разговаривая с человеком, не смотрит на него...

Наступили сумерки, в квартире зажгли свет, к нему заглянула Зинаида Гавриловна.

— Как ты?

— Все хорошо, но не зажигай у меня лампу,— попросил Орджоникидзе,— я хочу посидеть один.

Он сидел и думал. После сообщения Будягина о странных перемещениях в ленинградском НКВД он несколько раз пытался заговорить со Сталиным о Кирове, хотел прощупать ситуацию, но Сталин уходил от разговора, а потом неожиданно затеял его сам.

На Политбюро обсуждалось сообщение Кирова из Казахстана о ходе хлебозаготовок, и Сталин как бы между делом, вне всякой связи с обсуждаемым вопросом сказал:

— Я предлагал товарищу Кирову, как секретарю ЦК, переехать в Москву — отказался. Сколько можно сидеть в одном городе? Восемь лет! Хватит! Держать Кирова в Ленинграде — такой роскоши мы не можем себе позволить. Киров — работник союзного масштаба, он нужен всей партии.

И больше ничего не сказал, перешел к следующему вопросу.

А после заседания, когда уже все разошлись и в кабинете остались только Сталин, Каганович, Молотов, кажется, Куйбышев тоже остался, Сталин сказал Орджоникидзе:

— Поговори с Кировым, ведь вы друзья, пусть переезжает в Москву. Нужен русский человек в центральном руководстве. Мы с тобой грузины, Каганович — еврей, Рудзутак — латыш, Микоян — армянин. Кто у нас русские? Молотов, Куйбышев, Ворошилов и Калинин — мало.

После возвращения Кирова из Казахстана Орджоникидзе ездил в Ленинград и передал Кирову предложение Сталина. Киров опять отказался. Рассказывая о своих трениях со Сталиным в Сочи и о дальнейшем конфликте по поводу Запорожца, спокойно и уверенно сказал:.

— Бесчинствовать Запорожцу в Ленинграде не позволим.

Как наивны были все они, как наивны — и он, и Будягин, и Киров. Да разве Сталин не понимал, что Киров не спасует перед Запорожцем? «Выкорчевывание корешков» — всего лишь прикрытие, камуфляж, ничего там Запорожец не выкорчует, не дадут.

Что предпринять?.. Остается только одно: выиграть время. Надо задержать Кирова в Москве хотя бы на несколько дней, на неделю. Все обдумать, посоветоваться с товарищами, может быть, удастся уговорить Кирова на переезд в Москву. И главное: неожиданная задержка Кирова в Москве насторожит Сталина, он, возможно, пойдет на попятную, возможно, отзовет Запорожца.

Киров вернулся с Пленума почти в одиннадцать часов. Орджоникидзе сам открыл ему дверь.

— Оклемался? — весело спросил Киров, входя в квартиру.— Как чувствуешь себя?

Орджоникидзе сел в кресло, отдышался.

— Плохо, Сережа, плохо, побудь со мной пару дней.

Киров, собиравший портфель, оглянулся.

— О чем ты говоришь? Первого декабря, послезавтра, мой доклад на партийном активе... О Пленуме...

— Какое дело — доклад...— тяжело переводя дыхание, сказал Орджоникидзе,— Чудов, Кодацкий не смогут сделать доклад? Поживи со мной, Сережа, может быть, не придется увидеться...

Киров подошел к нему, взял за руку, посмотрел в глаза.

— Отбрось это от себя. И ложись в постель, вызови врача. Приступ стенокардии всегда сопровождается таким страхом. Возьми себя в руки. Куда мне звонить насчет машины?

— Я сам позвоню.

Орджоникидзе поднялся с кресла, вышел в соседнюю комнату, набрал по внутреннему телефону гараж, позвал к аппарату своего шофера Барабашкина.

— Василий Дмитриевич, подавай машину, отвезешь Кирова на вокзал.— И совсем тихо, прикрыв ладонью трубку, добавил: — Да сделай так, чтобы на поезд опоздал. Понял?

Орджоникидзе вернулся в столовую, Киров уже собрал портфель, надел пальто, стоя, разговаривал с Зинаидой Гавриловной.

— Побудь лучше со мной дня три,— грустно проговорил Орджоникидзе,— а, Сережа, побудь!

— Не могу, я же тебе объяснил, первого декабря — актив.

Внизу у подъезда раздался короткий гудок автомобиля.

Киров обнял и поцеловал Орджоникидзе, обнял и поцеловал Зинаиду Гавриловну, дружески строго сказал ей:

— Не ходи у него на поводу, заставляй лечиться.

Взял портфель и торопливо вышел. Часы показывали половину двенадцатого.

Не доезжая до почтамта, Барабашкин остановил машину, выскочил, поднял капот.

— Что случилось?

— Подача барахлит, Сергей Миронович, сейчас налажу.

— Нет, ждать не буду.

Ошибка Барабашкина заключалась в том, что он остановился вблизи трамвайной остановки. К ней как раз подходил четвертый номер, следовавший по маршруту к вокзалам, и Киров успел вскочить на площадку. В вагон «Стрелы» проводник впустил его за минуту до отхода поезда.

20

Саша вышел из дома еще затемно и рано утром был на том месте, где он вчера расстался с Борисом. Вот и дерево, под которым он лежал. Саша посвистел, крикнул пару раз на Жучка, давая знать Соловейчику, что он здесь, но никто не отозвался. Саша промотался по лесу до сумерек, но нет, не было Бориса, значит, решил не возвращаться. В следующие дни Саша менял маршруты, делал большие круги. На елях толстыми подушками уже висел снег, покрывал рыхлыми комьями землю, валежник, скованные льдом болотца. Саша шел с трудом, часто останавливался, прислушивался, но лес был безмолвен. Лишь кряхтели изредка замерзающие деревья да цокали клесты, перелетая с ели на ель, стряхивая ней с ветвей и роняя в снег чешуйки и вылущенные шишки.

Как-то Саша поднял с лежки зайца-беляка, и он покатил меж деревьев, заложив за спину длинные уши. Попадались белки, видимо, выводки этого года, малоопытные: сидит открыто на ветке с закинутым за спину пушистым хвостом, лущит шишку, быстро-быстро перебирая ее лапками, и глядит сверху на Сашу в упор. Попалась как-то мышкующая лисица, неторопливо трусила по снегу, временами останавливалась, прислушивалась, не пискнет ли под снегом мышь или полевка, и если слышала писк, то сразу бросалась туда и быстро, по-собачьи рыла снег. Однажды Саша увидел, как кормится глухарь: осторожно ступая по пороше, он срывал листья с ветки можжевельника, побеги черники, еще не совсем занесенные снегом, а то и верхушки молодой сосенки.

Неделю бродил Саша по лесу, но Соловейчик не появлялся, значит, далеко ушел, а может быть, и сгинул в лесу, замерз, заболел, провалился под лед или заблудился и умер с голоду.

Но его не поймали. Попадись он, об этом знали бы все. Побег — событие, поимка беглого — еще большее событие, такая новость облетает всю Ангару, начинаются выяснения, допросы: кто помогал, кто прятал, кто давал пищу?

Ссыльные в Мозгове тоже обсуждали побег Соловейчика. Но так как никто, кроме Саши, не знал его, а Саша об этом знакомстве не распространялся, то обсуждали побег вообще, его бесперспективность и обреченность. Даже если вырвется из Сибири, все равно пропадет — нелегальное положение в наших условиях невозможно. На этом сходились все.

Но все понимали также, что побег Соловейчика не пройдет бесследно, оставить это без последствий — значит поощрить дальнейшие побеги. Если нельзя наказать беглеца, то надо наказать оставшихся, сорвать с обжитого места, лишить хоть какого-то заработка, ссыльные должны знать, что им придется отвечать за каждого беглого, должны сами предотвращать побеги. И действительно вскоре всех ссыльных из Рожкова разослали по другим деревням.

В Мозгову из Рожкова прислали двух: некоего Каюрова и женщину, как говорили, члена партии чуть ли не с тысяча девятьсот пятого года, со странной фамилией Звягуро. Звали ее Лидия Григорьевна. Старообразная, некрасивая, с выпирающими зубами, она приехала не одна, а с шестилетним мальчиком Тарасиком.

Привезли ее уже по санному пути. Она остановила возчика возле избы, где жил Саша, вошла к нему и сказала:

— Мне о вас говорил Соловейчик. Вы не подскажете, у кого можно снять жилье?

— Надо подумать,— ответил Саша,— проходите, садитесь.

— Я должна отпустить извозчика.

Они вышли на улицу. В санях, закутанный в платок, сидел Тарасик. Лидия Григорьевна вытащила его из саней, Саша взял вещи — два потертых чемодана, перевязанных веревкой, все вернулись в дом. На улице скрипнули полозья — возчик уехал.

Лидия Григорьевна развязала на Тарасике платок, сняла с него нечто вроде шубки, сняла шапку, велела сесть на лавку. Тарасик сел, поглядывая на Сашу.

Саша открыл дверь в кухню, попросил хозяйку зайти. В горницу вместе с хозяйкой зашел и хозяин.

Саша показал на Лидию Григорьевну.

— Это моя знакомая, у кого бы поселить?

Старуха посмотрела на мальчика.

— Внук, что ли?

— Внук,— нахмурилась Лидия Григорьевна.

— С ребенком, однако, трудно добыть. Балуются они, дети-то...

— Он не балуется,— сказала Лидия Григорьевна.

— Кто знат,— пробормотала старуха.

— А разве не бывали тут у вас ссыльные с детьми? — спросил Саша.

Хозяйка не ответила, продолжала рассматривать мальчика.

— Звать-то как?

— Тарасом его зовут.

— Брюхановы, однако, сдадут,— сказал старик.

— У Брюхановых девка мешана.

— Девка тиха, не тронет.

Лидия Григорьевна опять нахмурилась.

— А кто кроме Брюхановых может пустить?

Старуха задумалась.

— Сизых? — спросила она у старика.

— Заливает в глотку,— одобрительно заметил старик.

— Нет, нет, это не надо, Тарасик боится пьяных.

— Разборчива ты,— неодобрительно заметила старуха, потом обернулась к Саше.— К Верхотуровым сходи, возле учителки живут.

По дороге к Верхотуровым Лидия Григорьевна сказала:

— С ребенком трудно устроиться на квартиру, хотя он никому не мешает. Боятся другого: если меня заберут, ребенок останется у них. И, пока начальство отправит его в детдом, может пройти и год и два, надо хлопотать, писать, а писать они не умеют.

Верхотуровы запросили тридцать рублей в месяц.

По выражению лица Лидии Григорьевны Саша понял, что она сейчас откажется. Он придержал ее за локоть.

— Ладно, сегодня они к вам переберутся.

Лидия Григорьевна была недовольна.

— Напрасно вы согласились за меня, я не могу и не намерена платить такие деньги.

— Мое согласие ни к чему вас не обязывает, всегда можем отказаться. Побудете пару часов у меня, отдохнете, перекусите, а я похожу, поищу. Если найду что-либо подешевле, посмотрите и решите. Если не найдем сейчас, устроитесь пока у Верхотуровых, будем искать дальше.

— Верхотуровы исключаются,— объявила Лидия Григорьевна,— у меня всего двадцать пять рублей. И что это за цены? В Рожкове я платила пятнадцать рублей.

— Здесь дороже,— согласился Саша,— Рожково — глухомань. А Мозгова рядом с Кежмой, районным центром, цены там на жилье высокие. Я плачу двадцать рублей, вам накинули десятку на мальчика. Что касается денег, я вам одолжу немного, отдадите.

— Я у вас не возьму,— возразила Лидия Григорьевна,— деньги мне присылает племянник из Ярославля, но сейчас начнется катавасия с почтой, уж я-то знаю, что такое переадресовка, хорошо, если получу через полгода. В Рожкове я зарабатывала шитьем. У хозяйки была швейная машина, найду ли я ее здесь?

— У нас полно модниц,— весело сказал Саша,— равняются на районную интеллигенцию. Вас ждет обширная клиентура. А машинку найдем.

— Все равно, как и в Рожкове, будут расплачиваться яйцами, сметаной, рыбой. Племянник мне присылает двадцать рублей в месяц, в этих пределах я и могу платить.

Саша проводил домой Лидию Григорьевну, попросил хозяйку напоить ее и Тарасика чаем, а сам отправился к Зиде. Она знает всех в деревне и может присоветовать что-нибудь дельное.

Дверь у Зиды оказалась открытой, но дома ее не было. В печке тлели дрова, на столе лежали книги и тетради, значит, из школы уже пришла. Книги и тетради Зида запрещала ученикам брать домой, уроки заставляла делать, задерживая детей в школе: «Уроков дома не делают, книгами закрывают крынки с молоком, тетради рвут на самокрутки...»

Машинально он начал рассматривать детские каракули, потом его внимание привлекла толстая общая тетрадь в коленкоровом переплете, настоящая общая тетрадь, такими же он пользовался в Москве, в институте. Саша машинально открыл и ее.

Еще не читая, по датам, обозначенным в тексте — августь, сентябрь, октябрь, ноябрь, по прописным буквам «С» — это он, Саша, «В. С.» — Всеволод Сергеевич, по мелькнувшим перед глазами фразам: «Вчера он сказал», «Он очень смелый и благородный»,— Саша понял, это дневник Зиды. Первым побуждением было закрыть тетрадь, читать чужие дневники — до этого он не может опуститься. И все же... Будь это в Москве, в его прошлой жизни, он не осмелился бы открыть чужой дневник. Но здесь, в его положении... Ведь она пишет о нем! Что пишет? Зачем доверять бумаге? Он обязан знать, что тут написано, каждый его шаг, каждое его слово могут быть перетолкованы. Беда может прийти с любой стороны, даже от женщины, которая его любит. Что, в сущности, он знает о ней? Почему она здесь? В этой глуши!

Он прошелся по комнате.

И что значат слова «он смелый и благородный»? Намек на то, что снабдил продуктами Соловейчика, не выдал беглого?! Двух этих слов достаточно, чтобы распотрошить всю ссылку в Мозгове. Из-за того, что он ей доверился, могут пострадать люди. Она, конечно, не хочет зла никому, но зачем писать? Ведь не девочка, уже под тридцать! Неужели не понимает его положения? Почему оставила дневник на столе? Случайно? Забыла спрятать? Из легкомыслия?

Он снова прошелся по комнате, оторвал от полена березовую кору, бросил в печку, обожженная огнем береста мгновенно свернулась в трубку и в следующий миг загорелась.

Посмотреть дневник? Прочитать, что она пишет о нем, раз и навсегда убедиться, кто же она есть в действительности? Но, сделав это, он перейдет грань, отделяющую порядочного человека от непорядочного. Впрочем, поздно, он слишком долго колебался... Он услышал ее шаги во дворе, потом, как вытирала ноги в сенях. Она вошла, улыбаясь ему.

— Давно ждешь?

Вместо ответа он показал на дневник.

— Что это такое?

Она услышала гнев в его голосе, поняла, что он открывал дневник, смешалась, потом посмотрела на Сашу ясным, открытым взглядом.

— Это мой дневник.

— Зачем ты ведешь его?

Она помедлила с ответом.

— Тебя здесь что-нибудь обидело?

— Я не читаю чужих дневников. Но... По-видимому, ты пишешь что-то и обо мне?

— Да, пишу.

Он смотрел на нее, потом спросил:

— Почему ты здесь, Зида?

Она опустила голову, молчала, не отвечала.

— Я спрашиваю: что тебя сюда занесло?!

Она прошептала:

— Я тебе этого никогда не скажу.

— Дело твое, но я обязан знать, что ты пишешь обо мне.

Она протянула ему тетрадь.

— Читай.

— Я не буду читать твоего дневника. Но я прошу тебя вырвать из него все страницы обо мне и сжечь их вот в этой печке. И в дальнейшем ничего обо мне не писать. Я тебе уже объяснял свое положение, жаль, что ты ничего не поняла.

Она задумчиво перелистала дневник, загнула несколько страниц, протянула тетрадь Саше.

— Это о тебе, прочитай.

— Я тебе сказал ясно: читать не буду. Вырви и сожги.

Он понимал, как жестоко его требование. Но другого выхода нет! Поступок Соловейчика дорого обошелся людям, и без того несчастным. Он не желает, чтобы кто-то пострадал из-за ее легкомыслия.

Зида подошла к печке, присела, открыла чугунную дверцу, вырвала из дневника одну страницу, просмотрела ее, скомкала и бросила в огонь. Прочитала, скомкала и бросила в огонь вторую, потом третью, четвертую... Она сидела на коленях перед печкой, спиной к Саше, вырывала из тетради страницы, комкала и бросала в огонь, уже не читая, видимо, конец дневника был о Саше, а может быть, ей было уже все равно, она рвала все подряд.

— Жарко,— сказала она вдруг.

Только сейчас он заметил, что не дал ей раздеться, она была в шубе, валенках, платке, так, как пришла с мороза.

Теперь он жалел ее, ругал себя. Отвратительно все, ужасно! Он не мог дождаться, когда наконец кончится это придуманное им мучительство.

Зида встала, положила на стол остатки тетради, улыбнулась сквозь слезы.

— Вот и все!

Саша вышел от Зиды. Ужасно, все ужасно! Гадко! Но иначе он поступить не мог. Он живет теперь по новым законам. Может быть, Зида это поймет и они останутся друзьями.

Он зашел в лавку к Феде, спросил его насчет квартиры. Добавил, что жиличка с ребенком шести лет, хорошо шьет и нужно, чтобы у хозяйки была швейная машинка.

— А может, ее к Лариске определить? — предложил Федя.— Одна живет. И машинка есть. Обновы любит, шить не умеет, вот у нее и швея в доме.

— Больше двадцати рублей она не может платить.

— Хватит Лариске и пятнадцать,— махнул Федя рукой,— тем более, шить ей будет. Может, и Маруське чего сошьет.

— А согласится Лариска?

— Скажу, согласится.

Дело сладилось. Саша перенес чемоданы Лидии Григорьевны к Лариске, осмотрел швейную машинку, смазал. Машина была старая, но хорошей марки, «Зингер».

— Желаю вам удачи,— сказал Саша,— что надо, зовите...

Его интересовали подробности побега Соловейчика. Но Лидия Григорьевна ничего не рассказывала, и расспрашивать Саша счел неудобным.

Узнав, что Саша поместил Лидию Григорьевну у Лариски, Всеволод Сергеевич со своей обычной улыбкой сказал:

— Альянс блудницы со старой девой. Но она с мальчиком и деваться ей некуда. Кстати, вы знаете, кто этот Тарасик?

— Говорит, внук, но непохоже.

— Он сын умерших тут спецпереселенцев, или, официально, кулаков.

Саша удивился.

— Взять здесь на воспитание ребенка? Мужественный поступок.

Всеволод Сергеевич качнул головой.

— Или попытка обрести цель в жизни, ухватиться хоть за что-то.

— Чем бы ни был продиктован ее поступок,— сказал Саша,— он благороден и человечен. В меня лично он вселяет надежду: даже в этих диких условиях утверждаются высшие человеческие ценности. Сострадание — одно из них.

— Я думаю о метаморфозах нашей действительности,— сказал, в свою очередь, Всеволод Сергеевич,— не исключено, что в свое время Лидия Григорьевна раскулачила родителей Тарасика и выселила их в Сибирь. А теперь сама в Сибири и воспитывает их сына, терпит из-за этого муки и лишения. Не подкрепляет ли этот факт тезис об искуплении?

— Я плохо знаю христианское вероучение,— ответил Саша,— но Лидией Григорьевной, думаю, двигало то, что выше всех религий и идей — способность жертвовать собой ради других. И то, что это проявляется даже здесь, все это, повторяю, вселяет надежду: человеческое в человеке не убито и никогда не будет убито.

Предлагая Лидии Григорьевне деньги, Саша располагал всего тридцатью рублями. Несколько рублей оставит на папиросы и керосин, перебьется, зато выручит Лидию Григорьевну. А со своими хозяевами рассчитается в конце ноября, в крайнем случае, в декабре, когда начнут доставлять почту по санному пути.

Как он и предполагал, почта пришла в начале декабря. И, как ожидал Саша, почта большая: деньги, посылка с зимними вещами, надписанная четким Вариным чертежным почерком, много писем от мамы, много газет. На штемпелях значился август, сентябрь, кое-где ноябрь — посланное до распутицы перемешалось с посланным после нее, значит, много почты еще впереди, в дороге.

Предстояло удовольствие на неделю, а то и на две — декабрь ему предстоял великолепный.

Как и всегда, он просмотрел сначала письма, разложив их по датам отправления. Ничего нового мама не сообщала, да и какие у нее могут быть новости? Приветы от теток, от Вари, ничего об отце, Марке, товарищах. Каждый конверт Саша открывал с тайной надеждой получить хоть два слова от Вари, ведь он уже писал ей. Но письмо за письмом: «Привет от Вари», «Привет от Вари». А на бандеролях Варин чертежный почерк.

И, когда Саша уже потерял надежду, он открыл последнее письмо и внизу на второй странице увидел Варину приписку:

«Здравствуй, Саша! Я сейчас у твоей мамы, пишем тебе письмо. У нас все хорошо, мама твоя здорова, я работаю в Моспроекте. Как бы я хотела знать, что ты сейчас делаешь. Варя».

Он еще раз перечитал эти строки: «Как бы я хотела знать, что ты сейчас делаешь...» Боже мой! Как бы он хотел знать, что она сейчас делает, видеть ее, слышать, прикоснуться к ней, провести рукой по ее лицу... «Как бы я хотела... Как бы я хотела...» Он испытал острое, щемящее чувство любви и влечения к этой девочке, он представил себе вдруг ее здесь, у него...

У него забилось сердце, он встал, прошелся по комнате, взял себя в руки, просмотрел газеты за август, сентябрь, но поминутно брал письмо и перечитывал эти строки: «Как бы я хотела знать, что ты сейчас делаешь...»

Все еще впереди, черт возьми, все еще впереди! У него есть Варя, теперь он это твердо знает. «Как бы я хотела знать, что ты сейчас делаешь...» Есть Варя, есть мама, люди вокруг, есть его думы, его мысли, все, что делает человека человеком.

Сквозь маленькие квадратные оконца в комнату проникали солнечные лучи. В избе было хорошо натоплено, тепло и уютно. Ничего, можно жить! Тем, у кого нет крыши над головой, тем плохо.

Вошел кто-то в сени, потоптался, смахнул веником снег с валенок, открыл дверь. Это был Всеволод Сергеевич.

— Заходите,— обрадовался ему Саша,— раздевайтесь.

Всеволод Сергеевич снял шубу, шапку, размотал шарф, положил на печь рукавицы... Прошелся по комнате, потирая озябшие руки, кивнул на стол.

— Почту разбираете?

— Да, много пришло. У вас, наверное, тоже?

— И что нового? — ответил Всеволод Сергеевич вопросом.

— Особенного ничего... Письма от матери, от друзей. Я им рад.

— Конечно, конечно,— точно не слыша его, ответил Всеволод Сергеевич.

— Что с вами? — спросил Саша.— Вы чем-то озабочены?

— Плохие дела, Саша, плохие,— Всеволод Сергеевич продолжал ходить по комнате и все тер и тер руки.

Первая мысль мелькнула — Соловейчик... Неужели поймали?

— Да? А что произошло?

Всеволод Сергеевич остановился против Саши.

— Первого декабря в Ленинграде убит Киров.

— Киров? — растерянно повторил Саша.— Кто его убил?

— Подробностей не знаю. Передано правительственное сообщение: первого декабря в шестнадцать часов тридцать минут в городе Ленинграде, в Смольном от руки убийцы, подосланного врагами рабочего класса, погиб Киров. Стрелявший задержан. Его личность выясняется.

— У вас есть газета?

— Газеты у меня нет, но это точно. Есть и второе сообщение — убийца некий Николаев. И третье — дела о терроре рассматриваются в течение десяти дней без участия сторон, то есть без защиты, никаких обжалований, никаких помилований, расстреливать немедленно по вынесении приговора. Вот так, Саша! «Убийца, подосланный врагами рабочего класса», ничего себе...

— Что вы находите особенного в этих словах? Не в них суть.

— Вы так думаете? — ответил Всеволод Сергеевич.— «Убийца, подосланный врагами рабочего класса» — и тут же «личность стрелявшего выясняется». Как же это так, где логика? Личность еще неизвестна, но уже известно, кем он подослан... Непонятно, непонятно... Впрочем, очень понятно...

— Киров, говорят, был хороший человек, хороший оратор, любимец партии. Кто посмел поднять на него руку?

Всеволод Сергеевич сел на лавку, откинул голову к стене.

— Кто бы это ни сделал, Саша, могу сказать вам с полной уверенностью: наступают черные времена.

1966—1983
Москва

ПОСЛЕСЛОВИЕ

20 июня 1944 года гвардейский стрелковый корпус, которым командовал генерал Максим Иванович Костин, прибыл в район станции Рафалувка, западнее города Сарны, и расположился в лесах восточнее Ковеля.

Передислокация была произведена скрытно. Войска разгрузились на малозаметных разъездах и полустанках и, тщательно маскируясь, ушли в леса. Генерал Костин приказал передвигаться только ночью, запретил купаться и стирать белье в реках и озерах, запретил радиосвязь, приказал свести к минимуму телефонные разговоры, шифруя их и кодируя.

Максим Иванович Костин командовал полком под Москвой, дивизией в Сталинграде. На Северском Донце принял корпус, участвовал в Изюм-Барвенковской и других наступательных операциях, освобождении Донбасса, форсировании Днепра, боях на реках Ингул и Южный Буг, освобождении Одессы. Падали рядом люди, много людей, Максим Иванович подписывал сводки потерь: убитые, раненые, пропавшие без вести. Люди, их жизнь и смерть были слагаемыми войны и выполнялись неукоснительно. За добродушием генерала скрывалось умение подчинять людей поставленной задаче, за простоватостью — гибкий ум военного тактика, способного принимать смелые, неожиданные решения, за внешней покладистостью — тонкое понимание служебных отношений, умение маневрировать в нужных обстоятельствах. Его знал и ценил Жуков, это создавало некоторые личные сложности с командованием армии, но простота и добродушие этого высокого, грузноватого для своих тридцати пяти лет молодого генерала, его открытое крестьянское лицо обескураживали даже грозного командарма Чуйкова.

Корпус прибыл 20 июня, а через три дня, 23 июня, началась операция «Багратион», имевшая задачей освободить Белоруссию и выйти на старые государственные границы. В операции участвовали 166 дивизий. Однако армия, в состав которого входил корпус генерала Костина, в дело не вводилась. Несколько позже ей предстояло прорвать немецкую оборону на Ковельско-Люблинском направлении и выйти на Западный Буг. Для подготовки этого наступления был дан ориентировочно месяц — срок очень малый, если учесть потрепанность частей в предыдущих тяжелых боях, недокомплект личного состава и тяжелый рельеф местности.

Предыдущие операции корпус проводил на юге, в степях Украины и Молдавии, здесь же наступать предстояло в болотистых лесах, изрезанных речушками и ручьями с заболоченными берегами. Войска обучались расчищать дороги и тропинки от завалов, волчьих ям, мин, преодолевать мелкие водные преграды, строить гати, проходить болота и торфяники. Корпус получил большое пополнение из местного, освобожденного от немцев населения, пополнение не обстрелянное, его следовало обучить хотя бы простейшему владению оружием.

До командных пунктов дивизии Максим Иванович добирался на «виллисе», дальше верхом. Территория, занимаемая дивизиями корпуса, представляла собой гигантское болото, частью поросшее смешанным лесом: сосной, березой, ольхой, дубом. Среди болота были рассеяны песчаные островки, но все равно и здесь в землянках стояла вода, поэтому солдаты предпочитали палатки, устланные сосновыми ветками. И правильно, думал Максим Иванович, на дворе июнь, тепло, солдаты должны высыпаться, должны быть хорошо накормлены, за этим он следил строго.

3 июля наши войска взяли Минск, прорвали фронт на протяжении 400 километров и продолжали стремительно продвигаться вперед. Это известие застало Максима Ивановича на КП полка, он подумал, что сроки наступления корпуса могут теперь измениться, и потому вернулся к себе раньше обычного. Однако ника-

ких новых распоряжений из штаба армии не поступило. И этот вечер Максим Иванович провел, как обычно: собрал штабистов, говорил о том, что не удовлетворило его в войсках, давал задания, выслушивал доклады.

Отпустив всех уже в первом часу ночи, Максим Иванович расстегнул ворот кителя; накурили, надымили, нужно проветрить. Сам он не курил, но запрещать это даже в своем блиндаже не мог. Поблизости равномерно тарахтел движок, его выключат, как только Максим Иванович ляжет спать.

— Товарищ генерал,— доложил адъютант,— вас дожидается новый начальник автослужбы.

— Что ему нужно?

— Доложиться о прибытии, вступлении в должность.

— Пусть доложится начальнику штаба.

— Я ему так и сказал, но он настаивает.

— Хорошо, пусть зайдет.

Максим Иванович наклонился над картой. Мысль о том, что сроки наступления могут быть передвинуты, не оставляла его. К этому надо быть готовым, приказ может поступить в любую минуту...

Скрипнула дверь. Максим Иванович оторвался от карты, обернулся...

В дверях стоял офицер в старой, но хорошо сидевшей на нем шинели с полевыми погонами, в фуражке, в кирзовых сапогах. Лица его не было видно, неровно горевшая лампочка освещала только стол с разложенной на нем картой...

И все же что-то отдаленно знакомое почудилось Максиму Ивановичу в этой фигуре, молча и напряженно ожидавшей его у двери, что-то тревожное шевельнулось в душе...

Офицер бросил руку к козырьку, четко произнес:

— Товарищ генерал! Гвардии майор Панкратов прибыл в ваше распоряжение для прохождения службы.

Откинул руку, продолжал стоять по стойке «смирно».

Не может быть. Неужели?!

— Ваше предписание! — внезапно осевшим голосом проговорил Костин.

Офицер вынул из планшета предписание, шагнул вперед, протянул его Максиму Ивановичу.

Но тот отвернулся к столу, подтянул на ролике провод, лампа поднялась, осветила весь блиндаж, и, когда Максим Иванович снова повернулся к офицеру, он уже ясно видел — Саша!

Максим Иванович взял предписание... Да, точно, Панкратов Александр Павлович...

Он поднял глаза... На него смотрело его детство, его юность, его Арбат... И Максим Иванович не удержался, помимо воли спросил:

— Саша, ты?

Голос его дрогнул...

— Я,— ответил офицер.

Саша... Живой... Откуда он взялся? Как? Каким образом?

Максим Иванович прошел не только войну, он прошел и предвоенные годы — и 37-й, и 38-й, и 39-й. На его глазах арестовывали, объявляли врагами народа хороших командиров, верных товарищей, испытанных в боях в Испании, на Хасане, на Халхин-Голе. Были ли они на самом деле врагами? Он не хотел в это верить и не мог не верить, иначе невозможно было бы служить делу, которому отдана жизнь. Правильнее всего было не думать об этом. Эти люди сгинули, перешли в иной, неведомый ему мир, из которого нет возврата никому.

И вот из этого мира возник Саша. Через десять лет! Как он их прожил? Как уцелел? Почему направлен именно к нему, в его корпус? Что стоит за этим? Зря показал, что узнал, зря назвал Сашей...

Офицер снова поднял руку к козырьку.

— Разрешите доложить, товарищ генерал?!

Он четко выговаривал слова... Это его, Сашкин голос... И все же, все же...

— Вольно! Я вас слушаю.

Саша опустил руку.

— Товарищ генерал! Чтобы была полная ясность. У меня судимость по 58-й статье, это фигурирует в моем личном деле. Я не просился в ваш корпус. Я не хотел ехать к вам. Но приказ есть приказ. Оспорить его было нечем. Единственное, на что я мог бы сослаться, наше прошлое знакомство. Но такой довод командование бы не приняло. А те, кому положено наблюдать за мной, учли бы. Это могло осложнить ваше положение. Поэтому прошу вернуть меня в штаб фронта: я майор, должность полковника — мотив убедительный. Такое решение было бы самым правильным и для вас и для меня.

Максим Иванович молчал. Боже мой! Это же прежний Сашка, которого он так любил. Сашка, честный, прямой, принципиальный, никого не хочет подводить, все берет на себя. Какую жизнь, наверное, прожил, а все такой же, все такой же! На Максима Ивановича опять смотрела его юность, открытая, смелая, бескомпромиссная. И в этих вспыхнувших воспоминаниях он и себя увидел прежним Максом, устыдился своей минутной слабости: забыл себя настоящего, дрогнул, поддался тому, что появилось в нем в те смутные годы.

— Разрешите идти, товарищ генерал?

— Ладно, Саша,— сказал Максим Иванович,— раздевайся, выпьем со встречей.

— Максим,— серьезно произнес Саша,— именно поэтому я не хотел ехать к тебе, я слишком хорошо тебя знаю.

...Комок подкатил к горлу, Максим Иванович перевел дыхание, положил руку Саше на плечо.

— Спасибо, Саша... Спасибо, что так думал обо мне. Все, садись!

Он быстро отошел от Саши, открыл дверь, приказал адъютанту:

— Сооруди нам пару капель с закуской и чай.

— Максим,— снова начал Саша...

— Все! — оборвал его Максим Иванович.— Здесь я старший — и по должности, и по званию.

Так видится мне встреча двух моих героев. Однако останется ли в будущем эта сцена в том же виде, не знаю. Персонажи романа обладают способностью жить собственной жизнью, автору остается только записывать ее. Не знаю также, успею ли я дописать следующий роман. Но, если отпустит мне судьба еще несколько лет, я надеюсь довести повествование до 1956 года, до Двадцатого съезда, когда были возвращены к жизни тысячи ни в чем не повинных людей и вернули честные имена тем, кого возвратить к жизни уже было нельзя.

СОДЕРЖАНИЕ

ЧАСТЬ ПЕРВАЯ 5
ЧАСТЬ ВТОРАЯ 223
ЧАСТЬ ТРЕТЬЯ 380
ПОСЛЕСЛОВИЕ 588

Литературно-художественное издание

РЫБАКОВ Анатолий Наумович

ДЕТИ АРБАТА

Роман

Ответственный за выпуск *Б. В. Никанович*
Художник переплета и художественный редактор *В. Н. Валентович*
Технический редактор *М. Н. Кислякова*
Корректор *Н. Б. Назарева*

ИБ № 2877
Сдано в набор 03.03.88. Подписано к печати 12.04.88. Формат 84×108 1/32. Бумага тип. № 2. Гарнитура «Балтика». Печать офсетная. Усл. печ. л. 31,08. Усл. кр.-отт. 31,34. Уч.-изд. л. 31,34. Тираж 180 000 экз. Зак. 900.
Цена 3 р. 50 к.

Издательство «Вышэйшая школа» Государственного комитета БССР по делам издательств, полиграфии и книжной торговли. 220048, Минск, проспект Машерова, 11.

Ордена Трудового Красного Знамени типография издательства ЦК КП Белоруссии. 220041, Минск, Ленинский проспект, 79.